Horst Ueberhorst

# TURNER UNTERM STERNENBANNER

Der Kampf der deutsch-amerikanischen Turner
für Einheit, Freiheit und soziale Gerechtigkeit
1848 bis 1918

HEINZ MOOS VERLAG MÜNCHEN

MEINER MUTTER IN MEMORIAM

CIP-Kurztitelaufnahme der Deutschen Bibliothek

**Ueberhorst, Horst:**
Turner unterm Sternenbanner: d. Kampf d. dt.-
amerikan. Turner für Einheit, Freiheit u.
soziale Gerechtigkeit; 1948–1918. – 1. Aufl.
– München: Moos, 1978.
  ISBN 3-7879-0135-3

ISBN 3-7879-0135-3

## VORWORT

»Turner unterm Sternenbanner« soll auf einen bisher kaum bekannten wichtigen
Beitrag des Deutschtums in den USA zur Entwicklung dieses großen Landes aufmerksam machen und so der Vertiefung deutsch-amerikanischer Kulturbeziehungen
dienen. Da unter dem Einfluß der »Achtundvierziger« das Turnwesen in Deutschland und in den USA weitgehend auf politisch-soziale Ziele ausgerichtet war, erschien
es sinnvoll, diese Bewegung in ihrer Struktur und Funktion umfassend darzustellen,
das heißt den Zusammenhang mit den wichtigsten historisch-politischen Prozessen
in beiden Ländern während des behandelten Zeitraums deutlich zu machen. Mögen
die Ziele der Turner im einzelnen auch zu hoch gesteckt gewesen sein, um Änderungen der verfassungsmäßigen und sozial-politischen Grundlagen der amerikanischen Staats- und Gesellschaftsordnung erreichen zu können – dazu war ihre Durch-
setzungskraft im ganzen zu schwach –, so erscheinen ihre Konzeptionen gerade
aus heutiger Sicht doch keineswegs als utopisch. Insbesondere ihr Einsatz für die
Verwirklichung liberaler Prinzipien etwa in der Auseinandersetzung mit den Nativisten, ihr Kampf für die Befreiung der Negersklaven, ihre Verurteilung egoistischen
Parteigeistes und hemmungslosen Profitstrebens, von Ausbeutung und Korruption
blieben nicht ohne Wirkung und verdienen daher stärkere Beachtung. Ebenso muß
ihre Erziehungsarbeit in Vereinen und Schulen gebührend gewürdigt werden, selbst
wenn der Gedanke einer »Mission des Deutschtums« überspannt und in seiner Konsequenz zur Absonderung von den Angloamerikanern führen mußte.
Möge die Untersuchung, die sich zum großen Teil auf bisher unbearbeitetes Material
stützt, das Wissen um die wechselseitigen kulturellen Bindungen zwischen den beiden Ländern stärken und den Gedankenaustausch auf der Grundlage des gleichen
freiheitlich-demokratischen Wertsystems intensivieren.

Niederbachem, August 1979

HORST UEBERHORST

# INHALT

# 1.

# Deutschland und Nordamerika
# im 18. und 19. Jahrhundert

*Grundzüge der deutschen und amerikanischen Staats- und Gesellschaftsordnung von der Französischen Revolution 1789 bis zur Reichsgründung 1871, vom Unabhängigkeitskrieg 1775 – 1783 bis zum Bürgerkrieg 1861 – 1865.*

Vergleicht man die deutsche mit der nordamerikanischen Geschichte, so lassen sich in dem angegebenen Zeitraum zwar gravierende Unterschiede, doch auch manche Parallelen aufzeigen, wie zum Beispiel das Ringen um die Befreiung von obrigkeitsstaatlicher Macht, der Kampf um die Verwirklichung demokratischer Prinzipien und um den Ausbau eines freiheitlichen Verfassungsstaates und die nationale Einheit. Beide Staaten erleben von der Mitte des 19. Jahrhunderts an infolge der Industrialisierung eine machtvolle wirtschaftliche Expansion. Während jedoch die demokratischen Kräfte in den USA sich voll durchsetzen können, scheitert ein solcher Versuch in Deutschland mit der Revolution von 1848. Erst nach der Reichsgründung 1871 bringen die Reichstagswahlen Ansätze demokratischen Lebens. Rassismus und ungehemmter Materialismus begleiten in den USA die gesamtstaatliche Entwicklung, die im blutigen Bürgerkrieg von 1861 bis 1865 der schwersten Belastungsprobe ausgesetzt wird; in Deutschland wiederum geht der Reichsgründung die Unterdrückung freiheitlich-demokratischer Kräfte (1848), der verlustreiche preußisch-österreichische Bruderkrieg (1866) und die Verschärfung der sozialen Konfliktlage voraus.

Der Ausbruch der Französichen Revolution, von der nordamerikanischen Freiheitsbewegung mit beeinflußt, war für die Geschichte beider Völker und Staaten ein Ereignis von großer Bedeutung.

Die Französische Revolution, in der universale Menschheitsideale und nationale Ideen sich verbanden und in politischen Willensakten durchsetzten, gab am Ende des 18. Jahrhunderts den entscheidenden Anstoß zur Um- und Neugestaltung Europas und zerstörte das überkommene europäische Staatensystem.

Mit dem Ansturm der französischen Revolutionsarmeen brach auch das alte Heilige Römische Reich zusammen. Die territorialstaatliche und ständische Zerrissenheit und das Fehlen einer politischen Zentralgewalt ließen das Reich in seiner Gesamtheit nahezu handlungsunfähig erscheinen. Seine politische Struktur sowie seine Wirtschafts- und Sozialverfassung waren gegenüber der selbstbewußten französischen Nation, wo das aufgeklärte Bürgertum die Standesschranken beseitigt und politisch und wirtschaftlich die Führung übernommen hatte, hoffnungslos überaltert und anachronistisch. Erst als Napoleon nach der Besiegung Preußens und Österreichs das Reich auflöste und eine seinen Machtinteressen dienliche territoriale Neuordnung durchführte, wurde das Ausmaß der Katastrophe deutlich. Es mühten sich aber auch angesichts der drückenden französischen Besatzung Männer, nach den Ursachen des Zusammenbruchs zu suchen und aus den daraus gewonnenen Erkenntnissen neue Energien für weitreichende Reformen freizusetzen. Was der Staat an materiellen Kräften verloren hatte, sollte nach dem Willen der preußischen Reformer durch geistige ersetzt werden. Mit dem Aufgreifen revolutionärer westlicher Freiheits- und Gleichheitsideen leitete Karl Reichsfreiherr vom und zum Stein in Preußen eine Sozialreform und Gerhard J. D. von Scharnhorst eine Heeresreform ein, deren Ziel die »Belebung des Gemeingeistes und des Bürgersinns« auf der Grundlage einer umfassenden Nationalerziehung war. Während durch diese Gesellschaftsreform die Aufstiegschancen des Bürgertums in Politik, Wirtschaft und Kultur vergrößert, die Bauern auf dem Lande aus der Gutsuntertänigkeit befreit und den Städten das Recht der Selbstverwaltung zuerkannt wurde, blieb das dem Volk gegebene Versprechen, ein »repräsentatives System« zu schaffen, das der Nation eine wirksame Teilnahme an der Gesetzgebung gestattete, nach den Freiheitskriegen von 1813 bis 15 und dem Sieg über Napoleon unerfüllt.

Die reaktionäre Politik erstickte nach 1815 nicht nur die nationalen Impulse der preußischen Reformer, deren Mut und Patriotismus der Erhebung gegen Napoleon die moralische Kraft verliehen hatte, sie festigte auch aufs neue die absolutistische Fürstenmacht. Repräsentant dieser Politik war Klemens Fürst von Metternich. Da Metternich um eine europäische Friedenssicherung auf der Grundlage der »Solidarität der Throne« bemüht war, sah er in der liberalen und nationalen Bewegung der Zeit Elemente der Zerstörung. Der auf dem Wiener Kongreß geschaffene Fürstenbund (Deutscher Bund), der keine Volksvertretung zuließ, verfolgte auf Drängen Metternichs die Verfechter nationaler und liberaler Ideen, die trotz der Reaktion an der Forderung nach Verfassung, Nationalvertretung und Pressefreiheit festhielten und die feudalabsolutistischen Zustände verurteilten.

Zu jenen, die die freiheitlich-demokratischen Ideen begeistert aufgenommen und am nationalen Befreiungskampf (1813 – 15) teilgenommen hatten, gehörten die Jahnschen Turner. War das »vaterländische Turnen« in seiner Verbindung von patriotischen und volkstümlichen Zielen für die preußische Staatsmacht bis 1815 ein wertvolles Instrumentarium zur Förderung des Nationalbewußtseins, so sah die Reaktion in den von den Turnern propagierten liberalen und nationalen Ideen nach 1815 eine Gefahr. Die Ermordung des turnerfeindlichen Dramatikers August von Kotzebue durch den »Burschenturner« Karl Ludwig Sand gab Metternich den gewünschten Anlaß, gegen die Turner und Burschenschaftler vorzugehen, die seit der Gründung der Urburschenschaft 1815 unter der Devise »Ehre, Freiheit, Vaterland« in den meisten deutschen Universitäten ihren Einfluß geltend machen konnten. Mit den Karlsbader Beschlüssen 1820 wurden die Burschenschaften verboten, eine Turnsperre verhängt, die Universitäten streng überwacht und Hunderte von Studenten relegiert oder verhaftet. Eine in Mainz eingesetzte Untersuchungskommission arbeitete zwei Jahrzehnte an der Aufdeckung »revolutionärer Umtriebe und demagogischer Verbindungen«.

Doch trotz der mit dem »System Metternich« verbundenen polizeistaatlichen Maßnahmen kam es in den Jahrzehnten des »Vormärz« zwischen 1815 und 1848 zu einer Neubelebung des Nationalgedankens, der sich schließlich in ganz Europa als revolutionäre Sprengkraft erwies. Die Befreiungskämpfe der Griechen, Spanier, Italiener und Polen und schließlich die französische Julirevolution von 1830 gaben der deutschen Nationalbewegung neue starke Impulse. Die Welle der Erregung war am stärksten in Südwestdeutschland, wo auf zahlreichen Volksfesten immer wieder die Schaffung eines Nationalstaates gefordert wurde, von dem alle Volksschichten die Beseitigung wirtschaftlicher, politischer und sozialer Mißstände erwarteten.

Um die wirtschaftliche Zersplitterung zu beenden, propagierte Friedrich List einen deutschen Zollverein und ein einheitliches Wirtschaftsgebiet. Mit dem Ausbau eines Straßen-, Kanal- und Eisenbahnnetzes und dem Fortfall der Binnenzölle wurde die alte Wirtschaftsverfassung beseitigt und die Voraussetzung für eine wachsende Industrialisierung geschaffen. In der Textilindustrie konnte durch die Verbesserung der Spinnmaschinen und Webstühle die Produktion erheblich gesteigert werden; das Schwergewicht der neuen industriellen Produktion lag allerdings auf der Verbindung von Kohle und Stahl. Zum Zentrum wirtschaftlicher und industrieller Macht wurde das Ruhrgebiet. Mit der damit eingeleiteten ersten Phase der »industriellen Revolution« wurde die Sozialstruktur der Gesellschaft weitgehend verändert. Im frühindustriellen Unternehmertum entstand eine neue Sozialgruppe; andererseits ließ die Konkurrenz der Fabriken viele Handwerksmeister arbeitslos werden. Es bildete sich ein Proletariat. Zu dem Handwerkerproletariat gesellten sich mittellose Kleinbauern und Landarbeiter, die sich als Tagelöhner verdingten. Da auch Frauen und Kinder in den Produktionsprozeß einbezogen wurden, erhöhte sich bei niedrigen Löhnen die Konkurrenz, wuchs die Armut.

Zehntausende resignierten angesichts der sozialen Not und wanderten aus. Ab 1845 entstanden infolge der sozialen Misere Arbeiterverbindungen, doch erst mit der Revolution von 1848 konnten Arbeiter und Gesellen in eigenen Vereinen offen für ihre sozialen und politischen Ziele eintreten. Inzwischen hatte auch eine Reihe von nationaldemokratischen Dichtern und Intellektuellen über die Propagierung liberaler Forderungen hinaus Anklage erhoben und sich zu Anwälten sozialer Gerechtigkeit gemacht. Im Kampf gegen Hunger, Elend und soziale Not sah der engagierte Herausgeber des »Hessischen Landboten«, Georg Büchner, eine noch wichtigere Aufgabe als die der Liberalisierung der Gesellschaft. Die gesellschaftlichen Ungerechtigkeiten, das Verhältnis zwischen Armen und Reichen, waren nach eigener Aussage für ihn das einzige revolutionäre Element in der Welt. Verfechter solcher radikaldemokratischen Lösungen, zu denen auch der Redakteur der Rheinischen Zeitung, Karl Marx, gehörte, zeigten keine Kompromißbereitschaft in der Durchsetzung ihrer Prinzipien. Erklärtes Ziel war die soziale Gleichheit und die republikanische Staatsordnung, die auf der Rousseauschen Idee der Volkssouveränität basierte. In den Turnvereinen Südwestdeutschlands fanden diese Ideen zahlreiche Anhänger. Die Mehrheit der Turner allerdings setzte sich unter der Führung liberaler Turnführer für politische, soziale und wirtschaftliche Veränderungen im Rahmen einer breiten Reformbewegung ein, von der sie sich die Durchsetzung bürgerlicher Freiheitsrechte erhofften. Da Teilerfolge in der liberalen Verfassungsbewegung süddeutscher und einiger mitteldeutscher Staaten um 1830 bereits erreicht wurden, glaubten die Träger des Liberalismus in Deutschland, das gebildete und besitzende Bürgertum, bei Einschränkung der Fürstenmacht den Deutschen Bund über die Ausweitung staatsbürgerlicher Freiheiten und eine gesamtdeutsche Volksvertretung organisch zu einem Nationalstaat entwickeln zu können.

Der deutschen Revolution von 1848 gingen Kundgebungen der nationalen Bewegung voraus, wie das Hambacher Fest 1832 und zahlreiche Turn- und Sängerfeste, in denen sich die Hoffnung auf einen freiheitlichen Nationalstaat manifestierte. Als sich in den

Jahren 1847 bis 48 in nahezu allen europäischen Ländern die politischen, sozialen und wirtschaftlichen Spannungen und Krisen verschärften, kam es unter den Einwirkungen der französischen Februarrevolution 1848 in zahlreichen deutschen Staaten zu Unruhen und Revolten, sie fanden ihren Höhepunkt in der Märzrevolution von 1848, die in Wien und Berlin vorübergehend siegreich war. Die deutschen Fürsten sahen sich nunmehr zu Konzessionen gezwungen und versprachen Presse- und Versammlungsfreiheit und ein deutsches Parlament, das im Mai 1848 in Frankfurt als gewählte Nationalversammlung zusammentrat. Seine Hauptaufgabe sah es darin, eine nationale Verfassung und Regierungsgewalt zu schaffen. Die Machtlosigkeit des Parlaments, die sich in der schleswig-holsteinischen Frage offenbarte, der Sieg der Reaktion in Österreich und die Ablehnung der ihm angetragenen Kaiserwürde durch Friedrich Wilhelm IV, signalisierten das Scheitern der Nationalversammlung, die immer stärker unter den Druck der republikanischen Linken geriet. Führer wie Friedrich Hecker und Gustav von Struve hatten vergeblich versucht, ihr sozialrevolutionäres Programm, das in der Forderung nach einer sozialen Republik gipfelte, über einen Aufstand in Baden durchzusetzen. Schließlich wurde das nach Stuttgart geflohene Rumpfparlament aufgelöst, der Deutsche Bund wieder eingesetzt und die mit der Revolution errungenen Freiheitsrechte beseitigt.

Doch auch nach dem gescheiterten Versuch von 1848/49, auf freiheitlich-demokratischer Grundlage einen Verfassungsstaat zu schaffen, der den politischen und sozialen Forderungen des Volkes gerecht wurde, blieb die nationale Frage und das Problem der deutschen Einheit Zentrum politischer Bestrebungen. Neue Hoffnungen kamen auf, als in Preußen 1858 eine »Neue Ära« anzubrechen schien und der politische Liberalismus die nationale Einigung unter preußischer Führung erwartete. Zur Förderung des nationalen Einheitsgedankens gründeten Liberale und Demokraten den Nationalverein, aus dem 1861 die Deutsche Fortschrittspartei entstand. Aber bald sahen sich die Liberalen in der Frage der Heeresreform, die sich in Preußen zum Verfassungskonflikt ausweitete, in eine schwere Auseinandersetzung mit dem monarchisch-konservativen Obrigkeitsstaat gedrängt.

In bewußter Negierung der Volksvertretung und in Nichtrespektierung der Verfassung stand Bismarck, 1862 zum preußischen Ministerpräsidenten berufen, die Machtprobe mit den Liberalen durch und konnte schließlich durch seine großen außenpolitischen Erfolge sogar einen Teil der Liberalen für seine Politik gewinnen. Sie führte nach dem Sieg über Dänemark und – im Kampf um die Vormachtstellung in Deutschland – nach dem Sieg über Österreich zur Auflösung des Deutschen Bundes und zur Gründung des Norddeutschen Bundes unter Preußens Führung. Damit wurde ein entscheidender Schritt zur Einigung Deutschlands getan. Diese wurde möglich, als es infolge wachsender Spannungen zwischen Preußen und Frankreich zum Kriege kam, der mit der militärischen Niederlage Frankreichs endete und damit im Westen ein entscheidendes Hindernis auf dem Weg zur deutschen Einheit beseitigte. Mit der als »Revolution von oben« vollzogenen Reichsgründung wurde der Nationalstaat verwirklicht. Die Verfassung des Norddeutschen Bundes, die allgemeine, gleiche, geheime und direkte Wahlen vorsah, die Machtausübung jedoch dem Bundespräsidium, dem König von Preußen und dem Bundeskanzler überließ, wurde Grundlage der neuen Reichsverfassung. Aber die Begeisterung über die Reichsgründung vermochte nicht die innenpolitischen Krisen zu entschärfen, die mit der »sozialen Frage« entstanden waren. Die sich verstärkenden Konflikte zwischen dem Obrigkeitsstaat, der sich auf ein ihm ergebenes, nach Besitz und Macht strebendes Industriebürgertum stützen konnte, und dem ständig sich vergrößernden Industrieproletariat, hatte Ferdinand Lassalle, Gründer des Allgemeinen Deutschen Arbeitervereins, dadurch auszugleichen gedacht, daß er *mit* dem Staat sein sozialpolitisches Programm zu verwirklichen versuchte. Nach seinem Tod ließen die Bemühungen um eine Vereinigung nationaler und sozialer Strömungen nach, und das Industrieproletariat wandte sich zunehmend der sozialistischen Idee internationaler Arbeiterverbrüderung und dem marxistischen Klassenkampf zu.

Waren die demokratischen Turner in der Revolution von 1848 und später in der amerikanischen Emigration für soziale Gerechtigkeit, Freiheit und Fortschritt eingetreten, so standen die in der Deutschen Turnerschaft (DT) organisierten Turner nun der Frage gegenüber, wie sie sich zum preußisch-deutschen Kaiserstaat stellen sollten, der zwar die von ihnen ersehnte Einheit machtpolitisch repräsentierte, nicht aber eine gerechte soziale und demokratische Ordnung. Die spätere Gründung des Arbeiter-Turnerbundes (ATB) legt Zeugnis ab von den unüberbrückbaren Gegensätzen im Turnerlager. So kann es nicht verwundern, daß in der »sozialen Frage« die geistige Verbindung der Arbeiterturner zu den deutsch-amerikanischen Turnern weit stärker war als zu den in der Deutschen Turnerschaft organisierten Turnern.

In diesem Bereich berühren sich die deutsche und die amerikanische Geschichte, der wir uns im folgenden zuwenden wollen.

Wie die Französische Revolution in ganz Europa und damit auch in Deutschland den Anstoß zu einem allgemeinen Wandel des politischen und gesellschaftlichen Lebens gegeben hatte, so löste der Unabhängigkeitskrieg in Amerika eine neue politische Entwicklung des Landes aus. Zwar hatten sich schon in der Kolonialzeit - besonders in Neu England - in der Mitte des 18. Jahrhunderts die Grundzüge einer politischen Demokratie herausgebildet, doch erst im Kampf gegen das englische Mutterland wurden sich die nordamerikanischen Kolonien trotz unterschiedlicher sozialer Strukturen und kultureller Ziele des gemeinsamen Amerikanertums bewußt und wuchsen zu einer in einem Staatsvolk geeinten Nation zusammen. In diese Bewegung, die äußerlich gesehen sich zunächst nur gegen die Gesetzeshoheit des britischen Parlaments richtete - »no taxation without representation« - flossen antimonarchische und antiaristokratische Ideen ein, die schließlich dem Unabhängigkeitskrieg einen revolutionären Charakter verliehen. So basierte die Unabhängigkeitserklärung Thomas Jeffersons auf den naturrechtlichen Ideen von den unveräußerlichen Rechten des Menschen: »Life, Liberty and the Pursuit of Happiness«. Aus gleichem Geist entstand, aufbauend auf den Prinzipien der Gewaltenteilung, im Jahre 1787 die »Constitutional Convention«, die in harter Auseinandersetzung errungene Verfassung des nordamerikanischen Bundesstaates, der George Washington als erster Präsident der Vereinigten Staaten (1789–97) kraftvolle Wirksamkeit verlieh. Diese Verfassung, bis heute gültig, hat sich als die wohl stärkste Bindekraft der neuen Nation erwiesen.

Dennoch vermochte sie die sozialen Spannungen und Gegensätze zwischen Nord und Süd, einer Besitz- und Bildungsaristokratie und dem Common Man, zwischen Schwarz und Weiß und Freien und Sklaven kaum zu entschärfen. Die Spannungen verdichteten sich sogar am Ende des 18. Jahrhunderts und führten zu einer kämpferischen Auseinandersetzung zwischen den beiden Staatsmännern Alexander Hamilton und Thomas Jefferson, in deren Folge es zum Aufbau des amerikanischen Zweiparteiensystems kam. Während Hamilton ein Programm nationaler Entwicklung von Industrie und Finanzen entwarf und, gestützt auf seine selitär und zentralistisch denkenden Föderalisten, den Weg zu einer kapitalistischen Wirtschaftsordnung ebnete, faßte Jefferson die Agrarier des Südens und Westens mit den städtischen Massen zur (»Republikanischen«) späteren Demokratischen Partei zusammen. Er wurde als Verfechter des Gleichheitsgedankens so zum Garanten der amerikanischen Grundrechte, die für jedermann die Hoffnung auf ein freies Zukunftsland wachhielten. In Turnerkreisen genoß Jefferson später besondere Verehrung.

Von großer Bedeutung für die Expansion der amerikanischen Gesellschaft, zur Motivation einer verstärkten Einwanderung und Binnenwanderung, wurde der Erwerb des zumeist unbesiedelten Gebietes vom Mississippi bis zu den Rocky Mountains im Jahre 1803. Die Erschließung dieses Gebietes mit der für den Handel so wichtigen Mississippi-Schiffahrt und die im zweiten Krieg mit England von 1812 bis 1814 erreichte Neutralisierung der Seenkette (Great Lakes) an der kanadischen Grenze schufen die Voraussetzungen für den stürmischen wirtschaftlichen Wachstumsprozeß der »Jacksonian Democracy« (1828–37). Diese Ära brachte zugleich den Durchbruch eines individualistisch-demokratischen Prinzips, das die Gegensätze der Sozialstruktur weiter verschärfte. Die Wahl General Jacksons zum Präsidenten 1828 kam einem Systemwechsel gleich, der die bisherige wesentlich aristokratisch geprägte amerikanische Gesellschaft grundlegend veränderte. Jackson leitete eine radikale Demokratisierung ein, indem er unmittelbar an die Wählermassen appellierte und auf nationaler Ebene Amtsstellen mit Parteianhängern besetzte. Ausgehend von der Freihandelslehre Adam Smiths, später verstärkt durch die Sozialphilosophie Charles Darwins und Herbert Spencers, der Lehre vom Kampf ums Dasein und ethisch begründeter Prinzipien der Auslese und des Durchsetzungsrechts der Lebenstüchtigen, drohte diese Gesellschaft bald in einem Kampf aller gegen alle auseinanderzubrechen. Korruption und Bestechung wurden rücksichtslos eingesetzt, um andere zu unterwerfen oder auszubeuten. Die Sprengkraft dieses Individualisationsprinzips fand ihren stärksten Ausdruck in den wachsenden Spannungen zwischen dem abolitionistischen Norden und dem emanzipationsfeindlichen Süden, die dann zum Bürgerkrieg führten. Mit den leitenden Ideen dieser Zeit setzten sich die deutsch-amerikanischen Turner in ihrem ausgeprägten Sinn für soziale Gerechtigkeit ab 1848 eingehend auseinander.

Eine weitere Voraussetzung für die wirtschaftliche Entwicklung in den dreißiger Jahren war die »Revolution des Transportwesens«, der Bau der Turnpikes, großer zollpflichtiger Überlandstraßen, der Einsatz schaufelradgetriebener Dampfschiffe in der Binnenschiffahrt als Transportmittel für Personen und Güter, der Anschluß des Wasserstraßennetzes von Mississippi und Ohio an die großen Seen, der Bau des Erie-Kanals und anderer wichtiger Wasserstraßen. Mit dem Bau der ersten Eisenbahn trieben Spekulationen und Korruption einem Höhepunkt zu. Die damit verbundene Herausbildung großkapitalistischer Wirtschaftsformen und ein hemmungsloses Konkurrenzdenken führten zur sozialen Polarisierung in Wirtschaftsmagnaten und lohnabhängiger Masse. Eine starke Fluktuation innerhalb der Bevölkerung verhinderte allerdings die Bildung eines klassenbewußten Proletariats. Die »Revolution des Transportwesens« hatte aber auch einen sehr positiven Effekt. Sie förderte die Strukturierung eines gesamtnationalen Wirtschaftsraums und begünstigte eine weitere regionale Differenzierung im Sinne einer arbeitsteiligen, spezialisierten Volkswirtschaft. Massentransportmittel und Spezialisierung im Arbeitsprozeß wurden zur Grundlage einer mechanisierten, für fremden Bedarf produzierenden Landwirtschaft. Während im Norden mit wachsender Industrialisierung und der Erzeugung von

Massenkonsumgütern das Problem des Arbeitermangels durch Rationalisierung und Spezialisierung auf der Grundlage einer freien Arbeitsverfassung gelöst werden konnte – unter Anwendung naturwissenschaftlich-technischer Erkenntnisse auf die Produktion – mußte der Süden an Handarbeit und Sklaverei festhalten. Die Expansion der Wirtschaftskapazität des Nordens verschob sich weiter zuungunsten des Südens, da die transatlantische Einwanderung – vor allem Deutsche und Skandinavier – sich fast nur auf den Norden erstreckte. Die besitzlosen Einwanderer, die meist landwirtschaftlichen oder handwerklichen Berufen zustrebten, waren auf die Unterstützung ihrer bereits ansässigen Landsleute angewiesen. Der Glaube an die Möglichkeit des Aufstiegs als Lohn fleißiger Arbeit in einer freien Gesellschaft hatte sie in die »Neue Welt« geführt. Diese säkularisierte Form puritanischer Ethik, verbunden mit einem aufklärerischen Perfektionsdenken, erwies sich als stark stimulierende Kraft in der amerikanischen Sozialgeschichte und trug – verbunden mit dem Gedanken der Chancengleichheit – zu einer Entschärfung der sozialen Konflikte, zumindest aber zur Ablehnung extremer Klassenkampfthesen bei. Indem diese weitgehend mittelständische Gesellschaft sich als demokratisch verstand und jedem den Aufstieg innerhalb dieser Ordnung freistellte, war sie bei aller Dynamik ihres Entwicklungsganges ihrem Wesen nach evolutionär und nicht revolutionär.

Wurden Farmer und Geschäftsmann das soziale Leitbild des Nordens, so war die weitgehend patriarchalische, pflanzeraristokratische Sozialstruktur des Südens auf einer kleinen, aber politisch sehr einflußreichen Elite von Großgrund- und Plantagenbesitzern aufgebaut, die sich aber mittelständischen Kreisen gegenüber durchaus öffnete, indem sie ihnen echte Aufstiegschancen gab, und auch die Sklaven keineswegs unmenschlich behandelte. Unmenschliche Arbeitsverhältnisse herrschten nur in den südwestlichen Siedlungsgebieten, wo rücksichtslose Landspekulationen und kapitalistische Ausbeutungsmethoden dominierten und die Negersklaven so ausgebeutet und mißhandelt wurden, daß es immer häufiger zu Aufsässigkeiten kam. Bei der grundlegenden Verschiedenartigkeit des Gesellschaftssystems zwischen Norden und Süden, beziehungsweise Südwesten schien ein nationaler Konflikt unausweichlich.

Nicht nur Politik und Wirtschaft, auch das Geistesleben und die soziale Entwicklung der »Jacksonian Democracy« waren von einer individualistisch-demokratischen Strömung gekennzeichnet; in sie flossen humanitäre, sozial-ethische und religiöse Reformbestrebungen europäischen Ursprungs ein. Wichtige Bereiche der Reformen waren Strafvollzug, Krankenpflege, Armenbetreuung und Abschaffung der Prügelstrafe. Sogar die Abschaffung der Todesstrafe wurde gefordert. Eine weitere Reformbestrebung galt einer gesünderen Lebensführung (Temperenzler). Zahlreiche Sekten suchten ein Erweckungs- und Bekehrungserlebnis, das in adventistischen Erwartungen (Adventisten), theokratisch-sozialistischen Gesellschaftsformen (Mormonen) oder pazifistischen und humanitären Reformbestrebungen kulminierte. Ihre schärfste Ausprägung fand die Verbindung von puritanischer Moralität und liberaler Toleranz in dem radikalen Abolitionismus seit den dreißiger Jahren des 19. Jahrhunderts. Die Forderung nach bedingungsloser Abschaffung von Sklaverei wurde am entschiedensten von dem Redner und Agitator Wendell Phillips aus Boston vorgetragen. Er wurde zu einem Idol der deutsch-amerikanischen Turner, die sich rückhaltlos für ihn einsetzten.

Aus solchem Reformgeist heraus vollzog sich in der »Jacksonian Democracy« auch der Ausbau des Bildungswesens. Man war von einem optimistischen Fortschrittsglauben beseelt, vertraute auf die Macht des Wissens und die Perfektibilität des Menschen durch Erziehung. Mit der Gründung von Staatsuniversitäten, die neben die exklusiven alten Universitäten traten, von Schulen und Colleges, Lehrerseminaren und Institutionen zur Förderung der Erwachsenenbildung werden neue Bildungsmöglichkeiten erschlossen. Sie erwuchsen aus dem Streben der liberalen Demokratie nach geistiger und wirtschaftlicher Unabhängigkeit der Bürger. Zu den Wortführern eines unentgeltlichen öffentlichen Erziehungswesens, bei dem für den geistigen Wettbewerb die gleichen Regeln angewandt werden sollten wie für den Konkurrenzkampf im liberalen kapitalistischen Wirtschaftsleben, zählte Horace Mann aus Massachusetts. Nach ihm gab es keinen besseren Garanten als die allgemeine Schulbildung, um der »Tendenz zu einer Herrschaft des Kapitals und einer Knechtschaft der Arbeit entgegenzuwirken«. Er war davon überzeugt, daß eine gleichmäßig verbreitete Bildung auch Besitz nach sich ziehen werde, da keine intelligente und praktisch erfahrene Gruppe arm bleiben wolle. »Erziehung ist demnach über alle anderen Vorkehrungen menschlicher Vernunft hinaus die große Gleichmacherin – die Unruh der sozialen Maschinerie»[1].

Bedeutende amerikanische Gelehrte, die in Massachusetts wirkten, hatten an deutschen Universitäten studiert. Die Hochachtung vor der deutschen Kultur war eine der Voraussetzungen dafür, daß mit den drei »Turnerpionieren«, Karl Beck, Karl Follen, Franz Lieber, Vertreter des geistigen Deutschlands in angesehene akademische Positionen in Neu England kamen.

In den Jahren nach der »Jacksonian Democracy« erreichte die amerikanische Expansion mit der Annexion von Texas und in dem sich daran anschließenden Krieg mit Mexiko von 1846 bis 48, mit dem Erwerb Neu-Mexikos und Kaliforniens einen neuen Höhepunkt. Die Anziehungskraft Kaliforniens war wegen der Goldfunde so groß, daß die Bevölkerungszahl dort innerhalb von zwei Jahren von 10000 auf 100000 stieg. Am schwersten getroffen wurden von der Expansion nach dem Westen die Indianerstämme, die – soweit nicht durch Kriege oder Zwangsumsiedlung dezimiert oder vernichtet – in das Steppengebiet der Great Plains zwischen dem 95. Meridian und den Rocky Mountains abgedrängt wurden.

Der amerikanische Historiker Frederik Jackson Turner deutete das Bestreben, die Grenze, »frontier«, ständig weiter vorzuschieben und neue Gebiete zu erschließen, als ein Wesensmerkmal des von Tatendrang, Unternehmensgeist und Freiheitswillen erfüllten Amerikaners, und er hat die Auffassung vertreten, mit dem Vorrücken in »freie« Räume seien die politischen und sozialen Konflikte entschärft und damit die amerikanische Demokratie erst voll funktionsfähig geworden. Diese bis heute umstrittene These relativiert allerdings die Bedeutung der starken Binnenkonflikte der damaligen Zeit, die zum Beispiel zur Gründung der sogenannten »Know-Nothing-Party«[2] führten, einer Geheimsekte mit dem Ziel, der Einwanderung – insbesondere von Katholiken – entgegenzuwirken. Da die katholischen Iren und die Deutschen die größten Einwanderergruppen bildeten, war die Konfrontation mit ihnen, insbesondere mit den radikalen Turnern, vorgegeben.

Während sich die »Know-Nothing-Party«, gestützt auf ihre Devise »Americans ruling America«, für eine Einwanderungssperre einsetzte, lehnte die »Freesoilparty«, 1848 von unzufriedenen Anhängern der Demokratischen Partei gegründet, die Ausbreitung der Sklaverei auf neue Territorien ab. In die allgemein spannungsgeladene Atmosphäre dieser Zeit fiel 1854 der Kansas-Nebraska-Act, ein Versuch, die beiden Territorien unter Umgehung der Sklavenfrage für ein südstaatliches Eisenbahnprojekt

16

zu gewinnen, das aber vom Norden, der eine Ausdehnung der südlichen Macht- und Einflußsphäre befürchtete, entschieden bekämpft wurde. Um die Ausdehnung der Sklaverei zu verhindern, wurde die Republikanische Partei gegründet, der die Turner in großer Mehrheit beitraten. Kam es in Kansas selbst zu blutigen Auseinandersetzungen, die bereits bürgerkriegsähnliche Formen annahmen, so ließ eine sklavenfreundliche Entscheidung des Obersten Bundesgerichts im Jahre 1857 auch die Auseinandersetzung im Senat soweit eskalieren, daß es hier ebenfalls zu Gewaltsamkeiten kam, die zur Spaltung der Demokratischen Partei führten. Der Spaltung dieser Partei verdankt Abraham Lincoln seinen Wahlsieg 1860. Als die Südstaaten daraufhin ihre Sezession erklärten, war die Einheit der Nation gesprengt und der Bürgerkrieg unvermeidlich. Dieser blutige und für beide Seiten sehr verlustreiche Krieg, der nach Lincolns Worten geführt wurde, um die Unzerstörbarkeit des amerikanischen Gemeinwesens zu erweisen und den Gedanken der Freiheit und der Demokratie an die Zukunft weiterzugeben[3], beendete die schwerste Belastungsprobe in der amerikanischen Geschichte und bedeutete zugleich ihre tiefste Zäsur.

Alexis de Tocqueville, der bekannte Historiker und Gesellschaftskritiker, hat als Europäer die amerikanische Gesellschaft der Jahre 1835 bis 1840 aus eigener Anschauung analysiert und trotz starker Vorbehalte ein Bekenntnis zu dieser Demokratie abgelegt. Wenn er an dem damaligen System beklagt, daß die Wahl im allgemeinen auf diejenigen Politiker falle, die den Neigungen schmeicheln und dem Volk entgegenkommen, so daß Unbeständigkeit und fehlende Kontinuität die Folge seien, so ist er doch aus zwei Gründen von der Überlegenheit dieser freien Regierung gegenüber allen anderen überzeugt:

erstens gründe sie sich auf eine außerordentliche Achtung vor dem Gesetz und zweitens auf eine Aktionswilligkeit seiner Bürger, die sich für die Aufrechterhaltung der öffentlichen Sicherheit und für die Ausführung der Gesetze verantwortlich fühlten[4].

Die Geschichte des Turnwesens in den USA dokumentiert die Verpflichtung der Turner gegenüber diesen Prinzipien.

## 1.1 Beck, Follen und Lieber, die Pioniere des deutschen Turnens in den USA

Mit den Chancen und Risiken dieser »Neuen Welt« sahen sich die deutschen Emigranten und unter ihnen die Wegbereiter des deutschen Turnens in den USA seit Anfang der zwanziger Jahre des 19. Jahrhunderts, vor allem aber seit 1848 konfrontiert.
Der Beginn der Leibeserziehung in den Vereinigten Staaten von Nordamerika, konzentriert auf Neu England, stand im Zeichen einer engen Kooperation amerikanischer Pädagogen, wie Horace Mann, George Bancroft, und Mediziner wie John C. Warren, D. J. G. Coffin mit europäischen Emigranten, insbesondere den drei »Schülern« Jahns: Karl Beck, Karl Follen und Franz Lieber, die als politische Flüchtlinge Deutschland mit Beginn der Turnsperre im Jahre 1820 hatten verlassen müssen.
Karl Beck, am 19. August 1798 in Heidelberg geboren, zog 1810 mit seinem Stiefvater, dem Theologieprofessor De Wette, nach Berlin und turnte – zuletzt als Vorturner – unter Jahn auf der »Hasenheide«[5]. Die Ermordung des bei den Turnern verhaßten Dramatikers August von Kotzebue durch den Burschenschaftler Karl Sand am 23. März 1819, die Anlaß für die Demagogenverfolgung gab, bestimmte den weiteren Lebensweg Becks. De Wette, ein enger Freund der Familie Sand, hatte in einem Brief die Mutter des Mörders mit dem Gedanken zu trösten versucht, ihr Sohn Karl habe aus einem falsch verstandenen Pflichtgefühl heraus gehandelt[6]. Dieser Brief fiel in die Hände der preußischen Polizei. Die Staatsorgane sahen darin eine Rechtfertigung des Mordes. De Wette wurde seines Amtes enthoben und des Landes verwiesen. Beck folgte seinem Stiefvater nach Abschluß seines Theologiestudiums und der Promotion in Tübingen ins Exil nach Basel in die Schweiz. Hier erhielt er eine Stelle als Lehrer der lateinischen Sprache und Literatur und führte gemeinsam mit dem ebenfalls geflüchteten Karl Follen das Turnen ein[7]. Auf Druck der preußischen Regierung, die an der Grenze Truppen aufmarschieren ließ, mußten schließlich beide die Schweiz verlassen.
Karl Follen, geboren am 4. September 1796 in Remrod bei Gießen, Teilnehmer am Befreiungskrieg gegen Napoleon, seit 1813 Jurastudent in Gießen und seit 1815 Mitglied der Burschenschaft »Germania«, war der führende Kopf einer Gruppe republikanisch gesinnter Turner, die von den Ideen der Französischen Revolution beseelt waren und die soziale Gleichheit aller Menschen forderten. Diese »Unbedingten« oder auch »Schwarzen«, wie sie wegen der Farbe ihrer Umhänge genannt wurden, hatten sich die Abschaffung der Monarchie zum Ziel gesetzt und waren zu radikalem Handeln entschlossen. Follen, seit 1818 Dozent in Jena, war mit dem Burschenturner Sand freundschaftlich eng verbunden. Er wurde daher nicht zu Unrecht mit der Ermordung Kotzebues in Verbindung gebracht und konnte sich nur durch Flucht nach Frankreich und dann in die Schweiz der drohenden Verhaftung entziehen. Dort übernahm er 1821 eine Professur an der Universität Basel, agitierte weiter für seine politischen Ziele und widmete sich – selbst ausgezeichneter Turner, Fechter und Schwimmer[8] – gemeinsam mit Beck dem Ausbau des Turnwesens in Basel. Als auf massiven preußisch-österreichischen Druck hin[9] die Schweiz das Asylrecht für Follen aufhob, verließen Follen und Beck das Land und schifften sich nach New York ein, das sie am 19. Dezember 1824 erreichten.
Auch Franz Lieber, am 18. März 1798 in Berlin geboren, hatte sich früh freiheitlich-demokratischen Ideen verschrieben. Als Siebzehnjähriger nahm er am Feldzug gegen

Napoleon teil und wurde schwer verwundet. Nach seiner Genesung schloß er sich den Turnern auf der »Hasenheide« an. Sein Umgang mit Jahn, dessen Aussprüche er unter dem Titel »Goldsprüchlein aus Vater Jahns Munde« sammelte, und seine Verbindung zu Sand machten ihn der preußischen Regierung verdächtig. Er wurde vier Monate inhaftiert und nach seiner Entlassung von preußischen Universitäten ausgeschlossen. Nach einem kurzen Mathematikstudium in Dresden brach er nach Griechenland auf, um dort am Freiheitskampf der Griechen (1821–1829) gegen die Türken teilzunehmen, kehrte aber bald enttäuscht zurück, war dann kurze Zeit als Hauslehrer beim preußischen Gesandten Barthold Niebuhr in Rom tätig und durfte dank dessen Fürsprache nach Preußen zurückkehren und sein Studium fortsetzen. Als er dort erneuten Drohungen und Schikanen ausgesetzt war, floh er am 17. Mai 1826 aus Berlin nach England[10]. Ein Jahr später nahm er ein Angebot als Lehrer der Turnanstalt in Boston an und traf am 20. Juni 1827 in New York ein.

Die drei Jahn-Schüler: Beck, Follen und Lieber wurden zu Wegbereitern des Turnens in Amerika. Beck erhielt bald nach seiner Ankunft in den Vereinigten Staaten aufgrund eines Empfehlungsschreibens De Wettes an den bekannten Historiker und Pädagogen George Bancroft (1800–1891) eine Anstellung als Lehrer für Latein und Turnen an der Round Hill School in Northampton im Staate Massachusetts. Die beiden Gründer der Schule, die am 1. Oktober 1823 eröffnet wurde, George Bancroft und Joseph Green Cogswell (1786–1871), befreundet seit einem gemeinsamen Studienaufenthalt in Deutschland und Verfechter philanthropischer pädagogischer Maximen, sahen in der Leibeserziehung einen unverzichtbaren Teil der Gesamterziehung Jugendlicher, eine notwendige Ergänzung zur geistigen Schulung[11]. Dank der Unterstützung durch den weitsichtigen Horace Mann, den damaligen »superintendent of public instruction for the Commonwealth of Massachusetts[12], wurde an dieser Schule im Frühjahr 1825 erstmals in Amerika Leibeserziehung in den schulischen Fächerkanon aufgenommen und mit der Berufung Becks, »the greatest modern advocate of gymnastics«[13], eine Fachkraft eingesetzt, die das deutsche Turnen in den USA einführte.

Die Ärzte John C. Warren und J. G. Coffin hatten in zahlreichen Reden und Aufsätzen auf den gesundheitspflegerischen Wert der Leibesübungen hingewiesen. Nun hielten sie Vorlesungen in Round Hill: Warren unter dem Thema »Physical Education and the Preservation of Health«, Coffin unter der Bezeichnung »Physical Education as Preventive Medicine«[14].

Nach dem Muster der »Hasenheide« und mit aus Deutschland importierten Turngeräten richtete Beck auf dem Schulgelände einen Turnplatz ein, auf dem er jeder Klasse in der Regel dreimal wöchentlich Unterricht erteilte[15]. Mit der Übersetzung von Jahn-Eiselens »Deutsche Turnkunst«, die 1828 unter dem Titel »Treatise on Gymnastics, taken chiefly from the German of F. L. Jahn« ediert wurde[16], versuchte Beck, das Jahnsche Übungsgut in den USA bekannt zu machen und die theoretische Basis für eine Ausweitung des Turnens in der »Neuen Welt« zu legen. Wie bei Jahn so umfaßte auch bei Beck das Turnen eine erstaunliche Vielfalt an Übungen und war keineswegs auf das Geräteturnen beschränkt. Dreimal wöchentlich wurde Reitunterricht erteilt, das Curriculum sah regelmäßige Wett- und Ballspiele vor, einen täglichen Waldlauf über eine halbe Meile und Bogenschießen; im Sommer wurde Schwimmen, im Winter wurden Eislauf und Schlittenfahren angeboten[17]. Für die damalige Zeit revolutionär muten die drei pädagogischen Prinzipien Bancrofts an, die in der »Round Hill School« verwirklicht werden sollten:

1. Wetteifer um die Vergabe von Preisen soll vermieden werden. Niemand darf auf Kosten eines anderen belohnt werden.
2. Körperliche Züchtigung muß abgeschafft und verurteilt werden, da sie den einzelnen demütigt und niedrige Leidenschaften, zum Beispiel Falschheit, fördert.
3. Die Klassen sollten nicht nach Alter, sondern nach Fähigkeiten und Begabung der Jungen gebildet werden[18].

Während sich Becks Tätigkeit als Turnlehrer auf das schulische Gebiet beschränkte, errichtete Follen den ersten Turnplatz an einer amerikanischen Universität, der Harvard University in Cambridge, und im angrenzenden Boston den ersten öffentlichen Turnplatz[19]. Auch Follen unterrichtete kurze Zeit in Round Hill[20], erhielt aber schon Ende 1825 eine Professsur für Kirchengeschichte und Ethik, später für deutsche Sprache und Literatur in Harvard.

Die Erfolge der Round Hill School in der Leibeserziehung sind weitgehend auf die systematische Arbeit von Beck zurückzuführen. *Geldbach* hebt mit Recht hervor, daß damals in Massachusetts ein enger Zusammenhang zwischen der deutschen Kultur und dem deutschen Turnen gesehen wurde, denn nur so wird verständlich, daß die Harvard-Universität sich um eine Lehrkraft bemühte, die sowohl Deutsch – als auch Turnunterricht erteilen konnte.

In diese Zeit fallen die Bemühungen, Jahn nach Harvard zu holen. Da dieser aber ein Jahresgehalt von mindestens 2 000 Talern sowie Auslagen für Turngeräte, ferner den Ankauf seiner Bibliothek (Minimalausstattung 3 000 Taler) forderte und die Erlaubnis erhalten wollte, vier Assistenten mitzubringen, die entsprechend ihrer wissenschaftlichen Bildung bezahlt werden sollten, scheiterten diese Verhandlungen an der Maßlosigkeit Jahns[21].

Als Turnpädagoge fand Follen die Unterstützung der medizinischen Fakultät des Harvard Colleges, insbesondere die von Doktor John C. Warren, einem anerkannten Chirurgen und Professor für Anatomie. Follen stattete eine große unbenutzte Halle mit Geräten aus und errichtete auf dem Universitätsplatz, dem Delta, einen Jahnschen Turnplatz. Wenig später, am 28. September 1826, wurde der private Turnplatz in Boston eröffnet, auf dem Follen gegen ein jährliches Gehalt von 800 Dollar dreimal wöchentlich Turnunterricht erteilte[22]. Damals, am 18. Oktober 1826, schrieb er in einem Brief an den befreundeten Prof. Dr. Karl Jung in Basel: »... ich habe Grund zu glauben, daß das Turnen von hier aus über das Land sich erstrecken und auf die geistige sowohl als körperliche Beschaffenheit des Volkes bedeutenden Einfluß haben wird«[23].

Die Arbeit von Follen wurde 1827 von Lieber weitergeführt, der nach dem Muster der Schwimmanstalt von Pfuels in Berlin, wo Lieber Schwimmen gelernt hatte, in Boston die »Doctor Lieber's Swimming School« eröffnete[24]. Doch obwohl die »Schwimmschule« mindestens fünf Jahre bestand, kam sie über Anfangserfolge nicht hinaus[25] und mußte, ebenso wie der Turnplatz, wegen mangelnder Beteiligung der Bevölkerung wieder geschlossen werden. Doktor Warren, selbst einer der Initiatoren der pädagogischen Reformbewegung in Neu England, erklärte das Scheitern dieser Bewegung, die ihren Anfang von Round Hill und Harvard aus nahm – so wurden in Yale, New Haven, Tremont und Amherst Turnhallen oder Turnplätze errichtet und körperliche Übungen in einer Reihe von secondary schools und colleges eingeführt – aus der Rückschau wie folgt: »Die Einführung gymnastischer Übungen über das ganze Land versprach zeitweilig den Anbruch einer neuen Epoche in der Erziehung. Die Übungen wurden, solange sie den Reiz der Neuheit hatten, mit Eifer betrieben, da ihr Wert und ihre Bedeutung jedoch nicht allgemein verstanden wurden, ... wurden sie ... wieder vernachlässigt und schließlich wieder vergessen[26]«. Lieber war ähnlicher Auffassung und sah den Grund für das nachlassende Interesse am Turnen in der wenig abwechslungsreichen und drillmäßigen Methode[27]. Da Beck, Follen und Lieber das Turnen in Amerika zwar inaugurieren, ihm aber nicht zum Durchbruch verhelfen konnten, sieht man in ihnen bis heute die »spiritual forefathers of the American Turnerism, but not its architects«[28].

Die drei Pioniere wandten sich mit dem nachlassenden Interesse an den Leibesübungen mehr und mehr dem wissenschaftlichen Bereich zu, wo ihre eigentlichen Begabungen und Fähigkeiten lagen und wo sie auch Hervorragendes leisteten. Beck erhielt 1831 einen Ruf an die Harvard-Universität für lateinische Sprache und Literatur. Er starb 1866 als hochgeachteter Mann. Auch Follen erwarb sich als Gelehrter große Anerkennung. Seiner Professur für deutsche Literatur in Harvard mußte er zwar nach fünf Jahren entsagen, da er sich zu stark in der Anti-Sklavereibewegung engagiert hatte, aber er blieb bis zu seinem frühen Tod 1840 ein mutiger und geistvoller Streiter für die von ihm vertretenen Prinzipien menschlicher Würde und Freiheit. In dieser prinzipienfesten Haltung sieht sein Biograph Spindler auch den Schlüssel zum Verständnis der Persönlichkeit Follens, wenn er schreibt: »Follen exerted his greatest influence not so much by his writings as by his deeds«[29]. Lieber schließlich begann 1827 mit der Arbeit an der »Enzyklopedia Americana«, deren dreizehnten und letzten Band er 1833 vollendete. Im Jahre 1835 erhielt er eine Professur für Geschichte und Wirtschaftspolitik am South Carolina College, Columbia S.C.; sein Hauptwerk »Manual of Political Ethics«, erschien 1839. Es begründete seinen Gelehrtenruhm. Im Jahre 1859 folgte er einem Ruf auf den Lehrstuhl für Geschichte und Politische Wissenschaften an der Columbia Universität in New York. Während des Bürgerkriegs stand er entschieden auf Seiten der Union und wurde ein enger Mitarbeiter Lincolns, den er in kriegsrechtlichen Fragen beriet.

Von seinen drei Söhnen nahm während des Krieges der älteste auf Seiten der Südstaaten an den Kämpfen teil. Er fiel in der Schlacht um Williamsburg. Von den beiden anderen, die in der Unionsarmee dienten, starb einer an den Folgen einer schweren Verwundung. Nach dem Bürgerkrieg war Lieber in Washington als Archivar tätig, der die eroberten Dokumente des Südens bearbeitete. In Fragen der amerikanischen Verfassung, des amerikanischen Rechts galt er als Experte[30], er starb 1872. In seiner Gedenkrede hob Richter Thayer besonders die idealistische Gesinnung Liebers hervor und sagte: »Amerika ist ihm tief verschuldet. Wohl kaum hat irgend ein Mann so viele unserer Landsleute in der Wahrheit der Geschichte, in den Regeln der Sittenlehre und in den Grundsätzen der politischen Wissenschaft unterrichtet als Lieber, und er lehrte auf die anziehendste Weise. Er liebte seine Hörer, und sie liebten ihn. Jede Gelegenheit benutzte er, die edelsten Gefühle in den Herzen seiner Schüler zu wecken, so daß er in Wahrheit seinen Hörern zurufen konnte: »Ich habe Ihnen stets zu zeigen gesucht, wie Sie mir bezeugen werden, daß der Mensch eine nicht auszulöschende Individualität besitzt, daß die bürgerliche Gesellschaft ein lebender Organismus ist, daß es keine Rechte gibt ohne entsprechende Pflichten, keine Freiheit ohne die Majestät des Gesetzes, daß nichts Hohes erreicht werden kann ohne Beharrlichkeit, daß es keine wahre Größe geben kann ohne Selbstlosigkeit«[31].«

Beck, Follen und Lieber haben bedeutenden Anteil an den deutschen Kulturleistungen in Nordamerika. Sie waren Persönlichkeiten von starker Prägekraft, unabhängig in ihrem Urteil und Handeln, an eine ethische Wertwelt gebunden, dem Geist in Wort und Tat verpflichtet. In den Vereinigten Staaten, in einem Raum der Freiheit, konnten sie sich entfalten. Da für sie das Turnen zunächst Lebensinhalt war, begannen sie als Turnpädagogen gemeinsam mit gleichgesinnten amerikanischen Kollegen, die wie sie vom Wert der Leibeserziehung im Rahmen der Gesamterziehung überzeugt waren und darüber hinaus das amerikanische Erziehungssystem mehr nach der deutschen als nach der englischen Kultur auszurichten gedachten[32].

Als sie sich hier – wie die gesamte pädagogische Reformbewegung – noch nicht durchsetzen konnten, wandten sie sich ganz der Wissenschaft zu. Liegen ihre größten Verdienste auch auf diesem Gebiet, so haben sie als Pioniere des Turnwesens doch eindrucksvoll die mögliche Verbindung von körperlicher und geistiger Leistung demonstriert.

## 1.2 Deutsche Turner in der Revolution von 1848/49 und ihre Emigration indie USA

### 1.2.1 Aufhebung der Turnsperre und erneute Politisierung des Turnens

Als der preußische König Friedrich Wilhelm IV. 1842 in seiner Kabinettsorder Leibesübungen als einen notwendigen und unentbehrlichen Bestandteil der männlichen Erziehung förmlich anerkannte und bestimmte, sie in den Kreis der Volkserziehungsmittel aufzunehmen, da wurde die »Turnsperre« in Preußen und bald auch in anderen deutschen Staaten aufgehoben. Die Turnbewegung erlebte nunmehr innerhalb weniger Jahre einen beträchtlichen Aufschwung und wurde zu einer politischen Bewegung, in der sich die fortschrittlichen Kräfte, die nach Einheit und Freiheit des Vaterlandes strebten, zu Aktionsgruppen in den Turnvereinen zusammenfanden. Erhielten so die Turnvereine vielerorts den Charakter politischer Parteien, in denen das »geistige Turnen«, die Diskussion um ethische und gesellschaftpolitische Ziele, dominierte, so waren die politischen Leitbilder doch recht unterschiedlich. Während die republikanisch gesinnten Turner, ausgehend vom Rousseauschen Begriff der Volkssouveränität, am stärksten den Gleichheitsgedanken verfochten und deshalb entschlossen für eine Beseitigung der Fürstenmacht eintraten, wollten die liberalen Demokraten, wie das Gros der bürgerlichen Opposition, nur die Bevormundung durch die staatlichen Mächte abschütteln, ohne die Monarchie zu stürzen. Sie bekannten sich zum Montesquieuschen Prinzip der Gewaltenteilung, kämpften für ein deutsches Parlament und hofften, Staat und Gesellschaft durch Reformen wandeln zu können.

Der Gedanke, die Turner zu einem Bunde zusammenzuschließen, wurde zwar schon auf dem ersten vogtländischen Turnfest 1842 von Otto Heubner entschieden propagiert; Heubner fand Unterstützung durch Gustav und Bernhard Finke von der Plauener Turngemeinde, aber deren Versuch, zwei Jahre später sämtliche Turngemeinden und Turnanstalten Deutschlands bündisch zu organisieren, scheiterte, denn alle außersächsischen Turnanstalten lehnten eine Beteiligung ab, da offensichtlich die Erinnerung an die »politisierenden« Jahnschen Turner und an deren Schicksal noch zu lebendig war[33].

Erfolgreicher waren dagegen die Bestrebungen der Plauener Turngemeinde, durch einen »Turnbriefwechsel« den Gedankenaustausch unter den Turnern zu intensivieren. Es gab auch hier zwar zunächst ablehnende Stimmen, wie zum Beispiel durch den Turnrat der Hamburger Turnerschaft von 1816, der ältesten deutschen Turngemeinde, der das weitläufige Hin- und Herschreiben für unzweckmäßig hielt und meinte, »entweder werde es bald auf leere Redensarten hinauslaufen, oder es würde ernst, das heißt politisch werden, und daran müßte das Turnen zum zweiten Male untergehen«[34]. Dennoch kam es 1846 zur Gründung des sich über ganz Deutschland verbreitenden »Turners«, der in Dresden redigierten »Zeitschrift gegen geistige und leibliche Verkrüppelung«[35]. Darüber hinaus erschienen noch in demselben Jahr trotz mancher Vorbehalte und Schwierigkeiten zwei weitere Publikationsorgane der Turner, nämlich das von August Ravenstein in Frankfurt herausgegebene »Nachrichtenblatt« für Deutschlands Turnanstalten und Turngemeinden und Carl Eulers »Turn-Zeitung«, eine Weiterführung seiner »Jahrbücher der deutschen Turnkunst«. Diese in

Karlsruhe erscheinende Zeitschrift war allerdings stark schulbezogen und ließ, da Euler als Staatsbeamter ein entschiedener Gegner des »politischen« Turnens war, den Turnvereinen kaum eine Chance zur Ausbreitung ihres Gedankengutes. In seiner Bindung an das bestehende Regierungs- und Gesellschaftssystem ging Euler sogar so weit, die Auflösung der seiner Meinung nach staatsgefährdende Tendenzen verfolgenden Turnvereine und die Verstaatlichung des gesamten Turnwesens zu fordern[36]. Ungeachtet dessen nahm das öffentliche Interesse am Vereinsturnen ständig zu, dienten Turnplatz- und Fahnenweihen, regionale und überregionale Turnfeste der Verbreitung des politisch akzentuierten Turngedankens. Auf einem der bedeutendsten Feste dieser Zeit, auf dem Turnfest in Heilbronn im Jahre 1846, zu dem Turner aus allen Gauen Deutschlands sich eingefunden hatten – Jahn begrüßte sie in einem Handschreiben – wurde erstmals das von Heinrich Felsing, dem »hessischen Turnvater« kreierte Turnerkreuz getragen, das die vier »F« miteinander verband. Allerdings stieß das Emblem und der Jahnsche Turnerwahlspruch »frisch, fromm, fröhlich, frei« auch auf heftige Kritik bei denen, die das christliche Kreuz und das »kirchliche« Fromm ablehnten[37].

Die Frage, ob die Turnvereine Politik treiben sollten, wurde in der Zeit des Vormärz immer lebhafter diskutiert; auf den Turnfesten wuchs die politische Beeinflussung[38]. Bald zeigte sich, daß in Süd- und Südwestdeutschland, wo die Vereinsgründungen besonders häufig waren[39], die Turner sich weit stärker politisch engagierten als in Nord- und Nordwestdeutschland. Auch in der Sozialstruktur der Vereine vollzog sich seit dem Ende der Turnsperre eine bemerkenswerte Veränderung: Während das Jahnsche Turnen bis 1819 hauptsächlich von Schülern und Studenten getragen wurde, traten in die neugegründeten Vereine nach 1842 Angehörige bürgerlicher und kleinbürgerlicher Schichten ein, nach 1845 besonders aus den Kreisen der Handwerker, Handwerksgesellen und Arbeiter[40].

Von republikanisch gesinnten Turnern ging dann die entscheidende Initiative aus, eine allgemeine deutsche Turnerschaft zu gründen, ein Plan, der Anfang August 1847 den versammelten Turnern Süddeutschlands auf dem Turnfest in Frankfurt am Main vorgelegt wurde. Im Paragraph 2 dieses »Plans zur Bildung einer allgemeinen Deutschen Turnerschaft« heißt es: »Die deutsche Turnerschaft hat zum Zweck die sittliche und geistige Veredlung des deutschen Volkes, die Erringung von freien Regierungsprinzipien, Öffentlichkeit, Mündlichkeit, Pressefreiheit, kurz ein freies Deutschland auf dem Wege der Volkserziehung oder anderen einzuschlagenden nötigen Wegen«[41].

Wenige Monate später, am 19. März 1848, erfolgte die an alle deutschen Turngemeinden gerichtete Einladung zum Turntag nach Hanau am 2. April 1848. Auf diesem Ersten Hanauer Turntag führte der Wunsch, die Einigung des Vaterlandes, – unumstrittenes gemeinsames Ziel – wenigstens auf einem Teilgebiet zu erreichen, zur Gründung des Deutschen Turnerbundes mit dem Vorort Leipzig. Unter »Vorort« ist einmal der Sitz des Bundesvorstandes und des Vereins zu verstehen, aus dem sich der Vorstand rekrutierte, zum andern die Organisationsform, das heißt die zentrale Behörde des Turnerbundes selbst. Da man die Frage der »staatlichen Richtung«, ob Republik oder konstitutionelle Monarchie, offenließ und auf dem Zweiten Hanauer Turntag am 2. und 3. Juli 1848 ein Antrag der radikalen Vertreter der Turner, sich für die demokratische Republik als Regierungsform zu entscheiden, mit knapper Mehrheit – nämlich 91 : 81 – abgelehnt wurde, (viele Abgeordnete votierten trotz persönlicher Übereinstimmung mit den Zielen der Linken für unpolitische Turnvereine), trat die enttäuschte Minderheit aus dem »Deutschen Turnerbund« aus und gründete den »Demokratischen Turnerbund« mit Hanau als Vorort. Hatte schon der Erste Hanauer Turntag seinen Bundesmitgliedern befohlen, sich soweit es möglich sei zu bewaffnen, so wurde nach der Spaltung der Turnbewegung und der sich verschärfenden politischen Lage die Bewaffnung der Turner, für die sie selbst aufkommen mußten, innerhalb des Demokratischen Turnerbundes intensiviert.

An der Revolution von 1848 bis 49 waren Turner hauptsächlich aus dem sächsischen und südwestdeutschen Raum beteiligt, ohne daß es zu großen koordinierten und geschlossenen Aktionen kam. Friedrich Heckers Ziel, die Turner als Revolutionsarmee einzusetzen, scheiterte[42]. Turner waren beteiligt am Kampf um Freiburg am 23. April 1848, beim Mannheimer Aufstand am 26. April 1848 und an den Straßenkämpfen in Frankfurt am 28. September 1848, wo Germain Metternich die Führung übernahm. Am stärksten war die Teilnahme der Turner am Kampf um die von der Nationalversammlung verabschiedete Reichsverfassung im Jahre 1849 in der Pfalz, in Baden und in Dresden. In Dresden unterstützten die sächsischen Turner die vom Volk eingesetzte provisorische Regierung. Beim Aufstand in der Rheinpfalz im Mai 1849 setzten viele Turner ihr Leben für die neue, von den Fürsten bekämpfte Reichsverfassung ein. Im badischen Aufstand kämpfte ein Turnerbataillon in Stärke von etwa 600 Mann, das hauptsächlich aus Hanauern und Heilbronnern bestand und von badischen Truppen unterstützt wurde, gegen die anrückenden Preußen; es wurde aber zurückgedrängt und mußte zur Schweizer Grenze flüchten, wo es nahe Lörrach am 6. Juli 1849 die Grenze überschritt.

Im sogenannten Hanauer Turner–Prozeß unter Anklage gestellt, wurden die anwesenden Turner am 2. Oktober 1857 freigesprochen; gegen diejenigen, die nach dem Scheitern der Revolution ins Ausland geflohen und dort geblieben waren, verhängte man Freiheitsstrafen zwischen drei und acht Jahren[43].

### 1.2.2 Südwestdeutsche Turner im Vormärz – Hecker und Struve als Turnerfreunde, Wegbereiter und Akteure der Revolution von 1848

Zwei der profiliertesten Vertreter der demokratischen Linken, die den Geist der südwestdeutschen Turnvereine mitgeprägt und deren politisches Handeln mitbestimmt haben, waren Friedrich Hecker und Gustav von Struve. Beide hatten später gewichtigen Anteil an der Gründung von Turnvereinen in Nordamerika.

Die Wirksamkeit Heckers und Struves erstreckte sich vornehmlich auf Baden, wo sie zu Wegbereitern der Revolution von 1848 wurden. Sie waren radikale Republikaner, obwohl sie aus dem Adel, beziehungsweise aus dem höheren Bürgertum kamen.

Gustav von Struve[44], am 11. Oktober 1805 als Sohn des russischen Diplomaten und livländischen Edelmanns Johann Gustav von Struve und dessen Ehefrau Friederike Christine Sybille, geborene von Hockstetten, einer schwäbischen Adligen, in München geboren, besuchte dort und in Karlsruhe die Schule und studierte von 1824 bis 1826 Rechtswissenschaften in Göttingen und Heidelberg. In Frankfurt, dem Sitz des Deutschen Bundestages, war er einige Zeit Sekretär des oldenburgischen Gesandten. Da er die reaktionäre Politik Metternichs entschieden verurteilte, verließ er Frankfurt und ging als Richter nach Jever. Später ließ er sich als Rechtsanwalt in Mannheim nieder. Er schrieb ein Buch über Verfassungsrecht und ein weiteres über die damalige politische Lage in Deutschland, in dem er Metternich einen Verräter nannte. Dafür mußte er ins Gefängnis. Im Jahre 1845 wurde er Redakteur der politischen Zeitschrift »Das Mannheimer Tageblatt«. Als er wegen seiner radikalen Ansichten diesen Posten aufgeben mußte, gründete er eine eigene Zeitschrift, den »Deutschen Zuschauer«, und warb hierin für eine deutsche Republik. In den Jahren von 1847 bis 48 agitierte er für eine Republikanisierung Badens. Gemeinsam mit seinem Freunde Friedrich Hecker verließ er Ende März 1848 das »Vorparlament«, das die radikalen Forderungen der Linken nicht unterstützte.

Bereits am 4. Januar 1846 hatte Struve den Mannheimer Turnverein gegründet. Er wurde dessen Vorsitzender. In den folgenden Monaten betrieb er von hier aus eine so intensive Agitation, daß der Verein am 11. Juni 1847 wegen staatsgefährdender Tendenzen aufgelöst wurde. In der Begründung zur Auflösungsverordnung heißt es, »daß der Turnverein in Mannheim sich nicht bloß mit der körperlichen Ausbildung seiner Mitglieder befaßt, sondern daß seine Leiter besonders politische Zwecke verfolgen und zwar in einer Richtung, welche mit dem gegenwärtigen Bestand der Staats-Ordnung unerträglich erscheint«. Hinzugefügt wird, einem Antrag auf Bildung eines neuen Vereins würde kein Hindernis in den Weg gelegt, insofern ausreichende Garantien dafür gegeben würden, daß sich der Verein auf körperliche Übungen beschränke und sich allem politischen Treiben fernhalten werde[45].

Das Verbot des Mannheimer Turnvereins war indes keine isolierte Aktion, sondern stand im Zusammenhang mit koordinierten Polizeimaßnahmen gegen die demokratische Bewegung jener Zeit. So wurden am 4. Juni 1847 die hessischen Turnvereine zu Gießen, Butzbach und Friedberg verboten, am 8. Juni in Württemberg der Stuttgarter Männer-Turnverein aufgelöst. Es folgten die Auflösung sächsischer Turnvereine und die der hessischen von Darmstadt und Offenbach[46]. Am 1. Juli 1847 wurden dem Turnverein Homburg vor der Höhe militärische Übungen aufs strengste untersagt, da von radikalen Turnführern offen ausgesprochen worden sei, diese Übungen würden betrieben, »um die Turner einstens gegen das Militär gebrauchen zu können[47]. Carl Euler sieht die Ursachen für die Verbote in den *politischen* Reden auf dem Heilbronner Turnfest von 1846, das damit überregionale Bedeutung erlangt habe. Die Initiative dazu sei von Mannheimer Turnern ausgegangen[48], hätte es doch der Mannheimer Advokat Eller einen »Hochverrat an der Turnkunst« genannt, »wenn sie einseitig körperlich« betrieben werde[49].

Auf drei Turnfesten in Bingen, Heidelberg und Frankfurt am Main, die in den Monaten Mai bis Juli 1847 abgehalten wurden, bekundete sich aufs neue der demokratische Geist in der südwestdeutschen Turnbewegung und ließ bereits sozialrevolutionäre Tendenzen erkennen. So wurde während des Turnfestes in Bingen am Rhein, Pfingsten 1847, ein Flugblatt verteilt, in dem zur Revolution aufgerufen wurde. Der Aufruf war an die Handwerker und Arbeiter in den Turnvereinen gerichtet, die in sozialem Elend leben und hungern müßten. Solidarisches Handeln allein könne sie, die für andere arbeiteten und deren Reichtum vermehrten, aus Not und Abhängigkeit befreien. Daher die Forderung: »Erhebt Euch, Ihr Armen, überall; haltet zusammen, Einigkeit macht stark, stellt Euch in Reih und Glied ... Helft Euch selbst, wenn Euch niemand helfen will, und wenn die erste Stunde schlägt, zeigt, daß Ihr wert seid, Euch zu retten und dem Hungertode zu entreißen, Proletarier. Brot – oder Revolution, drum seid Männer, bald schlägt die Stunde der Erlösung, dann kein Erbarmen, keine Furcht. Vorwärts, das Recht, die Natur, Gott selbst ist mit Euch!«[50]

In Heidelberg, wo am 14. Juni 1847 über 1400 Turner, Sänger und Studenten am Turnfest teilnahmen, wurden Freiheits- und Kampflieder gesungen. Obwohl die Turnvereine in Stuttgart, Mannheim und Gießen wegen politischer Agitation aufgelöst worden waren, hatten doch zahlreiche Turner aus diesen Vereinen eine »Turnfahrt« nach Heidelberg unternommen[51]. Als aus Sorge vor polizeilichen Maßnahmen der Vorstand des Heidelberger Turnvereins erklärte, politische Fragen sollten auf dem Turnfest nicht diskutiert werden, widersprach ihm Struve entschieden und erhielt dafür Beifall[52]. Ein Redner, der in seiner Ansprache forderte: »Tod der Tyrannei und Freiheit und Gleichheit!« wurde von Struve gelobt, der erklärte, die Macht des Frankfurter Bundestages sei bereits erschüttert, denn dieser könne es nicht mehr wagen, »ein Gesetz gegen die große Association zu erlassen«, womit er alle freiheitlich-demokratischen Kräfte, insbesondere aber die Turner, meinte[53]. Turner aus Mannheim und Gießen stimmten dem zu und versicherten, sie würden trotz Verbot »auf Leben und Tod zusammenhalten[54]«.

Noch stärkere revolutionäre Töne wurden auf dem Frankfurter Turnfest vom 31.7. bis 2.8.1847 angeschlagen, das unter der Leitung des mit Struve eng verbundenen Germain Metternich, Vorstandsmitglied des Mainzer Turnvereins, stand. Auch Vertreter der Kölner, Elberfelder und Krefelder Turngemeinde waren nach Frankfurt gekommen, um mitzuwirken »ein allgemeines Band der Freiheit, der Gleichheit und des Wirkens gegen die Tyrannei zu bilden«, wie es der Vorsitzende der Frankfurter Turner formulierte[55]. Die Veranstaltung stand unter dem Motto: »Die Turnhalle ist die Halle der deutschen Freiheit«[56]. Nach einem Bericht des preußischen Legationsrats Balan, der an das preußische Außenministerium ging, wurden Lieder wie »Fürsten zum Lande hinaus«, »Schwarz, rot, gold« und »Revolution, du bist's allein« gesungen, so daß der Berichterstatter besorgt resümiert: »Das Fest übertraf das Heidelberger an Frechheit und Brutalität[57]«.

Insbesondere der Einfluß Struves auf die Turnvereine erregte bei den Behörden Besorgnis. »Er (Struve) spricht offen aus, daß es jetzt überall darauf ankomme, die Männer der Tat von den Maulhelden zu trennen, die Turnvereine in Pflanzschulen der Demokratie zu verwandeln, ein Proletarier-Bewußtsein zu schaffen.«[58] Schon auf dem Heidelberger Turnfest im Juni 1847 war die Gründung eines »Komitees der deutschen Turnerschaft« angeregt worden. Seit August 1847 gab es einen solchen Plan zur Gründung einer Dachorganisation, der von Metternich und Struve ausgearbeitet worden sein soll[59]. Hierin wurde der deutschen Turnerschaft das Ziel gesetzt, in ganz Deutschland für die Verwirklichung demokratischer Regierungsprinzipien zu kämpfen[60]. Die Gliederung der gesamtdeutschen Turnerschaft sollte sich in Vereinen (Turn-, Gesang- oder Lesevereine) und Sektionen vollziehen. Die mit Stimmenmehrheit gewählten Sektionschefs sollten ihrerseits auf den jährlich abzuhaltenden Turnfesten einen Turnergeneral wählen. Weitere wichtige Bestimmungen waren: Anlage von Waffen-Depots (§ 12), gegenseitige Information durch den Austausch von Büchern und Zeitschriften der Vereine (§ 13), Eidesleistung der Turner, »für des Vaterlandes und der Freiheit Wohl nicht Tod noch Kerker zu scheuen« (§ 15), und die Verpflichtung, für die »Befreiung unseres Vaterlandes von der Tyrannei und der Knechtschaft« einzutreten (§ 21). Das Turnerwappen, Schwert und Fackel in schwarz-rot-goldenem Felde mit der Umschrift »Frisch, fröhlich, frei« sollte allgemeine Anerkennung finden (§ 18).

Von diesen Plänen erhielt die preußische Regierung Kenntnis, die Gegenmaßnahmen erwog, um solche »Organisation einer sich über ganz Deutschland erstreckenden und sich für einen revolutionären Kampf vorzubereitenden waffenfähigen und waffengeübten Masse... im Keime zu ersticken«[61].

Mitbeeinflußt von der Turnbewegung bekundeten auch Liberale und Demokraten auf ihren Versammlungen in Offenburg am 12. September 1847 und Heppenheim an der Bergstraße am 10. Oktober 1847, daß die deutsche Einheit nicht über Bundestag und Fürsten, sondern nur über eine Nationalversammlung erreicht werden könne. Auf der Versammlung in Heppenheim setzte sich besonders Hecker für dieses Ziel – Schaffung einer gesamtdeutschen Volksvertretung – ein. Als am 7. November 1847 im kurhessischen Ort Bergen bei Frankfurt eine Versammlung der umliegenden Vereine stattfand, und diese an Struve als einen Vorkämpfer für Freiheit und Gleichheit eine anerkennende Grußadresse richtete und kurz darauf eine Sympathiekundgebung Mannheimer Bürger für die um eine weitere Demokratisierung ihres Staates kämpfenden Schweizer Eidgenossen gemeldet wurde, wuchs das Mißtrauen der obrigkeitsstaatlichen Gewalt gegenüber den radikalen Strömungen in Südwestdeutschland weiter. So stellte der preußische Bundestagsgesandte Dönhoff in seinem Immediats-Bericht vom 11. November 1847 fest: »Die Radikalen in Mannheim beschäftigen sich mit der Idee, alle jene Vereine, die mit ihnen sympathisieren, auch formell in ein organisiertes einheitliches Ganzes unter dem Namen der deutschen Turnerschaft zu verschmelzen. Auch sollen die avanciertesten Führer der Partei schon mit der Idee von Einleitungen zur Organisation von Freischaren nach dem Muster der Schweizer sich beschäftigen«.[62] Ab Januar 1848 bemühten sich die südwestdeutschen Regierungen in verstärktem Maße, Turnvereine aufzulösen. Mit dem Ausbruch der Februarrevolution in Frankreich sprang der revolutionäre Funke auch auf Deutschland über. In Südwestdeutschland ruhten auf Struves Freund und Gesinnungsgenossen Friedrich Karl Franz Hecker die Hoffnungen der Republikaner. Am 28. September 1811 in Eichtersheim als Sohn eines wohlhabenden Rechtsanwalts geboren – seine Mutter stammte aus einer adligen Familie – studierte Hecker nach seiner Schulausbildung in Mannheim Rechtswissenschaft und in Heidelberg und München Geschichte, wo er zum Doktor jur. promoviert wurde[63]. Unter den Studenten hieß er wegen seiner radikalen Anschauungen und weil er seinen Bruder zum Duell gefordert hatte, »der Krasse« oder »der Rote«[64]. Im Jahre 1835 ließ er sich in Mannheim als Rechtsanwalt nieder und wurde 1842 in die Zweite badische Kammer gewählt. Seine Reden gegen die Verbindung Schleswig-Holsteins mit Dänemark und seine Ausweisung aus Preußen 1845 machten ihn in ganz Deutschland bekannt. Offen sprach er aus, daß seiner Auffassung nach das deutsche Volk bereit und fähig sei, Fürstenstaat und Partikularismus zu überwinden und sich in einer Republik eine neue staatliche Verfassung zu geben. Am 11. Oktober 1847 auf der Versammlung in Heppenheim forderte er unüberhörbar die Konstituierung eines Volksparlaments. Schon am 12. September 1847, als die Radikalen unter Heckers Vorsitz zusammengekommen waren, hatten sie den Beschluß gefaßt, Presse-, Gewissens- und Lehrfreiheit gesetzlich anzuerkennen, eine volkstümliche Wehr- und Staatsverfassung zu schaffen und das Mißverhältnis zwischen Kapital und Arbeit und die damit verbundenen Vorrechte abzuschaffen. Das Pamphlet des in der Schweiz im Exil lebenden Republikaners Karl Heinzen »Ein deutsches Rechenexempel«, in dem er die Fürsten als regierungsunfähige Müßiggänger gebrandmarkt und die Not der Armen beschworen hatte, war nicht ohne Wirkung geblieben[65].

Am 5. März 1848 schließlich versammelten sich in Heidelberg führende Liberale und Demokraten Süd- und Westdeutschlands und forderten von den Regierungen die Einberufung einer Nationalversammlung[66]. Zur Vorbereitung der Wahlen wurde ein Siebenerausschuß geschaffen, der die Ständemitglieder und Teilnehmer an den gesetzgebenden Versammlungen der deutschen Länder und weiterer Persönlichkeiten des öffentlichen Lebens zu einem »Vorparlament« nach Frankfurt einberief, das am 30. März 1848 mit 500 Männern zusammentrat. Als Hecker und Struve als Vertreter der sich in der Minderheit befindenden demokratischen Linken die Errichtung einer Republik und die sofortige Übernahme der Vollzugsgewalt durch das Parlament forderten, lehnte die Mehrheit dies ab, da sie eine politische Neuordnung durch eine Vereinbarung mit den Fürsten erreichen wollte. Vierzig Radikale, nicht willens mit den alten Gewalten einen Kompromiß zu schließen, verließen daraufhin unter Führung Heckers die Versammlung. Hecker glaubte, über einen Aufstand in Baden, wo Ende März die Regierung eine allgemeine »Volksbewaffnung« gebilligt hatte, gemeinsam mit Struve, Willich, Siegel und anderen Gesinnungsgenossen die demokratische Republik durchsetzen zu können. Da er aber in Mannheim und Karlsruhe nicht die erwartete Unterstützung fand, eilte er weiter nach Konstanz, wo er am 12. April die Republik verkündete und die waffenfähigen Männer der Umgebung zum Aufstand aufrief. Aber auch in diesem Raum bestand wenig Bereitschaft, ein »republikanisches Heer« zu bilden. Unterstützung fanden die schwachen Kräfte Heckers durch die »deutsche Legion«, die unter Führung des Dichters Georg Herwegh von Frankreich aus herangerückt war, und von den deutschen Emigranten aus der Schweiz. Diese Freischaren wurden vor Dossenbach von württembergischen Truppen zersprengt. Hecker zog mit seiner Schar von Konstanz über Donaueschingen in Richtung Freiburg und traf bei Kandern auf hessisch-badische Truppen unter Führung des Generals Friedrich von Gagern. Als die Truppen gezielt das Feuer eröffneten, floh die Schar Heckers. Sigel, der ebenfalls eine Freischar führte, rückte, als er von der Zersprengung der Heckerschen Einheit erfuhr, gemeinsam mit Willich und Struve nach Freiburg vor. In der Stadt hatte sich unter Führung des Turners Langsdorff eine radikale Partei aus Turnern, Gesellen und Arbeitern gebildet, die Freiburg vor den heranrückenden badischen und hessischen Truppen verteidigen wollten und auf Hilfe Sigels und Struves hofften. Ein Entsatzversuch scheiterte aber, und Freiburg fiel am 24. April in die Hände der fürstlichen Truppen. Einen Tag später wurde der Freiburger Turnverein aufgelöst, da sich viele seiner Mitglieder der republikanischen Freischar angeschlossen hatten.
Hecker floh in die Schweiz. Bevor er von dort in die USA emigrierte, richtete er eine Abschiedsbotschaft an das deutsche Volk, worin er nochmals seine revolutionären Aktivitäten rechtfertigte. Er schrieb: »Ich sah es klar, daß die Revolution nur gerettet, rasch und energisch vollendet werden könne durch die Permanenz, und stellte den Antrag – er fiel, nur Waffengewalt konnte jetzt noch entscheiden. Das war meine feste Meinung.« Enttäuscht äußert er sich dann über den Mangel an mutiger Bereitschaft, die Revolution voranzutreiben.
Sein Weg führe ihn nun zu dem »größten und freisten der Völker«, in die USA. Seine Landsleute aber forderte er auf: »Schaart euch um die Männer, welche das Panner der Volkssouveränität hoch und bei demselben treue Wache halten, um die Männer der äußeren Linken zu Frankfurt a.M., schließt euch in Rath und That fest an die tapferen Führer der republikanischen Schilderhebung, ihre Namen seien Euch feste Gedenk-

säulen, von ihnen werdet Ihr meine Nachricht, Berichte und brieflichen Mitteilungen über die Ereignisse in der Union erfahren. – Breitet aus die Saat, welche diesen Frühling gesät wurde, bereitet die That, daß sich die Schwester-Republiken der Vereinigten Staaten Amerikas und Deutschlands die Hände reichen mögen zum festen Verbande, den Völkern allen zur Befreiung. – *Sie werde, die deutsche Republik!*«[67]

Struve hat später in einer kurzen Hecker-Biographie den Entschluß seines langjährigen Freundes, in die USA zu emigrieren, wie folgt begründet: »Friedrich Hecker wurde durch den unglücklichen Ausgang der Schilderhebung in Baden und noch mehr durch die schändlichen Verleumdungen, welche die Reaktion über ihn ergoß, aufs Tiefste erschüttert. Er verlor den Glauben an die Sache der Freiheit, und der Gedanke der Auswanderung nach Amerika, welcher ihm schon früher nicht fremd gewesen war, setzte sich in seiner Seele immer fester. Vergebens bekämpften viele Gesinnungsgenossen denselben.«[68]

Aus dem Schriftverkehr unter den in der Emigration lebenden deutschen Revolutionären geht aber auch hervor, daß es in den Sommermonaten 1848 zu erheblichen Spannungen zwischen Struve, Hecker, Heinzen und Becker gekommen war.[69] Dies und die Tatsache, daß Hecker zwar für die badische Kammer wiedergewählt, aber die badische Regierung seine Immunität nicht respektieren wollte und ihm auch das Frankfurter Parlament einen Sitz verweigerte, werden Heckers Entschluß mitbestimmt haben, in die USA zu emigrieren. In New York wurde er am 22. Oktober 1848 von einer begeisterten 20000köpfigen Menge begrüßt und mit einem Fackelzug geehrt[70]. Die begeisterten Empfänge wiederholten sich in St. Louis und Cincinnati. Er beabsichtigte, sich in Bellville, Illinois in der Siedlung der »Latin farmers«[71] niederzulassen, als in Baden 1849 erneut die Revolution ausbrach und die provisorische Regierung ihn zurückrief. In Straßburg angekommen, mußte er dann erfahren, daß die revolutionäre Erhebung niedergeschlagen worden war.

Der *Hecker-Struve-Putsch* im April 1848 war gescheitert, weil die erwartete spontane Volkserhebung und die Bereitschaft zum bewaffneten Kampf ausgeblieben waren. Hecker und seine Gesinnungsgenossen hatten die Lage falsch eingeschätzt, die Kräfteverhältnisse verkannt und den Willen der Mehrheit, mit den fürstlichen Gewalten zu einem Kompromiß zu kommen, unterbewertet.

Die in die Schweiz und nach Frankreich geflohenen Revolutionäre versuchten nun, sich enger zusammenzuschließen und ihre Aktionen aufeinander abzustimmen. Da wir aus dem Nachlaß von August Willich, dem Führer des deutschen Korps in Besançon, und Johann Philipp Becker, dem Führer der »Deutschen Legion« in der Schweiz, Aufzeichnungen und Briefe besitzen und dank der Untersuchungen von Obermann über eine erste Dokumentation verfügen, ist es möglich, Näheres über die Vorbereitung neuer Aktivitäten im Sommer 1848 zu sagen. Struve, der zur Reorganisation des deutschen Zentralausschusses nach Paris reiste und dort als »Sozialrepublikaner« die Junischlacht miterlebte, verfolgte weiter das Ziel, in Baden eine Republik zu errichten[72]. In seinem Brief vom 15. Juli 1848 an Becker beklagt er Heckers abfällige Äußerungen über Heinzen und dessen scharfe Erwiderung und schreibt: »Durch Eintracht wächst der kleine Bund, die Zwietracht richtet ihn zu Grund. Diesen Wahlspruch scheinen die Führer der deutschen republikanischen Partei gänzlich vergessen zu haben.«[73]

Auch Otto von Corvin, ein anderer deutscher Freiheitskämpfer, mahnt in seinem Brief an Becker vom 27. Juli 1848 aus Straßburg zur Einheit und zur Erarbeitung eines

Operationsplanes: »Alles muß an *einem* Tage aufstehen, und der Operationsplan muß vorher von Thüringen bis Konstanz genau festgestellt sein ...«[74]

Ungünstige Nachrichten kommen aus Besançon, wo die Lage des Willichschen Korps immer schwieriger wird. Am 8. Juni 1848 teilt Willich Becker Einzelheiten über sein 320 Mann starkes Korps mit, das große materielle Not leide[74]; wenig später, am 14. Juni 1848, erreicht Willich ein Kompaniebeschluß aus seiner Einheit, »mit oder ohne Waffen nach Deutschland zu marschieren, indem wir nicht dem Elend, dem Hunger und der Willkür der französischen Diplomatie preisgegeben sein wollen.« Im Lager herrsche große Verbitterung und Zwietracht. »Wir brauchen Leute, welche für das Ganze sterben, aber auch für das Ganze leben, und zwar moralisch in Liebe und Eintracht, jetzt aber herrschen Haß und Zwietracht.«[75] In seinem Schreiben vom 26. Juni 1848 an Becker nach Biel erklärt sich Willich bereit, am Kampf in Italien teilzunehmen, da es auch hier um die »Befreiung der Menschheit« gehe. »Derselbe Feind wird in Italien bekämpft wie in Deutschland.«[76]

Unter dem Eindruck ständig wachsender Resignation richtet er am 20.7. aus Besançon die Bitte an die Volksvertreter im Frankfurter Parlament, ihm und seinen Leuten Amnestie zu gewähren. Er erinnert daran, daß während des Hecker-Putsches Eigentum und freier Wille der Bewohner auf das gewissenhafteste geachtet worden seien. Die Nationalversammlung habe auch nicht den Aufstand an sich verurteilt, sondern nur betont, daß zu dem Zeitpunkt ein Aufstand nicht nötig gewesen sei. Mit der Bitte um Rückkehr verbindet er die Zusage, teilzunehmen an der Arbeit des Volkes: »Männer, die das Wohl ihres Volkes wollen, können nicht in der jetzigen Zeit der Gährung, wo alle elenden, endlichen Leidenschaften der Menschheit mit den höheren, unendlichen Trieben derselben nach Wahrheit, Recht, Bruderliebe um die Herrschaft ringen, – sie können es nicht in einer solchen Zeit vor ihrem Gewissen verantworten, auch nur einen Kämpfer für das Edlere gewaltsam fernzuhalten.« Es folgt dann der Wortlaut des Gesuchs. Dem Schreiben ist eine Liste der 262 Flüchtlinge mit Berufsangaben und Herkunft beigefügt, aus der hervorgeht, daß 90 % Handwerker sind und 85 % aus Baden und Württemberg stammen[77]. Obwohl eine Antwort von Frankfurt ausbleibt, schöpft Willich nach einem Stimmungsumschwung seiner Männer bald darauf neue Hoffnung, denn am 12. August 1848 schreibt er an Becker: »An dem Geist des kleinen Korps werdet Ihr Eure Freude und Stärkung haben.« Er glaubt, daß ein Korps von 500 - 800 Mann eine wichtige Stütze für eine revolutionäre Streitmacht werden kann[78].

In Deutschland verschärfte sich währenddessen die politische Lage. Als sich mit der Befürwortung des Waffenstillstandsvertrags von Malmö die Ohnmacht der Nationalversammlung erwies, kam es in Frankfurt zu erbitterten Auseinandersetzungen zwischen gemäßigt Liberalen und radikalen Republikanern, in deren Verlauf die provisorische Zentralgewalt zu ihrem Schutz österreichisches und preußisches Militär anforderte. Der Frankfurter Aufstand wurde zwar niedergeschlagen, doch die davon ausgehenden Unruhen griffen auf Südwestdeutschland über, so daß Struve am 20. September 1848 von Lörrach aus einen neuen Putsch wagte. Mit dem ebenfalls in der Schweiz weilenden Heinzen hatte er einige Zeit vorher einen »Plan zur Revolutionierung Deutschlands« entworfen und eine große Zahl dieser Pamphlete in Baden vertreiben lassen. Unter der Losung: »Wohlstand, Bildung, Freiheit für Alle!« rief Struve, der in Basel über die Grenze gekommen war, am 21. September 1848 vom Lörracher Rathaus die »deutsche soziale Republik« aus, erklärte alle an Grund und Boden haftenden Lasten, alle bisher an Staat, Kirche und adlige Grundherren bezahlten

Abgaben für nichtig und verkündete eine progressive Einkommenssteuer. Das Grundeigentum von Kirche und Staat und der für die alten Gewalten kämpfenden Bürger sollte eingezogen und den Gemeinden übergeben werden[79]. Der Aufstand breitet sich zwar schnell über das badische Oberland aus, wurde aber bereits am 24. September von badischen Truppen bei Staufen niedergeschlagen. Nach Wilhelm Blos, der über den Verlauf des Putsches berichtet, habe Struve nur wenig Verstärkung aus der Umgebung von Lörrach und aus der Schweiz erhalten. »... gerade diejenigen, die militärische Kenntnisse hatten, nämlich Sigel und Johann Philipp Becker, kamen nicht.«[80] Willich erhielt von Struve aus Baden am 20.9.1848 ein die Situation sehr unrealistisch wiedergebendes Schreiben folgenden Wortlauts: »Aufgefordert von einer Anzahl badischer Bürger und gedrängt durch die Macht der Verhältnisse, haben die in Basel befindlichen Flüchtlinge den Entschluß gefaßt, morgen, den 21. September in das Badische einzutreten, Besitz von Lörrach zu nehmen und dort das republikanische Hauptquartier fürs erste aufzuschlagen. Ich erwarte von Euch und verlange von Euch, daß Ihr gleichfalls ins Badische einrückt, alle Eure Berichte nach Lörrach schickt und mit all Eurer Macht so schnell als möglich dahin aufbrecht. Sigel wird bei Konstanz, Löwenfels vorläufig in Lörrach, Brühn in der Nähe von Mülheim den militärischen Oberbefehl führen.« Unter dem Brief findet sich als kurze Notiz: Barrikadenkämpfe in Frankfurt, Lichnowsky und Auerswald getötet, Simon von Trier verwundet, Volkssturm gegen Frankfurt[81].

In den »Republikanischen Mitteilungen« vom 21. September 1848, einer »Beilage zum republikanischen Regierungsblatt«, wird ein bewußt optimistisches und daher falsches Bild der Lage gezeichnet. Demnach operiere Sigel gegen Württemberg, rücke Becker aus der Schweiz heran, dränge Willich von Besançon her nach Deutschland vor. »Das ganze Oberland ist militärisch für die Sache der Republik organisiert.«[82]

Die anrückenden badischen Truppen unter General Hoffmann, der schon im April die Aufständischen bei Freiburg zersprengt hatte, zerstörten Struves Illusionen. In einem »Extrablatt« zur Karlsruher Zeitung vom 26. September 1848 wurde der amtliche Bericht General Hoffmanns über das Gefecht bei Staufen vom 24. September abgedruckt. Danach hatten die Truppen schnell Staufen besetzt und die Freischaren vertrieben. Im Rathaus habe sich die Kanzlei Struves mit »sehr interessanten Papieren« befunden, die in der Eile zurückgelassen worden seien[83]. Struve wurde wenig später mit seinem Schwager Carl Blind, den er als seinen Stellvertreter eingesetzt hatte, verhaftet und nach Bruchsal ins Gefängnis gebracht.

Der recht dilettantisch organisierte und von Illusionen getragene *Struve-Putsch* bewirkte, daß sich unter den Emigranten Willich und Becker enger zusammenschlossen und politische und militärische Konsequenzen und Lehren aus dem isolierten Vorgehen Struves zogen[84]. Ihr am 2. Oktober 1848 in Basel gegründeter »Deutsch--Republikanischer Wehrbund Hilf Dir« bereitete einen wirkungsvollen Zusammenschluß der republikanischen Emigranten vor, bei denen Becker die politische und Willich die militärische Führung übernahm[85].

Als wenige Monate später der Kampf um die Reichsverfassung ausbrach, nahmen die weitgehend aus Arbeitern und Handwerkern bestehenden Einheiten Beckers und Willichs geschlossen an den Erhebungen in Baden und in der Pfalz teil.

Die revolutionären Unruhen griffen im Frühjahr 1848 auch auf den deutschen Norden, auf die Herzogtümer Schleswig und Holstein über. Bis zu den Märztagen war der dänische König als Herzog von Holstein Mitglied des Deutschen Bundes, während Schleswig eine ausschließlich dänische Provinz war. Die Deutschen in Schleswig verlangten nun, daß auch ihr Land in den deutschen Staatsverband aufgenommen werde. Als ihr Verlangen am 22. März, wenige Tage nach den Barrikadenkämpfen in Berlin, abschlägig beschieden wurde und der dänische König statt dessen erklärte, er werde die beiden Herzogtümer Dänemark einverleiben, sagten sich die Schleswiger von Dänemark los und verbanden sich mit den Holsteinern. Schon am 24. März wurde eine provisorische Regierung für die beiden Herzogtümer gebildet. Mit Hilfe holsteinischer Truppen und mit Zuzug von Freikorps, an deren Spitze die schleswig-holsteiner Turner und Studenten standen, wurde ein Armeekorps gebildet und das Parlament und die deutschen Regierungen um Unterstützung ersucht. Auf den 3. April wurde ein vereinigter Landtag der beiden Herzogtümer nach Rendsburg berufen, um eine Verfassung für Schleswig-Holstein zu schaffen. Doch noch bevor militärische Bundeshilfe eintreffen konnte, die von Preußen und anderen deutschen Regierungen sowie vom Parlament zugesagt worden war, kam es am 9. April bei Bau nördlich von Flensburg zu einem Zusammenstoß zwischen den Freischaren und den Dänen. In diesem blutigen Gefecht zeichneten sich die Turner von Kiel, die unter der Führung des Buchbindergesellen Robert Henne standen, besonders aus, obwohl sie gegenüber den weit überlegenen und disziplinierteren dänischen Truppen keine Chancen hatten.

Am 25. März, also am Tage nach der Proklamation der provisorischen Regierung, waren die Kieler Turner und Studenten, etwa 200 Mann stark[86], in grauleinene Hosen und Blusen gekleidet, ausgerückt, nachdem sie »in einer einzigen Stunde« ihre Führer gewählt[87] und aus dem Kieler Zeughaus Gewehre und Zündhütchen erhalten hatten[88]. Nach einer zweitägigen Rast in Rendsburg rückten sie mit der schleswig-holsteiner Armee weiter nach Norden vor. Als es am 9. April nördlich von Flensburg zu einem Gefecht kam, wiesen die Turner und Studenten auf der Mühlenhöhe bei Bau am rechten Flügel der Armee mehrere Angriffe der Dänen ab, während das Zentrum der Armee zurückweichen mußte. Um der Einkreisung zu entgehen, versuchten die Turner, sich mit einem Bajonettangriff den Weg zum Stadtrand von Flensburg freizukämpfen. In einem Bericht heißt es: »Die Turner und Studenten wurden in zwei Reihen aufgestellt, das Bajonett aufgepflanzt, und nun gingen sie zum Angriff auf die Dänen vor. In kleinen Trupps versuchten die Kämpfenden sich durchzuschlagen[89].« Als sie schließlich in einem Eisenmagazin Schutz fanden, wurden sie von dänischer Infanterie eingekreist und mußten sich trotz heftiger Gegenwehr nach mehreren Stunden ergeben. Das Gefecht hatte unter den Turnern hohe Verluste gefordert. Die Gefangenen wurden nach Kopenhagen gebracht und dort bis zum Waffenstillstand von Malmö festgehalten. Der Waffenstillstand war nach dem siegreichen Vordringen preußisch-deutscher Truppen und geheimen Unterhandlungen der preußischen Regierung mit Dänemark zustande gekommen. Hinter dem Rücken der Reichsregierung und der provisorischen Regierung von Schleswig-Holstein wurde ein Abkommen ausgehandelt, das die Selbständigkeit der Herzogtümer wieder aufhob. Das Parlament in Frankfurt war Preußen gegenüber machtlos. Als es am 16. September 1848 mit 258 :

237 Stimmen den Vertrag ratifizierte, kam es in Frankfurt zu einem blutigen Aufstand, an dem Turner, die bei Eröffnung des Parlaments noch Spalier für die Abgeordneten gebildet hatten, maßgeblich beteiligt waren.

Der mutige Einsatz der Kieler Studenten, denen es um die Erfüllung eines nationalen Zieles, um ein einiges deutsches Vaterland gegangen war. wurde von dänischer Seite gebührend gewürdigt. Denn, so äußerte sich ein am Kampfgeschehen unmittelbar beteiligter dänischer Offizier: »Es werde in der dänischen Armee bereitwillig anerkannt, wie in dem ganzen ... Kampfe sich weder auf der dänischen noch auf deutscher Seite eine Truppe so brillant geschlagen habe wie die Studenten und Turner in dem Gefecht bei Bau.«[90]

Zwei der führenden Kieler Turner, Robert Henne, der Hauptmann der Turnerkompanie, und Christian Müller, der jugendliche Turnwart, emigrierten nach der Revolution in die USA und ließen sich in Davenport, Iowa nieder[91]. Beide wurden später im Nordamerikanischen Turnerbund hoch geehrt[92].

### 1.2.4  Turner in der »Reichsverfassungskampagne«

Nach dem Scheitern der Nationalversammlung im Frühjahr 1849 und der Ablehnung der Verfassung durch die meisten deutschen Staaten kam es noch einmal zu Kämpfen, in denen die Annahme der Verfassung mit Gewalt durchgesetzt werden sollte. An dieser »Reichsverfassungskampagne« waren weit mehr Turner beteiligt als am »Heckerputsch«. In Sachsen lehnte die Regierung die Annahme der Verfassung ab, obwohl die sächsischen Kammern zugestimmt hatten. Empört eilten Bürgerwehren und Turner nach Dresden. Am 3. Mai begannen die Kämpfe mit dem Sturm auf das Zeughaus. Dieser Angriff scheiterte. Dennoch war der König geflohen, und man setzte eine provisorische Regierung ein, der auch Otto Heubner, der Begründer des Turnwesens in Sachsen, angehörte. Am 5. Mai erhielten die sächsischen Truppen Verstärkung, unter anderem durch preußisches Militär. So war der Aufstand schnell zum Scheitern verurteilt, obwohl sich besonders die Turner bei den Barrikadenkämpfen tapfer schlugen. Am 9. Mai war der Aufstand zusammengebrochen.

Auch die südwestdeutschen Turner nahmen an den Kämpfen um die Reichsverfassung teil. In der Pfalz bildeten Turner schon im April bewaffnete Korps und unterstellten sich später dem im Mai gegründeten Verteidigungsausschuß. Dieser war nach einer stark besuchten Volksversammlung, die am 1. Mai 1849 von den pfälzischen Abgeordneten im deutschen Parlament nach Kaiserslautern einberufen war, zu dem Zweck gegründet worden, die Freiheit der von der Oberherrschaft der bayerischen Krone gelösten und als selbständiges Land unter den Schutz der Reichsverfassung gestellten Pfalz notfalls mit Waffengewalt zu verteidigen. Aber so enthusiastisch die Beschlüsse der Versammlung von den freisinnigen Bürgerkreisen auch aufgenommen wurden, bei der konservativen Landbevölkerung fanden sie wenig Widerhall. Dem Aufruf zu den Waffen wurde daher nicht in dem Maße entsprochen, wie man es im Gedanken an eine Weiterverbreitung der Revolution erhofft hatte, und der Verteidigungsausschuß war erleichtert, als ihm aus anderen Gebieten kampfwillige Einheiten zur Hilfe kamen, zumal es auch den pfälzischen Streitkräften an Waffen und Munition mangelte. So rückten die Turner und die Volkswehr von Worms voran, wohlbewaffnet unter der Führung von Ludwig Blenker, der später im amerikanischen Bürgerkrieg General wurde. Von Mainz kamen die Turner unter der Führung von

34

Germain Metternich; ein rheinhessisches Freikorps, dem viele Turner angehörten, traf unter der Führung von Franz Zitz und Ludwig Bamberger in der Pfalz ein. Sebastian Ditt führte eine Kompanie von 69 Mann, hauptsächlich Turner aus Bretzenheim; eine Kompanie stand unter Führung von Jakob Nix, den wir später in der Turnersiedlung Neu Ulm in Minnesota wiederfinden[93]. Von Bonn kam mit einer Abteilung Freischaren Gottfried Kinkel, nachdem er ohne Erfolg die Erstürmung des Zeughauses in Siegburg versucht hatte, und schloß sich der Bewegung an. August Willich war mit einer Legion politischer Flüchtlinge aus Besançon angerückt. Adjutant Willichs war Friedrich Engels, der über das von Willich befehligte Korps schreibt: »Zum Willichschen Korps gehörten: eine Kompanie Studenten, eine Kompanie Arbeiter, drei schwache Kompanien Turner – aus Landau, Neustadt und Kaiserslautern –, zwei aus Freiwilligen umliegender Ortschaften gebildete Kompanien und endlich eine mit Sensen bewaffnete Kompanie Rheinpreußen ... Es waren zuletzt 700 bis 800 Mann, jedenfalls die zuverlässigsten Soldaten der ganzen Pfalz[94].

Am 10. Mai stürmten die Freischaren, die nur mit Sensen und anderen primitiven Waffen ausgerüstet waren, den Brückenkopf in Ludwigshafen, dessen Besatzung sich dem Volksheer anschloß. Als es aber nicht gelang, die Festung Landau und Germersheim in den Besitz der revolutionären Armee zu bringen, zeichnete sich bereits die Wende ab. Mit dem Polen Sznaida wurde zudem ein ebenso energieloser wie unerfahrener Mann zum Oberbefehlshaber der pfälzischen Volksarmee ernannt. Wie Mieroslawski war Sznaida Teilnehmer an der polnischen Erhebung gegen die zaristische Herrschaft 1830. Polnische Emigranten wurden seitdem von freiheitlich Gesinnten in Frankreich und im Westen Deutschlands besonders verehrt. Am 12. und 13. Juni marschierte ein preußisches Armeekorps in Stärke von 45 000 Mann unter dem Oberkommando des Prinzen Wilhelm in die Pfalz ein. Der Aufstand brach nun schnell zusammen. Am 14. Juni kam es bei Kirchheim-Bolanden zu einem blutigen Gefecht zwischen der Nachhut des rheinhessischen Turner-Freikorps und der preußischen Übermacht, bei dem aus der kleinen Schar von 30 Turnern 15 fielen; am 16. Juni warf sich Willich mit seinen Freischaren im Annweiler-Tal den heranrückenden Preußen entgegen, konnte sich aber, nur gestützt auf mangelhaft bewaffnete Männer, nicht gegen die mit Zündnadelgewehren ausgerüsteten und zahlenmäßig überlegenen Preußen behaupten. Unter Verlust von 30 Toten und Verwundeten mußte er sich zurückziehen. Zwei Tage später, am 18. Juni, setzten die restlichen Pfälzer Truppen, noch etwa 5000 Mann stark, bei Knielingen über den Rhein und zogen nach Karlsruhe, wo sie sich mit den badischen Truppen vereinigten.

Den Anstoß zur badischen Volkserhebung, einer der größten und bedeutendsten des 19. Jahrhunderts, hatte die Volksversammlung am 13. Mai 1849 in Offenburg gegeben. In Baden war auch nach dem mißglückten Aufstandsversuch Heckers vom April 1848 der revolutionäre Geist nicht erloschen. Mehr als 400 sogenannte »Volksvereine«, denen die zahlreichen Turner- und Arbeitervereine als eifrige Bundesgenossen angeschlossen waren, hatten seitdem für die Verbreitung von demokratischen Zeitungen und revolutionären Flugschriften gesorgt und damit eine erfolgreiche Agitation für ihre politischen und sozialen Ziele betrieben. Sie konzentrierte sich besonders auf die badischen Soldaten, die für demokratische Gedanken gewonnen werden sollten. So wurden immer wieder die Vorzüge einer republikanischen Verfassung propagiert und die Respektierung angeborener Menschenrechte gefordert. Vom freiheitlichen Geist erfüllte Soldaten könnten und dürften, so wurde argumentiert, keine willenlosen

Werkzeuge sein, die Befehle ihrer Offiziere, auf eigene Brüder und Väter zu schießen, ausführten, sondern müßten sich als Bürger verstehen, denen das Recht zustünde, ihre Offiziere selbst zu wählen. Offiziere dürften ihnen nicht von einer volksfeindlichen Regierung aufgezwungen werden. Die in fast allen Ortschaften errichteten »Bürgerwehren« standen bereits unter der Leitung selbstgewählter, demokratisch gesinnter Offiziere, die mit dem Zentralvorstand der »Volksvereine« feste Verbindung hatten. Häufig veranstaltete »Verbrüderungsfeste« zwischen Soldaten und Bürgerwehrmännern trugen viel zur Umstimmung der Armee bei.

Der Zentralausschuß berief nach dem gescheiterten Barrikadenkampf in Dresden und der Erhebung in der Pfalz für den 12. Mai einen Kongreß der Delegierten der badischen Volksvereine und für den 13. Mai eine allgemeine Volksversammlung nach Offenburg ein. Da kam es am 11. Mai in Rastatt zu einem Aufstand der mehrere tausend Mann starken Besatzung, bei dem die Festung in die Hände der Aufständischen fiel und die verhaßten Offiziere verjagt wurden. Die Besatzung beschloß, sofort Delegierte zu der Offenburger Volksversammlung zu schicken. Am 13. Mai erhoben sich die Garnison der Landeshauptstadt Karlsruhe und die Garnison in Bruchsal. Aus dem dortigen Gefängnis wurden die inhaftierten politischen Gefangenen, darunter Gustav Struve und Carl Blind, befreit und zogen im Triumph nach Karlsruhe, das der Großherzog bereits fluchtartig verlassen hatte.

Zu der Volksversammlung in Offenburg am 13. Mai erschienen nicht weniger als 40 000 Männer, die ein von Amand Gögg ausgearbeitetes soziales und demokratisches Programm einstimmig guthießen. Die hierin enthaltenen Forderungen waren: Sofortige Anerkennung der Reichsverfassung, Verwendung der bewaffneten Macht zur Unterstützung solcher deutscher Staaten, zunächst der Pfalz, welche die Anerkennung der Reichsverfassung forderten; Entlassung des alten und Bildung eines neuen Ministeriums durch die Bürger Lorenz Brentano und Peter; Auflösung der Ständekammer und Einberufung einer Verfassungskonvention; allgemeine Volksbewaffnung; Zurückberufung der politischen Flüchtlinge, Befreiung aller politischen Gefangenen und Niederschlagung aller politischen Prozesse; Aufhebung der Militärgerichtsbarkeit; freie Wahl der Offiziere durch die Armee; Verschmelzung des stehenden Heeres und der Volkswehr; unentgeltliche Aufhebung aller Grundlasten; Einführung der Geschworenengerichte und Selbstverwaltung der Gemeinden; Errichtung einer Nationalbank zum Schutz des Gewerbes, des Handels und des Ackerbaus gegen die Übergriffe des Kapitals; Abschaffung des alten Steuerwesens und Einführung einer progressiven Einkommensteuer; Schaffung eines großen Pensionsfonds für arbeitsunfähig gewordene Bürger.

Der von der Versammlung eingesetzte Landesverteidigungsausschuß, der später die provisorische Regierung von Baden ernannte, erließ am 17. Mai einen Aufruf an das deutsche Volk (siehe Dokument), in dem die wichtigsten Programmpunkte von Offenburg nochmals genannt wurden. In dem Wahlspruch »Freiheit, Wohlstand und Bildung« und in dem Bekenntnis zu humanistischen Prinzipien manifestierte sich der soziale und liberale Charakter dieser Revolution.

Doch obwohl am 14. Mai noch die Garnisonen von Mannheim, Freiburg und Lörrach zum Volke übergegangen waren und am 1. Juni der Landesverteidigungsausschuß aus seiner Mitte eine provisorische Regierung unter Führung Brentanos gebildet hatte, wagte es dieser nicht, die Republik auszurufen. So begab man sich der Chance, den revolutionären Gedanken in die Nachbarländer Württemberg und Hessen weiterzutragen. Der neuen Regierung gehörte Franz Sigel als Kriegsminister an. Dieser hatte die Absicht, mit etwa 5000 Mann über Hechingen und Siegmaringen in das revolutionär gesinnte württembergische Oberland vorzustoßen, wurde aber von Brentano daran gehindert. So trug der Mangel an Entschlossenheit Brentanos viel zum unglücklichen Ausgang der Revolution bei. Zunächst aber erhielt die Revolution von auswärts Hilfe durch eine Anzahl entschiedener Wortführer: Karl Heinzen war von Amerika herübergekommen, aus der Schweiz Johann Philipp Becker mit einer Legion politischer Flüchtlinge angerückt. Von Hanau führte Turnwart August Schärttner die Hanauer und Bockenheimer Turner herbei, die schon am 18. September 1848 auf den Barrikaden in Frankfurt am Main gekämpft hatten. Über die Vorgänge in Hanau informiert uns in seinen später in der Arbeiter-Turnzeitung abgedruckten Aufzeichnungen Schärttners Korpsadjutant Albert Dammerow wie folgt: »Am 2. Juni (1849), abends 6 Uhr, ward den Hanauer Turnern der Beschluß, auszumarschieren, bekanntgemacht. Die ganze Stadt war in Erregung . . . Die Musterung ergab 400 Mann, welche in drei Kompanien, eine Schützen- (die erste) und zwei Musketierkompanien eingeteilt waren. Die Bekleidung bestand aus einer Bluse, meistens über einen Tuchrock gezogen, grauen leinernen Beinkleidern und grünen, breitkrempigen Turnerhüten. Um 10 Uhr setzte sich die Kolonne nach einem lauten Abschiedshurra in Bewegung. Ein wohl versehener Bagagewagen folgte ihr, beladen mit Munition, Blusen, Leinewand, Stiefeln, Sohlen und dergleichen; auch barg er die durch freiwillige Beiträge der Einwohner Hanaus geschaffene Korpskasse von etwa 2000 Gulden . . .«[95] Mit dem Einmarsch ins badische Kampfgebiet wurden kompanienweise die Vereidigung vorgenommen und der Bataillonsstab gebildet. Militärischer Chef wurde der polnische Freiheitskämpfer Woynicki, während August Schärttner als Major die politische Führung und Gesamtleitung ausübte. »Vor dem Feinde kommandierte Woynicki.«[96] Aufenthalte während des Marsches wurden zu Exerzierübungen genutzt, die bei längerem Verweilen täglich vier bis sechs Stunden dauerten. Neue Rekruten wurden eingereiht, und schließlich, so schreibt Dammerow, »war das Korps im ganzen so weit, daß es bei strengem Fleiße in sehr kurzer Zeit mit vollem Selbstvertrauen gegen jede Truppe ins Feld rücken konnte«[97].

Als am 18. Juni das auf dem Rückzug befindliche pfälzische Volksheer sich mit der republikanischen badischen Streitmacht vereinigte, wurde der polnische Oberst Louis Mieroslawski zum Oberbefehlshaber aller Truppenverbände ernannt. Indes beging Mieroslawski in Übereinstimmung mit der Brentanóschen Zauderpolitik den Fehler, sich auf die Defensive zu beschränken und den Angriff der größtenteils aus Preußen bestehenden Reichstruppen abzuwarten. Anfangs verlief die kriegerische Auseinandersetzung dennoch günstig für die Revolutionsarmee, und es gelang ihr, die Invasionstruppen an der hessischen Grenze zurückzuschlagen. Bei Hirschhorn wurde eine aus Kurhessen und Bayern bestehende Abteilung von den Hanauer Turnern zurückgedrängt,[98] bei Leutershausen schlugen badische Truppen, von ihrer Artillerie unterstützt, einen feindlichen Angriff zurück. Mieroslawski nutzte diese Vorteile aber nicht zu einem energischen Vorstoß nach Norden aus, sondern konzentrierte seine Hauptmacht in und um Heidelberg. Am 20. Juni setzten die preußischen Truppen bei Germersheim über den Rhein und stießen weiter über Durlach und Philippsburg vor. Bei Waghäusel, wo sich das preußische Zentrum befand, kam es am 21. Juni zum schwersten Gefecht während der Reichsverfassungskampagne, bei dem sich die Hanauer Turner besonders auszeichneten. Die Preußen wurden aus ihren Stellungen geworfen und erlitten hohe Verluste. Über den Einsatz der Hanauer, den Umschwung von Siegesgewißheit in Niedergeschlagenheit und Verbitterung berichtet ebenfalls Dammerow: »Die Leute des Turnerbataillons faßten einzeln Posto hinter dem Wagbach und der Straße befindlichen Torfhaufen, überschütteten das Postgebäude mit einem Hagel von Kugeln und drangen dann, da nochmals allgemein Sturm kommandiert wurde, durch die Gärten und über die Straße gegen das Haus und die Kirche vor. Die Preußen zogen sich in fluchtartiger Eile nach Philippsburg zurück ... Trotz des allgemein erfochtenen Sieges erhielt das Bataillon Befehl zum Rückzug ... Jedem war klar, daß an diesem Tage das Entscheidungstreffen geschlagen war; man hatte gesiegt, und doch mußte man fliehen; Unglück und Verrat schienen aller Ecken zu lauern; man hielt den Krieg für beendet; Befehle kamen nicht mehr; man glaubte verfolgt und von Feinden umzingelt zu werden, und jeder wollte sich auf eigene Faust retten ...«[99] In dem allgemeinen Rückzug blieb das Turnerbataillon in seinem Kern zusammen. Nachdem sich die provisorische Regierung in der Nacht vom 24. auf den 25. Juni von Karlsruhe nach Rastatt abgesetzt hatte – von dort zog sie sich später nach Freiburg zurück – gab Mieroslawski den Befehl, an der Murg in der Nähe von Rastatt eine neue Verteidigungslinie aufzubauen. Schon am 28. Juni hatte es bei den Hanauern Feindberührung gegeben. »Bis gegen 5 Uhr«, so der Bericht Dammerows, »schoß man sich hier in stehendem Gefecht mit den Preußen herum«[100]. Am 29. Juni kam es bei Kuppenheim zum Gefecht. Die Hanauer Turner kämpften gemeinsam mit dem Willichschen Korps. Hierüber schreibt Dammerow: »Das Exerzieren war von den Hanauern gleich nach dem Einrücken in Kuppenheim regelmäßig betrieben worden, damit die wenigen tüchtigen Leute nicht erschlafften und das Erlernte nicht vergessen würde«.[101]

Wenn Sigel auch am 29. Juni den Kampf bci Kuppenheim für die Republikaner entscheiden konnte, so wurden sie doch am selben Tage an einer anderen Stelle, nämlich bei Rothenfels und Gernsbach zurückgeworfen und dann am 30. Juni bei Oos schwer geschlagen. Gottfried Kinkel wurde hier verwundet und gefangen genommen. Die Festung Rastatt, in der etwa 6000 Mann lagen, konnte nun von preußischen Truppen eingeschlossen und belagert werden. Daraufhin legte am 1. Juli 1849 Mieroslawski sein Kommando als Oberbefehlshaber nieder und ging in die Schweiz.

Franz Sigel, der nun das Kommando übernahm, versuchte zwar zunächst Rastatt zu entsetzen, doch als dies nicht gelang, führte er unter wiederholten Gefechten mit preußischen Truppen die Reste der Revolutionsarmee weiter nach Süden (Lörrach, Todtenau, Höllenthal) bis zur Schweiz. Die Reste des Hanauer Turnerbataillons, das sich so tapfer geschlagen und alles verloren hatte, erreichte am 6. Juli 1849 mit 236 Mann die Schweizer Grenze[102].

Da wir aus dem Nachlaß Willichs einige Notizen, Anweisungen, Befehle und Aufrufe aus jenen Tagen besitzen, soll versucht werden, anhand dieses Materials die Endphase des Kampfes um die Reichsverfassung und die Rückzugsoperationen zu beschreiben. Sigel erteilt aus dem Hauptquartier der badischen und pfälzischen Armee in Freiburg am 3. Juli 1849 dem Obristen Willich den Befehl, sich mit seiner Kolonne bis ins Simonswälderthal zurückzuziehen, bei St. Georgen ein Detachement aufzustellen und mit Triberg in Verbindung zu bleiben. In der Depesche heißt es ferner: »Der Obrist Becker besetzt das Niederwasserthal von Hornberg nach Triberg – ich selbst werde meine Aufstellung in Donaueschingen nehmen. Das Höllenthal wird befestigt, die Verteidigungslinie geht von Lörrach durchs Wiesenthal bis nach Hornberg.«[103] Am folgenden Tag, 4. Juli 1849, – das Hauptquartier mußte inzwischen nach Neustadt verlegt werden – gibt Sigel einen neuen Befehl an den »Bürger Obristen Willich in Fuhrtwangen«. Dabei teilt er diesem auch seine strategische Grundkonzeption mit: »Da es unumgänglich notwendig ist, daß alle jetzt zur Avantgarde bestimmten Truppen denselben Operationsplan verfolgen, so stelle ich Sie hiermit unter den Oberbefehl des Obristen Becker.« Becker werde Fryberg behaupten. Willich solle Becker, wenn dieser angegriffen werde, zur Reserve dienen. Sollte der Feind über Villingen direkt nach Donaueschingen zu marschieren versuchen, dann solle der Angriff auf die Flanken, bzw. vom Rücken her erfolgen, während er, Sigel, frontal angreifen werde[104]. Aus den widersprüchlichen Befehlen vom 6. Juli wird das wachsende Ausmaß der Verwirrung und Unruhe unter den Resten der Revolutionsarmee deutlich. So schreibt Becker als Kommandeur der V. Division an Willich: »Die Preußen, über Rottweil kommend, rücken heute gegen Villingen vor und werden es, wenn unser Sigel von Donaueschingen aus nicht zuvorkommt, besetzen. In diesem Falle wird Sigel den Feind von Donaueschingen und ich von hier aus angreifen; Du würdest dann, so gut es Dir möglich ist, ohne Furtwangen zu entblößen, einen Angriff von Voernbuch her bewerkstelligen – Furtwangen muß um jeden Preis festgehalten werden und Du wirst daher in Richtung, woher der Feind zu erwarten, die Straßen und Pässe verrammeln und verbarrikadieren lassen.«[105] Gleichzeitig beordert am 6. Juli 1849 die provisorische Regierung von Donaueschingen aus Willich ins Hauptquartier, um ihm das Kommando über die gesamte Artillerie zu übertragen. Seine bisherige Mannschaft solle, bis weitere Verfügung vom Hauptquartier ergehe, in der Stellung verbleiben und aus ihrer Mitte einen vorläufigen Befehlshaber ernennen.[106] Die Nachrichten schaffen Unruhe bei der Truppe. So bittet Willichs Adjutant um Verhaltensmaßregeln, ob er zu ihm, also Willich, stoßen solle oder nicht (6. Juli 1849)[107]. Vom Hauptquartier in Stühlingen aus weist Sigel am 8. Juli Willich an, bei der Absetzbewegung die Nachhut zu bilden. Das Gros ziehe sich Richtung Waldshut zurück. »Suchen Sie die Stellung, so lange es möglich ist, zu behaupten«, schließt Sigel seine Depesche. Doch noch am selben Tag teilt er Willich mit, daß er in Anbetracht der feindseligen Haltung der »linken Schaffhausenschen« seinen Operationsplan ändern müsse. Er werde entweder nach Waldshut oder hinter die Alz gehen. Erstmals gebraucht er in der Anrede das kameradschaftliche »Du«. »Wenn es Dir möglich ist, so komme morgen nach Thingen, wo ich bis 12 Uhr bleibe.«[108] Durch den letzten erhaltenen Tagesbefehl (8. Juli 1849) Sigels aus Stühlingen erfahren wir, daß Oberst Blenker seines Kommandos enthoben wurde. Sigel erklärt ihn für einen feigen Plünderer und für einen Verräter am Vaterlande[109].

Offenbar haben sich Plünderungen und Übergriffe in diesen Tagen erschreckend gehäuft. Von Säckingen aus richten die Kommandeure Friedrich Doll und August Mersey am 7. Juli 1849 einen »Aufruf an die Bewohner des Oberlandes«,[110] worin sie sich von den »brutalen Exzessen einzelner Nachzügler«, entschieden distanzieren. »Zusammengeraffte Trupps meist fremder Abenteurer, welche die heilige Sache unseres Freiheitskampfes zur schmutzigen Erwerbsquelle herabwürdigen, wagen es, in unserem Rücken kroatengleich das Land zu durchschwärmen, Eure Dörfer zu brandschatzen, Eure Häuser zu plündern und friedliche Bewohner zu mißhandeln«, heißt es in dem »Aufklärungsschreiben« für die Schweizer Nachbarn. Die Bewohner des Oberlandes sollten bei solchen Übergriffen sofort die Sturmglocke läuten, dann würden disziplinierte Truppen ihnen unverzüglich zur Hilfe eilen und die Schuldigen durch ein Standgericht aburteilen lassen. Der Aufruf enthält seine besondere Bedeutung dadurch, daß auf den bevorstehenden »Gastschutz«, den man von der Schweiz für die Flüchtlinge erhofft, hingewiesen wird. Die Schweizer sollten wissen, daß dieser von keinen »Unwürdigen« in Anspruch genommen werde.

Mit einer indirekten Mitteilung über die Einstellung aller Kampfhandlungen enden die Nachrichten von Willich. Am 10. Juli 1849 teilt Oberst Hydt Willich mit: »Soeben erhalte ich die Depesche von General Sigel: Alle Truppen von Schiengen bis hier (Baltersweier), sowie die in Waldshut haben sich ins Lager zu begeben.«[111] Am Morgen des 11. Juli zogen die Trümmer der Freiheitsarmee, 1200 Mann, in das Asyl, das ihnen die Schweiz geöffnet hatte.

Während damit alle Landesteile der Pfalz und Badens in die Gewalt der Reaktion zurückgefallen waren, hielt sich die Festung Rastatt nach mehreren vergeblichen Ausfallversuchen der Besatzung noch bis zum 23. Juli. Prinz Wilhelm von Preußen bestand auf der bedingungslosen Übergabe der Festung. Doch obwohl General Gröben, Kommandeur der preußischen Besatzungstruppen, den vom Festungskommandanten entsandten Parlamentären versicherte, die Übergabebedingung: auf Gnade und Ungnade sei nur eine Formsache und der Besatzung werde freier Abzug ohne Waffen zugestanden, wurde das gegebene Wort nicht gehalten und die 5000 Mann nach den Kasematten gebracht. Dort hatten sie die Entscheidung des Standgerichts abzuwarten. Achtundzwanzig Freiheitskämpfer wurden standrechtlich erschossen.

Die nach Amerika emigrierten Achtundvierziger haben Prinz Wilhelm die Exekutionen von Rastatt nie vergessen. Selbst nach der Reichsgründung, die von den deutsch-amerikanischen Turnern im allgemeinen jubelnd begrüßt wurde, blieb bei den »Alten« die Bitterkeit, daß »im Spiegelsaal zu Versailles dem Mörder der deutschen Freiheit von den Fürsten der schillernde Kaisermantel um die Schultern gehängt wurde«[112].


## 1.2.5  *Der Weg der Turner in die Emigration – eine statistische Auswertung*

Bereits während der beiden Revolutionsjahre hatten zahlreiche Turner Deutschland verlassen und waren in die USA emigriert. Nach 1850 stieg die Zahl der Deutschen, die aus politischen und wirtschaftlichen Gründen nach Amerika auswanderten, sprunghaft an[113]. Viele politische Flüchtlinge, die sich in der Schweiz, Frankreich oder England aufgehalten hatten, hofften zunächst, bald in ihre Heimat zurückkehren zu können, sahen sich aber nach 1850 gezwungen, angesichts ihrer sich verschlechternden wirtschaftlichen Lage Europa endgültig zu verlassen[114], zumal eine Änderung der politischen Verhältnisse in Deutschland nicht abzusehen war und der äußere Druck auf die Asyl gewährenden Staaten stärker wurde. Während in den Jahren von 1840 bis 1849 385434 Deutsche von den amerikanischen Einwanderungsbehörden registriert wurden, waren es zwischen 1850 und 1854 bereits 654291. Höhepunkt der Einwanderungswelle war das Jahr 1854 mit 215009 Emigranten.[115]

Die neue Turnbewegung in Amerika, die sich in wenigen Jahren von 1848 an zu einem bedeutenden Faktor des sozialen und politischen Lebens in den USA entwickelte, wurde von jenen Turnern inauguriert, die als Anhänger des Demokratischen Turnerbundes unmittelbar am Revolutionsgeschehen beteiligt waren. Im Unterschied zu der Lage in Deutschland, wo nach dem Scheitern der Revolution die Turnvereine verboten, beziehungsweise polizeilich überwacht wurden, so daß republikanische Kräfte keine Chance einer politischen Willensbildung mehr hatten, konnten sie sich in den USA voll entfalten. Daraus folgert Hannes Neumann zu Recht: »Hatte die Teilnahme der Turner an der Revolution das Turnwesen entscheidend belastet, so war gerade diese Teilnahme die Geburtsstunde des Turnens in Amerika.«[116]

Bei näherer Untersuchung ergibt sich, daß bei der überwältigenden Mehrheit der Turner, die in die USA kamen, Unzufriedenheit mit den politischen Verhältnissen, beziehungsweise Beteiligung an der Revolution ein wesentliches Motiv für die Emigration war. Die Auswertung einer Liste der Turner, die sich in den Jahren von 1848 bis 1862 einem Verein anschlossen, stimmt bei den Immigrationsquoten mit den oben genannten Zahlen überein[117].

| Jahr | jährlich immigriert ca. | insges. in best. Zeiträumen | prozentual bezügl. 1860 |
|------|------|------|------|
| 1839 | 9 | | |
| 1840 | 7 | | |
| 1842 | 5 | 82 | 10,8 % |
| 1845 | 12 | | |
| 1846 | 15 | | |
| 1847 | 28 | | |
| 1848 | 51 | | |
| 1849 | 78 | | |
| 1850 | 75 | 579 | 76,6 % |
| 1852 | 106 | | |
| 1853 | 98 | 320 | 39,7 % |
| 1854 | 116 | | |
| 1855 | 23 | | |
| 1856 | 31 | | |
| 1857 | 18 | | |
| 1858 | 6 | 095 | 12,6 % |
| 1859 | 10 | | |
| 1860 | 7 | | |

Während bis zum Jahr 1839[118] nur neun und bis 1847 nur 82 Turner in die USA ausgewandert waren (10,8 %), stieg die Zahl nach 1847 sprunghaft an und erreichte mit über 51 im Jahre 1848 und 75 im Jahre 1850 mit 116 im Jahre 1854 den absoluten Höhepunkt[119].

Eine Auswertung der statistischen Angaben hinsichtlich des Geburtslandes der Turnerpioniere nach 1848 ergibt folgendes Bild:

| Preußen [1] | 97 | = | 12,8 % [2] | Baden | 83 | = | 11,0 % |
|---|---|---|---|---|---|---|---|
| Thüringen | 15 | = | 2,0 % | Bayern | 74 | = | 9,8 % |
| Pfalz | 56 | = | 7,4 % | USA | 24 | = | 3,2 % |
| Württemberg | 77 | = | 10,2 % | restliches Ausland | 27 | = | 3,6 % |
| Sachsen | 27 | = | 3,6 % | Sonstiges [3] | 125 | = | 16,6 % |
| Hessen | 149 | = | 19,8 % | | | | |

[1] Einschließlich aller Provinzen; eine Aufgliederung war nicht möglich, da nur Preußen angegeben wurde.

[2] Prozentzahlen auf einer Basis von 754 = 100 %

[3] Hierin sind die übrigen deutschen Kleinstaaten erfaßt sowie die Fälle, in denen die Angaben so ungenau waren, daß eine eindeutige Zuordnung nicht möglich war.

Danach stellte Preußen wesentlich weniger Turner als das relativ kleine Hessen. Aus der Pfalz und Baden kamen fast ein Fünftel der Einwanderer. Die Dominanz der süd- und südwestdeutschen Turner ist unverkennbar. Betont werden muß auch das jugendliche Alter der meisten Turner, da dies ihren Elan, Einsatzwillen und Tatendrang in der neuen Bewegung verständlich macht. Das Durchschnittsalter der Turner in der »Namensliste« lag 1860 ! etwas über 28 Jahre; 710, das sind 94,2 % (bei 754 war das Geburtsjahr genannt) wurden nach 1820 geboren, davon 398 (52,8 %) allein im vierten Jahrzehnt – wobei die Spitze 1834 erreicht wurde – und 56 (7,4 %) noch nach 1840. Entsprechend niedrig war das Alter bei der Einwanderung. Fast die Hälfte (48,4 %) derjenigen, die ab 1848 einwanderten,[120] waren bei ihrer Ankunft in den USA zwischen 17 und 23 Jahre alt; 68,7 % zwischen 15 und 25 und mehr als 90 % zwischen 11 und 30 Jahren. Unter 18 waren fast 70 % (467), über 30 dagegen nur 6,1 % und über 40 nur 0,7 %. Die graphische Darstellung ergibt folgendes Bild:

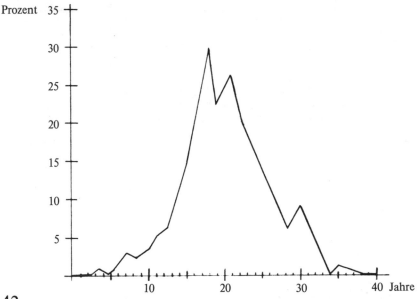

Bezüglich der Berufszugehörigkeit der emigrierten Turner jener Jahre sind Rückschlüsse auf der Grundlage einer Statistik von 1866 möglich. Sie bestätigen eine Aussage von Wilhelm Rapp anläßlich einer Festrede zum vierten allgemeinen Turnfest in Philadelphia im Jahre 1854, wonach die meisten Mitglieder des»Nordamerikanischen Turnerbundes« (NAT) der arbeitenden Klasse angehörten[121]. Von 6 320 Mitgliedern waren allein 62,5 % (3 947) im Handwerk und 15,8 % im kaufmännischen Gewerbe tätig. Eine wissenschaftliche Ausbildung hatten 236, also nicht einmal 4 %. Diese Gruppe, die Lehrer, Ärzte, Schriftsteller usw. umfaßte, machte mit den Künstlern und Technikern insgesamt nur 10,4 % (661) der Bundesmitglieder aus[122]. Eine Auswertung der Aufstellung der Pioniere[123], die auch Berufsangaben enthält, läßt erkennen, daß sich die Mitglieder des Turnerbundes hauptsächlich aus dem Kleinbürgertum rekrutieren.

Von den 795 Mitgliedern (bei den übrigen 11 fehlen Angaben) waren:

| I | Handwerker | 347 | (43,6 %) |
|---|---|---|---|
| II | Kaufleute | 93 | (11,7 %) |
| III | aus dem Gaststättengewerbe | 70 | ( 8,8 %) |
| IV | »Akademiker«, Künstler usw. | 68 | ( 8,5 %) |
| V | Arbeiter | 57 | ( 7,1 %) |
| VI | Fabrikanten | 35 | ( 4,6 %) |
| VII | Beamte | 21 | ( 2,6 %) |
| VIII | Farmer | 3 | ( 0,4 %) |
| IX | Sonstige Berufe *) | 101 | (12,7 %) |

*) Hierin werden auch diejenigen Berufe erfaßt, bei denen wegen der ungenauen Angaben keine Einordnung möglich war. Neben Tapezierern und Anstreichern werden zum Beispiel auch noch Maler genannt, die Frage, inwieweit es sich dabei um Kunstmaler handelt, bleibt offen. Bei den Handwerkern ist bemerkenswert, daß 71, das sind 8,9 % aller Mitglieder, als Beruf Schneider angeben. Fünfzig Turner waren, zum Teil in vereinseigenen Lokalen, als Gastwirte tätig. Die deutschen Gastwirte hatten zu jener Zeit in den USA einen hervorragenden Ruf.

Die Jugendlichkeit der Turner, ihre domokratischen Zielvorstellungen und ihre Herkunft aus den Kreisen der arbeitenden Bevölkerung erklären den Willen zu gesellschaftspolitischen Veränderungen auch in der»Neuen Welt«. Obwohl die staatliche Einheit hier vorhanden und die Demokratie als Staats- und Lebensform allgemein anerkannt war, gab es bundesweit weder soziale Gerechtigkeit noch Toleranz gegenüber den verschiedenen ethnischen und religiösen Gruppen. Daher machten es sich die Turner zur Aufgabe, sobald sie eine feste Organisationsform gefunden hatten,»... die sozialen, politischen, religiösen usw. Reformen im Sinne des radikalen Fortschritts zum richtigen Verständnis (aller) Mitglieder zu bringen, um sie dadurch zu befähigen, an den Reformen sich im einzelnen ... tatkräftig zu beteiligen«[124].

## 1.3    Der Aufbau des deutsch-amerikanischen Turnwesens von 1848 bis 1860

Der erste Turnverein in Noramerika wurde am 21. November 1848 in Chincinati mit Unterstützung Friedrich Heckers gegründet[125]. Der neuen »Chincinnati Turnge-meinde« gehörten mit Gustav Tafel, Wilhelm Pfänder, Constantin Conrad und Wilhelm Rothacker Persönlichkeiten an, die sich um die Verbreitung deutschen Kulturgutes in den USA verdient gemacht haben[125]. Fast gleichzeitig mit Chincinnati konstruierte sich am 28. November die »New York Turngemeinde«, aus der aber bald darauf politisch engagierte Turner wieder austraten, um am 6. Juni 1850 den »Socia-listischen Turnverein von New York« zu gründen[127]; in ihm waren viele Teilnehmer an der Reichsverfassungskampagne, besonders Hanauer Turner, tätig. Im Jahre 1849 entstand in Baltimore der »Sozialdemokratische Turnverein«, der nach einem Jahr mit 278 Mitgliedern bereits größter Turnverein der USA war[128].
Die Initiative zur Gründung eines Turnerbundes der alle Vereine umfassen sollte, ging am 15.7.1850 vom »Sozialistischen Turnverein« New York aus. Im Paragraph 2 der vorläufigen Satzung hieß es: »Der Zweck des Bundes ist, neben den körperlichen Turnübungen, dem geistigen und materiellen Druck entgegenarbeitend, wahre Frei-heit, Wohlstand und Bildung für alle Klassen nach Kräften zu fördern.«[129] Die Turner bekannten sich somit auch in den USA zu jenen Prinzipien, für die sie bereits in Deutschland gestritten hatten. Sie drängten auf eine Veränderung der politischen und sozialen Verhältnisse in Nordamerika[130].
Auf der Tagsatzung (der heute nicht mehr übliche Begriff Tagsatzung wird im folgen-den durch Bundestag ersetzt) in Philadelphia, zu der am 5. Obtober 1850 Abgeordnete der Turnvereine von Baltimore, Boston, Brooklyn, Philadelphia und den beiden New Yorker Vereinen entsandt worden waren, wurden die Voraussetzungen für die Konsti-tuierung des Bundes (30. September 1851) geschaffen. Als Vereinigung von zehn Vereinen erhielt er den Namen »Sozialistischer Turnerbund«. Er faßte sogleich zwei wichtige Beschlüsse: Erstens sollten sich die Turner bewaffnen[131] – auch hier eine Parallele zu ihrem Verhalten in Deutschland – und zweitens sollten sie sich zu den Zie-len der radikalen Freesoilparty bekennen, die sich der Ausbreitung der Sklaverei ent-schieden widersetzte[132]. Mit der Hinwendung zu dieser Partei und ihrer Devise »Freier Boden, freie Rede, freie Arbeit und freie Männer«[133] beschritten die Turner konse-quent einen Weg, der über den Bundestag von Buffalo 1855 mit der grundsätzlichen Verurteilung der Sklaverei zum Eintritt in den Bürgerkrieg auf Seiten der Unionstrup-pen Lincoln führte.
Außerhalb des Turnerbundes gab es zunächst noch elf Vereine, die sich dann aber, ebenso wie die Mehrheit der später gegründeten, dem Bund anschlossen, der Ende 1853 bei einer Mitgliederstärke von ca. 2850 insgesamt 49 Vereine umfaßte[134].
Die Turner betrachteten sich auch in Amerika noch als »Avantgarde der Freiheit«[135], die darauf baute, daß eine neue Revolution in Deutschland »nicht mehr lange auf sich warten lassen«[136] würde.
Aus dem Willen, für diese erneute Auseinandersetzung mit der deutschen Reaktion gerüstet zu sein, erklärt sich der Aufbau von Fecht- und Schützenabteilungen in den Vereinen und die ständige Schulung an der Waffe. Bei festlichen Anlässen, Fahnen-weihe, Einweihung von Turnhallen, Turnfesten, appellierten bekannte Revolutionäre

an den Geist von 1848[137] und nährten die Hoffnung auf eine Rückkehr in die Heimat. Seit 1852 ließ allerdings diese Hoffnung mehr und mehr nach und wich teilweise einer Resignation oder Verbitterung. Gegen diese Haltung versuchte der Turnerbund anzugehen. Er betonte die Verpflichtung zur Kampfbereitschaft und empfahl Waffenübungen nach dem Sigel'schen Reglement[138]. Gleichzeitig bemühten sich einzelne Turnführer, wie zum Beispiel Wilhelm Rapp, der erste Bundesvorsitzende, die Turner mit den amerikanischen Verhältnissen zu versöhnen: Rapp mahnte sie: »Auch wir müssen unsere Vorurteile ablegen, uns immer mehr in das amerikanische Staatswesen hineinleben und uns politische Bildung, dieses A und O des republikanischen Lebens, in immer höherem Grade erwerben«[139]. Im Jahre 1854 auf dem Bundestag in Pittsburgh verpflichtete der Bund seine Mitglieder, das amerikanische Bürgerrecht zu beantragen[140].

Obwohl auffallend viele Turnvereine in der Gründungszeit sich den Namen »sozialistisch« oder »sozialdemokratisch« gaben, waren die gesellschaftspolitischen Zielvorstellungen der Turnvereine keineswegs einheitlich. Hatte es bereits zahlreiche Auseinandersetzungen über den Namen des Turnerbundes gegeben, so kam es zu einem offenen Konflikt, als auf dem Bundestag in Pittsburgh 1854 beschlossen wurde, an jedem Ort dürfe nur ein Bundesverein bestehen. Damit wurde die freie Entwicklung des Turnwesens in den USA gehemmt. Viele Turner, die nicht einem als »sozialistisch« deklarierten Verein angehörten, wollten diesen Beschluß nicht akzeptieren. Als die Turngemeinde Boston am 10. November 1851 aus Protest gegen die Namensgebung »Sozialistischer Turnerbund« aus dem Bund austrat, wurde dies wie folgt begründet: »Wir halten es dem Turnwesen unangemessen, partikularistisch zu verfahren ..., da wir durch die Bedingung: »Du mußt Sozialist sein« uns selbst die Möglichkeit abschneiden, einen jeden für uns zu gewinnen, so wird Euer Wunsch, Propaganda zu machen, zur reinen Unmöglichkeit, denn noch ist nicht jeder politisch so gebildet, daß er nur im Sozialismus das wahre Glück der Menschheit erblickt. Wir glauben aber, daß das Turnen selbst schon alle Elemente des Sozialismus in sich trägt und der größte Teil der Turner, besonders hier in Amerika, dieser Richtung angehört, ohne nötig zu haben, dieses Aushängeschild immer voranzutragen, auch halten wir es für durchaus undemokratisch, jemandem von vornherein eine Ansicht aufdrängen zu wollen, ohne ihm Gelegenheit zu lassen, sich zu belehren.[141] Um die Auseinandersetzung zu beenden und begriffliche Unklarheiten zu beseitigen, definierte die Turnzeitung die Ideale des »sozialistischen Turners« wie folgt: »Eine demokratisch-republikanische Verfassung, ein allen garantierter Wohlstand, bestmöglichste und unentgeltliche Erziehung nach den Fähigkeiten eines jeden, die Beseitigung aller hierarchischen Gewalten«[142]. Damit waren politische Leitvorstellungen und Bildungsziele angesprochen, wie sie von vielen Turnern schon in Deutschland als Mitglieder der demokratischen Partei verfochten wurden.

Mit der Konstituierung des Bundes 1851 wurden der amerikanischen Turnbewegung jene Organisationsform und innere Struktur gegeben, die sich im wesentlichen bis heute erhalten haben. Hauptorgan für einen Prozeß demokratischer Willensbildung war der Bundestag, zu dem zunächst alljährlich die Abgeordneten der Vereine zu einer Bundesversammlung zusammenkamen, um über die wichtigsten Fragen des Turnerbundes zu beraten und darüber zu entscheiden. Die dort gefaßten Beschlüsse waren, soweit es um Bundesangelegenheiten ging, für alle Vereine verbindlich. Der Bundestag nahm außerdem den Rechenschaftsbericht des Bundesvorstandes entgegen und wählte den neuen Vorort und die Städte, in denen das nächste Bundesturnfest und der Bundestag abgehalten werden sollten. Der Bundesvorstand wurde aus dem Verein, dem der Vorort übertragen worden war, gewählt, zunächst durch die Abgeordneten des Bundestags, später durch die Mitglieder des Vorort-Vereins. Ihm oblag die Verwaltung der Finanzen und die Erstellung von Halbjahresberichten über die Entwicklung des Bundes auf der Grundlage der eingegangenen Vereinsberichte. Der Bundesvorstand wurde jeweils für ein Jahr gewählt; der Vorort mußte alle zwei Jahre wechseln. Diese Bestimmungen waren aus der Sorge erwachsen, bei einem weniger häufigen Wechsel könnten sich bürokratische Strukturen verfestigen und eine größere Distanz der Führungsgremien zu den Vereinen eintreten. Das Verfahren erwies sich indes bald als wenig praktikabel, da es eine kontinuierliche Entwicklung verhinderte und dem neuen Vorstand kaum Zeit zum Einarbeiten ließ. Nach dem Bürgerkrieg wurde es auch geändert; so blieb New York für sieben Jahre der Vorort des »Nordamerikanischen Turnerbundes«.

Um den Vorort zu entlasten und den Gefahren einer Zentralisation vorzubeugen, wurde 1853 auf dem Bundestag in Cleveland die Kreiseinteilung beschlossen, das heißt, es wurden nach geographischen Gesichtspunkten fünf Kreise (Nordkreis, Ostkreis, Mittelkreis, Westkreis, Südkreis) mit jeweils von den Kreisvereinen gewählten Vorständen gebildet. Die geographische Gliederung wirkte sich aber bald nachteilig aus und erhöhte die Verwaltungsschwierigkeiten. Sie mußte teilweise wieder aufgehoben werden. In den ersten Jahren machten auch die Beitragszahlungen an die Bundesleitung, vor allem aber die Finanzierung der »Turn-Zeitung« größere Schwierigkeiten. Die Turn-Zeitung, das wichtigste Informationsorgan des Bundes, als Bindemittel zwischen den Vereinen nach innen und Werbe- und Propagandainstrument des Vorstandes nach außen hin gedacht, erschien zuerst monatlich, seit 1852 vierzehntägig und dann wöchentlich. Sie hatte anfangs ein hohes Niveau und zeichnete sich durch Sachlichkeit und Verläßlichkeit aus, wurde aber mit der wachsenden Politisierung des Turnerbundes zu einem politischen Kampfblatt, das manche Turner abschreckte. Sie waren aus grundsätzlichen Erwägungen nicht bereit, die Zeitung zu beziehen[143]. Dadurch wuchsen die finanziellen Schwierigkeiten so sehr, daß der Vorort 1860 meldete, der Bund sei »seiner Auflösung nahe«[144].

Die stärkste Bindekraft ging von den Bundesturnfesten aus, »Glanzpunkte des turnerischen Lebens«, und »in jeder Beziehung ... nützlich, ja fast notwendig für die Sache der Turnerei«, die im ersten Jahrzehnt, nämlich von 1851 bis 60 jährlich stattfanden und außer der Festigung des Solidaritätsbewußtseins der Repräsentation und der Werbung dienten[145]. Sie wurden in den ersten Jahren wegen der großen Dimensionen des amerikanischen Kontinents abwechselnd in östlichen und westlichen Regionen ausgetragen, seit 1856 infolge der Spaltung in zwei Turnerbünde mit zwei getrennten Tagsatzungen auch organisatorisch völlig unabhängig voneinander. In das Wettkampfprogramm, das zunächst nur aus turnerischen Wettbewerben bestand, wurden ab 1859 auch »leichtathletische« Disziplinen wie Hochsprung, Hürdenlauf, Steinstoßen, Ger- und Speerwerfen und schließlich Ringen aufgenommen. Seit 1853 wurden Bundespreise für musisch-geistige Leistungen verliehen, wie Gesang, Rezitation und literarische Arbeiten. Hier liegen die Ursprünge für das später so reich entwickelte Kulturprogramm der »American Turners«.

Obwohl die Turnbewegung in den USA sich relativ schnell organisierte und strukturierte und viele Jahre ohne Konkurrenz blieb, konnte sie doch keine allgemeine Verbreitung in den Vereinigten Staaten finden. Die Gründe dafür sind im angegebenen Zeitraum, also von 1848 bis 60 primär in dem sehr gespannten Verhältnis der Turner zu ihren amerikanischen Mitbürgern zu suchen. Widerspruch und Ablehnung fand bei vielen Amerikanern die politische Zielsetzung des Turnerbundes, die Heftigkeit und Taktlosigkeit, die Turner bei ihren Angriffen auf die amerikanische Republik und die Kirchen zeigten, ihr Anspruch, eine überlegene Kultur zu vertreten, und die Abkapselung der Turnvereine, die den Assimilierungsprozeß verzögerte. Beide Seiten waren intolerant in der Beurteilung der jeweiligen Lebensphilosophie der anderen Gruppe. Nach anfänglicher Neutralität wurde 1856 der Weg der politischen Konfrontation beschritten, als die Turnvereine auf dem Bundestag in Pittsburgh beschlossen, das Programm und die Kandidaten der Republikanischen Partei zu unterstützen[142]. Auf dem Bundestag in Rochester, Mitte 1860, wurde folgende Erklärung verabschiedet: »Die hier versammelten Delegaten der Vereine des nordamerikanischen Turnerbundes empfehlen den Turnern bei der bevorstehenden Präsidentenwahl, ihre Stimme für den Kandidaten derjenigen Partei, welche Sklaverei und Nativismus bekämpft, für ein wahrhaft liberales, unbeschränktes Heimstättengesetz in die Schranken tritt und somit unseren in der Bundesplattform niedergelegten Prinzipien am nächsten steht, in die Wahlurne zu legen«[148]. Bei der Inauguration Lincolns am 4. März 1861 bildeten die Turner von Washington den wesentlichen Teil der »body-guard« des Präsidenten[149]. Die politische Konfrontation war bereits mit der teilweise sehr scharfen Kritik verbreitet worden, welche die »Achtundvierziger« bald nach ihrem Eintreffen in den USA an der demokratischen Republik »mit ihrem prosaischen Materialismus und ihrer plebeischen Rauheit« übten[150]. In der Präsidialdemokratie sahen sie angesichts der Machtfülle des US-Präsidenten eine »verkappte Monarchie«[151]; sie forderten die Direktwahl der Abgeordneten und deren mögliche Abberufung, falls diese gegen den Willen der Wähler verstießen[151].

Gegenüber solch radikalen Forderungen traten besonnene Argumente in den Hintergrund. Man dürfe nicht verkennen, so wurde angeführt, daß die Schwächen dieses Staatswesens nicht in seiner Verfassung, sondern in der menschlichen Natur lägen[153], und gerade die deutschen Einwanderer sollten nicht vergessen, welche Freiheiten und Rechte sie hier in den USA vorfänden[154]. So ist auch die Reaktion zahlreicher Amerikaner verständlich, die den radikalen deutschen Einwanderern vorwarfen, sie seien unfähig, die Freiheiten und Rechte der amerikanischen Republik entsprechend zu würdigen, und zeigten eine taktlose Haltung gegenüber ehrwürdigen amerikanischen Traditionen. Konservative Amerikaner sahen sogar in den radikalen deutschem Immigranten eine Gefahr für die demokratischen Institutionen und unterstützten Kirchenkreise, die durch strenge Einwanderungsgesetze revolutionäre und kirchenfeindliche Elemente von Amerika fernhalten wollten[155]. Die Turner behaupteten demgegenüber, die Amerikaner seien größtenteils politisch unmündig und hätten nicht »die mindesten Begriffe von einer demokratischen Republik«[156].

Die in politischen wie in religiösen Fragen radikalen Gruppen der Turner wurden insbesondere von den »Know-Nothings« angegriffen, deren nativistische Tendenzen den Zielvorstellungen der Einwanderer diametral entgegenstanden. Der amerikanische Historiker Carl Wittke resümiert: »In the recorded cases of mob violence, the Turner seem to have been involved more often than any other group. Their agnosticism and radicalism made them special targets for conservative, church-going native Americans, and when they organized military companies in self-defense to police their outdoor celebrations, American nativists became alarmed by this »armed minority« within the state.«[157] Zu handgreiflichen Auseinandersetzungen zwischen Turnern und Nativisten kam es bereits 1850; ein Jahr später gab es anläßlich eines Maifestes deutscher Arbeiterverbände in Hoboken, New Jersey, an dem auch Turner teilnahmen, den ersten Toten[158]. Ausschreitungen von Nativisten gegenüber Deutschen geschahen bald darau in Louisville[159], ferner während des Bundesturnfestes in Philadelphia 1854[160]. Höhepunkt waren die Auseinandersetzungen in Cincinnati im April 1855, wo die »Know-Nothings« gewaltsam versuchten, Iren und Deutsche an der Ausübung ihres Wahlrechts zu hindern [161]. Die Deutschen mußten sich bewaffnen, um einen Angriff der »Know-Nothings« zurückzuschlagen, die bereits in das deutsche Stadtviertel eingedrungen waren. Die Kämpfe forderten zahlreiche Tote und Schwerverletzte. Von der entschlossenen deutschen Gegenwehr zeigten sich die Nativisten völlig überrascht[162]. Dennoch gingen die Auseinandersetzungen weiter. Im Juni 1855 wurden Turner und Sänger aus Columbus, Ohio auf ihrem Rückweg von einem Sängerfest in Cleveland angegriffen[163]. Es gab einen Toten und mehrere Schwerverletzte[164]. Der anschließende Prozeß endete mit einem Freispruch der deutschen Angeklagten[165]. Erst die in dem folgenden Jahren alles beherrschende Sklavenfrage und die Auflösung der »Know-Nothings« beendeten diesen Konflikt zwischen den neuen deutsch-amerikanischen und alten amerikanischen Bürgern. Dieser Konflikt erwies sich für das deutsche Element in den USA insofern als vorteilhaft, als er mithalf, die Gegensätze zwischen den »Grauen« und »Grünen«, den vor der Revolution von 1848 ausgewanderten, sehr gemäßigten Deutschen und den radikalen Demokraten, den »Achtundvierzigern«, zu überbrücken.

Eine der Ursachen für die schweren Auseinandersetzungen mit den »Know-Nothings« war die antiklerikale Haltung des Turnerbundes und der Turnvereine. Viele »Achtundvierziger«, die nach Nordamerika gekommen waren, bezeichneten sich als Rationalisten, Materialisten und Freidenker[166]. Sie arbeiteten als Turner häufig eng mit den neu gegründeten »Freien Gemeinden« zusammen und schlossen sich deren Forderungen nach Abschaffung der Sonntagsgesetze, des »Thanksgivingday«, des Eröffnungsgebetes im Kongreß und der Entfernung der Bibel aus den Freischulen ebenso an wie dem Protest gegen Steuerfreiheit des Kircheneigentums und dem gesetzlichen Ausschluß jener Bürger von öffentlichen Ämtern und Zeugenschaft vor Gericht, die keiner oder einer nicht genehmen Religionsgemeinschaft angehörten[167].

Die rigorose kirchenfeindliche Haltung hat ihre Wurzeln in der tiefen Enttäuschung der Turner über eine Kooperation von Klerus und Reaktion vor und während der Revolution von 1848. Man sah in den Kirchen mittelalterliche Institutionen, die in einer freiheitlichen Republik keine Entfaltungsmöglichkeit mehr haben dürften: »Nur wenn wir zwischen uns und dem Mittelalter jede Brücke abbrechen, wenn wir nicht nur die Kette, welche uns mit ihm verbindet, abstreifen, sondern auch die Formen und Gebräuche beseitigen, welche das Mittelalter geschaffen hat, werden wir als freie Menschen dastehen.«[168] Die Kirchen werden angeklagt, freie Ideen unterdrückt und wissenschaftliche Wahrheiten bekämpft zu haben[169]. Anstelle der Leibfeindlichkeit der Kirche sollte nun das Bekenntnis zum griechischen Schönheitsideal, »der Harmonie von Geist und Körper«[170] treten. Konsequent wurde das Motto der Turner »Frisch, Fromm, Fröhlich, Frei« geändert und auf die drei Worte: »Frisch, Froh, Frei« reduziert[171].

Einer extrem kirchenfeindlichen und übersteigerten freiheitlichen Haltung entsprang auch die Negierung der Sonntagsgesetze und des Temperenzzwanges. Der Sonntag war für die Turner kein religiöser Feiertag, sondern ein Tag der Erholung, des Vergnügens und der Geselligkeit. Ihr lautes Gebaren, ihre Paraden und Aufzüge, ihr Singen, öffentliches Turnen und fröhliches Biergelage mußten strenggläubige Puritaner zutiefst verletzen. Dabei ließen es die Turner, um ihre Unabhängigkeit zu demonstrieren, selbst auf Zusammenstöße mit den Ordnungsbehörden ankommen[172].

Der freidenkerischen Gesinnung der Turner entsprach eine komplexe Auffassung vom Turnen als einer körperlichen und geistigen Erziehung. Da das »geistige Turnen« vielfach einer weltanschaulichen Schulung gleichkam, die mit politischen Zielvorstellungen verbunden war, wurden in den Turnvereinen zum Teil erbitterte Auseinandersetzungen darüber geführt, welcher der beiden Seiten im Erziehungsprozeß Priorität zukommen solle. Schon 1851 hatte der Vorort die Forderung nach einem Erziehungssystem erhoben, das jedem nach seinen Fähigkeiten und Talenten die Gelegenheit geben würde, sich einen möglichst hohen Grad geistiger und körperlicher Ausbildung anzueignen[173]. Diese Forderung war politisch motiviert, glaubte man doch, durch Erziehung der Massen zum Gebrauch ihrer Vernunft den Durchbruch wahrer freiheitlicher Ideen in Amerika erreichen zu können[174]. »Nur die Erziehung kann, indem sie alle Bürger aufklärt, die Herrschaft der wahren Demokratie begründen. Darin muß man die Lösung der Probleme suchen, welche uns beschäftigen. Die Wiedergeburt der Gesellschaft ist die Wiedergeburt des Einzelnen durch die Erziehung.«[175] Dieser Erziehungsprozeß wurde als ein eminent wichtiger Akt der politischen Willensbildung verstanden, denn nur der aufgeklärte Bürger, der erkannt habe, daß die Politik in einer Republik die Wissenschaft des Lebens ist, werde auch lernen, politisch zu denken und zu handeln[176]. An konkreten Maßnahmen zur Intensivierung des »geistigen Turnens«, das wie das körperliche Turnen methodisch aufgebauter Übungsprozeß sein sollte, wurden 1853 in Cleveland wöchentlich zwei »Belehrungsabende« vorgeschlagen, das heißt Unterricht in »Sprachen, Mathematik, Länder- und Völkerkunde, Geschichte, Gesundheitslehre usw.«[177] Die Ziele waren aber offenbar zu weit gesteckt, denn die meisten Vereine erklärten sich außerstande, die Empfehlung der Tagsatzung in die Praxis umzusetzen[178]. Erfolgreicher dagegen war die ebenfalls in Cleveland ausgesprochene Aufforderung zur Errichtung von Bibliotheken und Leseräumen in den Vereinen[179]. Im Jahre 1855 empfahl der Bundestag in Buffalo die Einrichtung von Gewerbeschulen[180]. Außerdem bemühte sich die Bundesleitung, größere Vortragsreisen in einem Vorlesungszyklus zu organisieren[181]. Die Vereine wurden ferner verpflichtet, wichtige Gedenktage festlich zu begehen, allen voran den Jahrestag der amerikanischen Unabhängigkeit[182] und Schillers Geburtstag. Schließlich war es Schiller, der für Freiheit und Recht eingetreten war; ihm fühlten sich die Turner verbunden, sein heroisches Pathos klingt in manchen frühen Turnerliedern, wie z.B. dem von Schnauffer an[183].

Während die Turnvereine dank solcher Aktivitäten in vielen Städten Mittelpunkte des kulturellen und gesellschaftlichen Lebens der Deutsch-Amerikaner wurden, gerieten sie zugleich in wachsende Isolation von anderen ethnischen Gruppen. Dazu trug allerdings auch ein übersteigertes Sendungsbewußtsein der Turner bei, das viele Amerikaner schockieren mußte, zumal wenn es mit diskriminierenden Äußerungen über die amerikanische Kultur verbunden war. Glaubten viele der damaligen Amerika–Deutschen, das »durch den Kitt der Freiheit verbundene Weltreich veredeln und vergeistigen«[184] zu können, so sahen es die Turner als ihre Aufgabe an, die Auseinandersetzungen um Kulturwerte offensiv zu führen und »den Streit der hier vertretenen Kulturvölker auszukämpfen«, um dann ins »staunende Amerikatum« Huttens Worte hineinzurufen: »Ich hab's gewagt!«[185]

Auf politischer Ebene brachte die Erklärung auf dem Bundestag von Buffalo im Jahre 1855 gegen Sklaverei, Nativismus und Temperenzzwang zwar eine Grundsatzentscheidung, leitete aber auch die Spaltung des Bundes ein. Das Gros der Turner sah in der Sklaverei keineswegs nur ein Negerproblem, sondern den Widerstreit von aristokratischer und demokratischer Lebenshaltung. »The problem of slavery is not the problem of the Negro. It is the eternal conflict between a small privileged class and the great mass of the non-privileged, the eternal struggle between aristocracy and democracy.«[185] Die Annahme der Kansas-Nebraska-Bill im Jahre 1854, die den beiden Territorien ermöglichte, selbst über die Frage der Sklaverei zu entscheiden, löste einen erbitterten Kampf in Kansas aus, an dem sich auch die Turner aus Kansas beteiligten. Der Bruch des Missouri-Abkommens führte zur Gründung der Republikanischen Partei, der sich nach kurzer Zeit fast alle führenden «Achtundvierziger» anschlossen[187]. In Boston wurde Wendell Philipps der Führer der Antisklaverei-Bewegung; er war Ehrenmitglied des Bostoner Turnvereins und wurde von den Turnern ständig vor Überfällen geschützt[188]; in Baltimore wurde die Turner-Zeitung, der »Baltimore Wecker«, zum Kampfblatt der Republikanischen Partei.

Je eindeutiger sich indes Vereine des Nordens gegen die Sklaverei aussprachen, desto schwieriger wurde die Lage der Turnvereine im Süden. Die Erklärung von Buffalo forderte eine Entscheidung, und so traten mehrere Vereine wegen der »abolitionistischen« Haltung des Bundesorgans und wegen der Verurteilung der Sklaverei durch die Bundesversammlung aus dem Turnerbund aus[189].

Im Bund kam es bald nach Buffalo zu einer Spaltung als Folge eines »selbstverschuldeten Verfalls, hervorgerufen durch Eigensinn und Rechthaberei«[190]. Anlaß war die Kritik an der Turn-Zeitung, die auf den Austritt der Südvereine sehr scharf reagiert hatte, und eine allgemein beklagte Vernachlässigung des praktischen Turnens in den Vereinen. Als auf Einladung des New Yorker Turnvereins acht Vereine die Absetzung der Redaktion wegen der »pöbelhaften Sprache« beantragten, in der sich die Turn-Zeitung gegenüber den Südvereinen geäußert hatte[191], kam es zu scharfen Protesten des Vororts. Man warf dem New Yorker Turnverein Machtstreben und undemokratisches Verhalten vor[192]. Als der New Yorker Turnverein sich weigerte, weiter die Turn-Zeitung zu beziehen, wurde er aus dem Bund ausgeschlossen[193]. In dieser angespannten Atmosphäre – zahlreiche Vereine waren mit der strengen Durchführung der Bundesbestimmungen nicht einverstanden – machte der Vorort den Fehler, den nächsten Bundestag entgegen vorheriger Ankündigung eigenmächtig von Washington nach Pittsburgh zu verlegen. Daraufhin kamen die protestierenden Vereine in Washington zusammen. Ein Vermittlungsvorschlag, einen gemeinsamen Bundestag an einem dritten Ort zwischen Washington und Pittsburgh abzuhalten, scheiterte. Die Einheit war damit gesprengt, der »Socialistische Turnerbund«, die »einzig wirksame Dachorganisation deutscher Einwanderer in der ganzen Nation«[194] in zwei rivalisierende Verbände auseinandergebrochen. Bis 1859 gab es nun zwei Turnerbünde mit eigenem Bundestag, von denen der östliche Bund aus 22 und der westliche aus 86 Vereinen bestand[195]. Erst als die Vororte nach Dubuque (westlicher Bund) und Washington (östlicher Bund) verlegt wurden und neue Männer in die Führungspositionen der Bünde gekommen waren, die leidenschaftsloser urteilten und eine kompromißbereite Haltung zeigten, konnte nach vorbereitenden Gesprächen am 13. November 1859 die Wiedervereinigung vollzogen werden, allerdings auf Kosten der Mitgliederzahl, da elf Vereine austraten. Einen völlig eigenen Weg beschritten die Turner Kaliforniens, die im Oktober 1859 aus rein pragmatischen Erwägungen den »Pacific Turnerbund« gründeten.

Die Turnvereine Kaliforniens (San Francisco, Sacramento, Oakland, Auburn, Stockton, Marysville, Dutch Flat, Sonora und Shasta) entfalteten bald darauf ein reiches Turnerleben, das von den handel- und gewerbetreibenden Deutsch-Amerikanern, welche die Ober- und Mittelschicht und auch die stärkste ethnische Gruppe des Landes bildeten, getragen wurde. Vom TV Sacramento kam der Anstoß, die Leibeserziehung in das schulische Curriculum einzubeziehen. Da das deutsche Element im Parlament des Landes gebührend vertreten war, wurde 1866 ein Gesetz verabschiedet, das Leibeserziehung (Turnen) zum öffentlichen Schulfach machte. Dies war eine Pionierleistung in den USA, denn erst 1892 folgte Ohio. – Einen eigenen Weg beschritten auch die Vereine, die ab 1850 im kanadisch-amerikanischen Grenzraum entstanden, 1850 in Berlin (später Kitschner), 1860 in Toronto, 1862 in Hamilton, 1866 in Victoria. Der TV Toronto warb ab 1861 wiederholt durch öffentliche Vorführungen für das Turnen, der TV Hamilton organisierte 1863 die ersten Vergleichswettkämpfe.

Der wiedervereinigte nordamerikanische Turnerbund umfaßte 1860 – vor Ausbruch des Bürgerkrieges – 73 Vereine mit etwa 4 080 Mitgliedern; mit weiteren 67 Vereinen, in denen etwa 3 800 Mitglieder organisiert waren, stand der Vorort in Verbindung. Die Gesamtstärke der deutsch-amerikanischen Turner wird von Metzner zu diesem Zeitpunkt auf ungefähr 10 000 geschätzt[195].

### 1.3.1   Wilhelm Pfänder und die Turnersiedlung Neu Ulm

Die Auseinandersetzung mit den »Know-Nothings« und der Wunsch der Turner, in einer Gemeinschaft Gleichgesinnter leben zu wollen, in der sie frei von Angriffen und Schmähungen waren, führte zur Gründung der Turnersiedlung Neu Ulm[197]. Initiator dieses Unternehmens war Wilhelm Pfänder[198], geboren am 26. Juli 1826 in Heilbronn am Neckar. Hier hatte er die Volksschule besucht, da seine Eltern als arme Arbeiter ihm keine höhere Schulbildung ermöglichen konnten. Im Jahre 1840 hatte er eine kaufmännische Lehre angetreten, dann Interesse am Turnen gefunden und seine Freistunden zur körperlichen Ertüchtigung genutzt. Schon 1844 gehörte er mit zu den Gründern der Heilbronner Turngemeinde. Nach Beendigung seiner Lehrzeit nahm er eine Stellung in Ulm an und war auch dort turnerisch aktiv. Der politische Druck, der 1847 auf den Turnvereinen lastete, und seine Bekanntschaft mit weitgereisten und gebildeten Männern ließen in ihm den Entschluß reifen, in Nordamerika eine neue Existenz aufzubauen. Nach kurzem Aufenthalt bei seinem Bruder in London, wo er auch Marx und Engels kennenlernte, erreichte er am 21. Mai 1848 New York. Von hier reiste er nach Cincinnati und fand in der Urbanschen Safefabrik Arbeit. Er gehörte zu den Gründern der Cincinnati Turngemeinde und wurde deren erster Turnwart. Als er 1853 heiratete, zog er nach Newport, wo er die Newporter Turngemeinde gründete. In jener Zeit wurden von deutschen Einwanderern Projekte zum Aufbau von Arbeiterkolonien[199], sogar zur Gründung eines »deutschen Staates« in Amerika verfolgt, beziehungsweise diskutiert. Pfänder hielt es jedoch für realistischer, eine kleinere deutsche Ansiedlung zu gründen und warb in Turnerkreisen für diese Idee. Sein Plan fand Anklang, und die Cincinnati Turngemeinde gewährte ihm Hilfe. Zusammen mit Jakob Nix[200], der als Hauptmann in der badischen Revolution gekämpft hatte, stellte er auf dem Bundestag in Buffalo 1855 sein Projekt vor. Während die östlichen Vereine eine Unterstützung ablehnten, sagten die westlichen Vereine, besonders Cincinnati, Unterstützung zu. Schließlich einigte man sich, daß Cincinnati die Aufsicht und Kontrolle über das Projekt übernehmen und der Turnerbund das Vorhaben moralisch unterstützen sollte[201]. Als bald darauf eine Landkommision, bestehend aus Pfänder und drei weiteren Turnern, die Staaten Wisconsin, Illinois, Nebraska, Kansas und Minnesota bereisten, fanden sie am Minnesota-Fluß einen geeigneten Platz, Arbeiter aus Chicago hatten hier im Mai 1855 die Siedlung Neu Ulm gegründet, den sie dem Besitzer, deutscher Landverein Chicago, am 4. Juli 1856 für 6000 Dollar abkauften. Bereits im September 1856 trafen die ersten Siedler aus Cincinnati ein. Geldspenden der Cincinnati Turngemeinde für Lebensmittel halfen ihnen zunächst über den Winter. Am 11. November 1856 wurde ein Turnverein in Neu Ulm gegründet und dem Bund angeschlossen. Die Ansiedlung entwickelte sich rasch. Im Jahre 1857 wurde Neu Ulm von seiten des Staates als Stadt anerkannt. Pfänder war zunächst in der Verwaltung der Siedlung tätig und bearbeitete seine eigene Farm. Im Jahre 1859 wurde er in den Magistrat von Minnesota gewählt, und 1860 war er einer der Wahlmänner Lincolns. Bei Ausbruch des Krieges trat er der Unionsarmee als Kommandeur einer Artillerieabteilung bei.

Während des Bürgerkrieges, im August 1862, kam es zum großen Sioux – oder Dakota Indianeraufstand. Am 24. August belagerten die Indianer das schutzlose Neu Ulm. Die meisten Männer dienten damals in der Armee. Die notdürftige Verteidigung leitete Oberst Jakob Nix. Man verschanzte sich in wenigen Häusern und konnte so – wenn auch unter schweren Verlusten – die Angriffe der Indianer abwehren. Vierzig Männer fielen im Kampf, 270 Häuser wurden niedergebrannt, nur 30 blieben erhalten. In höchster Not kam Hilfe für die Verteidiger, und die Indianer zogen sich zurück, ehe sie die ganze Stadt erobern konnten. Siebenhundert Männer, Frauen und Kinder, zumeist aus den umliegenden Farmen, sollen bei diesem Indianerangriff umgekommen sein[206]. Pfänder, durch die Ereignisse stark beunruhigt, kehrte 1862 kurz nach Neu Ulm zurück, fand aber seine Familie in St. Paul als Flüchtlinge unversehrt. Er blieb bis Kriegsende bei der Armee, beteiligte sich dann am Wiederaufbau Neu Ulms. Am 2. November 1869 wurde er in den Senat von Minnesota gewählt[203].

## 1.3.2   Cincinnati und New York – die ersten Turnvereine in den USA und ihre Repräsentanten

Die Gründungen der ersten Turnvereine auf amerikanischem Boden erfolgten noch im Jahre 1848, und zwar unmittelbar nacheinander. In Cincinnati spielte Hecker dabei eine maßgebliche Rolle. Am 22. Oktober 1848 war er nach Cincinnati gekommen und dort begeistert empfangen worden. Am nächsten Tag beriet er mit mehreren ehemaligen Turnern, unter anderm drei Turnern aus Ludwigsburg, über die Möglichkeit der Gründung eines Turnvereins. Innerhalb eines Monats wurde das Projekt verwirklicht, und am 24. November 1848 fand die Gründung der Turngemeinde

Cincinnati statt. Geturnt wurde zunächst in einer »Bretterbude«; da sich aber bald zahlreiche und nicht immer freundliche Zuschauer einfanden, wurde das Gelände mit einem Zaun umgeben. Infolge rasch steigender Mitgliederzahl war der Verein bald in der Lage, sein eigenes Holzhaus zu bauen, das als Turnhalle diente. Die erste Vereinsturnhalle in Nordamerika wurde am 1. Januar 1850 in der Walnut-Street von Cincinnati eingeweiht. Die Festrede hielt Wilhelm Pfänder. Darbietungen des Turnergesangvereins und Turnvorführungen umrahmten die Veranstaltung. Zusammenkünfte hielt der Verein im sogenannten Heckerhaus ab. Die Gründung eines Männerchors und die Einrichtung einer Bibliothek waren weitere wichtige Ereignisse in der Vereinsgeschichte. Ab 1851 gab der Verein eine eigene Turnzeitung heraus, die in ihrer Bedeutung dem späteren offiziellen Organ des Turnerbundes kaum nachstand. Man hoffte, wie Redakteur Heinrich Esmann in der ersten Ausgabe schrieb, daß die Zeitschrift zur Vereinigung aller fortschrittlichen Kräfte, zur Verbreitung und Verteidigung der Grundsätze des Turnwesens beitragen werde. Neben Beiträgen über turnerische Probleme brachte das Blatt Mitteilungen aus dem Vereinsleben, Beschreibungen von Festlichkeiten, Turnhalleneinweihungen usw. Auch literarische Beiträge, Briefe und kritische Essays fehlten nicht, denn das Blatt sollte nicht nur auf lokaler Ebene turnerische Interessen vertreten, sondern auch das geistige Leben der nordamerikanischen Turnbewegung allgemein widerspiegeln[204].

Im Frühjahr 1856 gerieten die Turner von Cincinnati in eine Auseinandersetzung mit den »Know-Nothings«[205]. Als sie am Pfingstmontag zusammen mit den Turnern von Newport und Covington, 160 an der Zahl, auf der Kentucky-Seite des Ohio, nahe Covington, ihr Turnfest feierten, provozierten junge Burschen die Turner durch Schmährufe und Steinwürfe so lange, bis es zu Handgreiflichkeiten kam. Die flüchtigen Provokateure verbreiteten dann in Covington das Gerücht, die Turner hätten die Jungen umbringen wollen. Als die Turner auf ihrem Weg zur Newporter Fähre abends ahnungslos durch Covington zogen, wurden sie hier heftig angegriffen. Schußwaffen wurden eingesetzt, und es gab Verwundete. Schließlich erreichten die Turner die Landestelle der Fähre, stellten sich mit dem Rücken zum Wasser auf und hielten die inzwischen durch Feuerglocken aus Covington herbeigerufene Menge mit einigen Gewehren und Bajonetten in Schach. Als der Bürgermeister daraufhin die Landung der Fähre verweigerte, zogen die Turner zur Newporter Turnhalle, wo sie die Nacht verbrachten. Am nächsten Tag erschienen alle vor Gericht; 107 Personen wurden verhaftet und hohe Kautionen festgelegt, die zwei Bürger aus Newport bezahlten. Nach einem langwierigen Prozeß, bei dem Richter Stallo aus Cincinnati geschickt als Verteidiger fungierte, wurden die Turner freigesprochen. Von der Zeit an konnte sich das Turnwesen in Cincinnati weitgehend ungehemmt entfalten.

Richter Stallos Entscheidung zugunsten der Turner machte ihn unter den Deutschamerikanern sehr beliebt. In der Politik wie im Gerichtswesen war er an Reformberatungen der damaligen Zeit stark beteiligt.

Zu den bedeutendsten Persönlichkeiten der Cincinnati Turngemeinde gehörte ferner Wilhelm Rothacker, 1828 in Engen/Baden geboren. Während der Belagerung von Rastatt durch die Preußen im Jahre 1849 gab er den »Festungsboten« heraus, verbrachte dann als Gefangener längere Zeit in den Kasematten und konnte sich den Kugeln des Standgerichts nur durch eine gewagte Flucht entziehen. In den Jahren von 1858 bis 59 war er Redakteur der Turnzeitung. Am 25. November 1859 starb er an den Folgen einer Tuberkulose, die er sich in den feuchten Kasematten von Rastatt geholt hatte[206].

Eine Woche nach Gründung des ersten Turnvereins auf amerikanischem Boden in Cincinnati wurde in New York der zweite Turnverein gegründet. Einem Aufruf der New Yorker Staatszeitung folgend, trafen sich am 28. November 1848 eine Anzahl Männer, zumeist Flüchtlinge der Revolution von 1848, in Beckers Hotel in Hoboken, New Jersey. Hier gründeten sie die New Yorker Turngemeinde[207]. Schon nach einem Jahr traten Differenzen auf, weil die politischen Aktivitäten des Vereins einem Teil der Mitglieder zu gering erschienen. Diese Männer, 36 an der Zahl, die fortschrittliche republikanische und liberale, vor allem aber sozialistische Ideen propagierten, verließen die New Yorker Turngemeinde und gründeten am 6. Juni 1850[208] den »Sozialistischen Turnverein New York«. Der Vorstand setzte sich zusammen aus dem Sprecher Sigismund Kaufmann, dem Beisitzer Germain Metternich, dem Turnwart Felix Reifenschneider, dem 1. Schriftwart Ludwig Engelhardt, dem 2. Schriftwart Wilhelm Stadler und einem Säckelwart[209].

Sigismund Kaufmann, der erste Sprecher des Vereins, war unter den Turnerpionieren in Amerika eine herausragende Persönlichkeit. Auch auf nationaler Ebene war er für die Turnerei tätig. So gehörte er zu den Gründern des Turnerbundes, dessen Vorsitzender er für die Dauer der Vorortschaft von New York war, und arbeitete als erster Redakteur des Bundesorgans (Turn-Zeitung). Seiner Standhaftigkeit und seinem energischen Auftreten war es unter anderem zu verdanken, daß trotz heftigster Gegenwehr verschiedener nativistischer Gruppen der »Sozialistische Turnverein New York« im Jahre 1857 als New Yorker Turnverein von der Staatsgesetzgebung als ordentlicher Verein anerkannt wurde. Der am 8. September 1825 in Schotten (Hessen-Darmstadt) geborene Kaufmann, der eine Buchhändlerlehre durchgemacht und dabei seine Kenntnisse in Paris, Straßburg und Frankfurt a. Main erweitert hatte, war als Mitglied der Frankfurter Turnerschaft an den revolutionären Ereignissen des Jahres 1848 beteiligt gewesen und hatte aus Deutschland fliehen müssen. In New York fand er eine Anstellung in einem Anwaltsbüro und begann, amerikanisches Recht zu studieren. Im Jahre 1852 wurde er als Anwalt zugelassen und eröffnete zusammen mit Aron Frank aus Karlsruhe, ebenfalls Flüchtling der Revolution von 1848, eine Anwaltspraxis in New York. Kaufmann spielte eine bedeutende Rolle im politischen Leben der Stadt und des Staates. Er galt als einer der Mitbegründer der Republikanischen Partei, für deren Ziele er wiederholt öffentlich eintrat. Im Jahre 1859 beteiligte er sich an der Gründung einer deutschen Sparbank und war jahrelang deren Direktor. Später, 1860, wurde er einer der Wahlmänner Lincolns. Im Bürgerkrieg gehörte er einer Kommission an, die über die Befreiung vom Wehrdienst zu entscheiden hatte, eine Aufgabe, die er mit ausgeprägtem Gerechtigkeitssinn unparteiisch erfüllte. Seiner großen Popularität verdankte er schließlich seine Aufstellung zum Kandidaten für das Amt des Vizegouverneurs von New York[210].

Ein weiteres Gründungsmitglied des »Sozialistischen Turnvereins New York« war Germain Metternich, bekannt als Barrikadenkämpfer in Frankfurt (1848)[211], dessen turnerische Tätigkeit in Nordamerika sich allerdings auf die Anfangsjahre des Turnerbundes beschränkte. Metternich wurde am 10. April 1811 in Mainz geboren, schlug dann nach einer guten schulischen Ausbildung die Offizierslaufbahn ein. Wegen seiner Teilnahme an freiheitlichen Bestrebungen schon in den dreißiger Jahren, zum Beispiel am Hambacher Fest 1832, mußte er seine Offiziersstellung im 3. Hessischen Infanterie-Regiment, in dem er damals diente, aufgeben. Danach verdiente er seinen Lebensunterhalt als Schriftsteller, Journalist, Maler und Souffleur am Mainzer Theater; eine dauerhafte Anstellung konnte er jedoch wegen seiner politischen Ansichten nirgends bekommen. Er schloß sich der Turnbewegung an und fehlte in den vierziger Jahren auf keinem Turnfest im süddeutschen Raum. Im Jahre 1849 kämpfte er unter Sigel in Baden. Das Scheitern der Revolution veranlaßte ihn zur Flucht nach Amerika, wo er Mitbegründer des New Yorker Turnvereins und Mitglied des 1. Bundesvororts wurde. Beim Ausbruch des Bürgerkrieges zog er als Oberstleutnant des 46. New Yorker Regiments ins Feld.

Auch der am 18. Oktober 1821 in Görlitz geborene Carl Eifler[212], der sich schon früh der Turnbewegung angeschlossen hatte, war Gründungsmitglied des »Sozialistischen Turnvereins New York«. Er war ebenfalls an den revolutionären Ereignissen in Deutschland beteiligt gewesen und als politischer Flüchtling in die USA gekommen. Dem »Sozialistischen Turnverein« diente er als Schriftführer, dann als 2. und später als 1. Sprecher. Ferner gehörte er zu den Abgeordneten des 1. Bundestages und wurde Schriftführer des ersten Vororts. Von Mitte der fünfziger Jahre an war er bis zu seinem Tode 1888 für die Schule des New Yorker Turnvereins tätig, zuerst als Vorsteher des Zöglingsvereins, dann als Oberlehrer. Im erzieherischen Bereich des Turnwesens sah er seine Lebensaufgabe.

Erster Vereinsturnlehrer des »Sozialistischen Turnvereins« war Eduard Müller[213], 1803 in Mainz als Sohn eines Gymnasialdirektors geboren, später Kunststudent in München und hier – wie in Mainz – aktiver Turner. In Mainz gründete er den Mainzer Turnverein. Wegen seiner Teilnahme am Hambacher Fest mußte er für sieben Jahre ins Exil nach Frankreich. Als er nach Mainz zurückkehrte, wurde er Leiter des Mainzer Turnwesens, dann städtischer Turnlehrer. Damals gab er eine Sammlung von Turnübungen als Leitfaden für den Turnbetrieb heraus. Auch als Herausgeber und Redakteur der »Mainzer Turnzeitung« wurde er bekannt. Nach dem Scheitern der Revolution, an der er aktiv teilgenommen hatte, verließ er enttäuscht Deutschland und wanderte in die USA aus. In New York widmete er sich wieder ganz der Turnerei und schrieb 1852 im Auftrag des Vororts ein Turnlehrbuch. Selbst im Äußeren bemühte er sich, als Jahnscher Turner aufzutreten und in Kleidung, Bart und Haartracht dem »Turnvater« ähnlich zu sein. Doch trotz dieser Skurrilität war er eine besonders beliebte und geachtete Persönlichkeit in New Yorker Turnerkreisen.

Prominentestes Mitglied des New Yorker Turnvereins war Franz Sigel[214], der als einer der bedeutendsten Führer der revolutionären Erhebungen in Baden von den Turnern und allen Achtundvierzigern in Amerika besonders verehrt wurde. Nach dem Scheitern der Revolution führte ihn der Weg über die Schweiz und England 1852 nach Amerika. In New York, wo er zunächst als Ingenieur, dann als Lehrer tätig war und Milizoffiziere ausbildete, trat er in den Turnverein ein, wurde im März 1855 erster Turnwart und später erster Sprecher des Vereins. Außerdem war er der erste Fechtlehrer der New Yorker Turner, deren Fecht- und Schützenabteilung in Erwartung einer neuen Revolution in Deutschland 1851 ins Leben gerufen worden war. Neben dieser Tätigkeit gab er Vereinsmitgliedern noch unentgeltlich Unterricht in Englisch und Mathematik. Im Bürgerkrieg war er einer der höchsten und angesehensten deutsch-amerikanischen Offiziere.

Getragen von so starken Persönlichkeiten, beschloß der New Yorker »Sozialistische Turnverein«, getreu seinem Statutenentwurf: »Der »Sozialistische Turnverein« hat den Zweck, das Turnwesen zunächst im Verein und dann nach außen durch Wort und Schrift zu fördern«[215], sechs Wochen nach Gründung des Vereins eine Versammlung aller Turnvereine in Amerika einzuberufen, um eine nationale Vereinigung zu schaffen. Damit sollte den Vereinen ein besserer Schutz ihrer Interessen, größere Sicherheit für ihre Existenz und eine Basis für gemeinsame Arbeit gegeben werden. Zwar wurde auf der ersten Versammlung, am 22. August 1850, dem Plan zur Gründung eines Turnerbundes zugestimmt, doch es bestanden Meinungsverschiedenheiten über die Ziele des Bundes, denn die eine Partei wollte in der Förderung des Sozialismus, die andere im Turnen, das heißt in der körperlichen Ertüchtigung ihre Hauptaufgabe sehen. Im Anschluß an das erste allgemeine Turnfest in Philadelphia, am 29. und 30. September 1851, wurde dann der »Sozialistische Turnerbund« gegründet.

Der New Yorker Verein hatte sich inzwischen erfreulich weiterentwickelt. Das erste offizielle Fest feierte der Verein aus Anlaß einer Fahnenweihe am 13. August 1851. Frauen der Vereinsmitglieder hatten eine rote seidene Fahne angefertigt und machten diese dem Verein zum Geschenk. Zweihundert Turner zogen zum Turnplatz, und Gustav von Struve hielt die Festrede, in der er die Turner aufrief, für die Freiheit in Deutschland und für gesellschaftlichen Fortschritt einzutreten, gemäß der Devise »Freiheit, Wohlstand und Bildung«. Eine Fahne mit diesem Motto wurde im Zuge mitgeführt[216].

Das Interesse am Turnen nahm weiter zu. Am 1. Januar 1852 war die Zahl der Mitglieder auf 326, die der Kandidaten auf 56 angewachsen. Außerdem hatte der Verein noch 60 Schüler, denn im Herbst 1851 war eine Turnschule gegründet worden[217]. Am zweiten Bundesturnfest in Baltimore 1852 nahmen 105 Turner des Vereins teil, die sich im »Pyramidenbau« auszeichneten[218]. Das dritte Bundesturnfest fand 1853 in New York statt; 14000 Personen nahmen daran teil, davon waren etwa 1000 Turner und 400 Sänger. Bei diesem Turnfest spielten Gesang, Theatervorführungen und andere öffentliche Darbietungen eine größere Rolle als das Turnen selbst. Die exakten Aufmärsche und das disziplinierte Auftreten der Deutschen, trotz erheblichen Konsums an Lagerbier, hinterließen offenbar bei den amerikanischen Beobachtern des Festes einen nachhaltigen Eindruck[219]. Beim vierten Bundesturnfest in Philadelphia 1854, zu dem 200 Turner des New Yorker Turnvereins erschienen, war Franz Sigel verantwortlich für die militärische Seite des Festes, das heißt für Paraden und Gewehrschießen. Schießen gehörte mit zu den sportlichen Aktivitäten[220].

Die Mitgliederzahl des Vereins war inzwischen auf 500, die Zahl der Schüler auf 200 gestiegen. Außerdem war eine Schützen- und Fechtabteilung aufgebaut worden. Wegen der ständig steigenden Mitgliederzahl wurde der Wunsch nach einer eigenen Turnhalle immer größer. Der Verein hatte sich bis dahin mit viel zu engen Räumlichkeiten in Hotels und Lokalen begnügen müssen. Eine provisorische Turnhalle war auf einem Hinterhof errichtet worden. 1852 mietete der Verein einen Saal im dritten Stock eines Hauses in der Canal Street, der als Turnhalle und Versammlungsraum diente. Bald begann hier ein reges geselliges Leben. Eine Bar und ein Restaurant unter eigener Führung wurden eröffnet, eine Theaterabteilung gegründet, das Schülerturnen eingeführt. Mittwochs nach dem Turnen traf man sich regelmäßig zum Singen; Samstag abend wurden Versammlungen abgehalten, bei denen politische und literarische Themen diskutiert wurden.

Im Jahre 1859 endlich konnte eine eigene Turnhalle errichtet werden. In demselben Jahr begann man mit dem Aufbau einer Bücherei, die auf die Gebiete Geschichte, Philosophie, Kunst und Literatur ausgerichtet war.

Das zwanglose Singen führte zur Gründung der »Liedertafel« (Chor) des New Yorker

Turnvereins, die 1854 und 1857 jeweils den ersten Preis auf den Bundesturnfesten gewann. Unter der Leitung ihrer Dirigenten (Heinicke, Krüger, Heimer, Greiner) wurden Opern und Operetten aufgeführt. Opernstars sangen dabei als Solisten. Der Chor zählte schließlich über 100 Mitglieder und nahm an öffentlichen Sängerwettbewerben teil.

Bei der drei Jahre, von 1856 bis 1859, dauernden Spaltung des Turnerbundes, in einen östlichen und westlichen Zweig, schloß sich der New Yorker Turnverein keinem der beiden an. Der Ausbruch des Bürgerkrieges brachte für den New Yorker Turnverein, wie für fast alle Turnvereine in Amerika, einen erheblichen Rückgang des turnerischen Lebens, da die meisten Mitglieder ins Feld zogen.

### 1.3.3 Turnbetrieb in den ersten deutsch-amerikanischen Turnvereinen und einige amerikanische Turnbestrebungen

Entsprachen Afbau und Struktur der ersten Turnvereine in den USA ganz deutscher Tradition, so vollzog sich auch das Turnen weitgehend in der Form, wie es in der alten Heimat betrieben wurde. Verantwortlich für den Turnbetrieb war der Turnwart. Er genoß großes Ansehen unter den Turnern und seine Anordnungen in der Halle, auf dem Turnplatz und bei den festlichen Aufmärschen waren unbedingt zu befolgen. Jede Riege wurde von einem Vorturner geführt, der innerhalb der Riege ähnliche Befugnisse hatte wie der Turnwart für den Turnverein. Der Ehrgeiz vieler Turner wurde dadurch angespornt, daß sie bestrebt waren, durch gute Leistungen die angesehene Stellung eines Vorturners zu erreichen. Der Turnbetrieb spielte sich mit nahezu militärischer Strenge ab. Das Übungsgut war nicht sehr groß, die Turngeräte anfangs ziemlich plump, doch wurden an ihnen beachtliche Leistungen vollbracht. Unter den Turnern herrschten im allgemeinen kameradschaftlich-freundschaftliche Beziehungen, das »Du« gehörte zum Umgangston. Riegeneinteilungen, Reihenfolge in der Benutzung der Geräte und methodischer Aufbau der Übungen wurden genau beachtet. Alle turnten mit; erst nach dem Riegenturnen begann ein freies Kürturnen. Zu den festgesetzten Turnstunden wurde immer geturnt, auch dann, wenn es für einzelne Gruppen Sonderverpflichtungen gab, wie etwa Vorbereitungen auf ein Turnfest.

Im Sommer wurde im Freien geturnt; sonntags marschierten die Turner in voller Uniform, weißem Drillich, roter Krawatte, schwarzem Filzhut, trotz bestehender Sonntagsgesetze, die aber meistens nicht streng durchgeführt wurden, in Reih und Glied zu den Turnplätzen, wo oft Hunderte von Zuschauern ihrem Treiben beiwohnten.

Das Preisturnen bei den Turnfesten bestand am Anfang aus drei selbstgewählten Übungen an Reck, Barren und Pferd und wurde erst später durch festgesetzte Übungen bestimmt, als die Gefahr einseitigen Kunstturnens zu groß wurde. Bei den ersten Bundesturnfesten erhielt der Sieger neben Urkunde und Siegeskranz eine goldene Uhr. Turner, die an diesen Festen teilnahmen, wurden von ihren Vereinen nicht materiell unterstützt. Abgesehen von moralischen Bedenken – die Teilnahme galt als ehrenvoll – wären die Vereine auch gar nicht in der Lage gewesen, Unkosten zu erstatten. Bei den Turnfesten gezeigte Leistungen waren also fast ausschließlich das Ergebnis eigener Willensanstrengungen.

Im Laufe der Zeit ließ allerdings die Beteiligung an den praktischen Turnübungen nach. Die neu in den Verein Eintretenden lockten vor allem Vergnügungen und Unterhaltungen des Turnerlebens, das praktische Turnen empfanden sie als Zwang. So verschob sich das Verhältnis von aktiven und passiven Mitgliedern immer mehr zu Ungunsten der aktiven Turner. Hatte es anfangs kein Generationenproblem in den Vereinen gegeben, da die älteren Mitglieder zusammen mit den jüngeren in einer Riege turnten, so drängte es die Jugendlichen später aus den von den älteren Mitgliedern bestimmten Bahnen des Turnbetriebs. Trotz mancher Verbesserungen, (Geräte, Lehrstoff, Hallen, Turnen in Altersgruppen usw.), wurde die Turnbegeisterung der Jugend nicht größer.

Der Enthusiasmus, der das Leben in den ersten Turnvereinen bestimmte, schien sich in einigen Städten auch auf Amerikaner zu übertragen. Sie beobachteten den Turnbetrieb oder wurden von der Presse darüber unterrichtet, und wenn die Turner wegen ihrer Deutschtümelei auch keineswegs beliebt waren, so imponierten den Amerikanern doch ihr Können, ihre Disziplin und ihr Ordnungssinn. Vereinzelt kam es zur Gründung von amerikanischen Turnvereinen und zu Versuchen, Turnen an den Schulen einzuführen. Da aber nicht genügend englischsprachige Lehrkräfte vorhanden waren, konnte sich das Turnen außerhalb der deutschen Volksgruppe nicht durchsetzen. Aus den amerikanischen Turnvereinen wurden Athletic-Clubs, und auch das Turnen in den Schulen wurde bald wieder vom Lehrplan abgesetzt. In Indianapolis, Cincinnati, Louisville und New Orleans gab es eine Zeitlang amerikanische Turnvereine. In New York erschien sogar eine amerikanische Turnzeitung »The Gymnast«, doch blieb sie für die Entwicklung des Turnens in den USA ohne Bedeutung, da die Amerikaner zu wenig über das deutsche Turnen und einen geregelten Turnbetrieb wußten. Den Wert systematisch betriebener Leibesübungen lernten sie erst später genauer kennen und schätzen. Auch ein Lehrbuch in englischer Sprache, das 1851 unter dem Titel »Instruction in Gymnastics« erschien, verfaßt von einem Franzosen namens J.E. D'Alfonce, und in starker Anlehnung an Eiselens Turntafeln geschrieben worden war, fand kein größeres Interesse. So blieben die deutschen Vereine alleiniger Träger des Turnens in den USA.

### 1.3.4 Baltimore, Indianapolis, Milwaukee – drei frühe Hochburgen deutsch-amerikanischen Turnertums

Der »Sozialdemokratische Turnverein Baltimore« wurde 1849 gegründet. Im Jahre 1850 zählte er bereits 278 Mitglieder und war damit einer der größten deutschen Vereine in den USA. Der Turnverein erwarb eine Halle und intensivierte so den Turnbetrieb; er organisierte ferner Vortragsabende über Literatur, Politik und soziale Fragen. Da im allgemeinen die unteren sozialen Schichten der Deutsch-Amerikaner dem Turnverein beitraten, war der Verein bestrebt, seinen Mitgliedern nicht nur körperliche Fertigkeiten zu vermitteln, sondern sie auch zu bilden und sie damit zu befähigen, ihre sozialen Vorstellungen und Ziele zu artikulieren und in der Politik aktiv mitzuarbeiten[221].

Unter den Mitgliedern des Turnvereins finden wir Männer wie Carl Heinrich Schnauffer, Doktor Wiss, Wilhelm Rapp und Johann Straubenmüller[222], die das geistige Leben des Vereins prägten.

Carl Heinrich Schnauffer wurde am 8. Juli 1823 in Heinsheim bei Stuttgart geboren. Er studierte ab 1846 in Heidelberg alte Sprachen und wurde in Mannheim, seinem Wohnsitz, mit den Führern der badischen Oppositionspartei Hecker, Struve und Blind bekannt. Seit Ende 1847 arbeitete er, inzwischen durch Artikel in freisinnigen Zeitungen und revolutionäre Gedichte bekannt geworden, in der Redaktion der »Mannheimer Abend-Zeitung« mit. Am 1. März 1848 gehörte er zu den Ersten, die die »Sturmpetition« nach der Residenz in Karlsruhe organisierten, um dort gebieterisch die dem Volk vorenthaltenen Rechte zu verlangen. Als Hecker aus dem Parlament austrat und das Volk zu den Waffen rief, folgte ihm Schnauffer ins Oberland. Er nahm am Kampf bei Freiburg teil, floh dann nach Besançon und zog von dort nach Rheinfelden, wo er mit Hecker den »Volksfreund« herausgab. In der Reichsverfassungskampagne nahm er als Mersys Adjutant an mehreren Gefechten teil, wurde gefangengenommen und den Preußen ausgeliefert, konnte aber fliehen und über den Rhein nach Straßburg und von dort in die Schweiz gelangen. Als Delegat der Verbindung »Jung Deutschland« mußte er auch die Schweiz verlassen und gelangte über Frankreich nach London – hier traf er Struve und andere Flüchtlinge wieder – und von dort im Mai 1851 nach Baltimore, wo er sich sofort dem Turnverein anschloß und über Jahre das Amt des Schriftführers wahrnahm[223]. Er gründete den »Baltimore Wecker«, ein republikanisches Anti-Sklavenblatt, in dem er für Volksbildung, Freiheit und Aufklärung eintrat. Mit seinem mutigen Auftreten gegen Kinkel, der bei seiner Ankunft in Amerika Gelder für die Organisierung einer neuen deutschen Revolution sammelte, schuf sich Schnauffer zunächst viele Feinde, denn er argumentierte: keinem Volke könne von außen eine Revolution oktroyiert werden; daher solle der gesammelte Fonds besser zur Linderung des Flüchtlingselends verwandt werden. Als sich später seine Anschauung als richtig erwies, fand er – auch unter seinen früheren Gegnern – um so mehr Anerkennung[224]. Der beliebte Turnerdichter, dessen Gedichte auf dem Bundessängerfest in Canton, Ohio und dem Bundesturnfest in Philadelphia 1854 preisgekrönt wurden, starb 1854 im Alter von 31 Jahren an Typhus[225].

Schnauffers Nachfolger als Herausgeber des »Baltimore Wecker« wurde Wilhelm Rapp, ebenfalls Flüchtling aus Deutschland, der als Student sich an den revolutionären Erhebungen 1848/49 beteiligt hatte und mehrere Jahre in Untersuchunshaft auf dem Hohenasperg hatte zubringen müssen. Von 1859 bis 1861 war er erster Redakteur der »Turnzeitung«, die damals in Baltimore erschien. Später wurde er Chefredakteur der Illinois-Staatszeitung in Chicago und blieb bis zu seinem Tode 1907 einer der einflußreichsten deutsch-amerikanischen Journalisten in den USA[226].

Wie Schnauffer so war auch der im Jahre 1814 in Gmünd geborene Handwerkersohn Johann Straubenmüller schon in Deutschland durch seine Turnerlyrik bekannt geworden. Wegen seiner radikalen Agitation in den Jahren 1848/49 von der Reaktion verfolgt, mußte er Deutschland verlassen. Im Jahre 1852 kam er nach Baltimore, wo er Mitglied des Turnvereins und Mitarbeiter an dem freisinnigen »Wecker« wurde.

Ein weiteres prominentes Mitglied des Turnvereins war Dr. Georg Edward Wiss, der 1848 in die USA gekommen war und sich 1852 als praktischer Arzt in Baltimore niederließ. Von 1859 bis 1861 war er einer der Redakteure der Turnzeitung. Während des Bürgerkriegs war er amerikanischer Konsul in den Niederlanden[227].

Der Turnverein in Baltimore war Sammelpunkt für freisinnige Männer dieser Art, die in enger Verbindung standen mit dem »Wecker«, dem bis 1860 einzigen republikanischen Blatt in Maryland. Die Grenzlage Marylands zwischen den Nord- und Südstaaten ließ eine eindeutige Standortbestimmung dieses Staates in der Sklavenfrage nicht zu. Die Sympathie der Bevölkerung lag stärker bei den Südstaaten als beim Norden.

Vor allem in Baltimore, das auch als »Mobtown« bekannt war, zeigte sich diese Haltung deutlich. Um so mehr verdient das mutige Eintreten des »Wecker« und des Turnvereins für die Sklavenbefreiung hervorgehoben zu werden.

In Indianapolis war das deutsche Element Anfang der fünfziger Jahre sehr stark vertreten und übte auf die Entwicklung der Stadt einen größeren Einfluß aus als irgendeine andere ethnische Gruppe. Daher kann auch die Gründung der Turngemeinde Indianapolis am 28. Juli 1851, die von dem aus Cincinnati kommenden deutschen Turner August Hoffmeister ausging, nicht überraschen[228]. Im gleichen Jahr entstand allerdings ein zweiter Turnverein, der, wie so häufig in der Gründerzeit der Turnvereine, in Opposition zur Turngemeinde stand. Dieser Verein nannte sich Sozialistischer Turnverein und wurde von dem Arzt Doktor Homburg geführt, der in den dreißiger Jahren wegen seiner Teilnahme an freiheitlichen studentischen Demonstrationen aus Deutschland hatte fliehen müssen[229]. Den Zusammenschluß beider Vereine bewirkte der Besuch des ungarischen Revolutionärs Lajos Kossuth. Im Jahre 1852 kam er als Gast nach Indianapolis. Die Turner, im weißen Drillich, roter Krawatte und schwarzem Filzhut, gaben ihm das Ehrengeleit. Mit seinen Reden überzeugte er die Turner, daß nur Einigkeit stark mache, und so schlossen sich die beiden Vereine zur Sozialistischen Turngemeinde zusammen[230].

Der Verein, der Mitglied des Sozialistischen Turnerbundes war, nahm regen Anteil am politischen Geschehen in Amerika und lag dabei ganz auf der Linie des Bundes[231]. Höhepunkt im Leben des Vereins, der 1853 eine eigene Turnhalle baute, waren die Bannerweihe im April 1854, zu der zahlreiche Turnvereine, unter anderem Cincinnati, Louisville, Madison usw. Delegationen oder Repräsentanten schickten, die Gründung der ersten Deutschen Schule 1854 und die zahlreichen Vortragsabende mit bekannten Vertretern des Deutschtums in Amerika[232]. Der Turnverein wurde so zum Zentrum des deutschen Lebens in der Stadt. Turnvorführungen, Theatervorführungen, Konzerte, Bälle und patriotische Feiern wechselten einander ab. Der Bürgerkrieg setzte dem Vereinsleben ein jähes Ende. Der Verein wurde aufgelöst, die Turnhalle verkauft, die unverheirateten Turner des Vereins folgten dem Aufruf Lincolns zu den Waffen[233].

In Milwaukee wurde erst 1853 unter Mitwirkung von August Willich ein tragfähiger Turnverein gegründet, nachdem zwei frühere Gründungsversuche keinen Erfolg gehabt hatten. Dies ist um so bemerkenswerter, als im Staate Wisconsin in den Jahren 1846 bis 1854 der Anteil der deutschen Bevölkerung durch Einwanderung bedeutend stärker zunahm als in den anderen Staaten[234]. Einen ersten Versuch zur Vereinsgründung machten im März 1850 Fritz Anneke und Eduard Schultz, die schon gemeinsam eine Turn-, Schwimm- und Reitschule in Milwaukee betrieben, doch der neue Verein bestand nicht lange. Ähnlich ging es einer zweiten Vereinsgründung 1852.

Anneke und Schultz waren politische Flüchtlinge der Revolution von 1848. Anneke, der 1846 wegen seiner politischen Einstellung als Leutnant aus der preußischen Armee ausgestoßen worden war[235] – er hatte gegen den Offiziers- und Adelsdünkel protestiert und aus dieser Haltung heraus ein Duell verweigert – gehörte zu den frühen Verfechtern des Sozialismus in Deutschland. Während seines Aufenthaltes in Wesel, Münster und Minden hatte er Kontakt mit dem Rhedaer Kreis um den Sozialisten Otto Lüning, zu dem auch Joseph Weydemeyer gehörte; im Kölner Kreis arbeitete er eine Zeitlang mit Karl Marx, Georg Herwegh und Ferdinand Freiligrath zusammen. Seine Frau Mathilde Franziska schrieb wie er in der »Neuen Rheinischen Zeitung« und gab die erste Frauen-Zeitung Deutschlands heraus[236]. Über Moses Heß, den Wegbereiter der sozialistischen Bewegung in Deutschland, wurden Anneke und sein Freund und früherer militärischer Vorgesetzter August Willich in den »Bund der Kommunisten« aufgenommen. Nach seiner Teilnahme an der Erhebung in der Pfalz, wo Anneke als Oberstleutnant 1200 Mann Miliz befehligte[237], floh er in die Schweiz, und von dort wanderte er, als die Revolution endgültig gescheitert war, mit seiner Frau und seinen beiden Kindern 1849 in die USA aus. In Milwaukee arbeitete er, da die Turn-, Reit- und Schwimmschule zu wenig einbrachte, erfolgreich als Zeitungskorrespondent. Im Bürgerkrieg übernahm er 1862 die Führung des 34. Wisconsin-Infanterieregiments, die ihm Gouverneur Salomon von Wisconsin angeboten hatte, doch gab es bereits bei der Aufstellung des Regiments Schwierigkeiten, da von 800 Soldaten 309 desertierten. Als Anneke, der die Mißstände in der Truppe scharf kritisierte und vergeblich um ein Frontkommando nachsuchte, schließlich wegen Beleidigung eines anderen hohen Offiziers unter Arrest gestellt wurde, mußte er die Armee verlassen[238].

Der am 17. Juli 1853 in Milwaukee gegründete »Soziale Turnverein«, der in wenigen Jahren einer der führenden deutsch-amerikanischen Turnvereine wurde, wählte Heinrich Loose, ehemals Pfarrer in Stuttgart und Flüchtling der achtundvierziger Revolution, der mit dem orthodoxen Protestantismus gebrochen hatte[239], zum ersten Präsidenten. Hans Boebel, zweiter Präsident und später Oberst des 26. Wisconsin Regiments, setzte die Namensänderung des Vereins in »Turnverein Milwaukee« durch. Am 14. Februar 1855 erhielt der Verein vom Staat Wisconsin seine Bestätigung als eingetragener Verein und baute noch im gleichen Jahr eine Turnhalle[240]. Der Verein hatte eine Turnschule für Jungen, eine Schützengruppe und Gesangs- und Theaterabteilungen. Mit sportlichen Wettkämpfen und Schaustellungen, mit kulturellen Veranstaltungen, wie Vorträgen, Debatten, Theater- und Konzertaufführungen und den festlichen Bällen wurde der Verein zu einem Zentrum gesellig-kulturellen Lebens der deutschen Bürger in Milwaukee[241]. Höhepunkt des Vereinslebens war das Turnfest des »Westlichen Bundes« 1857 in Milwaukee, an dem etwa 7000 Turner teilnahmen[242]. Die Verstrickung des Vereins in die republikanische Politik führte am Vorabend des Bürgerkriegs zur Spaltung und zur Gründung eines »Unabhängigen Turnvereins«[243]. Die Mitglieder des »Turnvereins Milwaukee«, die unter dem starken Einfluß der radikalen Achtundvierziger standen, traten bei Ausbruch des Krieges geschlossen auf die Seite Lincolns.

## 1.4 Die Anfänge der deutschen Arbeiterbewegung in den USA und die »sozialistischen Turnvereine« – Das Wirken Joseph Weydemeyers

»Die Turner sollen das »sozial« davon lassen, denn das hat nichts mit den Purzelbäumen zu tun«,[244] so äußerte sich Wilhelm Weitling, dessen sozialistische Ideen in der Anfangsphase das deutsche Turnwesen in den USA nachhaltig beeinflußt haben, obwohl er selbst den politisch-sozialen Bestrebungen der Turnerei sehr skeptisch gegenüberstand.

Weitling war Ende 1846 auf Veranlassung Hermann Krieges in die Vereinigten Staaten gekommen. Kriege, ein ehemaliger Junghegelianer (Schüler Feuerbachs), hatte 1845 in New York eine »Sozialreformassoziation« gegründet und das erste deutsche Arbeiterblatt New Yorks, den »Volkstribun« herausgegeben. Beide, Weitling und Kriege, überwarfen sich mit Karl Marx und Friedrich Engels, als im Mai 1846 die namhaftesten Vertreter des deutschen Kommunismus in Brüssel zusammenkamen. Die »phantastische Gefühlsschwärmerei«, so Marx, die Kriege unter dem Namen »Kommunismus« in New York betreibe, wurden von ihm und seinen Gesinnungsgenossen entschieden abgelehnt[245]. Weitling, der bald nach seiner Ankunft in New York einen »geheimen« sozialreformerischen »Befreiungsbund« gründete und seine Ideen weit im Lande propagierte, reiste bei Ausbruch der Revolution 1848 über Frankreich nach Deutschland zurück, wo er an verschiedenen Arbeiterkongressen teilnahm[246].

Der 1808 in Magdeburg geborene Wilhelm Weitling hatte nach dem Besuch der dortigen Bürgerschule das Schneiderhandwerk erlernt, in den folgenden Jahren ein unruhiges Wanderleben geführt und sich in Leipzig, Dresden, Wien, Paris, Genf, Zürich und London aufgehalten. In Paris wurde er 1835 in den »Bund der Geächteten« aufgenommen, der später in »Bund der Gerechtigkeit« und dann »Kommunistenbund« umbenannt wurde. In Zürich schrieb er das »Evangelium der armen Sünder«, in dem er, konzentriert auf Jesus Christus als den Propheten der Freiheit und der Liebe, christliche und kommunistische Lehren und Moralvorstellungen miteinander verband. Als er von seinen wenig erfolgreichen Aktionen während der Revolutionszeit aus Deutschland in die USA zurückkehrte, gab er hier ab 1850 das monatlich erscheinende Blatt »Republik der Arbeiter« heraus, das bald eine Auflage von 4 000 erreichte[247]. Bekannte sich Weitling auch zu den Zielen der »freesoilparty« – Landreform und freier Bodenerwerb – [248], so stand im Mittelpunkt seiner Reformvorschläge doch die Schaffung einer »Gewerbetauschbank«, von der alle anderen Maßnahmen wie Schaffung von Arbeiterpapiergeld, kooperativen Assoziationen, Gewerbeordnungen und selbst die Gründung von Arbeiterkolonien abhängig gemacht wurden. Mit der Einrichtung der Gewerbetauschbank sollte die Befreiung der Arbeiter beginnen[248].

Weitling wollte mit dieser Bank jeden Zwischenhandel ausschalten und den Gewinn, den sonst Kaufleute, Spekulanten, Handelsagenten aus der Arbeit anderer zogen, den Arbeitern unmittelbar zugute kommen lassen. Ohne den Begriff »Mehrwert« zu gebrauchen, von dessen Wesen und Entstehung er auch nichts wußte, wollte er mit der Gewerbetauschbank verhindern, daß der »Mehrwert« Nichtarbeitern in die Hände fiel. Des weiteren sollte die Gewerbetauschbank Gediegenheit und Sauberkeit handwerklicher Arbeit sichern, denn die Handwerker, wie Tischler, Schneider, Schuhmacher, Drechsler, sollten Material und Arbeitsgegenstand bestimmen und eine Kommision den Wert der Produkte festlegen. Die Gewerbekommission hatte also die wichtige Aufgabe, die Bedingungen des Warenaustauschs für die künftige soziale Republik der Arbeiter zu prüfen und die Höhe des Arbeitspapiergeldes, das die Gewerbetauschbank zu vermitteln hatte, festzulegen. Politisch stellte Weitling die Forderung, daß den Gewerbekommissionen die Durchführung der öffentlichen Aufträge übertragen werden solle.

Als im Frühjahr 1850, beeinflußt durch Weitlings Agitation, in New York unter der Führung deutscher, weitgehend zunftmäßig organisierter Arbeiter ein Streik ausbrach, der sich schnell ausbreitete, versuchte Weitling, die Unzufriedenen in seinem »Bund der Arbeiter« (später »Arbeiterverbrüderung« genannt) zusammenzufassen. Gestützt auf diese Organisation hoffte er, die amerikanische Gesellschaft nach seinen Plänen reformieren zu können. Noch im Herbst 1850 berief er den ersten deutschen Arbeiterkongreß nach Philadelphia ein, zu dem auch zahlreiche, in handwerklichen Berufen tätige Turner erschienen. Der Kongreß bekannte sich zu den von Weitling propagierten Grundsätzen:

Freigebung des Bodens an wirkliche Bebauer, Heimstättensicherung gegen Zwangsverkauf, Einwandererschutz gegen Spekulantentum, Erlangung der Bürgerrechte ohne Zeitbestimmung, Übergabe staatlicher Aufträge an Mitglieder der Gewerbe- und Tauschassoziationen, direkte Wahl aller Beamten durchs Volk und deren Besoldung durch den Staat, Recht der Abberufung von staatlichen Repräsentanten, die ihre Aufgabe nicht erfüllen, Abschaffung der Sonntagsgesetze[250]. Aber wenn auch am 1. Mai 1852 offiziell der »Arbeiterbund« gegründet wurde, so fanden doch Weitlings autoritäre, antidemokratische Führungsprinzipien und seine christlich-sozialen Anschauungen immer weniger Verständnis bei den deutschen Arbeitern und Turnern in den USA, so daß er mehr und mehr an Einfluß verlor[251]. Um dem schwindenden Einfluß entgegenzuwirken und sein Tauschbankprojekt zu realisieren, betrieb er die Übernahme der bereits 1847 in Iowa nahe Dubuque gegründeten Kolonie »Communia« durch den Arbeiterbund[252]. Die Gelder, die der Arbeiterbund bisher für die Gewerbebank aufgebracht hatte, flossen in die Kolonie. Weitling, der dort eine Verwaltungsstelle übernahm, glaubte, daß nunmehr auf einem »freien gemeinschaftlichen Boden« auch die »Befreiung der Arbeiter vom Joche der Ausbeutung und Verdummung«[253] Wirklichkeit werde, sah sich aber angesichts ständig wachsender Geldforderungen der Kolonisten nach zwei Jahren gezwungen, seine Verwalterstelle niederzulegen. Als er verlangte, daß das gesamte Eigentum der Kolonie dem Arbeiterbund übertragen und dann ein öffentlicher Verkauf der Kolonie vorgenommen werde, kam es zu schweren Auseinandersetzungen zwischen Gegnern und Befürwortern des Weitlingschen Planes und zu einer Spaltung des Bundes, die das Ende der Weitlingschen Arbeiterbewegung signalisierte.

Der Niedegang der Weitlingschen Bewegung wurde aber auch mitverursacht durch die erfolgreiche Agitation Joseph Weydemeyers, eines Freundes von Marx und Engels, der mit dem Strom der Flüchtlinge nach dem Scheitern der achtundvierziger Revolution 1851 nach New York gekommen war.

Joseph Weydemeyer, jeglicher utopischer Schwärmerei abhold, stets bemüht, die sozialen Probleme rational zu durchdringen und deren Lösungen als zwingende Schlußfolgerungen aus den der gesellschaftlichen Realität entnommenen Denkansätzen zu ziehen, bildet gleichsam den geistigen Gegenpol zu Weitling, Schnauffer, Willich und anderen. Er nahm wesentlichen Anteil an der Entwicklung der amerikanischen Arbeiterbewegung. In der Einleitung zu seiner Biographie über Weydemeyer schreibt Karl Obermann: »Eine Geschichte der amerikanischen Arbeiterbewegung ist überhaupt nicht denkbar ohne den Namen Weydemeyer.«[254] Seine entscheidende geistige Leistung bestand darin, daß er die amerikanischen Arbeiter – zunächst die deutsch-amerikanischen, später auch die englisch sprechenden – vertraut machte mit Methode und Theorie der materialistischen Geschichtswissenschaft. Wunsch und Ziel Weydemeyers war es, durch Vermittlung dieses Wissens in der Arbeiterschaft ein starkes Solidaritäts- und Klassenbewußtsein zu wecken und sie von der Notwendigkeit zu überzeugen, zur Erreichung ihrer Ziele eine *politische* Partei, das heißt eine Arbeiter*partei* zu bilden. Fünfzehn Jahre lang schuftete Weydemeyer, schrieb, redete, organisierte und kämpfte, um aus den amerikanischen Arbeitermassen eine Partei zu machen. Die Widerstände, die er unter seinem und seiner Familie Glücksverzicht zu brechen versuchte, kamen nicht nur von den kapitalistischen Klassenfeinden, sondern oft auch aus den eigenen Reihen, das heißt von eingewanderten deutschen Revolutionären, die andere Wege gehen wollten, ja sogar von der arbeitenden Bevölkerung selbst. Als er am 20. August 1866 in St. Louis an der Cholera starb, war sein Ziel, Aufbau einer politischen Arbeiterpartei, nicht erreicht. Dennoch waren durch Weydemeyer Veränderungen in Gang gebracht worden, die aus den dumpfen Arbeitermassen organisierte Gruppen und Gewerkschaften entstehen ließen, Klassenorganisationen, welche eine Reihe von Rechten für die Arbeiter durchzusetzen vermochten. Unterstützung für seine Arbeit erfuhr Weydemeyer durch die Turnvereine, indem er durch sie die Möglichkeit erhielt, an geistigen Schulungsabenden Vorträge zu halten und in der »Turnzeitung« seine Artikel zu veröffentlichen.

Der 1818 als Sohn eines Regierungsbeamten in Münster/Westfalen geborene Joseph Weydemeyer schlug zunächst die Laufbahn eines Artillerieoffiziers ein. In seiner Garnisonsstadt Köln kam er mit einer Reihe sozialistischer Intellektueller, unter anderem auch mit Engels zusammen und lernte die Ideen von Karl Marx kennen, mit dem ihn später eine starke persönliche Freundschaft verband. Im Jahre 1845 schied er ohne Pensionsansprüche zusammen mit einigen anderen jungen Offizieren, die wie er von den neuen Ideen und den in Europa sich anbahnenden revolutionären Ereignissen fasziniert waren, aus der Armee aus, wurde Mitredakteur der »Triererschen Zeitung«, überwarf sich aber sehr bald mit dem Herausgeber und Redakteur Walther, da dieser aus Geschäftsrücksichten und Angst vor der Zensur in den Artikeln Weydemeyers herumstrich. (Die fehlende Bereitschaft, aus geschäftlichem Interesse die wahrheitsgemäße Darstellung sozialer Zustände zu ändern, beziehungsweise zu mildern oder zu streichen, bringt ihm auch später in Amerika Schwierigkeiten mit den dortigen Zeitungsverlegern ein.)

Ein Jahr später, 1846, geht Weydemeyer nach Brüssel, läßt sich von Marx selbst in dessen gesellschaftskritischen und gesellschaftspolitischen Gedanken unterweisen und wird Mitbegründer und Mitarbeiter des Kommunistischen Korrespondenz-Komitees, das *eine* wichtige Aufgabe darin sah, sich mit der Gruppe der sogenannten »wahren« Sozialisten auseinanderzusetzen und deren Lehren ad absurdum zu führen. Zu dieser Gruppe gehörte auch Weitling, der später unter den amerikanischen Arbeitern und Arbeiterturnern mit seinen schwärmerischen Lehren und vor allem seiner These, ein politisches Engagement werde einer erstrebenswerten Lösung der sozialen Frage nur schaden, große Verwirrung anstiftete. Eine ähnliche Auseinandersetzung gab es um die »fantastische Gemütsschwärmerei«[255] Hermann Krieges, der viele Anhänger in Westfalen hatte und inzwischen nach Amerika ausgewandert war. Neben der publizistischen Arbeit betreibt Weydemeyer ab 1847 konkrete organisatorische Vorarbeit für den Umsturz. Eine seiner wichtigen Arbeiten ist die Gründung von Arbeitervereinen in Frankfurt und Umgebung. Nach dem Scheitern der Revolution bleibt er noch einige Zeit versteckt in Frankfurt, emigriert dann in die Schweiz, in der Hoffnung, von dort aus eine neue Revolution vorbereiten zu können.

Als er erkannte, daß ihm die Schweiz keine Existenzmöglichkeit für sich und seine Familie bot, entschloß er sich zur Auswanderung nach Amerika, mit der Absicht, sich dort für eine Arbeiterbewegung im Sinne der Marxschen Ideen einzusetzen. Am 28. September 1851 verließ er Europa. Marx begleitete seinen Freund Weydemeyer mit sorgenvollen Gedanken in dessen Exil. Er war nicht sicher, ob seine Bemühungen, ihm eine Redakteurstellung zu besorgen, Erfolg haben würden. Andererseits erfreute ihn die Vorstellung, daß von nun an ein theoretisch so geschulter Mann auf amerikanischem Boden die Sache der sozialen Weltrevolution vertreten und vorantreiben würde.

Marx hatte in einem Brief an Adolf Cluß, ein Mitglied des Bundes der Kommunisten und ehemaliger Mitarbeiter im Mainzer Arbeiterbildungsverein, der bereits 1849 nach Amerika ausgewandert war, geschrieben: »Einer unserer besten Freunde, Joseph Weydemeyer, ist jetzt in New York angekommen. Setz Dich gleich mit ihm in Verbindung... Er kann Dich über alle Parteiverhältnisse aufklären. In der Versammlung in New York wird er Dir nützlich sein...«[256] Umgekehrt nannte Marx in seinem Brief an Weydemeyer Cluß einen »unserer besten und talentvollsten Leute und kann Dir im allgemeinen und speziell für die Vorbereitung und Fundierung Deines Blattes vom höchsten Nutzen sein«.[257] Mit Cluß und Weydemeyer hatte Marx zwei Anhänger und Vertreter seines Gedankengutes in der deutsch-amerikanischen Emigration, die mit dem Einsatz ihrer ganzen Persönlichkeit für die Verbreitung seiner Ideen arbeiteten. Die Zeitschrift, um die es sich in dem Brief von Marx an Weydemeyer handelte, war die »Revolution«. In der Ankündigung dieser Wochenschrift, die am 1.1.1852 in der New Yorker Turnzeitung abgedruckt war, heißt es: »Es wird die Aufgabe des neuen Wochenblattes sein, von dem Klassenkampf, der sich in der alten Welt immer mehr konzentriert, um mit der Vernichtung der Klassenunterschiede zu enden, ein möglichst klares Bild zu entwerfen, seine Leser in steter Bekanntschaft zu erhalten, in allen Veränderungen, die in den industriellen und kommerziellen Beziehungen der verschiedenen Völker und Volksklassen und ihrer politischen Stellung zueinander eintreten, durch welche die revolutionären Explosionen vorbereitet werden.«[258] Auf die Ausstrahlungskraft ihrer Namen vertrauend, zitiert Weydemeyer seine großen europäischen Freunde, um dadurch seiner Zeitschrift Attraktivität zu verschaffen. »Für die Gediegenheit desselben (gemeint des Unternehmens) werden die Namen der Mitarbeiter, Marx, Engels, Freiligrath, u.a. bessere Bürgschaft leisten als der unbekannte Name des Unterzeichneten, der im übrigen von den Genannten mit genügenden Vollmachten versehen ist.«[259]

Das Schicksal dieser Zeitschrift, an die viele Hoffnungen geknüpft waren – sie ging nach zwei Ausgaben wieder ein – ist charakteristisch für die Situation im sozialpolitischen Leben der deutsch-amerikanischen Emigranten. Es zeigt eine der Schwierigkeiten, mit denen Weydemeyer um die Erweckung eines Solidaritäts- und Klassenbewußtseins der Arbeiter zu ringen hatte. Es war die Unbildung und Gleichgültigkeit der eingewanderten Arbeiter. Im Nachlaß Weydemeyers findet sich ein Brief Rothackers, Vorstandsmitglied der Cincinnati Turngemeinde, an Weydemeyer vom

16. Januar 1852[260], in dem er der Mentalität eines großen Teils der deutschen Einwanderer die Schuld für das Scheitern der »Revolution« gibt. »Traktätchen, Wundermärchen… bilden die Kost der großen Mehrzahl. Die deutsch-französische Reihe der sozialistischen und politischen Literatur mundet diesen plumpen Burschen nicht. »Rabeners-Knallerbsen« enthalten viel mehr Pikantes für sie als Dinge, welche mit tiefschwarzer Kritik, mit urbanem Esprit geschrieben sind.« Zu dieser Gleichgültigkeit einer geistigen Auseinandersetzung gegenüber kam, wie Weydemeyer am 9. Februar 1852 an Engels schrieb[261], daß »der amerikanische Boden äußerst korrumpierend auf Leute wirkt«, in dem Sinne, daß jeder darauf aus ist, für sich selbst soviel Geld wie möglich zu verdienen, und daß im Augenblick von Lohnerhöhungen infolge wirtschaftlicher Prosperität das Verlangen nach politischer Solidarisierung sofort zurückgeht.

Auch drei Jahre später, nach anfänglichen Erfolgen in seiner Bemühung um Organisation der Arbeiter und ihre geistige Aufklärung in Vorträgen und Artikeln in den verschiedensten Zeitungen und Zeitschriften ist ein Rückgang des Interesses der Arbeiter an politischer Arbeit festzustellen. So heißt es in einem Brief Weydemeyers vom 16. Mai 1854: »Es ist augenblicklich hier eine zu ruhige Zeit, als daß das Bedürfnis einer besonderen Vertretung ihrer Interessen sich bei den Arbeitern fühlbar machen sollte; bei gutem Lohn denkt jeder nur daran, wie er die wiederbeginnende gute Zeit für sich ausbeuten soll.«[262] Am 28. Februar 1858 schreibt Weydemeyer, deprimiert von den schlechten Aussichten für die Bildung einer großen revolutionären Arbeiterbewegung, an Marx: »Im allgemeinen ist das Feld außerordentlich ungünstig hier in Amerika für proletarische Propaganda; die Arbeiter sind angehende Bourgeois und fühlen sich als solche, bis eine hereinbrechende Krise sie auf den »wahren« Standpunkt zurückschleudert; aber dann fühlen sie sich ebenso ratlos in der Not und leihen den ärgsten Schreiern und Projektemachern am willigsten das Ohr.«[263] Schließlich zeigt der Brief vom 2. Januar 1865, den Weydemeyer an Marx schrieb, nachdem dieser ihn von der Gründung der ersten Internationalen Arbeiter-Assoziation (I.A.A.) im September 1864 unterrichtet und von der Notwendigkeit der Mitarbeit der amerikanischen Arbeiter in dieser Institution gesprochen hatte, daß auch noch nach vierzehn Jahren seines Wirkens um ein politisch effektives Klassenbewußtsein der amerikanische Arbeiter mit einer augenblicklichen Befriedigung seiner materiellen Wünsche sofort in der Verfolgung seiner politischen Interessen nachläß. »… aber eben weil die Verhältnisse für die Erreichung ihrer unmittelbaren Zwecke so außerordentlich günstig waren und sie fast alle ihre Forderungen für erhöhte Löhne durchsetzen konnten, haben sie sich über die handwerksmäßige Anschauung noch nicht erhoben. Nichteinmischung in die Politik ist das Stichwort fast aller ihrer Redner …«[264]

Diese menschliche Schwäche der Arbeiter war nicht die einzige Schwierigkeit, mit der Weydemeyer auf amerikanischem Boden zu kämpfen hatte. Die führenden Geister der deutschen Emigration bildeten mehr und mehr weltanschaulich zerstrittene Gruppen und stifteten unter der Arbeiterschaft ziemliche Verwirrung. Cluß und Weydemeyer, Vertreter der politisch-sozialen Ideen von Marx und Engels, führten heftige Auseinandersetzungen mit Wilhelm Weitling. Dieser griff Weydemeyer in seiner »Republik der Arbeiter« an, Weydemeyer konterte in verschiedenen Presseorganen. Weitere scharfe Angriffe hatten Cluß und Weydemeyer gegen Heinzen zu führen, der gegen Marx polemisierte und dessen materialistische Weltanschauung und kommunistische Lehre vom Klassenkampf einer scharfen, allerdings nicht immer sachgerechten Kritik

unterzog. Heinzen, für den die »Anerkennung der Materie als der unvergänglichen Quelle des Lebens und alles »Geistes««, das heißt, die Erkenntnis der »Einheit von Materie und Geist«[265] philosophische Grundlage seiner sozialreformerischen Bestrebungen war, lehnte den angeblich nur auf das »tierische Bedürfnis des Magens und des Geschlechtstriebes«[266] zurückzuführenden Materialismus von Marx sarkastisch mit den Worten ab: »Sie kleiden diese Philosophie der Degradation des Menschen zum Mastvieh, diese Trog- und Schlammdoktrin, diesen Kultus der Bestialität ein in allerlei »ökonomische« Phrasen und stellen die Lehre auf, nur »Interessen«, nicht »Ideen« seien maßgebend und dürften maßgebend sein bei den Handlungen des Menschen.«[267] Heinzen bekämpft die marxistische Klassenkampfdoktrin, weil sie die vielschichtige soziale Struktur der Industriestaaten auf Kapitalist und Proletarier und auf das bloße Lohnverhältnis reduziere. Der Begriff »Arbeiter« sei weit komplexer als ihn Marx gebrauche und umfasse schließlich auch Handwerker, Bedienstete, Beamte und andere; von einer »Klasse« könne nur in einem Staate die Rede sein, wo durch »gesetzliche« Bestimmungen oder politische Schranken Bevölkerungsgruppen »abgeteilt«, das heißt, entweder bevorrechtet oder entrechtet würden, zum Beispiel als Leibeigene oder Adelige. Er warnt daher die arbeitenden Menschen, als »abgetrennte Arbeiter-Klasse zu gerieren«[268] und glaubt, daß sie nur dann etwas ausrichten können, »wenn sie sich ohne Klassenprätention als Mensch und Bürger der großen Armee der Sozial-Demokratie einreihen«[269]. Mit äußerster Schärfe resümiert er: »Die Arbeiter haben keinen schlimmeren Feind als den *Arbeitergeist,* und keine schlimmeren Freunde als die Ausbeuter desselben, die »Klassenkämpfer, die *Kommunisten.*«[270] Im Jahre 1855 wurden zwei Arbeitergruppen aus dem New Yorker Arbeiterbund ausgeschlossen, die Marx' Lehren ablehnten. Schließlich gab es die Gruppen um Willich, Kinkel und Kriege, von denen besonders Willichs idealistisch verschwommene politische Ziele sich nach Ansicht Weydemeyers mit ehrgeizigem persönlichem Machtstreben verbanden. Die Auseinandersetzung zwischen Weydemeyer und Willich wurde in den Zeitungen »Cincinnati Republikaner«, in dem Willich publizierte, und der »Simme des Volkes«, einem mit Hilfe von Arbeiteraktien gestifteten Tageblatt, in dem Weydemeyer schrieb, geführt.
Trotz der internen Erschwernisse nahm Weydemeyer immer von neuem den Kampf um die Bildung einer geschlossenen Arbeiterschaft auf, mit dem Ziel, die Arbeiter zur politischen Herrschaft zu führen. New York, Chicago, St. Louis sind die Hauptstationen, an denen er Arbeitervereine und Arbeiterbünde ins Leben rief. Nach dem Scheitern des eigenen Presseorgans, der »Revolution« bediente er sich, wo immer ihm die Möglichkeit gegeben wurde, anderer Zeitungen und Zeitschriften, um die sozialistischen Ideen zu verbreiten. So scheute er sich zum Beispiel nicht, Artikel über an Arbeitern begangenes Unrecht in der »Criminal-Zeitung«, einem Sensationsblatt, das unter den Arbeitern stark verbreitet war, zu veröffentlichen. Es gelang ihm auch, die ihm von Marx übersandte Darstellung des Kölner Kommunistenprozesses in diesem Blatt zu verbreiten und die Arbeiter zur Bildung von Hilfsfonds für die Familien der Verurteilten aufzurufen.
Bedeutsame journalistische Tätigkeit leistete Weydemeyer während seiner Mitarbeit an der Zeitschrift »Die Reform« und durch seine Artikel in der »Turn-Zeitung«, die erstmals am 15. November 1851 in New York erschien. Im Gesamtzusammenhang der vorliegenden Untersuchung sollen vor allem die Beziehungen Weydemeyers zu den Turnern und ihrer Turn-Zeitung herausgestellt werden.

Da die radikalen Kräfte unter den Turnern überzeugte Republikaner und Sozialisten waren, erscheint es selbstverständlich, daß sie zu der Arbeiterbewegung enge Kontakte hatten. Dies gilt insbesondere für die Mitglieder des »Sozialistischen Turnvereins« New York, von denen auch die Gründung des »Sozialistischen Turnerbundes« ausging. Dieser hatte es sich als Aufgabe gestellt, Verbindung mit dem »Demokratischen Turnerbund« in Deutschland aufzunehmen. Er stand aber in Opposition zu zahllosen Revolutionsvereinen, zu deren Mitgliedern ebenfalls viele deutsche Turner gehörten, und deren Ziel es war, mit Hilfe von Geldsammlungen in Deutschland eine neue Revolution vorzubereiten. Dem »Sozialistischen Turnerbund« ging es vor allem darum, auf amerikanischem Boden herrschende Vorurteile gegen Sozialisten auszuräumen und sich mit ihrem Bund an die Spitze aller sogenannten Fortschrittsvereine zu stellen, um gesellschaftliche Reformen vorzubereiten. Bei der konstituierenden Versammlung des »Sozialistischen Turnerbundes« wurde folgender Grundsatzbeschluß angenommen:

»Die vereinigten Abgeordneten der ersten Turntagsatzung in Nordamerika erkennen als obersten und leitenden Grundsatz des Turnerbundes an: Die Beförderung des Sozialismus und der Bestrebungen der Sozialdemokratischen Partei. Sie sind daher der Ansicht, daß es bei der körperlichen Ausbildung des Menschen mit im Hauptzweck der vereinigten Turngemeinden liege, sich am jetzigen Kampf zur Erstrebung der vollkommensten Unabhängigkeit des Einzelnen (wie sie die Sozialdemokratische Partei zu erreichen sucht), mit ganzer Kraft zu beteiligen ...«[271]

Das Presseorgan des »Sozialistischen Turnerbundes« wird die Turn-Zeitung, die sich im Vorort der ersten Ausgabe mit folgenden Worten einführt: »Der Zweck der Turn-Zeitung ist der, den Turnern und Turnfreunden ihren Wirkungskreis so zu bezeichnen, daß nicht allein alle noch obwaltenden Mißverständnisse in betreff der Prinzipien der Sozial-Demokraten vollkommen beseitigt werden, als auch daß wir dahin streben, aus den Mitgliedern und Freunden unserer Verbindung fähige und sich klar bewußte Kämpfer in jedem Gebiet der gesellschaftlichen Reformen für die Zukunft heranzubilden ... Es ist unsere heilige Pflicht, den Fortschrittsvereinen mit einem praktischen Beispiel der Vereinigung voranzugehen.«[272]

Obwohl Weydemeyer anfangs das Treiben in den Turnvereinen nicht ganz ernst nahm, ergriff er sofort, als sie ihm geboten wurde, die Gelegenheit, durch Vorträge an den sogenannten Bildungsabenden und durch Artikel in der Turn-Zeitung den Arbeitern sozialistisches Gedankengut verständlich zu machen und es unter ihnen zu verbreiten. So erscheinen vor allem im ersten Jahr der Turn-Zeitung eine Reihe von Aufsätzen Weydemeyers, in denen er wirtschaftliche und politische Fragen im marxistischen Sinne abhandelt, mit dem agitatorischen Ziel, den Arbeitern ihre Situation klarzumachen, ihr proletarisches Bewußtsein zu wecken und sie zu einem politisch wirkungsvollen gemeinsamen Handeln anzutreiben.

So behandelt er im Juli-Heft 1852 die Tariffrage (über die er auch noch später Vorträge hält). Im August-Heft wies er nach, daß keine der bestehenden Parteien die Interessen der Arbeiter vertrete und forderte diese auf, eine eigene Partei zu bilden. Im September-Heft 1852 erschien der Artikel »Australische Baumwolle und amerikanische Sklaverei«, in dem er über die wirtschaftlichen Konsequenzen des Verlustes der amerikanischen Monopolstellung und der daraus entstehenden politischen und sozialen Folgen spekulierte. Die Turn-Zeitung vom 15. November 1852 veröffentlicht seinen Aufsatz »Die Arbeitseinstellungen und die Präsidentenwahl«. In ihm zeigte

Weydemeyer die Verflechtung der wirtschaftlichen und politischen Vorgänge auf. In den Turn-Zeitungen vom 1. und 15. Dezember 1852 faßt Weydemeyer noch einmal seine Gedanken in Artikeln unter der Überschrift »Politisch-ökonomische Rundschau« zusammen. Zugleich hatte er für den Abdruck von Engels »Der deutsche Bauernkrieg« gesorgt, der in Fortsetzungen in verschiedenen Ausgaben der Turnzeitung des Jahres 1852 erschien.

Unter der Überschrift »Das Wesen des Sozialismus« verkündet Josef Weydemeyer in der Turn-Zeitung 1853 marxistisch-klssenkämpferische Thesen. Zunächst gibt er einen geschichtlichen Überblick über die von den Besitzlosen im Laufe der Jahrhunderte erworbenen Rechte, dann ruft er auf zur Beseitigung des bestehenden Systems. »Er (der Arbeiter – d. Verf.) muß einsehen, daß er mit dem *brutalen Geldsystem,* dessen ausübende Gewalt die Regierungen sind, einen Kampf auf Leben und Tod zu führen hat, daß er das alte Regiment vollständig beseitigen muß, wenn die Arbeit zu ihrem Rechte kommen und aus der Unterdrückung vieler Jahrhunderte sich retten soll.«[273]

Der Redaktuer der Turn-Zeitung, Wilhelm Rapp, distanziert sich allerdings von diesem Artikel, weil seiner Überzeugung nach Sozialismus und demokratischer Staat nicht voneinander zu trennen sind. Daher könnten auch die amerikanischen politischen Einrichtungen *reformiert* werden. Der Artikel sei aber abgedruckt worden, weil sich im Turnerbund verschiedene Richtungen der »Fortschrittspartei« fänden und die hier von Weydemeyer »eingeschlagene Richtung von einem nicht kleinen Theil der Mitglieder (des) Bundes geteilt wird.«[274]

Auch in dem Beitrag »Die soziale Frage« demonstrierte Weydemeyer an geschichtlichen Beispielen die Notwendigkeit sozialrevolutionärer Veränderungen der gegenwärtigen Gesellschaft, die von einem »Geldstaat« beherrscht werde. Ziel einer Gesellschaft von Arbeitern müsse es sein, eine gesellschaftliche Ordnung zu errichten, in der jeder die Möglichkeit erhalte, den seiner Tüchtigkeit, seiner angewandten geistigen und physischen Fähigkeit entsprechenden Lohn zu finden.[275] Der Frage nachgehend, ob die gegenwärtige Gesellschaft mit friedlichen und gesetzlichen Mitteln, wie Rapp es fordert, oder durch eine Revolution zu verändern sei, verweist er auf die Pariser Junischlacht von 1848, die gezeigt habe, daß die Durchsetzung neuer Ideen blutige Opfer verlange. »Ist nun eine solche Epoche eingetreten und findet man, daß, gezwungen *durch das Elend,* die Menschheit nach einer neuen Constituierung ringt, daß sie an der Ausführung eines neuen Gedankens angekommen ist, dann ist es Pflicht, denselben ruhig und ernstlich zu prüfen, und wenn er auch durch die Leidenschaft des Einen, wie durch den Widerstand des Anderen in blutigen Kampf gezogen würde, so muß man doch ohne Rücksicht auf jene Ereignisse den Gedanken selbst prüfen.«[276]

Am 15. Januar 1853 veröffentlichte Weydemeyer – wiederum in der Turn-Zeitung – den Artikel »Die geheimen Gesellschaften und der Kommunisten-Prozeß«, in dem die Prozeßführung in Köln als Klassenjustiz gebrandmarkt wird und in dem es von dem Bund der Kommunisten heißt, »an seiner Erhaltung und seinem Bestehen haben die Arbeiter diesseits des Ozeans ebensowohl ein Interesse als das Proletariat jenseits desselben, denn die Interessen des Proletariats sind solidarisch in allen Ländern«[277].

An die Gründung eines amerikanischen Bundes der Kommunisten war allerdings nicht zu denken. Weydemeyer schrieb am 18. Mai 1852 an Marx: »Für die Ausbreitung unseres Bundes ist das Terrain hier doch noch gar zu ungünstig ...«[278] Mit Cluß und drei deutschen Emigranten bildete Weydemeyer eine erste Zelle des Bundes auf ameri-

kanischem Boden. Jedoch gründete er aus besonders eifrigen und tüchtigen Mit-
gliedern des »Sozial-Refom-Vereins« den sogenannten Proletarier-Bund, der sich im
Juni 1852 konstituierte. Weydemeyer hoffte, später daraus Mitglieder für den Bund der
Kommunisten gewinnen zu können. Trotz ihrer Ablehnung der Bildung eines
Kommunisten-Bundes sammelten viele der Arbeitervereine und ebenso Turnvereine
Geld für die Unterstützung der Familien der in Köln verurteilten Kommunisten. Am
14. Januar 1853 schrieb Cluß aus Washington an Weydemeyer, daß er mit dem hiesigen
Turnverein einen Aufruf »An das deutsch-amerikanische Publikum« verfaßt habe, den
er an zahlreiche deutsch-amerikanische Zeitungen schicken wolle und in dem dazu
aufgefordert werde, auf den Festen und Veranstaltungen in den nächsten Wochen für
die Kölner zu sammeln[279]. So zeigte sich im konkreten Einzelfall die Bereitschaft der
deutsch-amerikanischen Arbeiter und Turner zur Solidarität und Hilfeleistung
gegenüber den verfolgten Proletariern in Europa.
Der Kölner Kommunisten-Prozeß erweckte auf der einen Seite großes Mitgefühl mit
den Verurteilten und den Familien, andererseits löste er unter den deutschen Emigranten eine starke Bewegung gegen Karl Marx aus, die vor allem von Willich gesteuert
wurde, der bereits in London wegen sachlicher und persönlicher Auseinandersetzungen mit Marx aus dem Kommunistenbund ausgeschieden war und nach
seiner Emigration in die Vereinigten Staaten starke Richtungskämpfe im »Allgemeinen Arbeiterbund« entbrennen ließ. Cluß und Weydemeyer setzten ihre ganze schrift-
stellerische Kraft ein, um Willichs Kampagne Ende 1853 zum Schweigen zu bringen.
Im Jahre 1853 bemühte sich Weydemeyers Arbeiterbund, den Turnern des »Sozialistischen Turnerbundes« eine Vertretung in der Arbeiterorganisation zu geben. Der
»Sozialistische Turnverein« New York beschloß auch, der neuen Zentralorganisation
deutscher Arbeiter beizutreten, doch hatte die so geschaffene Verbindung keinerlei
praktische Bedeutung. Arbeiterbund und Turnvereine bestanden nebeneinander,
ohne sich zu einer Aktionsgemeinschaft zusammenzuschließen[280]. Allerdings gab es
vielfältige persönliche Verbindungen, und oft spielten dieselben Personen in beiden
Organisationen eine hervorragende Rolle.
Nicht alle Turnvereine waren bereit, das Wort »sozialistisch« als Attribut in ihre
Benennung aufzunehmen. So vertrat zum Beispiel, wie bereits erwähnt, die Bostener
Turngemeinde die Auffassung, der Name »sozialistisch« könne nicht als allgemein
verbindlich anerkannt werden. Dem tritt nicht nur Weydemeyer, sondern auch Franz
Arnold, der für den Weitlingschen Arbeiterbund agitierte, wie folgt entgegen.
Dem Bostener Turnverein, der moniere, daß die Turner keine vollkommenen Sozialisten seien, müsse geantwortet werden, daß auch die meisten Bürger Amerikas keine
rechte Vorstellung vom Wesen einer demokratischen Republik hätten; dennoch
bestehe die Republik, und die Bürger würden sich immer mehr mit ihr identifizieren
und in die demokratische Staatsordnung hineinwachsen. Im Streben nach einer idealen Demokratie dürften sich deshalb auch die Turner voller Stolz »Sozialistische
Turner« nennen. »Die Zustände der gegenwärtigen Welt bedürfen so radikaler Um-
wälzungen im Gebiete der Religion, des Staates und des Geschäftslebens, daß es der
größte Teil aller Denkenden längst für notwendig fand, den Reformbestrebungen
klare, unzweideutige Nennungen zu geben. Der Name »Sozialist« ist Achtung gebie-
tend geworden ...«[281]
Nach 1853 schwindet die Betonung sozialistischer Prinzipien, ohne daß die
Verpflichtung zum sozialen Handeln aufgegeben wird. Für das Nachlassen radikaler,

sozialrevolutionärer Forderungen können verschiedene Gründe angeführt werden: Zum einen besserte sich bei vielen Bundesmitgliedern die wirtschaftliche Lage, das heißt, aus Arbeitern und Handwerkern wurden Kleinbürger, zum anderen schlossen sich auch immer mehr »Bürgerliche« den Turnvereinen an. Hinzu kam, daß die »sozialdemokratischen« Ideen des Turnerbundes, die in der kleinbürgerlich-radikalen Bewegung der Revolution von 1848 erwachsen waren, mit dem Schwinden des revolutionären Elans und der nachlassenden Erinnerung an die revolutionären Ereignisse verblaßten.

Andere wichtige Probleme, vor allem die Sklavenfrage drängten einer Lösung zu. Im Jahre 1854 bekam damit Weydemeyers Agitation eine neue Stoßrichtung und Stoßkraft. Die Gesetzesvorlage der Kansas-Nebraska-Akte, durch welche die Sklavenhalterei auf weitere Siedlungsgebiete ausgedehnt werden sollte, rief einen Sturm der Entrüstung hervor und löste eine immer stärker anwachsende Antisklavereibewegung aus, die schließlich in die kriegerische Auseinandersetzung des amerikanischen Nordens gegen den Süden führte. Die Antisklavereibewegung wurde vor allem von den deutschen Einwanderern getragen. Die Kleinbürger und die Arbeiter protestierten in gleicher Weise sowohl in den bürgerlichen sogenannten freien deutschen Vereinen als auch in den Arbeiter- und Gewerkvereinen. Die Turn-Zeitung brachte in ihrer Ausgabe vom 13. April 1854 die »Plattform der freien Deutschen Ohios«, die am 23. März 1854 in Cincinnati beschlossen worden war und in der es hieß: »Wir wollen die Politik nicht länger zur bloßen Spiegelfechterei und zur fetten Milchkuh verräterischer Volksbetrüger herabgewürdigt sehen, sondern wollen sie als das Mittel zur Verwirklichung des Volkswohls und zur Gewährleistung der Freiheit, der Bildung und des Wohlstands für alle Menschen, ohne Unterschied der Nation, der Farbe oder des Geschlechts gehandhabt wissen.«[282]

Weydemeyer initiiert Arbeiterversammlungen, verfaßt Flugblätter, hält Vorträge in Turnvereinen, schreibt in der Turn-Zeitung gegen die Kansas-Nebraska-Politik und für eine Verwirklichung der Forderungen, die in der sogenannten Heimstätten-Vorlage bereits 1846 im Kongreß diskutiert worden war. Ihm schwebte dabei eine Übertragung großer Ländereien an eine Art Arbeiterkollektive oder Assoziationen vor, die sie unter Oberaufsicht und mit Unterstützung des Staates bearbeiten sollten. Mit diesen Vorstellungen stieß er allerdings bei vielen Arbeitern auf keine Gegenliebe. Viele erhofften sich vielmehr von der Aufteilung der unbegrenzten Ländereien an die einzelnen Siedler größeren Wohlstand.

In der Turn-Zeitung vom 17. Mai 1859[283] handelt Weydemeyer wieder unter dem Hauptthema »Die Tariffrage« das Problem des Freihandels ab. In diesem Artikel stellt er die Befürworter des Freihandels als die großkapitalistischen Baumwollpflanzer der Südstaaten bloß, die allein von dieser »Freiheit« profitierten. In einem Brief Weydemeyers aus Milwaukee an seinen Freund Meyer vom 23. September 1859[284] heißt es: »Was die Turnvereinsvorträge betrifft ... ich will damit einen propagandistischen Zweck in meiner eigenen Richtung verfolgen. Ich will den Gegensatz zwischen Norden und Süden zeichnen, die Unversöhnlichkeit der Interessen der freien und der Sklavenarbeit in allen ihren Begegnungen hervorheben und so wenigstens meinerseits dazu beitragen, etwas mehr Klarheit zu verbreiten über die Hauptgrundlage unserer nationalen Parteienkämpfe.« So war Weydemeyer darum bemüht, Arbeiter und Turner über die ökonomischen Hintergründe aller Politik aufzuklären. Solange aber die Arbeiter noch außerstande waren, sich zu einer eigenen politischen Partei zusammenzuschließen, solange agitierte er für die Partei und den Präsidentschaftskandidaten, der den Arbeitern eine höhere Wertschätzung entgegenbrachte, das heißt für die Republikaner und Lincoln, für den er einen erbitterten Wahlkampf führte.

Die Beschießung von Fort Sumter am 12. April 1861 durch die Sezessionisten eröffnete die Kämpfe zwischen den Nord- und den Südstaaten. Weydemeyer stellte sich für den Kampf in Missouri, einem der strategisch besonders wichtigen Grenzstaaten zur Verfügung. Er folgte Frémont als Artillerieoffizier. Die Unionstruppen, unter ihnen vor allem die Turner von St. Louis unter der Führung von Franz Sigel, hatten das Rebellenlager »Camp-Jackson« gestürmt, waren dann aber vor den reorganisierten Rebellen in Bedrängnis geraten. Als Hauptmann der Artillerie baute Weydemeyer die Befestigungswerke von St. Louis aus. Als die Rebellen zur Guerilataktik übergingen, übertrug der Nachfolger des abberufenen Frémont, Generalmajor Halleck, Weydemeyer ein Kommando mit dem Auftrag, die besonders gefürchtete Coleman-Bande zu vernichten. Weydemeyers Unternehmen führte zum Erfolg. In diesem Zusammenhang muß die menschliche Gesinnung Weydemeyers besonders angemerkt werden. Im Kampf gegen die Guerilleros war es bei vielen Kommandeuren üblich, die Gefangenen einfach zu erschießen. Weydemeyer lehnte dieses Verfahren ab, und er überzeugte auch seinen Vorgesetzten von der Unmenschlichkeit dieses Tuns. Er war der Meinung, daß der größte Teil der Partisanen irregeleitete Männer wären, die nach einer entsprechenden Aufklärung wieder gute Bürger der Union sein würden[285].

Nach Festigung der militärischen Lage in Missouri kam es dort zu heftigen politischen Auseinandersetzungen über die Frage der sofortigen Sklavenbefreiung. Die sogenannten Radicals, zu denen vor allem die Deutschen, unter ihnen auch Weydemeyer gehörten, forderten sofortige Emanzipation der Sklaven. Weydemeyer, am 29. September 1863 ausgemustert, setzte die politische Aufklärungsarbeit und Agitation in der Presse fort, die in der erneuten Wahlkampagne für Lincoln besonders heftig wurde. Ein Jahr später, am 12. September 1864, übernahm Weydemeyer wieder ein militärisches Kommando, um St. Louis und Missouri vor einer neuen Rebelleninvasion zu sichern.

Nach Beendigung des Bürgerkrieges wurde Weydemeyer in Anerkennung seines Verhaltens und seiner Leistungen zum Countyauditor, dem höchsten Finanzbeamten in St. Louis gewählt. Seine Aufgabe bestand vor allem darin, demokratische Reformen im Steuerwesen durchzuführen und gegen Steuerhinterziehungen der Kriegsgewinnler vorzugehen. Nur noch acht Monate blieben ihm bis zu seinem Tode am 20. August 1866, um sich dieser Aufgabe zu widmen.

Der umfangreiche Briefwechsel im Nachlaß Weydemeyers, der sich in den Archiven von Amsterdam und Moskau befindet, läßt erkennen, welchen Kampf der überzeugte Marxist in der alten und neuen Welt um die Solidarisierung und Politisierung der Arbeiter führte, welche Schwierigkeiten vor allem bei seinen Aufklärungsaktionen in Vereinen und in der Pressearbeit zu überwinden waren, welche persönlichen Opfer er und seine Familie um der Sache willen brachten, welche Enttäuschungen er von den Arbeitern selbst erlebte, wie dankbar er aber auch für jeden erzielten Fortschritt war und wie er sich getragen wußte von seinen europäischen Freunden, besonders von Marx und Engels, deren Schriften dank seiner Initiative in Amerika Verbreitung fanden. In seinen *Briefen* finden sich erschütternde Darstellungen über die Behandlung der Schwarzen in den Südstaaten; er gibt ausführliche Berichte über die militärischen Operationen im Bürgerkrieg, die für den Historiker von großer Bedeutung sind, und sie offenbaren das nicht ermüdende Interesse für die politischen Ereignisse in

Europa, das sich für Weydemeyer mit der Hoffnung auf eine revolutionäre Veränderung der gesellschaftlichen Strukturen in der alten Heimat verbindet. Die Nachricht, die Weydemeyer von Marx erfuhr, daß die europäischen Arbeiter den amerikanischen Bürgerkrieg mit allergrößtem Interesse gewissermaßen als ihre eigene Sache verfolgten, beflügelte ihn und seinen Kampf um eine internationale Solidarisierung der Arbeiterschaft. Eine amerikanische Mitgliedschaft in der ersten Internationalen Arbeiter-Assoziation (I.A.A.) war auch das von Marx und Engels erstrebte Ziel, zu dessen Erreichung Weydemeyers Arbeit nötig sein sollte. Dieses Ziel wurde nicht erreicht. Einen Tag nach seinem Tod kam es aber in Baltimore zum ersten Nationalen Arbeiterkongreß, auf dem sich die Arbeiter zur National Labor Union zusammenschlossen.

## 1.5 Karl Heinzen – ein Wortführer der Turner im Kampf gegen die Sklaverei

Von Anbeginn seines Aufenthaltes in Amerika gehörte Karl Heinzen zu den konsequentesten Abolitionisten, den entschlossensten Gegnern der Sklaverei, und schreckte selbst vor Angriffen auf Lincoln nicht zurück, als dieser mit den Südstaaten einen Kompromiß suchte. Heinzen hatte 1844 Deutschland verlassen müssen, weil er als Steuerbeamter mit den preußischen Behörden aneinandergeraten war, die er in einem Pamphlet, betitelt »Die preußische Bürokratie«, scharf attackiert hatte[286]. Bereits als Zwanzigjähriger hatte der 1809 in Grevenbroich nahe Düsseldorf geborene Heinzen seine Studien an der Bonner Universität abbrechen müssen; hier soll er sich in rebellischen Reden gegen einige reaktionäre Professoren gewandt haben[287].
Beim Ausbruch der Februarrevolution 1848 eilte er von Amerika, dessen Boden er kurz vorher betreten hatte, wieder nach Europa und nahm an den revolutionären Volkserhebungen in Südwestdeutschland teil. Im Jahre 1850 kehrte er in die USA zurück, gründete in New York die radikale Wochenschrift »Der Völkerbund« und übernahm 1853 die Redaktion des »Herold des Südens« in Louisville. Im Sklavenstaat Kentucky führte er einen unerschrockenen Kampf gegen die Sklaverei. Vier Jahre später gründete er dort den »Pionier«, den er von da aus 1859 nach Boston verlegte. Unerbittlich wandte er sich in dieser Zeitschrift gegen jede Form der Unfreiheit und Unterdrückung, gegen Korruption, Lüge und Autoritätsglauben. In Bosten, wo er bis zu seinem Tode 1880 lebt, wurde er zum geistigen Mittelpunkt des »Bostoner Turnvereins«, dessen fortschrittliche Richtung er wesentlich bestimmte. Aber er sparte auch nicht an Tadel gegenüber der jungen Turnbewegung. Vor allem kritisierte er die Äußerlichkeiten, auf die manche Vereine so viel Wert legten, ihre Paraden und Feste, ihre »pseudo-militärischen Spiele«, ihr »studentisches Trinken« und den »ausgeprägten Kastengeist«. In seinen Augen widersprach dies dem demokratischen Ideal der Erziehung von Turnern zu freien und kritischen Bürgern[288]. In einem kurzen Nachruf vergleicht ihn sein Gesinnungsfreund C.H. Boppe mit Thomas Paine, dem geistvollen Publizisten bei Ausbruch des amerikanischen Unabhängigkeitskrieges, dem »konsequenten Denker«, »unbeugsamen Wahrheitsfreund« und »scharf kritisierenden Verstandesmenschen«[289]. Wie dieser sei auch Heinzen »ein Vorkämpfer und Streiter für

das Recht, die Wahrheit, für Freiheit und steten Fortschritt« gewesen[290]. Aus der Plattform und den Prinzipienerklärungen des Turnerbundes spricht dieser Geist Heinzens,
der hohe Forderungen an die Turner stellte, ihr eifriger Förderer, aber auch ein ernster
Warner und unerbittlicher Kritiker war.

Schon 1856, zu einer Zeit, als die Sklaverei noch allgemein als eine rechtliche Insti-
tution anerkannt wurde, an der keine politische Partei – auch nicht die Bevölkerung des
Nordens – rütteln wollte, schrieb Heinzen, leidenschaftlich anklagend, in seinem
»Pionier«: »Jeder, dem der Menschenverstand nicht abhandengekommen ist und das
Rechtsgefühl nicht unter der Hornhaut einer entmenschten Gewohnheit völlig
stumpf geworden ist, muß erkennen und anerkennen, daß hier der Kampf gegen die
Sklaverei die erste Aufgabe und das dringendste Bedürfnis ist und bleibt. Die Frage:
Sklaverei oder Freiheit, Süden oder Norden? umfaßt hier das Interesse aller Fragen, die
sich auf das Wohl und den Fortschritt der ganzen Gesellschaft beziehen. Eine Freiheit,
welche die Sklaverei erträgt, mit ihr zusammengekuppelt ist, muß ebenso ohnmächtig
bleiben, wie die Sklaverei verderblich ist. Entweder das Eine oder das Andere.«[291]
Heinzen glaubt, daß es keinen Kompromiß zwischen den unversöhnbaren Gegensätzen Sklaverei: Freiheit geben könne und daher die Krise unvermeidbar sei. Er weiß
aber auch, daß in den sogenannten »freien Staaten« vor allem des Nordens die Sklaverei zahlreiche Schutzredner und kompromißbereite Politiker hat, die sich nur gegen
Versuche wehren, die Sklaverei weiter auszudehnen.

Als John Brown, der vergeblich gegen die Sklaverei des Südens gekämpft hatte, am 2.
Dezember 1859 in Charleston, Virginia gehenkt wurde, schrieb Heinzen, die
kommende Entwicklung klar voraussehend: »Da hängt er jetzt der Freiheitsheld,
wenn auch sein Körper abgeschnitten ist, und da wird er hängen bleiben und im Winde
hin und her schwanken, bis die Rache ihn versöhnt hat. Bisher trennte den Süden vom
Norden die Mason- und die Dixon-Linie; in Zukunft trennt sie der Galgen. Der Galgen
wird der Wegweiser für die Politik des Landes werden. Stehen bleiben kann er nicht; er
muß hinabwandern bis nach Südcarolina oder hinauf bis nach Massachusetts.«[292]
Als Lincoln auf dem Nationalkonvent der »republikanischen« Partei am 19. Mai 1860
zum Präsidentschaftskandidaten nominiert wurde, bezogen er und der Konvent
keineswegs gegen die Sklaverei als solche Stellung. Sie protestierten gegen die
Wiedereinführung des Sklavenhandels, wollten die weitere Ausdehnung der Sklaverei
verhindern, erkannten aber die Rechte der Sklavenstaaten durchaus an und garan-
tierten sie sogar. Diese Haltung – Friede und Aussöhnung um jeden Preis mit dem
rebellischen Süden unter Fortbestand der Sklaverei – vertrat Lincoln auch noch bei
seiner Antrittsrede als Präsident am 4. März 1861, als er die Besorgnis zu zerstreuen
versuchte, die neue republikanische Administration würde Frieden und persönliche
Sicherheit der Einwohner der Südstaaten gefährden und versicherte, daß es nicht seine
Absicht sei, sich direkt oder indirekt mit der Sklaverei in den Staaten zu befassen, wo sie
bestehe. »Ich glaube«, so führte er aus, »daß ich kein gesetzliches Recht habe, das zu
tun; und zudem habe ich auch keine Neigung dazu«[293]. Lincoln sprach sich ferner für
die Auslieferung sogenannter flüchtiger Sklaven aus, da die Gesetze der Südstaaten
respektiert werden müßten.

Heinzen nahm scharf gegen die Antrittsbotschaft Lincolns, welche die Sklavenfrage
behandelte, Stellung und schrieb am 7. März 1861 in seinem »Pionier«: »Durchaus
schwach, knieschlotterig, unwürdig, ja feige verhält sich die Botschaft den Verrätern
und Rebellen gegenüber. Sie geht nicht davon aus, daß Verbrechen gegen die Konstitu-

tion und Union begangen worden sind, die wieder getilgt, um jeden Preis getilgt werden müssen, sondern davon, daß der Süden durch den Norden beunruhigt worden sei und durch Versöhnlichkeit wieder beruhigt werden müsse. Deshalb versichert ihm Herr Lincoln, ohne »Mental-Reservationen«, daß ihr »property« (wörtlich) und ihr »dauernder Friede« nicht durch ihn gefährdet sei, daß er sich nicht in die Sklaverei einmischen wolle und den schmachvollen Beschluß des Kongresses, daß in alle Ewigkeit kein auf solche Einmischung abzielender Zusatz zur Konstitution solle eingebracht werden, unterschreibe, namentlich aber, daß er ein treuer und eifriger Menschenjäger sein wolle. Neben der Sezessionsfrage nimmt die Menschenjagd den Hauptteil der Botschaft ein und sie scheint nach wie vor die Hauptpassion des Herrn Lincoln zu sein.«[294] Mit schneidender Schärfe und beißender Ironie fährt er dann fort: »Wie gesagt, die Sorge des Herrn Lincoln geht nicht dahin, die Freunde der Freiheit und Republik zu überzeugen, daß er entschlossen sei, den gegen sie begonnenen Verrat unschädlich zu machen, sondern sie geht dahin, die Verräter zu überzeugen, daß er ihre »Rechte« wahren wolle, daß er die Sklaverei anerkennen und beschützen werde, daß sie vor ihm sicher sein können, wenn sie ihn nicht aufs äußerste treiben, und daß sie seine »Freunde« sind, obschon sie ihn haben totschießen wollen, obschon sie die Hauptstadt zu nehmen beabsichtigten, obschon sie Kassen und Forts geraubt und ein Rebellenregiment errichtet haben, das ihm mit »südlichem Pulver und Stahl« gedroht hat. Der Wassertrinker Lincoln scheint Wasser statt Blut in den Adern zu haben. Und doch hat er Galle, aber für wen? Nur für die armen flüchtigen Sklaven, die als Sündenböcke gehetzt, und für die Nachfolger J. Browns, die nicht zu den »Freunden« gehören, sondern gehenkt werden sollen. Mit der Kette der Sklaven und dem Strick der Freiheitsmärtyrer will Herr Lincoln die Union wieder zusammenbinden. Welches Gewicht er auf diese beiden Mittel legt, zeigt er auch dadurch, daß er die betreffenden Paragraphen aus der Konstitution und der Chicagoer Platform eigens und vollständig zitiert. Hetzjagd und Galgen für die Sklaven und ihre Freunde, Freundschaft und Versöhnung für Sklavenhalter und Verräter – das ist die neu inaugurierte »republikanische« Politik«[295].

Erst die sich nun dramatisch überstürzenden Ereignisse und die gewaltigen Dimensionen, die der Krieg annahm, drängten Lincoln, der zunächst mit äußerster Zähigkeit an seiner vorgefaßten Politik festhielt, eine andere Entscheidung auf. Eine erste Wende brachte der unglückliche Verlauf der Schlacht von Bull Run am 3. August 1861: Der Kongreß beschloß daraufhin, daß der Anspruch des Herrn auf die Arbeit eines Sklaven verwirkt sei, wenn er diesen zu einer gegen die Vereinigten Staaten gerichtete Arbeit einsetze. Weiter ging noch John C. Frémont, damals kommandierender General des westlichen Departements, der am 30. August 1861 von St. Louis aus eine Proklamation erließ, in der es hieß, aller Grundbesitz und das persönliche Eigentum derjenigen, welche die Waffen gegen die Vereinigten Staaten ergriffen, würde im Interesse des öffentlichen Wohls konfisziert und die Sklaven dieser Personen für frei erklärt[296]. Damit, so schien es, war die Zeit der Kompromisse vorüber, doch Lincoln nahm gegen die Frémontsche Proklamation Stellung. Auch Unions-General David Hunter, der in den drei Feindstaaten: Georgia, Florida und Südkarolina, die das Militärdepartement des Südens bildeten und gegen die Vereinigten Staaten die Waffen ergriffen hatten, die Sklaven laut Kriegsgesetz für frei erklärte, mußte sich von Lincoln eine Zurückweisung gefallen lassen. Erst als die Dinge weitertrieben und Senator Edwin M. Stanton darauf drang, daß freie Farbige und Sklaven, deren Herren gegen die Vereinigten Staaten rebellierten, zum Militärdienst verwendet werden sollten – bisher hatte man die scharenweise zur Unionsarmee geflüchteten Sklaven zurückgewiesen – und bald darauf massenhaft Negerregimenter rekrutiert und organisiert wurden, erkannte der Kongreß die Bedeutung der befreiten Sklaven für den Kriegsdienst.

Am 22. September 1862 erließ Lincoln endlich eine Proklamation, in der er den Rebellen das Ultimatum stellte, entweder die Feindseligkeiten einzustellen oder es sich gefallen zu lassen, daß die Sklaven in den Rebellenstaaten als frei erklärt würden. Die wichtigste Stelle der Proklamation lautet: »Am 1. Januar im Jahre des Herrn 1863 sollen alle Personen, als Sklaven gehalten in irgendeinem Staat oder bezeichneten Teil eines Staates, dessen Bevölkerung alsdann in Rebellion gegen die Vereinigten Staaten ist, fortan und für immer frei sein«.[2997] Als Oberbefehlshaber der Armee, nunmehr zu energischem Handeln entschlossen, verkündete er am 1. Januar 1863 in Ausübung »einer geeigneten und notwendigen Kriegsmaßregel« die Abschaffung der Sklaverei mit den Worten: in den rebellierenden Staaten »sind und sollen frei sein alle Personen, welche bis jetzt als Slaven gehalten wurden«[298].

Auch wenn man anerkennen muß, daß Lincoln von Beginn seiner Amtszeit an für das unbedingte Recht der nationalen Einheit eintrat, ist sein zögerndes Verhalten in der Sklavenfrage doch befremdend. Es erklärt sich wohl primär aus der Hoffnung, die Auseinandersetzung zu begrenzen und den Gedanken an eine Versöhnung mit den Südstaaten nicht aufzugeben. So gesehen erscheint inmitten von Pflichtgefühl und selbstlosem Patriotismus die Zauderpolitik als Mittelweg zwischen entfesselten Leidenschaften. Doch trotz des Verständnisses für den Staatsmann Lincoln und der Achtung, die ihm entgegengebracht wird, müssen der Mut und die Unerschrockenheit Heinzens anerkannt werden, der seine Lebenskraft einsetzte für den Kampf gegen geistige, politische und sozialökonomische Knechtschaft: für die als Ware betrachteten Sklaven, für die rechtlose Frau, für die Menschenrechte der arbeitenden Volksmassen. Der Satz in Jeffersons Unabhängigkeitserklärung, daß alle Menschen das gleiche angeborene Recht auf Leben, Freiheit und Glück haben, galt Heinzen als oberstes Sittengesetz und wurde zur Richtschnur seines Handelns. Als Verfasser der Platform des Bundes der Radikalen, die weitgehend von den Turnern übernommen wurde, kämpfte er als Vortragsredner und Schriftsteller für die »reine« Demokratie, die sozial-demokratische Republik. Dieser Geist beseelte die Turner, die für Lincoln in den Kampf zogen. Heinzen hat Lincoln, dem Märtyrerpräsidenten, seine Achtung nicht versagt, aber – wie in dem folgenden Vierzeiler – versucht, Mythos und Geschichte auseinanderzuhalten.

*Wer hat, wie du, unrechten Tod erduldet?*
*Wen trug, wie dich, die Meinung und der Wahn?*
*Du warst gestraft für was du nicht verschuldet*
*Und warst berühmt für was du nicht getan*[299].

76

Amerikanische Bürger deutscher Abkunft!

Als am 18. April 1861 der Präsident der Vereinigten Staaten die loyalen Bürger zur Erhaltung der Union zu den Waffen rief, war niemand bereiter als Ihr, Arm und Herzblut dem Vaterlande zu weihen, und so zahlreich sammeltet Ihr Euch unter dem Sternenbanner, daß »Deutsch« und »Unionist« überall durch Nord und Süd der großen Republik ein Gleiches bedeutet! Doch – so stolz Ihr auch sein könnt auf die tapferen Taten Eures Armes – allzusehr habt Ihr vergessen, daß nicht allein auf dem Schlachtfelde, sondern auch in den Hallen der Gesetzgebung das Geschick des Landes entschieden wird, und viel zu wenig habt Ihr Euch bestrebt, durch energische Beteiligung an dem politischen Leben der Union demselben den Stempel deutscher Kultur aufzuprägen und ihm die Weihe deutschen Geistes zu geben!

Deutsche Bürger, Republikaner aus Wahl, nicht durch Geburt!

Aus Liebe zur Freiheit über das Meer gekommen, kämpft nun auch, Euer Ideal hier zu verwirklichen, und vereinigt Euch, den Bau der republikanischen Institutionen Eures neuen Vaterlandes zur Vollendung zu bringen!

Noch ist der in der Unabhängigkeitserklärung niedergelegte Grundsatz der »unveräußerlichen Menschenrechte« nicht zur Wahrheit geworden, und es bleibt, solange die Sklaverei – dieser innerste Widerspruch und Todfeind der republikanischen Idee – zu Rechte besteht, nach wie vor eine Lüge, daß alle, die unter dem Sternenbanner wohnen, ein Recht auf Freiheit, Leben und Wohlstand besitzen.

Darum hat das Volk der Vereinigten Staaten nur eine Wahl. Entweder es verbannt die Sklaverei aus dem nationalen Leben, oder es verzichtet darauf, seinen Kindern die Segnungen republikanischer Freiheit zu vererben. Schon hat die ängstliche Rücksicht auf Erhaltung der Sklaverei zu den verschiedensten Eingriffen in unsere Fundamentalrechte – Rede- und Pressefreiheit und das Habeas Corpus Gesetz – geführt, und es würde ein Kompromiß mit der Sklaverei nur eine Besiegelung dieser Eingriffe sein.

Töricht ist die Hoffnung, daß das Schwert der Soldaten der Sklaverei den Todesstoß versetzen werde und daß es unnötig sei, derselben durch die Gesetzgebung ein Ende zu machen! Vielmehr ist dieses die brennende Frage der nächsten Zukunft, und *sie* wird allein den notwendig gewordenen neuen Parteibildungen das Losungswort geben.

Darum, deutsche Mitbürger, organisiert Euch ungesäumt, damit Ihr in der zusammentretenden Partei von vornherein *Eure* Wünsche und *Eure* Forderungen geltend machen könnt!

Große Fragen für den Freiheitskämpfer stehen auf dem Spiel! Denn, seit der Monarchismus der »alten Welt« den republikanischen Institutionen der »neuen« den Fehdehandschuh hingeworfen hat und durch Intrige und bewaffnete Intervention Throne auf dem freien Boden Amerikas zu errichten sucht, müssen die Bürger der Vereinigten Staaten bald zu der Einsicht gelangen, daß sie nur für ihre Selbsterhaltung streiten, wenn sie den Freiheitsbestrebungen in der ganzen Welt schützend und fördernd zur Seite stehen.

Deutsche Bürger, verliert nicht den kostbaren Augenblick, und organisiert Euch ohne Verzug zur Durchkämpfung folgender Grundsätze:

Die Sklaverei, welche mit der Grundidee der Freiheit unverträglich ist und auch das Leben der Republik unausgesetzt bedroht, muß in kürzester Frist auf legislativem

Wege aufgehoben, und zwar müssen die Rebellen vorzugsweise angehalten werden, den Preis der Aufhebung zu bezahlen.

Die Bürger der Vereinigten Staaten sind nur *ein* Volk, und das von ihnen bewohnte Land ist ein untrennbares, einiges Ganze. Jeder Versuch, diese Einheit zu zerstören, mag derselbe nun von einzelnen Individuen oder von einem oder mehreren Staaten ausgehen, ist Hochverrat – und muß als solcher durch Verlust aller bürgerlichen und staatlichen Rechte bestraft werden.

Die wahre Monroe-Doktrin, zu deren Durchführung die Vereinigten Staaten verpflichtet sind, besteht in der Unterstützung der republikanischen Idee, wo und wann sie sich Anerkennung zu verschaffen sucht, denn die Interessen dieser großen Republik und die Freiheitsbestrebungen der ganzen Welt sind solidarisch verknüpft.

Indem Ihr, deutsche Mitbürger, Euch auf diese Grundsätze vereinigt und gewappnet seid, allen und jeden Eingriffen gegenüber, welche gegen die Rechte der einzelnen auftauchen mögen, macht Ihr Euch zu den wahren Wächtern der Freiheit.

New York, 25. März 1862

Unter dem Aufruf heißt es:
»Vorstehende Adresse wurde in drei vorberatenden Versammlungen förmlich und in einer am 20. März abgehaltenen Generalversammlung einstimmig angenommen. Deutsche Vereine der Vereinigten Staaten, welche die in der Adresse niedergelegten Grundsätze adoptieren, wollen gefälligst ihren Anschluß dem Correspondency Comité des unterzeichneten provisorischen Central Ausschusses mitteilen und mit demselben behufs der weiteren Organisation in Verbindung treten.«[300]

Der Aufruf ist ein eindrucksvolles Zeugnis demokratischer Staatsgesinnung der Deutsch-Amerikaner und manifestiert ihre völlige Identifizierung mit dem amerikanischen Leben und Schicksal. Hatten sie anfangs in der neuen Heimat noch das Gastland gesehen, das sie bei Ausbruch einer von ihnen erwarteten zweiten Revolution in Deutschland sofort zu verlassen bereit waren, so war Amerika nun zum Vaterland für die um Einheit und Freiheit Kämpfenden geworden. Symbol dieses Einheits- und Freiheitswillens war das Sternenbanner.

Zwei wesentliche Tendenzen, gerichtet auf die Erlangung der physischen und geistigen Freiheit, sind einleitend erkennbar. So beginnt der Aufruf mit der Würdigung des militärischen Einsatzes der Deutsch-Amerikaner für die Ziele der Union, das heißt für die Erkämpfung der Freiheitsrechte, die als Bestandteil unveräußerlicher Menschenrechte gesehen werden. Daraus ergibt sich die Notwendigkeit einer Festigung der durch militärische Aktionen durchzusetzenden Freiheiten, also eine Verankerung der Menschenrechte im Gesetz. Aus »Eroberern« im Namen der Freiheit sollen »Wächter der Freiheit« werden. Den USA wird sodann die Verpflichtung auferlegt, die so gewonnenen Freiheitsrechte global durchzusetzen. Der freiheitlich-demokratische Rechtsstaat erhält damit »Modellcharakter«; er stärkt auch die Hoffnung auf die Durchsetzung republikanischer Ideen in Deutschland. Indem die Deutsch-Amerikaner eine kompromißlose Haltung im Kampf gegen die Sklaverei zeigen, wollen sie der Union auch den Stempel deutscher Kultur aufdrücken und ihr die »Weihe deutschen Geistes« geben. Kampfeswille und ein Kultur- und Sendungsbewußtsein verbinden sich daher im Appell zur Gründung einer eigenen deutsch-amerikanischen Partei. Sie soll mithelfen, die Menschenrechte zu verwirklichen, die Einheit der Nation wiederherzustellen und Freiheitsbestrebungen in der ganzen Welt zu unterstützen.

Zu den Wegbereitern dieser Aktion gehörte Karl Heinzen, der schon vor dem Krieg für die Gründung einer radikalen deutschen Partei eingetreten, dabei aber auf den Widerstand von Friedrich Hecker, Gustav Körner, August Willich und Richter Stallo gestoßen war[301], die darin nur Ausdruck übersteigerten persönlichen Ehrgeizes gsehen hatten. Angesichts der schweren Fehler und Versäumnisse, die Heinzen ab 1861 der Lincoln-Regierung anlastete, setzte er 1862 neue Hoffnung auf seine Landsleute und erwartete, »daß die freisinnigen Teutschen durch Geltendmachung ihrer Intelligenz und durch den Impuls sittlicher Empörung sich als Avantgarde beim Durchbruch in eine bessere Zeit geltend machen werden«[302].

Die angebliche Prinzipienlosigkeit der damaligen amerikanischen Politik hoffte er durch einen von moralischen Energien getragenen politischen Zusammenschluß der Deutschen in den USA beenden zu können. »Geistig radikal und sittlich radikal – nur wer das ist, kann zur Rettung einer Republik beitragen, welche durch das Gegenteil dieses Radikalismus an den Rand des Untergangs gebracht worden ist«[303]. So beurteilt er 1862 die Lage und weist den Deutschen Nordamerikas den Weg, auf dem sie für Freiheit, Wahrheit und Humanität streiten und dem Recht zur Herrschaft verhelfen sollen. Denn die in der USA-Verfassung verankerten Rechtsgrundsätze der Freiheit und Gleichheit müßten nicht nur in einer amerikanischen demokratischen Republik voll verwirklicht werden, sondern auch die USA zur Durchsetzung des allgemeinen Menschenrechts in der Welt legitimieren. Die nordamerikanische Republik, so argumentierte Heinzen, könne sich nicht sicher fühlen, solange der Rest der Welt in Ketten lebe. Sein Ziel, die politische, soziale und sittliche Stärkung des deutschen Elements in den USA, hoffte er mit der Gründung des »German National Central Committees« erreichen zu können, das sich 1863 in Cleveland für Frémont, der durch sein Vorgehen in Missouri nach Heinzens Auffassung die Ehre der Republik gerettet hatte, als Präsidentschaftskandidaten aussprach. Als sich allerdings die in Cleveland auf Betreiben Heinzens gegründete Partei nach dem Verzicht Frémonts auf die Kandidatur kampflos auflöste, wandten sich die Deutschen, nunmehr geführt von Karl Schurz, wieder Lincoln zu.

Schurz berichtet in seinen »Lebenserinnerungen« von einem menschlich ergreifenden Gespräch mit Lincoln, in dem dieser die Gründe für die Aufrechterhaltung seiner Präsidentschaftskandidatur – trotz schwerer Kritik aus den eigenen Reihen – darlegt[304]. Tatsächlich hatte die Popularität des Präsidenten damals ihren Tiefpunkt erreicht. Selbst in seiner eigenen Partei vermochte Lincoln die divergierenden Kräfte kaum zusammenzuhalten. In der Presse wurde er in wüsten Formen beschimpft, und Demokraten wie Republikaner machten ihn für die Mißerfolge des Krieges verantwortlich. In dieser schwierigen Situation nahm er das Angebot von Karl Schurz an, daß dieser aus der Armee ausschied, um für ihn als Wahlredner auftreten zu können. Schurz tat dies zum zweiten Mal mit Erfolg. Doch der Stimmungsumschwung vollzog sich nach Aussagen von Schurz erst, als sich mit dem Vormarsch Shermans die entscheidende militärische Wende zugunsten der Union anbahnte »Da kam plötzlich die begeisternde Nachricht von Shermans siegreichem Vormarsch bis ins Herz von Georgia hinein und von der Eroberung von Atlanta. Im ganzen Norden entzündete die Kunde eine jubelnde Begeisterung, und die Erklärung, daß der Krieg ein Mißerfolg sei, wurde hinfort nur noch höhnisch belacht. Und endlich, schwerwiegender vielleicht als alles andere, machte sich die Liebe des Volkes für Abraham Lincoln in seiner ganzen Innigkeit geltend.«[305] Mag dies auch übertrieben erscheinen, denn der eigentliche Stimmungsumschwung zugunsten Lincolns erfolgte erst mit dessen Ermordung und der unmittelbar danach einsetzenden Verehrung als Märtyrerpräsident, so kann doch kein Zweifel daran bestehen, daß Schurz durch seine Agitation im Wahlkampf für Lincoln den Stimmungsumschwung bei den Deutsch-Amerikanern intensiv vorbereitet hat.


## 1.6    Die Turner im Bürgerkrieg

In vielen Vereinsberichten, Jubiläumsschriften und in den Jahrbüchern der Turnerei wird der Einsatz der deutsch-amerikanischen Turner im Bürgerkrieg als große Leistung zur Erhaltung der Union hervorgehoben. Werden die Leistungen in einigen Berichten auch glorifiziert, so ist doch unbestreitbar, daß die Turner in ihrem entschiedenen Eintreten für Lincoln zum Sieg der Unionstruppen beigetragen haben. Im Bürgerkrieg zeigten sie, daß sie bereit waren, für die demokratischen Ideale ihr Leben einzusetzen. Denn trotz der Radikalität ihrer gesellschaftspolitischen Forderungen und der harten Kritik, die sie an undemokratischen Zuständen und Verhaltensweisen in den USA geübt hatten, sahen sie in dieser demokratischen Republik das relativ beste Staatswesen der Welt, das erhalten bleiben müßte. Die schweren Auseinandersetzungen mit konfessionellen und ethnischen Gruppen hatten den Turnerbund mehr und mehr isoliert und seine inneren Spannungen hatten zu einer Stagnation des Turnerlebens geführt, so daß die Zeit unmittelbar vor Ausbruch des Bürgerkrieges »als die trübste in der Geschichte des Bundes anzusehen« ist[306]. Der Bürgerkrieg sollte trotz Mitgliederschwund eine entscheidende geistige Wende in der Entwicklung des Turnerbundes bringen.

Im Jahre 1860 hatte der Vorstand des Turnerbundes die Turner aufgefordert, Lincoln zum Präsidenten zu wählen. Bei Ausbruch des Krieges traten die Turner nahezu geschlossen für die Ziele der Union ein. Die konkreten Ziele, die sie dabei verfolgten, gingen über die Abschaffung der Sklaverei und die Bewahrung der nationalen Einheit hinaus und umfaßten auch einen verfassungsrechtlichen Bereich. Die Turner wandten sich gegen eine Überordnung bestimmter Rechte der Einzelstaaten über Bundesrechte, da dies eine Schwächung der Zentralgewalt und eine Stärkung des Partikularismus bedeutet hätte, dessen negative Auswirkungen sie in Deutschland kennengelernt hatten.

Obwohl die Turner auf den Ausbruch der Feindseligkeiten innerlich vorbereitet waren – auf Turnfesten, Tagsatzungen und in der Turn-Zeitung wurden immer wieder die politischen Ziele proklamiert – überrascht doch die große Zahl der Freiwilligen, die sich zum Dienst an der Waffe meldeten. Etwa 50 % aller waffenfähigen Turner traten in die Unionsarmee ein[307]. Insgesamt lag die Zahl der Deutschen, die in der Unionsarmee kämpften, wesentlich höher als es ihrem Anteil an der Gesamtbevölkerung entsprach[308]. Sechzehn Regimenter bestanden ganz oder zu großen Teilen aus Turnern und hatten Kommandeure wie Sigel, Hecker, Willich, Weber, Tafel und andere, die schon an der Revolution von 1848/49 in Deutschland teilgenommen hatten. Dieser opferreiche »second fight for freedom«[309] führte nicht nur die Deutsch-Amerikaner, die sich vorher vielfach zerstritten hatten, fester zusammen und verschaffte dem Deutschtum in den USA Wertschätzung und Anerkennung, er leitete auch den Prozeß einer Amerikanisierung ein, der für die Weiterentwicklung des Turnwesens von großer Bedeutung war.

80

Wie viele Turner im Bürgerkrieg ihr Leben ließen, läßt sich nicht genau bestimmen, da die Unterlagen vieler Vereine in den Kriegswirren verlorengegangen sind. Im Jahre 1866 auf der Tagsatzung in St. Louis gab der Vorort an, daß von den 6435 Mitgliedern, die dem Nordamerikanischen Turnerbund angehörten, 3248 den Bürgerkrieg überlebt hätten. Die Zahl der Gefallenen wurde auf 1000 geschätzt[310]. Einige Regionen oder einzelne Turnvereine leisteten einen besonders großen Beitrag bei der Aufstellung von Freiwilligenverbänden. So traten aus dem Turnverein in Indianapolis alle unverheirateten Männer in die Armee ein[311], in Milwaukee hatten 115 von 118 Mitgliedern, die 1865 dem Turnverein angehörten, am Bürgerkrieg teilgenommen[312], in New York, St. Louis und Cincinnati konnten Turnerregimenter gebildet werden.

In New York war die Voraussetzung zur Aufstellung eines Turnerregiments besonders günstig, da hier mehrere Turnvereine nahe beieinander Lagen. Das 20. New Yorker Infanterieregiment unter Max v. Weber, der schon 1849 als Leutnant in der badischen Armee auf seiten der Revolutionäre gekämpft hatte, zeichnete sich durch besondere Tapferkeit aus und erlitt in der Schlacht am *Antietam* 17.9.1862 hohe Verluste. Von den 1200 Turnern, die im Mai 1861 ausgezogen waren, kehrten zwei Jahre später nur 460 zurück[313].

Auch das Ohio Turner Regiment, 9. Ohio Regiment, war ein rein deutsches Regiment, in dem drei Turnerkompanien zusammengefaßt waren. Mehr als die Hälfte der Cincinnati-Turngemeinde hatte sich diesem Regiment angeschlossen, das sich während seiner dreijährigen Dienstzeit unter anderem in den Schlachten von *Chattanooga* und *Lookout* auszeichnete.

Dem 1. Missouri Regiment hatten sich drei Turnerkompanien aus St. Louis angeschlossen, die Francis Blair, den Herausgeber der republikanischen Zeitschrift »Demokrat«, zu ihrem Oberst wählten. Ein großer Teil dieser Turner hatte sich bereits vor Kriegsausbruch in den »Union Guards« zusammengeschlossen und sich unter Sigel an hölzernen Waffen geübt, um ein Gegengewicht zu den »minute men« zu bilden, einer Bürgerwehr, von Missouris Gouverneur Jackson unterstützt, der mit den Südstaaten sympathisierte. An der Sicherstellung des Armeematerials in den Bundesarsenalen von St. Louis – für die Ausrüstung der Unionstruppen von großem Wert – hatten die Turner entscheidenden Anteil. Die Verdienste der Turner beim Kampf in Missouri hat General Grant später gebührend gewürdigt[314].

Aufgrund hervorragender Tapferkeit und überragender militärischer Kenntnisse wurde August Willich, der als Gemeiner im April 1861 in das 9. Ohio Regiment eingetreten war, zum Offizier befördert und erhielt bald darauf als Oberst das Kommando über das 32. Indiana-Regiment.

Friedrich Hecker befehligte zwei Regimenter (24. und 82. Illinois-Regiment), die ausschließlich aus Deutschen bestanden.

Lincoln und die amerikanische Regierung haben das Eintreten der Deutsch-Amerikaner für die Einheit der Nation anerkannt. Zu den sechs Offizieren, nicht in den USA geboren, die den Rang eines Generalmajors erhielten, zählten vier Deutsche, unter ihnen drei »Achtundvierziger«, nämlich Karl Schurz, Peter Joseph Osterhaus und Franz Sigel, »der Held der badischen Erhebungen«[315].

Einige wichtige Begebenheiten aus dem Bürgerkrieg, an denen Turner maßgeblich beteiligt waren, sollen hier wiedergegeben, darüber hinaus Kurzporträts bekannter deutsch-amerikanischer Soldaten und Turneroffiziere umrissen werden.

Schon zu Beginn des Krieges zeichneten sich die Turner von Washington, D. C. aus, die bei der Amtsübernahme Lincolns einen Teil der Leibgarde gebildet hatten. Die beiden Turner-Kompanien waren die einzigen zuverlässigen Truppen, die den Schutz des Capitols übernahmen, als mit dem Angriff der Sezessionisten auf Fort Sumter die Bundeshauptstadt wegen ihrer exponierten, weit nach Süden vorgeschobenen Lage gefährdet war. Da die Offiziere der Garnison in Washington entweder neutral oder dem Süden zugeneigt waren, entschlossen sich die Turner, das Zentrum der Stadt zu verteidigen, bis Truppen aus Pennsylvania und Massachusetts eintrafen.

Als das zum Einsatz anrückende Regiment aus Massachusetts durch Baltimore zog, kam es dort zu heftigen Zusammenstößen, in deren Verlauf die Turner Baltimores von der aufgebrachten Menge aufgefordert wurden, die Fahne des Staates Maryland statt die Unionsfahne auf der Turnhalle zu hissen. Die Turner erwiderten, eher wollten sie ihre Halle in die Luft sprengen, als sie auf solche Weise zu entweihen. Bald darauf stürmte der Mob die Turnhalle und zerstörte auch das Büro des »Baltimore Wecker«, jenes Verlages, der seit 1860 die Turn-Zeitung herausgab, sich für die Unterstützung Lincolns eingesetzt und am 19. April 1861 einen Aufruf zum Eintritt in die Unionsarmee erlassen hatte[316].

Nach Wilhelm Kaufmann gebührt der erste Platz unter den deutschen Offizieren des Bürgerkrieges dem ehemaligen preußischen Landwehroffizier Peter Joseph Osterhaus, geboren 1823 in Koblenz, der wegen Beteiligung an der deutschen Revolution Zuflucht in Amerika gesucht hatte und nach St. Louis gekommen war. Dort trat er im April 1861 als Gemeiner in das 3. deutsche Missouri Regiment ein, wurde Major und später Oberst des 12. Missouri Regiments. Im Jahre 1863 wurde er zum Brigadegeneral und nach den Kämpfen von Chattanooga im selben Jahr noch zum Generalmajor befördert. Im September 1864 erhielt er den Befehl über das 15. Armeekorps, das er unter Sherman nach Savannah führte. »Peterjoe«, wie er von seinen Soldaten genannt wurde, soll von den Föderierten den Beinamen »Der amerikaniche Bayard« – Ritter ohne Furcht und Tadel – erhalten haben, da er in 34 Schlachten gekämpft – unter anderem Pea Ridge, Arkansas Post, Vicksburg und in Atlanta – und nie eine Niederlage erlitten habe. Er befehligte seine Truppen auf westlichen und südlichen Kriegsschauplätzen. Kaufmann urteilt: »Jeder Erfolg seiner tatenreichen Laufbahn, jede militärische Beförderung ist das Ergebnis eigenen Verdienstes, ist begründet auf treue Pflichterfüllung und auf der Entwicklung eines angeborenen Führertalents«[317].

Karl Schurz, geboren 1829 zu Liblar bei Köln, von den Deutschamerikanern als Staatsmann sehr geschätzt, zeichnete sich auch als Truppenführer aus, obwohl er hier von seinen Landsleuten ungerechterweise scharf kritisiert wurde. Der bekannte »Achtundvierziger« hatte in Deutschland zunächst als 19jähriger Student, unterstützt von seinem Bonner Lehrer und Freund Professor Kinkel, mit einer Reihe von Kommilitonen den Kampf für eine freiheitliche Universitätsverfassung geführt und dann an der Reichsverfassungskampagne teilgenommen. Nachdem er Kinkel aus dem Spandauer Gefängnis befreit hatte, emigrierte er in die USA, wo er sich von der Deutschtümelei so vieler Flüchtlinge distanzierte und sich intensiv dem Studium der englischen Sprache und der amerikanischen Verfassungsgeschichte und Politik widmete. Bei Ausbruch des Krieges wurde er zunächst Gesandter in Spanien, erhielt aber bereits im Frühjahr 1862 von Lincoln das Patent eines Brigadegenerals. Schurz stand zwei Jahre, von 1862 bis 1864, an der Front. Die von ihm als Generalmajor unter Sherman befehligten deutsch-amerikanischen Regimenter haben sich in zahlreichen Schlachten, zum Beispiel Bull Run II, Chancellorsville, Gettysburg und Missionary Ridge, ausgezeichnet[318]. Schurz zog nach dem Krieg als erster, nicht in den USA geborener Senator in den Kongreß ein und bekämpfte leidenschaftlich Präsident Grants imperialistische Annexionsversuche. Im Jahre 1876 wurde er Innenminister unter Hayes und setzte sich erfolgreich für die Entpolitisierung der Zivilverwaltung ein. Kein anderer Deutscher hat auf die Entwicklung der amerikanischen Demokratie einen so großen Einfluß gehabt wie Schurz.

Populärster deutscher Heerführer im Bürgerkrieg war Franz Sigel. Er war beteiligt an der deutschen Erhebung in St. Louis, siegte bei Pea Ridge, erlitt dann aber in der Schlacht von Wilsons Creek eine schwere Niederlage. Als Generalmajor und Korpsführer war er eine Zeitlang Führer einer Grand Division, zwei Armeekorps, scheiterte aber in der Potomacarmee an den Schwierigkeiten, die ihm die »Westpointer« –hohe amerikanische Offiziere, Absolventen der berühmten Militärakademie – bereiteten[319].

Zu den herausragenden deutschen Persönlichkeiten im Bürgerkrieg gehörte auch August von Willich, 1810 in Konitz bei Posen, Westpreußen, als Sohn eines preußischen Landrats und Rittmeisters a.D. geboren und nach dem Besuch der Potsdamer Kadettenanstalt preußischer Offizier. Im Jahre 1846 wurde er vor ein Kriegsgericht gestellt, weil er einem Vorgesetzten gesagt haben soll, die Macht zum Befehlen komme nur aus dem Gesetz; gehe er über dasselbe hinaus, »so verliere er das Recht auf Gehorsam der Untergebenen«. In einem solchen Falle würde er – Willich – dem Befehl nicht Folge leisten. In Konsequenz seiner sozialrevolutionären Anschauungen verließ er die Armee und wurde Handwerker, Zimmermann. Seine Familie sagte sich daraufhin von ihm los. Später, 1847, kam er zu der Überzeugung, »daß die Welt mit Recht nur dem Arbeiter gehöre«.

An den Kämpfen im südwestdeutschen Raum war er, wie bekannt, maßgeblich beteiligt. Sein Fluchtweg führte ihn über London nach Nordamerika, wo er den Sozialen Turnverein in Milwaukee gründete. Im Bürgerkrieg wurden die beiden deutschen Regimentern (9. Ohio, 32. Indiana-Regiment) von ihm nach preußischem Exerzierreglement gedrillt und sie bewährten sich bereits in den ersten Gefechten bei Mill Creek und Shiloh.

Nach dreijährigem Frontdienst, bei dem er sich wiederholt auszeichnete und das Letzte mit seinen Soldaten teilte, wurde er wegen seiner Tapferkeit zum Brigadegeneral befördert, mußte jedoch nach einer schweren Verwundung seinen Dienst aufgeben. Seinen idealkommunistischen Vorstellungen ist er zeitlebens treu geblieben. Selbst im Feldlager, wo er seine Soldaten mit »Bürger von Indiana« anredete, hielt er deutsche Vorträge über Kommunismus[320].

Das von Friedrich Hecker geführte 82. Illinois-Regiment, das sogenannte Heckerregiment, war nach Aussagen von Kaufmann eines der besten in der westlichen Armee. Es nahm an zahlreichen Gefechten und Schlachten und am verlustreichen Marsch nach Knoxville teil. Hecker schied Anfang 1864 schwer verwundet aus der Armee aus[321].

Weitere bekannte Turneroffiziere waren: Fritz Anneke, geboren 1818 in Dortmund, ehemals preußischer Offizier und im Bürgerkrieg Oberst und Führer des 35. Wisconsin-Regiments. Er war später Kriegsberichterstatter und, wie Joseph Weydemeyer, der Oberst des 41. Missouri-Regiments war, Förderer der sozialistischen Arbeiterbewegung in den USA.

Joseph Gebhardt, geboren 1871 in Bonn, Bataillonsführer während des badischen Aufstandes, Gründer einer Turner-Kompagnie in Washington, später Oberst des 46. New Yorker-Freiwilligen-Regiments.

Hugo Gollmer, Sprecher der St. Louis Turngemeinde und Kapitän im 1. und 17. Missouri-Regiment.

Dr. med. Heiland. Regimentsarzt im 20. New Yorker Turner-Regiment, der vielen Verwundeten, auch dem Kommandeur Max von Weber das Leben rettete.

Louis P. Hennighausen, Organisator der Turnerschützen von Washington und Baltimore, Offizier im 46. New Yorker Frémont-Regiment.

Konrad Krez, ehemaliger zum Tode verurteilter süddeutscher Revolutionär, Oberst des 27. Wisconsin-Regiments, später Brigadegeneral und einer der gefeierten deutschamerikanischen Dichter.

Germain Metternich, Oberstleutnant im 46. New Yorker Turner-Regiment, als »Achtundvierziger« am Straßenkampf in Frankfurt und der badischen Erhebung maßgeblich beteiligt und Mitglied des »Bundes der Kommunisten«.

Wilhelm Pfänder, einer der bekanntesten Turnführer des Westens, im Kriege Oberst der Artillerie, ausgezeichnet in den Kämpfen bei Shiloh.

Dr. med. H.M. Starkloff, langjähriger Präsident des Nordamerikanischen Turnerbundes, den größten Teil des Krieges über Regimentsarzt im 12. Missouri-Regiment.

 Gustav von Struve, Wortführer der badischen Revolution und Gründer mehrerer Turnvereine, Offizier im 8. New Yorker Freiwilligen-Regiment.

Gustav Tafel, Oberst des 106. Ohio-Regiments, einer der führenden Köpfe der Turngemeinde Cincinnati, später Bürgermeister der Stadt, zeichnete sich mit seinen Truppen bei Hartsville, KY. aus.

August Mersey, ehemaliger badischer Oberleutnant und Führer der 3. Division der badischen Freischärler, wurde im Bürgerkrieg Oberst des 9. Illinois-Regiment, mit dem er bei Shiloh kämpfte und das er auf dem Marsch durch Georgia kommandierte[322].

Die folgende Übersicht führt die deutschen Regimenter auf, die am Bürgerkrieg teilnahmen und zu einem großen Teil aus Turnern bestanden. Die Namen der Befehlshaber, die zu den »Achtundvierzigern« gehören, sind kursiv gesetzt.

 1. Missouri, Oberst Francis P. Blair

 3. Missouri, Oberst *Franz Sigel*

12. Missouri, Oberst *Peter Joseph Osterhaus*

17. Missouri, Oberst Franz Hassendeubel

41. Missouri, Oberst *Joseph Weydemeyer*

 9. Wisconsin, Oberst *Friedrich Salomon*

26. Wisconsin, Oberst Hans Boebel

 9. Ohio, Oberst Robert McCook

28. Ohio, Oberst August Moor

37. Ohio, Oberst *Eduard Siebert*

106. Ohio, Oberst *Gustav Tafel*

108. Ohio, Oberst George T. Limberg

 9. Illinois, Oberst *August Mersey*

31. Illinois, Oberst *Adolf Engelmann*

24. und 82. Illinois, nacheinander von Oberst *Friedrich Hecker* aufgestellt

32. Indiana, Oberst *August Willich*

20. New York, Oberst *Max Weber* später
                    Oberst Engelbert Schnepf

Artillery Brigade von Minnesota, Oberst Wilhelm Pfänder

Hoffmann Batterie, Oberst *Louis Hoffmann*[323]

Deutsche Turner kämpften aber auch auf Seiten der Südstaaten, obwohl es deutscherseits erhebliche Widerstand gegen die Konskription gab. Ein ehemaliger deutschamerikanischer Historiker und konföderierter Offizier urteilt darüber: »Es kann behauptet werden, daß alle kürzlich eingewanderten Deutschen, welche sich der Konföderation anschlossen, dieses blutenden Herzens getan haben und unter dem Druck zwingender Umstände; aber ob nun gezwungen oder nicht, sie haben ihre Pflicht zur Verteidigung des Staates mit niemals fehlender deutscher Tapferkeit erfüllt.«[324] Beispiele für die Pflichterfüllung gaben die Turner aus Houston, die eine Batterie aufbauten, und aus Galveston, von denen 40 Mann in eine Kompanie des 2. Texas-Regiments eintraten und unter deutschen Offizieren dienten. Dagegen hatte ein Teil der Turner aus New Orleans die Flucht gewagt und sich den Unionstruppen angeschlossen[325]. Der bedeutendste deutsche Soldat der konföderierten Armee war Heros von Borcke, ein ehemaliger preußischer Offizier, der Stabschef des berühmten Reitergenerals Jeb Stewart wurde[326].

Doch unabhängig davon, ob die Turner, wie ihr größter Teil, auf Seiten der Union kämpfte oder – wie eine kleine Gruppe – in der Armee der Südstaaten, für sie alle leitete der Krieg einen Wandel in ihrer Beziehung zu der neuen Heimat ein. Sie lernten nun die Amerikaner besser verstehen und versöhnten sich mit den Formen des amerikanischen Lebens, zumal sie die Anerkennung fanden, die ihnen vorher häufig versagt worden war. Der Bürgerkrieg beendete ihre »storm-and-press«[327] Periode[328].

Hier die Urteile der beiden namhaften amerikanischen Historiker Zucker und Wittke: »By rubbing shoulders with Americans in every type of military relationship, as superiors, equals and inferiors they came to understand their native fellow citizens and, by the same token, to appreciate them better. The things in American life which the Forty-eighters had criticized so harshly assumed a new aspect when they saw the essential fairness and generosity of the average soldiers, the devotion to an ideal which made Americans pour out their blood and treasure to a degree that no Forty-eighters could surpass. ...

They were losing some of their extreme liberalism or, to put it metaphorically, the war had rubbed down some of their sharp corners. ... In 1848 they had been theoretical and idealistic politicians, treating statecraft as a philosophy; in America they learned that it was a practical matter to be dealt with on the basis of the possible. They saw that what they had condemned without reservation as American corruption was human nature.«[329]

»Many learned their final lesson in Americanization on the battlefield.«[330]

Die harte Wirklichkeit des Krieges, Frontkameradschaft und Opferbereitschaft ließen sie reifen und weiteten ihren Blick für reale Gegebenheiten und das Praktisch-Machbare. In ihrem Streben nach sozialer Gerechtigkeit und Freiheit wurden manche utopischen Forderungen aufgegeben. Die »Achtundvierziger« integrierten sich nun in die amerikanische Gesellschaft, sie wurden ein Teil Amerikas.

# 2.

## Deutschland und die USA
## von der Reichsgründung 1871, beziehungsweise vom
## Ende des amerikanischen Bürgerkriegs 1865
## bis zum ersten Weltkrieg

Das deutsche Kaiserreich von 1871 verdankte seine Gründung dem militärischen Sieg über Frankreich und nationalen und liberalen Einigungsbestrebungen, die sich mit der konservativen preußischen Staatsführung verbanden. Die Begeisterung über den geeinten Nationalstaat, von der die Massen erfaßt waren, vermochte jedoch nur kurzfristig die Spannungen zu überdecken, die viele ungelöste innen- und außenpolitische Probleme verursachten. Zur schwersten außenpolitischen Hypothek wurde die Annexion von Elsaß-Lothringen, vor der Sozialdemokraten und Linksliberale und selbst die in ihrer Mehrheit monarchistisch gesinnte Deutsche Turnerschaft nachdrücklich gewarnt hatten. Mit der Annexion dieses Gebietes wurde das Verhältnis zu Frankreich auf Jahrzehnte hinaus vergiftet.

Nicht minder groß waren die innenpolitischen Probleme. War es das Ziel der Revolution von 1848, die Einheit durch Freiheit zu schaffen und auf demokratischer Grundlage die drängenden politischen, wirtschaftlichen und sozialen Fragen der Zeit zu lösen, so war das Kaiserreich, auch wenn es politische Parteien gab, ein monarchischer Obrigkeitsstaat, dessen Macht in den Händen des Mannes lag, der als Gründer des Reiches angesehen und vom Vertrauen Wilhelms I. getragen wurde: Otto von Bismarck. Dieser hatte so geschickt die komplizierte Reichsverfassung auf seine Person zugeschnitten, daß schon damals von einer »Kanzlerdiktatur« gesprochen wurde. In seiner Eigenschaft als Reichskanzler und preußischer Ministerpräsident war er Vorsitzender des Bundesrats, dem Gesetzgebungsorgan der Bundesstaaten und der Reichsbehörden, die wiederum von weisungsgebundenen Staatssekretären geleitet wurden. Die parlamentarische Mitwirkung des Reichstags beschränkte sich bei diesem unvollendeten Verfassungsstaat auf das Gebiet der Gesetzgebung, vornehmlich das der Steuerbewilligung. Eine Kontrollfunktion der Parteien und des Parlaments über die Regierung war nicht gegeben. Daher wurde die Forderung nach breiterer parlamentarischer Mitsprache und der Kampf um die Parlamentarisierung des Reiches ein Hauptanliegen aller demokratischen Kräfte.

Aber auch als Nationalstaat war das Kaiserreich unvollendet. Zu einer schweren Belastung wurden die nationalen Minderheiten, die bis 1918 nicht voll integriert werden konnten. Weit bedrohlicher noch waren die innenpolitischen Auseinandersetzungen, die die Struktur des Reiches erschütterten: der Kampf Bismarcks mit dem politischen Katholizismus und mit der Sozialdemokratie. Beide wurden als Reichsfeinde diffamiert. Im Kampf gegen die innenpolitischen Gegner stand die Führung der Deutschen

Turnerschaft auf Bismarcks Seite. Ferdinand Goetz, der Vorsitzende der Deutschen Turnerschaft (DT) und nationalliberaler Reichstagsabgeordneter, sah es als seine patriotische Plicht an mitzuhelfen, die schwarzen wie die roten »Reichsfeinde« aus der Volksvertretung zu eliminieren, wie er in seiner Rede anläßlich des 5. Deutschen Turnfestes 1880 in Frankfurt am Main betonte.

Der Kulturkampf gegen das katholische Zentrum, das wegen seiner Verbindung zum Papsttum ultramontaner und internationalistischer Bestrebungen verdächtigt wurde, kulminierte im »Kanzelparagraphen«, dem Verbot für Geistliche, zu staatlichen Angelegenheiten öffentlich Stellung zu nehmen, und in der Ausweisung des Jesuitenordens. Indem Kirche und Klerus unter staatliche Aufsicht gestellt wurden, erwies sich die Hoffnung, die viele in eine neue rechtsstaatliche und auf Interessenausgleich und Toleranz aufgebaute nationale Gemeinschaft setzten, als trügerisch.

Der Kampf Bismarcks gegen die Sozialdemokratie führte die innenpolitisch schwerste Krise des Kaiserreiches herbei. Zwei Attentate auf Kaiser Wilhelm I., für die Bismarck die Sozialdemokratie verantwortlich machte, gaben den Anlaß zur Auflösung des Reichstages und zu Neuwahlen, die ihm die gewünschte Mehrheit zur Verabschiedung des Sozialistengesetzes brachten. Dieses aus Sorge vor einer »roten Anarchie« gegen die »gemeingefährlichen Bestrebungen der Sozialdemokratie« im Jahre 1878 erlassene Gesetz, das zweimal bis 1890 verlängert wurde, bewirkte die Auflösung sozialistischer Vereine, die Ausweisung von »Agitatoren«, Presse- und Versammlungsverbot und die Inhaftierung führender Sozialdemokraten. Es ist bezeichnend, daß Goetz als einziger nationalliberaler Abgeordneter auch für den Ausweisungsparagraphen im Sozialistengesetz stimmte.

Aber die Sozialdemokratie ging aus dieser innenpolitischen Machtprobe gestärkt hervor, da die Arbeiterschaft zu ihren politischen Führern stand. Inzwischen hatte sie sich auch politisch geeinigt. Im Jahre 1875 hatten sich in Gotha die »Lassalleaner«, die Anhänger des 1863 von Lassalle gegründeten Deutschen Arbeitervereins, und die unter Führung von August Bebel und Wilhelm Liebknecht stehende Sozialdemokratische Arbeiterpartei, gegründet 1869, zur Sozialistischen Arbeiterpartei Deutschlands zusammengeschlossen. Als 1890 das Sozialistengesetz nicht mehr verlängert wurde und die Regierung ein Scheitern ihrer Unterdrückungspolitik zugeben mußte, gewann die Sozialdemokratie neues Selbstbewußtsein und verkündete ein Jahr später, 1891 in Erfurt, nunmehr als Sozialdemokratische Partei Deutschlands, ein Programm, das weitgesteckte Reformen zum Ziel hatte. Die reformistischen Tendenzen des Erfurter Programms wurden von Karl Marx, der eine revolutionäre Veränderung der Staats- und Gesellschaftsordnung propagierte, heftig kritisiert.

Die Bedeutung der sozialen Frage war auch von Bismarck durchaus erkannt worden. Um die Arbeiterschaft mit dem Staat zu versöhnen, schuf er als Gegenstück zum Sozialistengesetz eine soziale Gesetzgebung, die den Arbeitern soziale Sicherheit bringen sollte. Aber so fortschrittlich das Gesetzeswerk mit seiner Kranken-, Invaliden- und Altersversicherung auch war, so wenig vermochte es im Sinne einer echten Sozialreform zu wirken, denn die Arbeiter waren nicht bereit, diese »Zähmungspolitik« mitzumachen, sich mit dem Erreichten zufrieden zu geben und, wie Bismarck es erhofft hatte, sich von der SPD und ihren Führern zu trennen.

Der Kaiserkult der Deutschen Turnerschaft, ihre Forderung nach forcierter Wehrerziehung und ihre Unterstützung der Bismarckschen Innenpolitik im Kampf gegen die Sozialdemokratie veranlaßten viele zur Arbeiterschaft gehörende Turner aus der

DT auszutreten. Sie gründeten 1893 den Arbeiterturnerbund (ATB), der – obwohl ohne Bindung an die SPD – sich als Teil der großen Arbeiterbewegung verstand. Im Unterschied zu den wehrpolitischen Zielen der DT plädierte der ATB dafür, daß Turnen Bestandteil der öffentlichen Jugenderziehung bleiben müsse und deshalb den allgemeinen Erziehungsgrundsätzen unterzuordnen sei. Für die DT war die Wehrerziehung dagegen Mittel einer umfassenden Volks- und Nationalerziehung, das heißt eine nationalpolitische Aufgabe, ausgerichtet auf das Leitbild kraftvoller und disziplinierter Männlichkeit. Wehrerziehung sollte eine Vorbereitung auf den Militärdienst sein. In Konsequenz dieser nationalen Ideologie wurde von vielen Turnern der Krieg von 1870/71 als Bewährungsprobe turnerischer Zucht und Willenskraft angesehen. Während sich bei der DT, die von der Idee der Größe und Macht des Reiches berauscht war, die früher gezogenen Grenzen zum Militarismus allmählich verwischten, beharrte der ATB in seiner auf demokratische Prinzipien sich stützenden Oppositionshaltung gegenüber dem Staat, der mit Verbotsmaßnahmen eine Entwicklung des Arbeiterturnerbundes zu verhindern suchte.

Wirtschaftlich erlebte das Reich nach 1871 einen immensen Aufschwung. Die französischen Zahlungen zur Abdeckung der Kriegsschulden leiteten die »Gründerjahre« ein mit dem Aufbau neuer Industrien, aber auch ungehemmten Spekulationen. Eine innenpolitische Wende brachte dann 1878/79 der Übergang vom Freihandel zum Schutzzoll, der auf dem neuen Bündnis von »Roggen und Stahl«, von Großgrundbesitz und Schwerindustrie beruhte. Damit verfestigten sich die konservativen Strukturen im Reich, die ohnehin durch die starke Macht des Militärs vorgegeben waren. Denn das Heer, das unter dem Oberbefehl des Kaisers stand, hatte sich nach den entscheidenden Siegen, die der Reichsgründung vorausgegangen waren, eine Sonderstellung im Kaiserreich sichern können. Die Generalität stand in unmittelbarer Verbindung zum Kaiser als ihrem »obersten Kriegsherrn« und damit auch außerhalb der zivilen Reichspolitik.

Die innenpolitische Wende 1878/79, die mit der Schutzzollvorlage begann, spaltete die Nationalliberalen, deren Mehrheit an den Prinzipien des Freihandels festhielt, während eine Minderheit die wirtschaftlichen Vorstellungen des Liberalismus preisgab und weiterhin die Politik Bismarcks unterstützte, die nunmehr getragen wurde von den konservativen Parteien. Damit erschien eine Parlamentarisierung des Staates, das heißt ein stärkerer Einfluß der Parteien als Akt politischer Willensbildung und Mitentscheidung, auf Jahre hin aussichtslos. Vielmehr wurden mit dem Ende der liberalen Ära immer mehr Stellen in Regierung und Verwaltung mit Konservativen besetzt.

Kam es in der Spätbismarckzeit durch die Verbindung der konservativen Staatsführung mit dem großgrundbesitzenden Junkertum und den Repräsentanten der Schwerindustrie zu einer innenpolitischen Erstarrung, so waren die damaligen außenpolitischen Erfolge um so bedeutsamer. Wiederholt hatte Bismarck erklärt, das Reich sei »saturiert« und nicht auf Eroberungen aus. Dennoch konnte erst allmählich das Mißtrauen der europäischen Staaten gegenüber der neuen deutschen Großmacht abgebaut werden, durch die das europäische Gleichgewicht gestört zu sein schien. Bismarck ging es bei seiner überaus komplizierten Bündnispolitik darum, den Schock, den die »german revolution«, die Reichsgründung, verursacht hatte, zu überwinden und das Reich gegenüber möglichen Angriffen von außen zu sichern. Welch Vertrauenskapital er sich mit seinem Bemühen um Friedenssicherung erwarb, zeigt der Berliner Kongreß von 1878, wo Bismarck als »ehrlicher Makler« eine schiedsrichterliche Funktion ausüben konnte. In den darauffolgenden Jahren hat er mit neuen Bündnissen – Dreibund zwischen Deutschland, Österreich-Ungarn und Italien, Rückversicherungsvertrag mit Rußland – die Gefahr eines Zweifrontenkrieges weiter bannen und das Gleichgewicht der europäischen Mächte sichern können. Aber da er wußte, daß Frankreich sich nie mit der Abtretung von Elsaß-Lothringen abfinden werde, wurde die Furcht vor einer Koalition zwischen Rußland, England und Frankreich, wie sie sich kurzfristig in der »Krieg-in-Sicht«-Krise 1875 andeutete, zu einem Alptraum (cauchemar des coalitions). Mit dem »Kissinger Diktat« hat Bismarck sein außenpolitisches Vermächtnis hinterlassen. Danach sollte Deutschland sich an keine Großmacht einseitig binden, sondern in »freier Mittlerstellung« die Gegensätze und Spannungen in Europa auszugleichen versuchen. Neu trat die Überlegung hinzu, die Spannungen von der Mitte Europas an die Peripherie zu verlagern, das heißt, in den kolonialen Raum, wo die Gegensätze der Großmächte zum Teil hart aufeinanderstießen. Diesem Ziel diente auch die von ihm selbst vorsichtig betriebene Kolonialpolitik, die in den Jahren 1884/85 zum Erwerb von Kamerun, Togo, Teilen Südwest- und Ostafrikas und einiger Südseeinseln führte.

Als Wilhelm II. 1888 Kaiser wurde, wollte er einen »neuen Kurs« einschlagen und sein »eigener Kanzler« sein. Innenpolitisch forderte er einen Ausgleich mit der Sozialdemokratie, außenpolitisch sollte Deutschland Weltmacht werden. Wegen dieser Zielsetzung kam es zum Konflikt mit Bismarck, der 1890 entlassen wurde. Aber die Aufhebung des Sozialistengesetzes und die Arbeiterschutzgesetze von 1890/91 brachten nicht den erwarteten Ausgleich mit der Sozialdemokratie, die unter Bebel weiterhin so hart in der Opposition blieb, daß Wilhelm II. enttäuscht von »vaterlandslosen Gesellen« sprach. Leo von Caprivi, der Nachfolger Bismarcks, lehnte aber eine neue Unterdrückungspolitik ab. Der greise Chlodwig Fürst zu Hohenlohe-Schillingsfürst scheiterte bei dem Versuch, mit Hilfe eines verschärften Strafrechts und einer Beeinträchtigung des Streikrechts SPD und Gewerkschaften unter Druck zu setzen. Aber auch Bernhard von Bülows Bemühungen um eine breite Blockbildung aus bürgerlichen und konservativen Kräften hatten keinen Erfolg; ebensowenig Theobald von Bethmann-Hollwegs Versuch einer Zusammenarbeit mit Sozialdemokratie und linksliberaler Fortschrittspartei.

Sie alle waren Reichskanzler, also Nachfolger Bismarcks. Die konservativen Kräfte in Beamtentum und Offizierskorps, die bereits in der Spätbismarckzeit die Erstarrung des innenpolitischen Lebens bewirkt hatten, bestimmten weiterhin die Richtung der deutschen Innenpolitik.

Für die SPD, die trotz ihrer Oppositionshaltung durch die parlamentarische Arbeit immer mehr in den Staat hineingewachsen war, stellte sich die Frage einer Überprüfung ihrer bisherigen, auf Marx gründenden revolutionären Thesen. Die günstige wirtschaftliche Entwicklung, Vollbeschäftigung und steigende Reallöhne und die Erfolge der Gewerkschaften um Verbesserung der Arbeitsbedingungen ließen Zweifel an der Verelendungs- und Revolutionstheorie aufkommen und verschafften den Reformern um Eduard Bernstein und Georg von Vollmar, die von der Chance eines unblutigen sozialen Wandels überzeugt waren, größeres Gewicht in der Partei. Unterstützung fanden sie in den von Carl Legien geführten Gewerkschaften. Allerdings blieb in der Auseinandersetzung mit dem marxistischen Zentrum unter Karl Kautsky die Richtungsfrage offen.

Deutschland entwickelte sich in der Wilhelminischen Ära zur führenden Industrienation Europas. Die chemische Industrie, die Elektro- und Stahlindustrie, verbunden mit den Namen Siemens, Krupp und I.G. Farben, beherrschten den europäischen Markt. Wie die Arbeitnehmer organisierten sich auch die industriellen Arbeitgeber und die Landwirte in großen Interessenverbänden, die vor Kampfmitteln nicht zurückschreckten. Die rivalisierenden Machtgruppen der Unternehmer und Arbeiter einerseits und die konservativen Kräfte in Armee und Verwaltung andererseits machten den wilhelminischen Obrigkeitsstaat mehr und mehr zum Klassenstaat. Dies wurde erkannt, und so fehlte es auch außerhalb der SPD nicht an Bemühungen um Reformen. Führende Linksliberale wie Max Weber und Friedrich Naumann propagierten ein »soziales Kaisertum«, einen Ausgleich zwischen der Krone und der Arbeiterschaft auf dem Hintergrund einer neuen weltweiten Außenpolitik. Doch auch diese Reformideen scheiterten am Widerstand der konservativen Kräfte und am erhöhten Machtanspruch des Kaisers. Dieser verfolgte eine imperialistische Politik mit dem Ziel, Deutschland zur Weltmacht zu erheben. Die Grundsätze der Bismarckschen Außenpolitik wurden damit preisgegeben. Um Weltpolitik betreiben zu können, bedurfte es nach Auffassung Wilhelms II. und der hinter ihm stehenden Kreise einer starken Flotte. Der Bau der deutschen Schlachtflotte führte dann unausweichlich zu einer sehr ernsten Belastung der Beziehungen zu England. Folgenschwerer noch war die Nichterneuerung des Rückversicherungsvertrages. Die Russen fühlten sich brüskiert und suchten Anschluß an Frankreich. Als auch England und Frankreich ihre Differenzen in der Kolonialpolitik beilegten und die Entente Cordiale schlossen, zeichnete sich die Einkreisung Deutschlands ab. Das deutsche Bündnis mit Österreich-Ungarn, als Nibelungentreue beschworen, war gegenüber dieser Bedrohung von umstrittenem Wert, denn es zog das wilhelminische Reich in die gefährliche österreichische Balkanpolitik hinein.

Die imperialistische Politik Wilhelms II., der für Deutschland einen »Platz an der Sonne« forderte, wurde von großen Teilen des liberalen Bürgertums getragen. »Alldeutscher Verband«, »Flottenverein«, »Kolonialvereine«, »Schützenvereine«, »Kriegervereine« und besonders die Deutsche Turnerschaft unterstützten mit patriotischem Eifer die nationalistischen und imperialistischen Bestrebungen des Kaisers. Für die DT war die Preisgabe der schwarz-rot-goldenen Farben zugunsten der schwarz-weiß-roten in der neuen Turnerfahne mehr als nur eine äußerliche Bekundung ihres Nationalstolzes: mit der Übernahme des neuen Symbols vollzog sich ebenfalls eine Hinwendung zur Weltmachtpolitik und Flottenpolitik. Gedenkfeiern von nationaler Bedeutung wie die jährliche Sedanfeier nahm sie zum Anlaß, Selbstbewußtsein und Einheitswillen zu demonstrieren. Bei der 1900 Jahrfeier der Hermannschlacht im Teutoburger Walde im Jahre 1909, den Feiern anläßlich der Errichtung des Völkerschlachtsdenkmals in Leipzig und des Niederwalddenkmals bei Bingen am Rhein mit seiner selbstsicher gegen den »Erbfeind« im Westen blickenden »Germania«, vermischten sich imperialistische und völkischnationale Gedanken. Zum Kaiserkult kam der Germanenkult, der in der Konfrontation mit fremdnationalen Gruppen im Reich als Volkstumskampf auch rassistisch motiviert wurde. Infolge ihres beharrlichen Eintretens für die Wehrertüchtigung erreichte die DT 1899 mit der Gründung des weitgehend von ihr getragenen »Zentralausschusses für Volks- und Jugendspiele« eine Koodinierung aller Wehrfragen und eine Aktivierung des Wehrbewußtseins; ihre Bemühungen um eine verbesserte Wehrerziehung fanden 1911 mit dem Eintritt in den paramilitärischen Jungdeutschlandbund ihren Höhepunkt. Der Bund sah es als seine Aufgabe an, die Jugend »wehrhaft und wahrhaft« zu machen, Sinn für Disziplin, Zucht und Ordnung zu wecken, um so der »Armee das Herz der Jugend zu gewinnen«. Währenddessen gingen die Auseinandersetzungen der DT mit dem Arbeiterturnerbund, der sich zu den politischen Zielen der Sozialdemokratie bekannte, mit unverminderter Härte weiter.

Die SPD war seit der Jahrhundertwende innenpolitisch zu einer bedeutenden Kraft geworden. Aus den Reichstagswahlen von 1912 ging sie als stärkste Partei hervor, obwohl das Dreiklassenwahlrecht in Preußen, das Wahlkreise auf der Grundlage von Vermögen und Steuereinkommen geschaffen hatte, Adel und Besitzbürgertum begünstigte. Die SPD lehnte, wie die Arbeiterturner, den Kampf gegen nationale Minderheiten im Reich ab. Die Spannungen hatten sich in den Ostprovinzen, in Nordschleswig und Elsaß-Lothringen verstärkt. Spiegelte die »Zaberner Affäre« von 1913, hervorgerufen durch Versammlungsverbot und Festnahmen Protestierender die Unzufriedenheit im Reichsland Elsaß-Lothringen mit dem preußischen Militär wider, so eskalierten die gegenüber der polnischen Minderheit im Osten eingeleiteten Maßnahmen mehr und mehr zu einer Unterdrückungspolitik. Bereits unter Bismarck wurde in den polnisch sprechenden Ostgebieten 1872/73 Deutsch alleinige Unterrichtssprache und 1876 alleinige Geschäftssprache; unter Wilhelm II. wurde 1908 ein Gesetz verabschiedet, das die Enteignung polnischer Güter ermöglichte. Die preußische Germanisierungspolitik wurde unterstützt von dem Ostmarkenverein, der einen »Kampf gegen das Polentum« propagierte.

Als am 28. Juni 1914 der österreichische Thronfolger Erzherzog Franz Ferdinand und seine Gemahlin in Sarajewo von einem serbischen Nationalisten ermordet wurden, war Wien gewillt, die serbische Frage notfalls mit Gewalt zu lösen. Deutschland unterstützte die ultimativen österreichisch-ungarischen Forderungen, während Rußland, sekundiert von Frankreich, den serbischen Nationalisten Rückendeckung gab. Englische Vermittlungsversuche konnten die gespannte Atmosphäre nicht entschärfen. Mit der russischen Generalmobilmachung vom 31. Juli gewannen in Deutschland militärische Erwägungen den Vorrang vor politischen. Der Generalstab forderte angesichts des drohenden Zweifrontenkrieges einen Präventivschlag, um noch vor dem russischen Aufmarsch im Osten eine schnelle Entscheidung im Westen herbeizuführen. Die unnachgiebige russische und französische Haltung hatten die deutsche Bevölkerung und die Parteien in dem Glauben bestärkt, daß Deutschland einen Verteidigungskrieg zu führen habe und die deutsche Kriegserklärung deshalb gerechtfertigt sei. Die Parteien schlossen einen »Burgfrieden« und stellten sich hinter die Regierung. Auch die Deutsche Turnerschaft und der Arbeiterturnerbund einigten sich, eingedenk der nationalen Not, die alten Streitigkeiten auf sich beruhen zu lassen und »schiedlich und friedlich« nebeneinander zu arbeiten. Während jedoch im Arbeiterturnerbund vielfach Betroffenheit über den Kriegsausbruch herrschte, war die Deutsche Turnerschaft von einer Welle nationaler Begeisterung getragen. Harte Anklagen richtete sie vor allem gegen England, in dem sie den Hauptgegner Deutschlands und den Hauptschuldigen am Kriegsausbruch sah. Der brutale englische Imperialismus habe sich, so die DT, nur seiner deutschen Konkurrenz entledigen wollen.

Der Ausbruch des ersten Weltkrieges war das Ergebnis von Zwangsläufigkeiten und Fehlentscheidungen, verbunden mit einer allgemeinen Bereitschaft zum Kriegsrisiko. Das deutsch-französische Wettrüsten, der Ausbau der deutschen Seemacht in Rivalität zu England, der französische Revanchismus, der russische Panslawismus mit seiner aggressiven Balkanpolitik und schließlich die unbeirrbare Bindung Deutschlands an die Donaumonarchie mit ihren politisch-völkischen Problemen – alles sind Ursachen für den Ausbruch des ersten Weltkrieges, der Europa in eine Katastrophe stürzte. Als die USA 1917 in den Krieg eintraten und in Rußland unter Lenin die bolschewistische Revolution siegte, kündigte sich eine neue Geschichtsepoche an.

Die Diskussion über die Kriegsziele spaltete 1917 die politischen Parteien im Reichstag in zwei Lager, in die Anhänger eines Sieg- und die eines Verständigungsfriedens. Damit war der »Burgfrieden« beendet. Gleichzeitig verschärften sich wieder die Gegensätze zwischen DT und ATB, da die DT sich für eine breite vormilitärische Ausbildung der Jugend einsetzte, der ATB dies aber grundsätzlich ablehnte. Die Novemberrevolution von 1918 und der Zusammenbruch des monarchischen Obrigkeitsstaates wurden von den Arbeiterturnern als »Anbruch einer neuen Freiheit« begrüßt, während die DT schwer an Deutschlands Niederlage trug und dafür hauptsächlich die »Feinde« im Innern verantwortlich machte. Der spätere Konflikt war so vorgegeben. In der Weimarer Republik kam es parteipolitisch und sportpolitisch zu erbitterten Auseinandersetzungen zwischen den Anhängern und den Gegnern dieser Republik.

Die USA, die als Großmacht den Krieg für die Alliierten entschieden hatten, mußten nach 1918 erleben, wie ihr Kriegsziel, der Aufbau einer dauerhaften internationalen Friedensordnung, nicht verwirklicht werden konnte. Die mit den Reparationsleistungen und Gebietsabtretungen verbundenen Probleme vergifteten die Atmosphäre in Europa und bereiteten den Boden für den Faschismus.

Der Aufstieg der USA zur wirtschaftlichen und politischen Großmacht hatte in den Jahrzehnten nach dem blutigen Bürgerkrieg begonnen. Da die USA in dem dynamischen Wachstumsprozeß innen- und außenpolitisch nicht eingeengt waren, konnten sie, gestützt auf eine mächtige Industrie und eine starke Flotte, ihren Einfluß auf die Karibische See, Mittelamerika und den pazifischen Raum ausdehnen und die Bindungen zu Europa hin vertiefen.

Der Sezessionskrieg von 1861 bis 1865 war ein gravierender Einschnitt in der amerikanischen Geschichte, ein großes nationales Ereignis, das selbst durch die Teilnahme der USA an zwei Weltkriegen seine Bedeutung nicht verloren hat. Dieser Krieg, der einzige auf amerikanischem Boden ausgetragene, hat auf beiden Seiten schwere Verluste gefordert und wurde im Süden zum Symbol unzerstörbarer Tradition, im Norden zum Inbegriff opferbereiten Kampfes für die Erhaltung der nationalen Einheit. Allerdings erfüllten sich die Hoffnungen Lincolns, die er bei seiner Ansprache auf dem Schlachtfeld von Gettysburg 1863 äußerte, die Nation werde »eine neue Geburt der Freiheit erleben«[331], zunächst nicht. Hatte Lincoln nach dem Sieg eine Versöhnungspolitik vorgesehen, so war diese nach seiner Ermordung nicht mehr möglich. Die Republikanische Partei behandelte den Süden als erobertes Land, das rücksichtslos ausgebeutet wurde. In der »Reconstruction Period« bis 1877, eingeleitet von dem ungeschickten Nachfolger Lincolns, Andrew Jackson, wurden die Geschicke der Südstaaten von radikalen Politikern aus dem Norden und deren südlichen Parteigängern bestimmt, die sich – wie die »carpetbaggers« oder »scalawags«[332] – hemmungslos bereicherten, die völlige Emanzipation der ungeschulten Neger erzwangen und die Rechte der Weißen mit Füßen traten. Erst als nach 1877, dem Ende der letzten militärischen Besatzungsphase, verfassungsmäßige Zustände wiederhergestellt waren, konnten die Weißen, nunmehr in der Demokratischen Partei vereinigt, nach und nach die politische

Kontrolle und Gewalt über das Land zurückgewinnen. Bis gegen Ende des Jahrhunderts wurde der Süden zum »Ein-Partei-Gebiet« der Demokraten. Die harte Ausbeutungs-und Unterdrückungspolitik gegenüber den Südstaaten wurde von den Turnern entschieden abgelehnt. Enttäuscht und verbittert wandten sich viele von der Republikanischen Partei ab.

Die Zerstörung der alten sozialen Wirtschaftsordnung verschärfte im Süden Rassenhaß und Feindschaft gegen den Norden. Es bildeten sich terroristische Geheimgesellschaften, wie der berüchtigte Ku Klux Klan, der die Neger einschüchterte, sie an der Ausübung ihrer Rechte hinderte und später sogar die Rassendiskriminierung bis zur Lynchjustiz steigerte. Die sogenannten »Jim- Crow«-Gesetze schufen die Grundlage für eine inhumane Rassentrennung in Kirche, Schule und öffentlichem Leben (Verkehrsmittel, Parks, Restaurants usw.), die erst in unserer Zeit aufgehoben wurde. Trotz der politisch-sozialen Fehlentwicklung der Nachkriegszeit und der großen Zerstörungen durch den totalen, auf bedingslose Unterwerfung (»unconditional surrender«) zielenden Bürgerkrieg erholte sich der Süden relativ schnell auf der Basis einer veränderten Wirtschafts- und Sozialstruktur, die von den kleinen und mittleren Farmern und nicht mehr von den Großgrundbesitzern gebildet wurde.

Im Norden konnte nach Kriegsende die Erschließung des Landes fortgesetzt und zugleich rasch eine moderne Industrie entwickelt werden. Hatte schon der Krieg eine starke Ausweitung der Produktion erzwungen, so leitete der Aufbau eines riesigen Wirtschaftspotentials nun eine industrielle Revolution ein, in der Wagemut und geniale Unternehmerinitiativen sich mit brutaler Ausbeutung und Unterdrückung Schwächerer mischten. Soziale Reformen, die die Republikanische Partei schon im Kriege versprochen hatte, wurden vergessen. Statt dessen setzte die Partei im Kongreß immense Darlehen an die Eisenbahngesellschaften und Landschenkungen durch, die den Aufbau eines gewaltigen Eisenbahnnetzes über den Kontinent bis zur pazifischen Küste ermöglichten. In diesem Prozeß, der die Umwandlung des Landes vom Agrarland zum Industrieland beschleunigte, war die Konzentration der wirtschaftlichen Macht an keine Grenzen mehr gebunden, zumal die Gesetzgebung (Schutzzoll seit 1861) und Rechtsprechung diese dynamische Entwicklung förderten. Reiche Kohlen- und Erzvorkommen boten die Grundlage für die Schwerindustrie, in die neue Arbeitskräfte, vor allem Einwanderer aus Ost- und Südeuropa, einströmten. Herausragende Persönlichkeiten auf dem Weg zur modernen Industrienation, zum amerikanischen Industrie- und Finanzkapitalismus waren John P. Morgan, Direktor des größten Bankhauses der Welt und Organisator der US Steel Corporation (1901), Andrew Carnegie, der gemeinsam mit Morgan die Vertrustung der Eisenindustrie durchführte, und John D. Rockefeller, der Gründer der monopolistischen Standard Oil Company (1870). Ein weiteres Charakteristikum dieser neuen, die Nation tragenden Wirtschaftsform war die enge Verbindung von Erfindergeist und Technik (technische Innovationen, verbunden mit dem Namen Thomas Edison, Alexander Belt, Henry Bessemer) und die Anwendung wissenschaftlicher Forschungsergebnisse und -erkenntnisse in Industrie und Landwirtschaft. Dadurch erhielt auch das Bildungswesen, das früher stärker unter kirchlichem und humanistischem Einfluß gestanden hatte, eine mehr auf praktische Aufgaben gerichtete Neuorientierung.

Die Konzentration von Wirtschaftsmacht und Kapital in Verbindung mit der Erschließung des Raumes zwischen Mississipi und den pazifischen Küstengebieten ließ drei »Kingdoms« mit sehr unterschiedlichen Sozialstrukturen entstehen: den

Bergbau (mining-kingdom), in dem unter denkbar schlechten Bedingung gearbeitet werden mußte, die Viehwirtschaft (cattle-kingdom), die sich auf die Zucht texanischer Rinder auf offenem Weideland (range) und auf die rasch sich entwickelnde Fleischindustrie im mittleren Westen gründete, und schließlich die Eisenbahnunternehmen (railway-kingdom), die den Bau der großen transkontinentalen Bahnen unter extremen Schwierigkeiten (Arbeitermangel, Gefährdung durch Indianer) ermöglichte. Diese nach dem Bürgerkrieg einsetzende Periode einer alle bisher gekannten Ausmaße bei weitem überschreitenden Industriealisierung, in der Spekulantentum, Macht- und Kapitalkonzentration in den Händen weniger, Verarmung und Korruption erschreckende Formen annahmen, wird als das »vergoldete Zeitalter« (gilded age) bezeichnet. Eine tabellarische Übersicht (Vergleichzahlen in Millionen) möge diesen gewaltigen wirtschaftlichen Wachstumsprozeß verdeutlichen[333].

| Jahr | Fabrik-arbeiter | Kohle (t) | Roheisen (t) | Gold (Unzen) | Eisen-bahn (km) | Weizen Schef-(fel) | Baum-wolle (Ballen) |
|------|------|------|------|------|------|------|------|
| 1860 | 1,3 | 16 | 0,8 | 2,4 | 0,049 | 173 | 4,5 |
| 1890 | 4,1 | 141 | 8,5 | 1,6 | 0,264 | 304 | 7,5 |
| 1910 | ca. 7 | 441 | 28,5 | 4,8 | 0,386 | 684 | 10 |

Richard Hofstadter gibt Wesenszüge dieser Periode in der Geschichte der USA, wo die Politik ganz von den Interessen der industriellen Unternehmer bestimmt wurde, sehr anschaulich wieder: »Zum größten Teil waren sie Emporkömmlinge und benahmen sich mit geziemender Vulgarität, aber sie waren auch Männer von heldenhaftem Wagemut und großartigen ausbeuterischen Talenten – verschlagen, energisch, angriffslustig, gierig, herrisch, unersättlich ... In Geschäft und Politik taten die Industriekapitäne ihre Arbeit dreist, freundlich und zynisch. Arbeiter ausbeutend und Farmer schröpfend, Kongreßabgeordnete schmierend, Gesetzgeber kaufend, Konkurrenten ausspionierend, bewaffnete Wachmannschaften mietend, Besitztümer in die Luft sprengend, Drohungen und Intrige und Gewalt brauchend, machten sie ein Geschäft aus den Idealen der schlichten Honorationen, die sich eingebildet hatten, die Entwicklung der Nation könne mit Würde und Zurückhaltung unter dem Regime des laissezfaire vor sich gehen ... Dennoch wäre es ein Mißverständnis anzunehmen, das Gewissen sei unter den Geschäftsleuten abgestorben gewesen ... Wenn sie Kongreßabgeordnete ohne Entschuldigung, auch nur vor sich selbst, kaufen konnten, so war es, weil sie für einen wohltätigen Wandel von gewaltigem Ausmaß wirkten – oder doch der Meinung waren. Da die bleibende Bedeutung ihrer Taten so groß sein würde, brauchten sie sich aus ihren täglichen Bübereien kein Gewissen zu machen.«[334]

Von den Turnern wurden die sozialen Mißstände und ein hemmungsloses Unternehmertum immer wieder scharf kritisiert und umfassende soziale Reformmaßnahmen gefordert. Ihr fortschrittliches Sozialprogramm fand indes nur wenig Aufmerksamkeit, denn der Staat verzichtete auf jede Sozialpolitik und förderte statt dessen die Großunternehmen.

Da bis zum Ende des 19. Jahrhunderts der Kongreß eng mit der Wirtschaft zusammenarbeitete, entwickelte sich ein ausgedehntes Patronagesystem mit »pressure groups«, die versuchten, in Washington ihre Interessen und Ziele mit »Lobbies«

durchzusetzen. Hauptbenachteiligte dieser wirtschaftlichen und sozialen Entwicklung des »Gilded Age« waren einerseits die Kleinbauern, die auf dem Wege wachsender Verschuldung als negative Konsequenz von Bodenspekulation, Mechanisierung und Kapitalkonzentration zu einem Landarbeiterproletariat wurden, und zum anderen die industrielle Arbeiterschaft, deren tatsächliche wirtschaftliche Lage trotz steigender Reallöhne sich infolge anhaltenden Preisverfalls vor allem bei Nahrungsmitteln ständig verschlechterte. Da nur ein Teil der gelernten Arbeiterschaft sich 1886 in der »American Federation of Labours« gewerkschaftlich lose zusammenschloß, gelangen ihr, zumal sie die Beteiligung am politischen Kampf ablehnte, nur langsame Fortschritte hinsichtlich der Besserung ihrer sozialen Lage. In ihrem Streben nach sozialer Gerechtigkeit standen die Turner größtenteils auf deren Seite. Beachtliche Fortschritte brachten dagegen die Reformen im Bildungs- und Erziehungswesen: Das Analphabetentum sank mit der Einführung der Schulpflicht, die Einrichtung der Kindergärten auf der Grundlage der Fröbelschen Pädagogik erwies sich als sehr erfolgreich. Seit der Jahrhundertwende entwickelte sich das höhere Schulwesen in der Form der schulgeldfreien High Schools, deren Besuch obligatorisch gemacht wurde. Mit der Verlagerung des Lehrstoffs auf die Natur- und Sozialwissenschaften, wie es auch den Bildungsvorstellungen der Turner entsprach, gewannen der praktische und manuelle Unterricht zunehmend an Bedeutung. An diesen Reformen, die auf der Anerkennung des Grundrechts auf gleiche Startchancen fürs Leben basierten, waren auch die Kirchen stark beteiligt, die wertvolle Sozialarbeit leisteten und vielfach zu Mittelpunkten des gesellschaftlichen Lebens wurden.

Die Konzentration all dieser Bemühungen, die zugleich Ende des Jahrhunderts einmündete in eine Gegenbewegung gegen die Auswüchse einer auf Patronage, Industrie- und Finanzmonopole sich stützenden Politik, erfolgte dann in dem »Progressive Movement«. Repräsentanten dieser großen Fortschrittsbewegung wurden die Präsidenten Theodore Roosevelt (1901-1909) und Woodrow Wilson (1913 - 1921) Sie gehörten zu jener Führungsschicht, die aus alteingessenen Familien stammte und bedeutende Universitäten des Landes besucht hatte.

Beiden Männern gelang es, der Präsidentschaft nach langer Schwäche eine entscheidende Stellung zu sichern und damit auch wieder eine auf Vertrauen gegründete Ordnung in das öffentliche Leben zu bringen. Die drei Hauptrichtungen ihrer Reformbestrebungen waren: Zurückdrängen der Macht der »Bosse« und der korrupten Praktiken des Parteiapparates, Hilfe für sozial schwache Schichten, Kampf den gefährlichen wirtschaftlichen Machtballungen in Gestalt der »Trusts«. Es erfolgte damals der Durchbruch zu einer neuen Staatsauffassung, die mit der Verpflichtung zu einer von humanitären Prinzipien mitgetragenen und am Gemeinwohl orientierten Wirtschafts- und Sozialpolitik das Vertrauen in die Leistungsfähigkeit der Domokratie wiederherstellte.

Außenpolitisch brachten die Jahre nach einem Jahrhundert relativer Isolierung die Hinwendung zum Imperialismus und die Einfügung in ein Weltstaatensystem. Parallel zu einer Annäherung an das lange beargwohnte England vollzog sich eine wachsende Verschlechterung der ursprünglich freundlichen deutsch-amerikanischen Beziehungen. Schon in der zweiten Hälfte des 19. Jahrhunderts hatten die USA mit dem Erwerb Alaskas im Jahre 1867 und dem Vordringen in den pazifischen Raum im Zusammenhang mit der Erschließung Japans durch Flottenstützpunkte neue Positionen ausgebaut. Im spanisch-amerikanischen Krieg (1898), der aus wirtschaftlichen und flottenpolitischen Gründen um die Restgebiete des einstigen spanischen Weltreichs geführt wurde, sicherten sich die USA das Protektorat über Kuba und erwarben Puerto Rico und die Philippinen. Wirtschaftliche und seestrategische Interessen zielten auf den Erwerb der Panamakanalzone (1903) – die Eröffnung des Kanals erfolgte 1914 – und kulminierten in der Annexion Hawais und der Einflußnahme auf den ostasiatischen Raum (»Open-door-« Politik gegenüber China, Vermittlung des russisch-japanischen Friedens 1905).

Der Eintritt der USA in den ersten Weltkrieg, den die Turner – wie alle Deutsch-Amerikaner – mit aller Macht zu verhindern versucht hatten, war ein Ereignis von weltpolitischer Bedeutung, ein Wendepunkt in der amerikanischen Geschichte, durch sehr verschiedene Prozesse vorbereitet. Hatte gegenseitige Empfindlichkeit zwischen Amerika und Deutschland zu politischen Spannungen geführt, und wurden die USA durch die deutsche Flottenrüstung beunruhigt, so war es doch im wesentlichen die Ablehnung des Wilhelminischen Obrigkeitsstaates mit seiner undemokratischen Sozialstruktur und Wilhelms II. mißzuverstehendes martialisches Gebaren, das bei Kriegsausbruch eine Parteinahme für die Mittelmächte von vornherein ausschloß. Demgegenüber hatte die englische Propaganda sehr geschickt gearbeitet und führende Kreise der amerikanischen Wirtschaft und Finanzen für sich gewonnen. Schließlich waren es der die Rechtsgrundsätze der Neutralen aufs schärfste verletzende uneingeschränkte Unterseebootkrieg und eine Mischung aus machtpolitischen und völkerrechtlichen Motiven, die Amerika 1917 veranlaßten, den schwer bedrängten Alliierten zu Hilfe zu kommen. Der wirtschaftliche, militärtechnische und psychologische Beitrag der Vereinigten Staaten war kriegsentscheidend und veränderte die Situation in Europa grundlegend.

## 2.1 Die Gründung des »Nord-Amerikanischen Turnerbundes« und seine Entwicklung bis zum Ende der sechziger Jahre

Der Bürgerkrieg 1861 bis 1865 hatte den Turnerbund infolge des Migliederschwunds in eine schwere Krise geführt, die seine Existenz bedrohte. Das Turnen war in dieser Zeit fast völlig zum Erliegen gekommen. Daher bedurfte es einer starken Initiative, um den Bund wieder ins Leben zu rufen. Diese ging von New York aus, wo sich am 8. Februar 1863 zwölf Vereine aus der Stadt und Umgebung zum »New-Yorker-Turnbezirksverband« zusammengeschlossen hatten[335]. Nachdem sich ihre Vereinigung konsolidiert hatte, luden die New Yorker alle Turnvereine zu einem Turnfest ein, auf dem die Vorbereitungen für die Gründung einer neuen Bundesorganisation getroffen werden sollten. Dieser nordamerikanische »Ruf zur Sammlung«[336] übertraf in seiner Wirkung alle Erwartungen, denn zum Turnfest vom 10. bis 15. September 1864 erschienen Delegierte fast aller größeren Vereine. Die Mehrzahl der Turner war nach dreijährigem Kriegsdienst zurückgekehrt. In New York faßten die Festteilnehmer den Beschluß, sogleich zu einem Bundestag zusammenzutreten und den »Amerikanischen Turnerbund« zu gründen. Sie forderten die Turnvereine auf, sich als Turnbezirke zu organisieren und dem Bund beizutreten. Die meisten Vereine kamen dieser Aufforderung nach. Einige Schwierigkeiten gab es allerdings, als der Vorort Baltimore den improvisierten Bundestag nicht anerkannte und für den 3. April 1865 eine Bundesversammlung nach Washington einberief. Der provisorische Centralausschuß des »Amerikanischen Turnerbundes« in New York forderte seine Vereine daraufhin auf, ebenfalls Vertreter nach Washington zu entsenden. Schon am ersten Sitzungstag konnte eine Vereinigung beider Bundestage erreicht werden. Dem neuen Bund wurde der Name »Nord-Amerikanicher Turnerbund« (NAT) gegeben[337]. Die Mitgliederzahlen stiegen schnell an. Im Jahre 1866 hatten sich bereits 96 Vereine mit 6320 Mitgliedern dem Bund angeschlossen[338], zwei Jahre später waren es 148 Vereine mit 10200 organisierten Turnern, 1870 umfaßte der Bund 12304 Mitglieder in 187 Vereinen[339].

Wesentliche Voraussetzungen und Motivationen für den Aufschwung, den das Turnen nach der Gründung des NAT nahm, waren das durch den Krieg gewonnene Selbstvertrauen des deutschen Elements in den USA und ein verstärktes Zusammengehörigkeitsgefühl, dann vor allem die zahlreichen neuen deutschen Einwanderer, die, vielfach turnerisch geschult, sich den Vereinen in den USA anschlossen. Da das Turnen in Deutschland seinen revolutionären Charakter weitgehend verloren hatte, standen diese neu eingewanderten Turner früheren radikalen politischen Zielsetzungen des Turner-Bundes skeptisch, zum Teil sogar ablehnend gegenüber. Sie halfen mit, der nordamerikanischen Turnbewegung einen anderen Charakter zu geben, der auf Ausgleich und gemäßigte Reformen angelegt war.

Zu dieser Entwicklung trug auch bei, daß einige Gründer von Turnvereinen nicht mehr aus dem Krieg zurückgekehrt waren, andere, die zu den Pionieren zählten, sich aus Geschäftsinteressen oder persönlicher Verärgerung über angebliche Preisgabe von alten Turneridealen aus dem Vereinleben zurückgezogen hatten. Schließlich brachte auch die neue Generation, die in den USA aufgewachsen war, für die *deutsch*-amerikanischen Ziele ihrer Väter weniger Verständnis auf. So wurde ein weitgehend generationsbedingter Wandel eingeleitet. In gleichem Maße, in dem die körperliche Ausbildung und besonders die Pflege des geselligen Lebens in den Vordergrund traten, schwand der politische Charakter des Turnerbundes.

Organisatorisch-strukturell nutzten die Turner die Chance des Neuaufbaus und vermieden frühere Fehler. So verzichteten sie auf einen Zeitungszwang, wie er vor dem Bürgerkrieg bestanden hatte. Damals hatte die Verpflichtung für alle Mitglieder, die »Turn-Zeitung« zu abonnieren, den Bund in eine permanente Finanzkrise geführt, da die Beiträge überhaupt nicht oder erst verspätet eintrafen und deshalb Bundestagsbeschlüsse vielfach nicht durchgeführt werden konnten. Nun wurde das Wochenblatt »Unsere Zeit« in Cincinnati, bald unter dem Namen »Die Zukunft« von Adolf Frey fortgeführt, zum Bundesorgan gewählt[340], und nicht mehr alle Mitglieder, sondern nur die *Vereine* wurden verpflichtet, ein Exemplar abzunehmen und auszulegen[341].

Allgemeine Zustimmung fand ferner die neue Bezirkseinteilung, gab sie doch nun, abweichend von der früheren Reglementierung, den Vereinen die Möglichkeit, sich dem Bezirk ihrer Wahl anzuschließen[342]. Auch die Bezirksvororte wurden nicht von oben bestimmt, sondern von der Basis gewählt. Hatte es schon vor dem Bürgerkrieg Proteste gegen den allzu häufigen Wechsel des Vororts gegeben, so setzte sich nun hinsichtlich der Bundesbehörde die Erkenntnis durch, daß *ein* Verein mit der Leitung des Bundes überfordert war und ein ständiger Wechsel zu weiteren Schwierigkeiten führen mußte. Der New Yorker *Turnbezirk* blieb nun bis 1872 Vorort des NAT.

Die jährlichen Bundestage und Bundesturnfeste wirkten zwar in der neuen Aufbauphase des Turnwesens in den USA als wichtige Klammer zwischen den einzelnen Vereinen und stärkten das Solidaritätsgefühl, doch sie belasteten auch stark die Kassen der Vereine und erschwerten deshalb den Mitgliedern kleiner Vereine eine Teilnahme. Der neugegründete »Nord-Amerikanische Turnerbund« hielt die Bundesversammlungen und Turnfeste nach 1866 nur noch alle zwei Jahre ab. Durch diese Maßnahme gelang es dem NAT in relativ kurzer Zeit, die alten Bundesschulden abzutragen und eine finanzielle Basis für die Durchführung der Bundestagsbeschlüsse zu schaffen[343].

Die nordamerikanische Turnbewegung erlebte schließlich einen weiteren Strukturwandel, der mit der bereits erwähnten Ausbildung neuer gesellschaftlicher Formen zusammenhing: der Anteil der *aktiven* Turner ging, prozentual gesehen, ständig zurück, obwohl die Mitgliederzahl insgesamt rasch anstieg. Hatten die Pioniere in den ersten Jahren noch ziemlich regelmäßig am praktischen Turnen teilgenommen – obwohl es auch hier schon Klagen über eine Verlagerung des praktischen zum »geistigen« Turnen hin gab – so betrug der Anteil der aktiven Mitglieder 1866 nur 51,3 %, fiel 1877 auf 33,5 % und 1886 sogar auf 23,3 %[344].

Nach dem Bürgerkrieg fehlten den Turner große politische Ziele, für die sie sich so nachdrücklich und weitgehend einmütig einsetzen konnten wie für die Befreiung der Sklaven und die Erhaltung der Union. Nachdem die Sklaverei 1865 aufgehoben worden war, traten die Turner im allgemeinen für gleiches Wahlrecht ein. Die Politik Andrew Jacksons verurteilten sie, da sie zu einer neuen politischen Rechtlosigkeit der Neger führe[345]. In einer sechs Punkte umfassenden Petition, die dem Kongreß zugeleitet wurde, forderten die Turner neben der »Einführung des Schulzwangs« auch »Gleiche Bürgerrechte und Gleichheit vor dem Gesetz« sowie »Nationalen Frieden und Ruhe durch gleichberechtigtes Stimmrecht«[346]. Auf dem Bundestag in Pittsburgh 1870 konnte der Vorort mit Befriedigung feststellen, daß seine Forderungen nach dem Wahlrecht für die ehemaligen Sklaven durch die Annahme des 15. Amendements (Zusatzartikels) zur Verfassung der Vereinigten Staaten erfüllt worden waren.

Waren die Turner vor und während des Bürgerkrieges für die Republikanische Partei eingetreten, so fand nach dem Krieg keine der beiden großen Parteien mehr die Zustimmung und Unterstützung des Turnerbundes. Wachsende Korruption und Ämterpatronage bei beiden Parteien, vor allem aber in der Republikanischen Partei unter der Regierung von Präsident Grant, stießen sie ab. »Demokraten wie Republikaner machen sich in üblichen gegenseitigen Angriffen mit Recht einander dieselben Vorwürfe der Unredlichkeit, des Eigennutzes, der Bestechlichkeit, des absoluten Mangels an opferwilliger Vaterlandsliebe«, heißt es in einem Vorort-Bericht[347]. Ein Versuch des Vororts 1867, eine eigene politische Organisation zu gründen, scheiterte allerdings völlig, obwohl die Platform der »National-Association der unabhängigen Fortschrittspartei« 1868 in Boston die Bewilligung des Bundestages fand[348]. Unter dem Eindruck wachsender gesellschaftspolitischer Spannungen und tiefer Unzufriedenheit mit dem damaligen Parteiwesen sprach sich 1874 der Bundestag in Rochester für die Bildung einer neuen Partei aus[349].

## 2.2 Die Bedeutung der «sozialen Frage« für die deutsch-amerikanische Turnbewegung

Bekenntnisse zu sozialer Gerechtigkeit und Forderung nach sozialpolitischen Reformen standen, wie gezeigt wurde, bereits am Anfang der Turnbewegung. Seit 1849 machten es sich die Cincinnati Turnzeitung wie später das gleichnamige Bundesorgan zur Aufgabe, für die Verbreitung sozialistischer Ideen zu agitieren. Auf dem Bundestag in Philadelphia 1850 war die »Beförderung des Socialismus und der Bestrebung der sozialdemokratischen Partei« zum Hauptziel der Turnbewegung erklärt worden, obwohl es damals weder in Deutschland noch in den USA eine sozialdemokratische *Partei* gab. Gemeint waren jene Mitglieder der demokratischen Partei in Deutschland, die sich als »soziale« Demokraten bezeichneten und die Verwirklichung ihrer Leitideen »Freiheit, Wohlstand, Bildung« in einer »sozialen Republik« forderten[359].

Auf dem Bundestag in Cincinnati 1852 wurden die Aufgaben des Bundes wie folgt umrissen: »Der Bund hat den Zweck, in seinen Mitgliedern Männer von kräftigem Körper und verständigem, vorurteilsfreiem Geist zu bilden, und es ist demnach seine Aufgabe, durch alle ihm zu Gebote stehenden Mittel, die sozialen, politischen, religiösen Reformen ... im Sinne des radikalen Fortschritts zum richtigen Verständnis seiner Mitglieder zu bringen, um sie dadurch zu befähigen, an den Reformen sich im Einzelnen oder durch den Bund tatkräftig zu beteiligen.«[351] Die Angaben darüber, welche Veränderungen anzustreben und mit welchen Mitteln sie durchzusetzen seien, sind vielfach unklar oder divergierend und mußten es wohl auch sein, da in den einzelnen Vereinen unterschiedliche Vorstellungen bestanden. Die Turn-Zeitung 1853/54 bot hier eine Kompromißformel an, aus der abgeleitet werden kann, daß die Turner – wie die »Achtundvierziger« überhaupt – alle Richtungen des deutschen Sozialismus repräsentieren: »»Sociale, politische, religiöse Reform« heißen die Losungsworte unseres Bundes. Die Stifter dieses Bundes haben sich weislich gehütet, jene vieldeutigen Worte zu definieren, sie im Sinne einer *einzelnen Fraction* der Fortschrittspartei auszulegen. Denn unser Bund soll ein Sammelplatz sein für alle Elemente des entschiedenen Fortschritts, für alle Feinde der Geldaristokratie, des politischen Stillstandes und des Pfaffentums. In unserem Bunde ist der Umsturz-träumende, kommunistische Schwärmer mit seinem *Hasse* gegen alles Kapital so gut vertreten wie der nüchterne Reformer, der sich mit einer gesetzlichen Regulierung des Arbeitslohnes, mit einem billigen Kompromiß zwischen Arbeit und Kapital zufrieden gibt.«[352]

Zentrum der Auseinandersetzung um den rechten Weg zum Sozialismus war – wie schon erwähnt – New York, Sitz des 1850 von Weitling gegründeten Arbeiterbundes. Der Kampf nahm unter Weydemeyer immer schärfere Formen an, führte aber, als Weydemeyer 1857 New York verließ und Gustav Struve 1858 die Redaktion des Blattes »Soziale Republik« übernahm, zum »Sieg« der Gemäßigten, der kleinbürgerlichen Reformer. Struve war wie Heinzen seit der Zeit des Londoner Exils in den Jahren 1850/51 ein Gegner von Marx. Wegen des von Marx erhobenen Absolutheitsanspruchs seiner Doktrin war es damals zur Spaltung des Londoner Kommunistenbundes in zwei sich gegenseitig bekämpfende Fraktionen gekommen. Die Auseinandersetzungen um die Ziele des Bundes – Marx und Engels propagierten die »Revolution in Permanenz«[353] – hatten sich noch verschärft, als August Willich, unterstützt von Carl Schapper, einen erheblich größeren Einfluß auf die deutschen Arbeiter in London

gewann als Karl Marx. Willich, der aus tief verwurzeltem sozialem Gerechtigkeits-
gefühl sich den notleidenden Arbeitern persönlich verbunden fühlte, wurde von
diesen sehr geschätzt, während sie den »schriftstellerischen Elementen«[354] im Kommunistenbund distanziert gegenüber standen. Angesichts der Richtungskämpfe der
Londoner Exilgruppen erscheint es nicht übertrieben, wenn es in einem Agenten-
bericht noch 1853 heißt: »Die deutschen Revolutionärs übertreffen an Zerrissenheit
und Partheispaltung alle anderen Nationalitäten ...«[355] Die Auseinandersetzungen
wurden, wie wir wissen, auf amerikanischem Boden weitergeführt. Struve blieb ein
Verfechter des reformistischen Kurses. So äußerte er sich in der ersten Nummer der
»Sozialen Republik« über die Aufgaben des Blattes wie folgt: »Die »Soziale Republik«
wird sich nicht damit begnügen, allgemeine Abhandlungen über soziale Reformen zu
geben. Sie wird stets den Zeitbewegungen diesseits und jenseits des Ozeans folgen. Sie
wird auch den poetischen Bedürfnissen ihrer Leser einige Rechnung tragen. Im
Gewande der Dichtung dringt die Wahrheit oft am tiefsten in die Herzen der
Menschen, erhält eine gute Anregung und nicht selten die größte Kraft«[356]. Schlüter
kritisiert aus der Rückschau diese für ihn nichtssagende Äußerung, die jede klare Perspektive vermissen ließe und resümiert: »Von allen Zeitungen, die die deutschen
Arbeiter New Yorks sich zur Vertretung ihrer Ideen geschaffen haben und die längere
Zeit als Organ ihrer Bewegung galten, hat keine so wenig ihren Zweck erfüllt, als die
»Soziale Republik««[357]. Die Verschwommenheit der Perspektiven Struves führte in
der Tat dazu, daß es mit dem 1858 reorganisierten Arbeiterbund aufs neue bergab
ging[358].
Was könnte besser den Geist dieses unter Struves Einfluß stehenden Arbeiterbundes
kennzeichnen als folgender Beschluß, der trotz seines verbalen Radikalismus eine
Absage an Gewaltanwendung und revolutionäre Prinzipien enthält, steht doch über
ihm die bekannte Devise: »Wohlstand, Bildung, Freiheit für Alle!«. Zwar wurden den
Kandidaten für ein Amt in der neuen Organisation vom Exekutivausschuß folgende
Fragen vorgelegt:

»1. Sind Sie bereit, auf Leben und Tod, die Ketten zu brechen, welche die Arbeit an das
   Kapital knechten, überhaupt alles aufzubieten, um die Arbeiterinteressen, die
   Rechtsame der Armen im Allgemeinen, gleichviel in welcher Form sie auftreten, zu
   verfechten?
2. Sind Sie bereit, auf Leben und Tod, für die vollständige Rechtsgleichheit der Arbeiter einzustehen und jede Benachteiligung der Einwanderer durch nativistische
   Bestrebungen etc. zu bekämpfen?«[359].

Doch sollten diese radikal klingenden Sätze nicht zu ernst genommen werden. Es
folgen (Punkt 3 und 4) recht konkrete Forderungen, nämlich sich gemäß sozialistischen Grundsätzen für den Aufbau von volkstümlichen Schulen, polytechnischen
Instituten, Arbeiterkolonien, Arbeiterwohnungen und Kreditanstalten für Arbeiter
und für eine gerechte Volksjustiz einzusetzen[360].
Struves Nachfolger W. Kopp, er übernahm 1859 die Redaktion der Arbeiterzeitung,
schrieb, Gedankengängen Heinzens folgend, in der zweiten von ihm redigierten
Nummer gegen den von Marx propagierten Klassenkampfgedanken: »Die Arbeiter
müssen nicht als besondere Klasse auftreten, nicht ihre Arbeiterrechte, sondern ihre
Menschenrechte fordern, sich dem niederdrückenden Kapital nicht als Arbeiter,
sondern als Menschen gegenüberstellen ...«[361] Die »Soziale Republik« wurde darauf-

hin von A. Willich scharf angegriffen[362]. Entschiedenster Verfechter eines marxistisch-kommunistischen Kurses wurde nach dem Bürgerkrieg Friedrich Adolph Sorge, wie Weydemeyer ein enger Vertrauter von Marx und Engels, mit denen er jahrzehntelang eine rege Korrespondenz führte. In einem bissigen Bericht des New Yorker Tageblatts wird er, der Vorsitzende des New Yorker Kommunistenklubs und spätere Sekretär der Internationalen Arbeiter-Association, »amerikanischer Adjutant des großen Carl und Quintessenz des preußischen Gendarmen« genannt[363].

Mit den von ihm propagierten marxistischen Klassenkampfparolen und politischen Strategien setzte sich, wie noch zu zeigen sein wird, nach 1880 Carl Hermann Boppe, ein Feund Heinzens, in einigen Artikeln des Turner-Kalenders eingehend auseinander. Die Bestimmung sozialistischer und kommunistischer Positionen und die Auseinandersetzung darüber nahmen nach dem amerikanischen Bürgerkrieg an Deutlichkeit und Schärfe zu. Die Begriffe Sozialismus und Kommunismus waren in Deutschland bis zur Revolution von 1848 noch gemeinsam und synonym gebraucht worden, ließen aber am Vorabend und während der Revolution schon deutlichere Unterschiede erkennen. So betonten die Sozialisten stärker die geistige Seite des Kampfes – Wohlstand und Bildung sahen sie als Einheit – und die Notwendigkeit einer organischen Umgestaltung der Gesellschaft. »Revolution« war für sie primär Evolution, Wandel auf der Grundlage demokratischer Prinzipien, Verteilung der Konsumgüter nach erbrachter Leistung, während die Kommunisten auf vom Proletariat getragene, revolutionäre Aktionen mit dem Ziel der Abschaffung des Privateigentums drängten. Marx und Engels hatten nach der Revolution, aufbauend auf den daraus gewonnenen Erfahrungen, ihre revolutionären Thesen schärfer formuliert und sich um eine wissenschaftliche Erforschung der ökonomischen Lage der Arbeiter bemüht. Dabei bekämpften sie die von ihren Zielen abweichenden Vorstellungen des »Handwerkerkommunismus« und des »philosophischen Kommunismus«. In den Jahrzehnten nach dem amerikanischen Bürgerkrieg wuchs zwar, dank der Agitation von Sorge, ihr Einfluß auf die Arbeiterschaft in den USA, wurde aber nie zu einem bestimmenden Faktor in der sozialpolitischen Auseinandersetzung.

Keiner hat so klar wie Karl Heinzen den grundlegenden Unterschied zwischen Sozialismus und Kommunismus herausgestellt und vor einer Verwischung der Grenzen gewarnt. Hier in der gebotenen Ausführlichkeit die entscheidenden Sätze: »Der Kommunismus will jedem das persönliche Eigentum nehmen, weil er es für die Quelle aller Übel ansieht; der Sozialismus will jedem persönliches Eigentum verschaffen, weil er es als die Bedingung aller Wohlfahrt erkennt. Der Kommunismus macht die Allgemeinheit zum Zweck und opfert ihr die freie Einzelexistenz; dem Sozialismus ist die freie Einzelexistenz Zweck und die Allgemeinheit Mittelpunkt. Der Kommunismus lähmt durch Unterdrückung des individuellen Strebens den Haupthebel und Sporn der Entwicklung; der Sozialismus läßt die Entwicklung aus dem geregelten Wettkampf der individuellen Kräfte hervorgehen. Der Kommunismus bekämpft die »freie Konkurrenz«, weil er mit dem Zweck derselben, dem Eigentumserwerb, aller Konkurrenz ein Ende machen will; der Sozialismus sucht die Hindernisse der freien Konkurrenz, dieses Haupttriebrades alles Fortschritts, zu entfernen, indem er sie allen möglich machen will durch Hilfe für die Schwachen und Beschränkung der Stärkeren. Der Kommunismus hat antidemokratisch die ganze gesellschaftliche Maschinerie von oben herab zu dirigieren; der Sozialismus läßt das gesellschaftliche Leben demokratisch von unten herauf gestalten. Schon die Erkenntnis dieser wesentlichen Unterschiede schließt jede Verwechslung aus, läßt eine feste Parteigrenze ziehen und tut den Widersinn der von Kommunisten angestellten Behauptung dar, daß »der Kommunismus die Konsequenz des Sozialismus«, dieser also die Einleitung zu jenem sei.«[364] Welche Rolle spielten in der Auseinandersetzung um diese grundlegenden Positionen die Turnvereine?

Nach R. T. Ely, dem wir einen Abriß der Geschichte der Arbeiterbewegung in Amerika verdanken, haben die Turnvereine einen beträchtlichen Einfluß auf diese Bewegung gehabt[365]. Sorge[366] bestreitet diesen Einfluß, indem er behauptet, die Turnvereine »gingen meistens nicht über die landläufigen Phrasen hinaus und waren zu einem Zusammenwirken mit dem Allgemeinen Arbeiterbund nicht zu bewegen«. Abgesehen davon, daß dies das Urteil eines entschiedenen Verfechters des *revolutionären* Klassenkampfgedankens ist, den die Turner in ihrer Mehrheit ablehnten, finden wir in der sozialistischen Geschichtsschreibung überhaupt zwei gegensätzliche Thesen[367]. Sie werden verständlicher, wenn wir Entstehung, Entwicklung und Zielsetzung der wichtigsten Organisationen der amerikanischen Arbeiterbewegung skizzieren. Ely nennt für die Zeit nach dem Bürgerkrieg vier Arbeiterorganisationen: I. Die Arbeiterritter (Knights of Labor), II. Die Zentrale Arbeiter-Union (Centrel Labor Union), III. Die Sozialistische Arbeiterpartei (Social Labor Party) IV. Die Vereinigte Arbeiterpartei (United Labor Party).

Die erste Organisation (Knights of Labor) wurde, entsprechend so vieler in den USA existierender geheimer Verbindungen, 1869 als Geheimorden in Philadelphia gegründet, trat seit 1878 öffentlich hervor und wurde zum Mittelpunkt der zerstreuten Arbeiterorganisationen verschiedener Städte. Ihre Mitgliederzahl lag um 1883 bei 300.– 500000. Unter den in 22 Programmpunkten festgelegten Grundsätzen verdient besonders Punkt 19 Erwähnung, in dem gefordert wird: »Die Errichtung produktionsgenossenschaftlicher Einrichtungen, die die Tendenz haben, das Lohnsystem zu zersetzen durch ein industrielles genossenschaftliches System«[368]. Die »Knights of Labor« waren der erste spontane Ausdruck eines erwachenden Klassenbewußtseins der Arbeiter in den USA, allerdings nicht einheitlich in ihrer Organisation, da sie Sozialisten und Nichtsozialisten umfaßten. An der Unentschlossenheit ihrer Führer lag es, daß sie nie größere sozialpolitische Bedeutung erlangten.

Die zweite Organisation war die der »Central Labor Union«, die sich aus einer Anzahl entschieden sozialistischer und zum politischen Handeln entschlossener Körperschaften rekrutierte. Ihr Ziel war die Bildung einer eigenen politischen Partei, wie dem Programm der Kansas City Labor Union zu entnehmen ist: »Wir, die Unterzeichneten, in der Überzeugung, daß keine der alten Parteien durch ihre Gesetzgebung den Interessen des Volkes im weitesten Sinne gerecht worden ist; daß jede von ihnen das Vertrauen getäuscht hat, das die Massen in sie setzten; daß ihre Maßregeln bloß dahin gingen, Bettler und Millionäre zu schaffen; verpflichten uns, alle Verbindungen mit allen alten Parteien zu lösen und schreiben uns in folgendes Mitgliederverzeichnis ein in der Absicht, eine Partei der industriellen Massen zu bilden.«[369] Von dieser Organisation, in der die deutschen Arbeiter stark vertreten waren, wurden viele Ziele der »Arbeiterritter«, die zumeist Amerikaner waren, übernommen.

Als dritte Organisation muß die »Sozialistische Arbeiterpartei« (Social Labor Party) genannt werden, die von eingewanderten Deutschen gegründet wurde und die sich besonders dank der Agitation Sorges über die USA verbreitete. Diese Bewegung unterschied sich in einigen Zielvorstellungen wesentlich von den anderen Organisationen. Erstens ging es ihr darum, die Lage der Arbeiter in den USA genau zu analysieren, um die Arbeiterfrage in der gesamten Komplexität zu begreifen. Zweitens bestand für sie die Gesellschaft nur aus zwei Klassen: Arbeiter und Kapitalisten. Drittens verlangte sie konsequent die Verstaatlichung der Produktionsmittel und eine nationale Organisation der Produktion. Viertens erklärte sie, daß sie zur Erringung ihrer Ziele die politische Macht in den USA anstrebe. Fünftens bekundete sie ihre Solidarität mit den Arbeiterparteien Europas.

Diese Partei konnte sich nicht zu einer Massenpartei entwickeln, da sie das Mißtrauen des durchschnittlichen amerikanischen Arbeiters gegenüber dem Sozialismus nur noch verstärkte. Dazu trug auch die doktrinäre Haltung einiger deutscher Sozialisten – vor allem Sorges selbst – bei, die den Amerikanern deutsche Eigentümlichkeiten aufdrängen wollten[370].

Die vierte Organisation, die »Vereinigte Arbeiterpartei« (United Labor Party), erwuchs aus der sozialistischen Arbeiterorganisation und kam 1886, nachdem Streiks und Massenentlassungen das soziale Klima verschärft hatten, unter Henry Georges zu überraschenden Wahlerfolgen, bei denen sich erstmals das Klassenbewußtsein der Arbeiter politisch artikulierte. Die Erklärung der neuen Partei, »daß die endgültige Emanzipation der Arbeit nur erreicht werden kann durch Beseitigung des Privatbesitzes der Produktionskräfte der Natur«[371], war eine Kampfansage an Demokraten und Republikaner im Kongreß und zielte auf die Beseitigung des bestehenden Lohnsystems.

Auf die vielfach enge Verbindung zwischen den Turnvereinen und Arbeiterorganisationen in der Aufbauphase des deutsch-amerikanischen Turnwesens wurde bereits hingewiesen. Die Turner verstanden sich in der Zeit von der Gründung ihres Bundes 1850 bis zu den Wiederaufbaujahren nach dem Bürgerkrieg als ein Teil der »Partei des Fortschritts«, das heißt jener Organisationen, die den Sozialismus in der Form einer sozialen demokratischen Republik erkämpfen wollten und sich deshalb auf die Seite der Unterdrückten stellten[372]. Im Bürgerkrieg trugen sie tatkräftig dazu bei, die Sklaverei im Süden abzuschaffen und das System der »freien« Lohnarbeit durchzusetzen. In den Jahren danach distanzierten sie sich bei fortschreitender Integration in die amerikanische Gesellschaft mehr und mehr von der sozialistischen Arbeiterbewegung, zumal dort, wo diese marxistisch-kommunistische Positionen vertrat. Während die alten Arbeitervereinigungen und Gewerkvereine sich sowohl zu einer selbständigen, klassenorientierten, politischen Vertretung in Form einer Arbeiterpartei zusammenschlossen, als auch in national organisierten Gewerkschaften, in denen die ökonomischen Interessen der Arbeitnehmer wahrgenommen wurden[373], stützten sich die Turner auf ein Reformprogramm des »radikalen Fortschritts«, das sich von kommunistischen und extrem sozialistischen Strömungen immer stärker abgrenzte und den Klassenkampfgedanken verwarf.

### 2.2.1 *Sozialprogramme der Turner und Lage der Arbeiterklasse in den USA nach dem Bürgerkrieg*

Vergleicht man die wichtigsten sozialen Forderungen der Turner jener Jahre mit dem »Gothaer Programm« der Sozialistischen Arbeiterpartei Deutschlands 1875, so wird man trotz einiger Gemeinsamkeiten beträchtliche Abweichungen feststellen können.

Noch 1865 empfahlen die Turner auf dem Bundestag in Washington, offene Diskussionen in den Vereinen über das Problem der Vergesellschaftung und der Abschaffung des Privateigentums zu führen: »Da die Bestrebungen für soziale Reformen im Sinne einer Vergesellschaftung der Produktionsmittel und des Grund und Bodens immer mehr das Interesse der Völker in Anspruch nehmen, so empfehlen wir allen Bundesvereinen auf's Dringlichste, über diese Fragen Vorträge und Debatten zu veranstalten, damit sich über den Wert oder Unwert solcher Reformbestrebungen im Turnerbund möglichst richtige Urteile bilden mögen.«[374] Im Jahre 1871 dagegen, im Aufruf der deutsch-amerikanischen Turner an das amerikanische Volk, wird die Antwort auf die Frage nach Vergesellschaftung nicht mehr offengelassen, sondern das Recht auf Privateigentum ausdrücklich anerkannt, »Kein vernünftiger Mensch denkt mehr an die Abschaffung des persönlichen Eigentums. Eine derartige Verletzung der Rechte des Individuums konnte nur irrigerweise angeraten werden als äußerstes Mittel gegen die täglich wachsende Übermacht des Kapitals, gegen die gewissenlose Ausbeutung auch des Arbeiters durch dasselbe.«[375] Die hier vorgebrachten Forderungen sind im ganzen maßvoll und beziehen sich auf notwendige Maßnahmen zum Schutz der Arbeit. Andererseits wurden weitreichendere Detailforderungen gestellt als von den deutschen Sozialdemokraten in Gotha, wie zum Beispiel die Forderung nach sanitären Anlagen in Städten und Fabriken und deren Kontrolle durch staatliche Inspektionen. Im Jahre 1854 forderten die Turner den Zehnstundentag, 1871 den Achtstundentag, während im Programm von Gotha lediglich vom »Normalarbeitstag« die Rede ist. In den prinzipiellen Beschlüssen von 1871 heißt es: »Der heutige Sozialismus, dem auch wir Turner huldigen, will einstweilen nur den verderblichen Antagonismus zwischen beiden erwähnten Mächten – Kapital und Arbeit – vernichten, zwischen beiden eine Versöhnung herstellen, einen Frieden schließen, durch welchen die Rechte der ersten vollkommen gewahrt bleiben gegen die Übergriffe der letzteren, und geschäftliche Ehrlichkeit einführen.«[376] In dem erwähnten Aufruf wird bereits eine Schwerpunktverlagerung vom sozialen zum pädagogischen Reformstreben erkennbar: Die Volksbildung nach Kräften zu unterstützen und Schulen zu gründen, wird als Hauptziel der Turnbewegung bezeichnet[377]. Die Beschlüsse von Rochester 1874 sind in ihrem Kern schon ein weitgestecktes Erziehungsprogramm. Damit gelangen jene Grundsätze zur Geltung, nach denen in erster Linie geistig-moralische Energien freigesetzt, das heißt, die Sittlichkeit des Menschen entwickelt werden sollte. Durch gute Erziehung, umfangreiches Wissen, fundierte moralische Anschauungen müßten Bürger herangebildet werden, die gegen Ungleichheit kämpften und sich für Freiheit und Demokratie einsetzten.

Das verstärkte Bestreben der Turner zwischen 1875 und 1890, das Erziehungswesen zu reformieren, fällt in eine Zeit schwerer wirtschaftlicher Krisen und sozialer Kämpfe. Die Fabrikindustrie wird zum entscheidenden Faktor der amerikanischen Wirtschaft. Fabrikbesitzer und Unternehmer erhalten die Erlaubnis, ausländische Einwanderer faktisch zu importieren, die solange bei *einem* Unternehmer arbeiten müssen, bis sie die Überfahrt bezahlt haben. Die Konzentration verschiedener Betriebe gleicher Branche in der Hand weniger Monopolherren nimmt beständig zu. Im Eisenbahntrust Carnegies zum Beispiel sind 200 000 Werktätige beschäftigt. Einige Zahlen mögen das Anwachsen der Fabrikarbeiterschaft verdeutlichen. Waren 1870 erst 4,62 Millionen Arbeiter in der Fabrikindustrie beschäftigt, so stieg die Zahl bis 1880 auf 6,8 Millionen und weiter bis 1890 auf 10 Millionen. Ihnen stehen 8 Millionen in der Landwirtschaft

Arbeitende gegenüber[378]. Auch die Einwohnerzahl der amerikanischen Städte wächst in der Zeit, wie an zwei Beispielen aufgezeigt werden soll, sprunghaft an: in New York von 1850 bis 1880 von 696000 auf 1912000, in Chicago im gleichen Zeitraum von 30000 auf 503000[379].

In ihrem Bericht »Die Lage der Arbeiterklasse in Amerika« zeichnen Edward und Eleonore Arding, die sich längere Zeit in den Staaten aufgehalten haben, ein erschrekkendes Bild der Lebens- und Arbeitsbedingungen im Jahre 1886. Sie stellen fest, daß die Werktätigen kaum genug haben, um ihr Leben zu fristen, daß die Arbeitszeit länger und die Sterblichkeit unter den Arbeitern größer ist als in England. Hinzu käme die Rechtlosigkeit der Arbeiter, die *augenblicklich* entlassen werden könnten. Es bestünden »Schwarze Listen« über die gewerkschaftlich organisierten Arbeiter[380]. Die Verweigerung eines guten Entlassungszeugnisses biete ein weiteres Druckmittel, den Arbeiter gefügig zu machen. Die Arbeitsintensität sei weit größer als in Deutschland und England. »Das Eilen und Drängen, das in den letzten Jahren in den amerikanischen Fabriken eingeführt worden ist, das Anpeitschen und Schinden übersteigt das Menschenmögliche.«[381] Zu den elenden Arbeitsbedingungen kämen die elenden Lebensbedingungen. Die Wohnungszustände in den Städten seien unerträglich. Über das Wohnungselend in New York erfahren wir aus einem Bericht des Inspektors Wright, den dieser im Auftrag des Statistischen Arbeitsbüros von Massachusetts angefertigt hatte[382]: »Ich sah Familien von sechs und acht Mitgliedern in dem herkömmlichen Vorderzimmer mit Hinterraum wohnen... Die Hitze in diesen Räumen ist entsetzlich, und der Geruch von Kloakengasen, so ekelerregend er auch ist, dünkt einem erfrischend, verglichen mit den erstickenden Dünsten, die jeden Winkel und jede Ecke dieser verwahrlosten Tenements erfüllen. Die Leute kochen, essen und schlafen in denselben Räumen, Männer, Weiber und Kinder durcheinander, Abfälle jeder Art machen den Fußboden feucht und schlüpfrig, und die schwächlichen, halbnackten Kinder kriechen oder rutschen darauf herum...«[383]

Ähnlich katastrophal waren die Wohnbedingungen in Boston, Chicago, Pittsburgh und anderen Städten. Über Boston heißt es in einem offiziellen Bericht: »Hier wie dort wird man labyrinthartige Elendsviertel finden, mit engen Höfen, dunklen Gassen, häßlichen Wegen – und in ihnen verkommene Mietshäuser mit engen Räumen, häßlich, dunkel, ungelüftet, in die die Sonne, das freie Geschenk Gottes, niemals einen Strahl hineinsendet, gefüllt mit Männern, Frauen und Kindern, dicht beieinander wie geräucherte Heringe in einer Büchse. Hier vermehren sie sich, hier leben sie, und hier sterben sie mit ihren halbverhungerten, schlecht gekleideten Kindern – eine tägliche Speise des Todes, denn Typhus, Scharlachfieber und Cholera sind seine Schlächter –, und diese eitrigen Ställe gehören reichen Männern, die behaglich zu Hause leben und deren Gold vom Schweiß ihrer Mieter kommt, von Renten, die 15-20% des angelegten Kapitals betragen und voraus bezahlt werden müssen.« Und abschließend heißt es in dem Bericht: »Es gibt in der Tat, soweit wir feststellen konnten, keine Stelle innerhalb der Stadt Bosten, wo der niedrig bezahlte Arbeiter eine anständige und komfortable Wohnung finden kann.«[384]

Niedrige Löhne beziehungsweise Lohnkürzungen, die in Krisenzeiten vorgenommen wurden, lange Arbeitstage – in der Regel 10-12 Stunden![385] – Frauen- und Kinderarbeit, um Lohnkosten einzusparen und »ruhige« Arbeiter im Betrieb zu haben, dazu stärkere Belastung durch häufige Nachtarbeit, vervollständigen das düstere Bild der sozialen Lage in den Vereinigten Staaten in dem angegebenen Zeitraum zwischen 1870 und 1890. Dauernde Überbelastung schwächte viele Arbeiter derart, daß sie zu alkoholischen Reizmitteln – Bier und Branntwein – greifen mußten. Da Eltern oft nicht in der Lage waren, die Familie zu ernähren, kam es häufig zu Zwangsprostitution und zu einer grauenhaft eintönigen Kinderarbeit, die durchschnittlich 10 Stunden betrug. Auch hierüber haben wir einen offiziellen Bericht aus dem New Yorker Bezirk: »Ich sah Kinder von 8 Jahren in Tenement-Häusern arbeiten; sie waren vom frühen Morgen bis 9 und 10 Uhr nachts beschäftigt, Tabak herzurichten; das Vergnügen, auf der Straße zu spielen, blieb ihnen versagt... und ebenso das Privilegium der Bildung.« Der Berichterstatter ruft entsetzt aus: »Ich verlange Mitleid für die Kleinen... In diesen Tagen gesetzlicher Intervention, wo der Staat das Vieh vor der Peitsche des Treibers schützt, wo er des überarbeiteten Pferdes gedenkt und es von seiner Qual befreit..., da wäre es erbärmlich, wenn das Bedürfnis der Kindheit nach Muße zur Erholung des Körpers und nach Erziehung und Erquickung des Geistes keine Erhörung finden sollte... Die Kinder haben Rechte, die der Staat verpflichtet ist, zu achten. Es ist das Recht zu spielen und sich zu erlustigen, in der Schule und auf dem Spielplatz zu sein, anstatt sich in der Fabrik zu schinden«[386].

Unsägliches Elend herrschte in den Bergwerken, wo die Frauen- und Kinderarbeit ständig zunahm (bis 1910 fast zwei Millionen Kinder unter 15 Jahren), wo sie ohne Schutz vor Gesundheitsschäden und Unfällen für niedrigsten Lohn (60 Cents pro Tag) täglich zehn Stunden arbeiten mußten. Der Sozialreformer John Spargo schildert die schwere gefährliche Arbeit in einer Kohlenbrecherei, die Zehn- und Zwölfjährige, körperlich schon deformiert, in Wolken tödlichen Staubs gehüllt und umgeben von ohrenbetäubendem Lärm der Maschinen, verrichten mußten.

»Die Kohle ist hart, und Verletzungen an den Händen, wie zerschnittene, gebrochene oder zerquetschte Finger, sind bei den Jungen häufig, Manchmal gibt es einen schlimmen Unfall; man hört einen entsetzten Aufschrei, und ein Junge wird in die Maschinerie hineingerollt und gezogen oder verschwindet in der Schüttelrinne, um später zermalmt und tot herausgeholt zu werden. Staubwolken erfüllen die Brecherei und werden von den Jungen eingeatmet, die Grundlage schaffend für Asthma und Bergmannsschwindsucht.«[387]

Johann Philipp Becker, Freiheitskämpfer der Revolution von 1848, und in den 60er Jahren einer der Führer der I. Internationale, überzeugter Marxist, berichtet in seinem Brief, betitelt »Aus Amerika!«[388], im September 1871 dem Generalrat in London von zahlreichen Arbeiteraufständen.

»Eine ziemliche Anzahl dieser Streiks hatten infolge der den Geldprotzen von ihrem bösen Gewissen eingegebenen unvernünftigen und brutalen Maßregeln einen sehr ernsten Charakter und versetzten die Bourgeoisie des Landes in panischen Schrecken. So der Aufstand der pennsylvanischen Bergleute, etwa 30000 Mann der Baumwollarbeiter in Fall River in Massachusetts, der farbigen Arbeiter in Washington, der Minenarbeiter in Omador County Californien. – Letztere führten, ohne Ahnung davon zu haben, den Beschluß des Internationalen Arbeiterkongresses in Brüssel gleich praktisch aus, bemächtigten sich der Minen und setzten die Herren Arbeitgeber samt ihren Werkzeugen, Aufsehern und dergleichen prompt an die Luft. Nur durch Vermittlung des Staatsgouverneurs, unterstützt durch Waffengewalt, konnten sie zur momentanen Annahme eines Vergleichs, nicht aber zur Aufgabe ihrer Forderungen gebracht werden.« Becker hat den Aufstand der pennsylvanischen Kohlenminer durch einen Aufruf unterstützt (siehe Dokument) und scharfe Anklagen gegen die brutale und menschenunwürdige Behandlung der Arbeiterfamilien gerichtet. Er ruft die Bergleute auf, sich mit den Bauern zu solidarisieren in einem Klassenkampf, der sie beide in den Besitz der Arbeitsmittel, das heißt in den Besitz von Grund und Boden, Fabriken und Maschinen bringen soll. Nur dadurch könne der Konkurrenzkapitalismus überwunden werden. Aber so sehr sich auch Männer wie Becker und Sorge um ein zielbewußtes und geschlossenes Handeln der wirtschaftlich Unterdrückten bemühten, die Heterogenität der amerikanischen Arbeiterschaft mit ihren zahlreichen billigen Arbeitskräften, einer »industriellen Reservearmee«, ließ ein ausgeprägtes Klassenbewußtsein nie aufkommen.

Sozialpolitisch sind die siebziger und achtziger Jahre durch zwei Ereignisse charakterisiert, die das sozialökonomische Gefüge der USA schwer erschüttern: zum einen »Der große Aufstand von 1877« – »The Great Upheaval« –, zum andern der Kampf um den Achtstundentag, von dem die Hinrichtung mehrerer Arbeiterführer nach dem Chicagoer Bombenattentat im Jahre 1886 nicht zu trennen ist.

Der große Aufstand wurde durch eine Wirtschaftskrise 1873 eingeleitet, in deren Folge 5183 Firmen in Konkurs gingen. Die Krise hielt die nächsten Jahre an und führte zu Lohnkürzungen und einem Anschwellen der Arbeitslosen bis zu einer Million. Es kam zu zahlreichen Streiks[389], die sich zu einer nationalen Streikbewegung auswuchsen, als bei den Arbeitern der Eisenbahnfirmen die Arbeitsbedingungen verschärft wurden. Während der Massenstreiks gab es blutige Auseinandersetzungen mit der bewaffneten Staatsmacht. Präsident Rutherford B. Hayes ließ den Streik, bei dem es primär um höhere Löhne und soziale Leistungen ging, von Soldaten niederwerfen.

Die Forderung nach einem Achtstundentag, von der die nächste Krise bestimmt wurde, reicht schon in die Zeit vor dem Bürgerkrieg zurück, wurde danach aber verstärkt erhoben und führte 1884 unter der American Federation of Labor zu einer umfassenden sozialrevolutionären Kampagne, an der sich schließlich eine halbe Million Arbeiter beteiligten. Die Kämpfe um den Achtstundentag wurden von einer öffentlichen Diskussion über die sogenannte Arbeiterfrage begleitet. Als um den 1. Mai 1886 die Streikkämpfe ihren Höhepunkt erreichten, wurden vier Arbeiter, die Streikbrecher davon abhalten wollten, Werksgelände zu betreten, von der Polizei erschossen. Wenige Tage später, am 4. Mai, wurde auf einer Kundgebung in Chicago gegen das Blutvergießen demonstriert; dabei explodierte, als eine Polizeieinheit erschien, eine Dynamitladung, die sieben Polizisten und vier Arbeiter tötete und mehrere Personen schwer verletzte. Sofort eingeleitete Verhaftungsmaßnahmen richteten sich gegen Arbeiterführer sozialistischer, kommunistischer und anarchistischer Organisationen. Im November 1887 wurden vier Arbeiterführer hingerichtet. Die zu lebenslanger Haft Verurteilten wurden nach sechs Jahren mit einem Unschuldsspruch freigelassen. In den Monaten nach dem Bombenattentat kam es zu Berufsverboten und Massenentlassungen von Arbeitern, die den »Knights of Labor« angehörten.

Die beiden großen Ereignisse – der Aufstand von 1877 und der Kampf um den Achtstundentag von 1884 bis 86 – entfachten in der Bevölkerung der USA, besonders aber unter den Turnern, eine heftige Diskussion über Möglichkeiten und Grenzen sozialer Reformen auf revolutionärem oder evolutionärem Wege. Sollten die extremen Sozialisten und Kommunisten recht behalten haben, die eine soziale Revolution herbeiführen und das Privateigentum abschaffen wollten, da alle Reformversuche nichts

Grundlegendes geändert hatten? Oder waren diejenigen im Recht, die glaubten, die Mängel der Gesellschaft, besonders die Notlage der Arbeiter, seien letztlich nur abzuschaffen über die Änderung des Menschen durch verbesserte Erziehung und Einwirken auf seinen Charakter? Inwieweit konnten die Theorien von Darwin und Spencer, die das»Lebensrecht des Tüchtigen« betrafen, noch akzeptiert werden, hatten sie doch wesentlich mit zur Schaffung der Monopole und sozialer Ungerechtigkeiten beigetragen. Gegen die Macht der »Monopole« hatten sich die Turner wiederholt ausgesprochen und eine Kontrolle der Wirtschaft durch den Staat gefordert. Der Begriff »Monopol« wird häufig im Zusammenhang mit Korruptionsaffären verwendet.

Auf dem Bundestag in New Ulm von 27. bis 29. Mai 1876 wurde die Lösung der sozialen Frage von der Hauptaufgabe abhängig gemacht, nämlich der Änderung des Erziehungssystems[390]. Mit zeitgemäßen Reformen solle gegen die öffentliche Korruption vorgegangen werden[391]. Das Programm der »zeitgemäßen Reformen« umfaßt unter anderem folgende Forderung: Abschaffung des politischen Beamtentums und Ersetzung der politischen durch fachlich fähige Beamte, da das politische Beamtentum als Hauptquelle der Korruption angesehen wird, Kampf gegen jeden Wahlbetrug, scharfe Trennung von Kirche und Staat, Kampf gegen das Kreditunwesen.

Die politische und soziale Lage in den USA erscheint den Turnern deprimierend. Kritik wird aber auch an den sozialistischen Organisationen geübt: Angesichts der »traurigen politischen und sozialen Lage des Landes« gelte es, die Vereine »auf die Dringlichkeit aufmerksam zu machen, neben dem kritischen Eingehen auf die herrschenden sozialen und politischen Zustände und Institutionen dieses Landes auch einmal die Theorien und Reformbestrebungen, die unter dem Namen »die sozialistischen« bekannt sind, einer gründlichen Prüfung zu unterwerfen ...«[392].

In Cleveland wird auf dem 8. Bundestag vom 26. bis 26. Mai 1878 beklagt, »daß der Turnerbund in seiner Entwicklung hinter der Zeit zurückgeblieben ist«[393] Metzner berichtet über die Versammlung in Cleveland, daß hier verschiedene Resolutionen verabschiedet worden seien, die das Recht auf ein Referendum bei allen wichtigen Gesetzen, ferner die Abschaffung komplizierter und undemokratischer Repräsentationsverfahren, wie zum Beispiel die »Wahl« von Senatoren durch Staatsorgane verlangen. Im sozialen Bereich seien Maßnahmen gefordert worden, wie staatliche Aufsicht über Fabriken, Nahrungsmittelkontrolle, Einschränkung der Kinderarbeit. Senat und Präsidentschaft seien als monarchieähnliche Institutionen ebenfalls für abschaffungsreif erklärt worden. Schließlich hätten die Delegierten die Einstellung von »Schenkungen«, das heißt, die Vergabe von öffentlichem Land an Privatpersonen und Korporationen gefordert[394]. In den Dokumenten sind darüber hinaus einige bedeutende Forderungen zu finden, die Metzner nicht erwähnt; so die Forderung, daß der Arbeiter den wirklichen Arbeitsertrag erhalten, Land nur denen gehören soll, die es bebauen, eine progressive Einkommens- und Erbschaftssteuer erlassen und »Steuerfreiheit für das zum Unterhalt einer Familie erforderliche Minimum« gewährt wird. Ferner wird die Abschaffung aller indirekten Steuern und »die Abschaffung aller Monopole« gefordert[395].

Schließlich schlugen sich die Nachwirkungen der großen Streikbewegungen, die in den vergangenen Jahren das Land erschüttert und das Volk in Aufregung versetzt hatten, in einer besonders beachtenswerten Resolution nieder, in der es unter anderem heißt: »Die Vorgänge ... haben bewiesen, daß das gegenwärtige Produktionssystem im innersten Kern faul ist, und daß, wenn nicht in vernünftiger Weise Abhilfe geschaffen wird, eine soziale Revolution unausbleiblich ist. – Jeder Druck erzeugt Gegendruck, und wenn die vereinigten Monopole und die in dessen Dienste stehenden Gesetzgeber und Beamten alles tun, um die Arbeiter zu unterdrücken und zu entrechten, dann ist es nur natürlich, wenn sich die Entrechteten und die Unterdrückten auflehnen und in ihrer Aufregung zu Gewaltmitteln greifen. ... Das Wohl des *ganzen* Vokes steht höher, als die Interessen der wenigen Bevorzugten, welche sich auf Kosten der Armen bereichert haben und in Luxus schwelgen, während diejenigen, welche die Mittel zu diesem Luxus schufen, mit ihren Familien dem Elende, der Not und dem Hunger ausgeliefert sind.«[396] Zur Abhilfe werden dann nicht nur bekannte Forderungen aufgestellt wie Verstaatlichung der Verkehrsmittel und der Bergwerke sowie Kommunalisierung von elektrischen Betrieben, Gasanstalten usw., sondern auch die Einrichtung von staatlichen Büros zur Arbeitsvermittlung an Beschäftigungslose dringend empfohlen. Allen Arbeitern solle ein kostenloser Rechtsschutz gesichert werden, »so daß der Fundamentalsatz unseres ganzen Staatswesens – gleiches Recht für alle und Schutz für die Hilflosen – nicht zu leeren Phrasen heruntergedrückt wird«[397].

Ein besonderes Unrecht war für die Turner die überlange Arbeitszeit. Bei einer Sechzigstundenwoche, wie sie damals die Regel war, sahen sie in der Kürzung des Arbeitstages einen »bedeutenden Hebel zur Besserung socialer Mißstände«[398].

Auf den Bundestagen in Indianopolis 1880, Newark 1882 und Davenport 1884 dominieren unter dem Einfluß von Doktor M. Starkloff pädagogische Zielsetzungen: die politischen und sozialen Fragen sollen in ein Erziehungsprogramm integriert werden[399]. Allerdings wird an den »Prinzipiellen Beschlüssen« früherer Bundestage festgehalten. Im Jahre 1884 protestieren die Turner gegen eine rücksichtslose Industrialisierung, die Wälder und Ackerland vernichte und das natürliche ökologische Gleichgewicht störe[400]. Die Forderungen zum Schutz der Arbeiter am Arbeitsplatz werden neu erhoben und gehen über die von 1878 hinaus. So heißt es: »Wir fordern strenge Beaufsichtigung der Fabriken, Minen etc. und unnachsichtige Bestrafung der Arbeitgeber für die durch ihre Fahrlässigkeit und den Mangel an Schutzvorrichtungen herbeigeführten Unglücksfälle, ebenso die Regulierung der Frauenarbeit durch Gesetze, welche sowohl der Gesundheit als auch der Moral Rechnung tragen.«[401]. Die Turner erneuern ferner ihr reformistisches Programm zur Lösung der »Arbeiterfrage«. Der 12. Bundestag in Boston vom 13. bis 17. Juni 1886, der wichtigste nach der Versammlung von 1878, verabschiedet konkrete Reformforderungen. In diesem Jahr, als die soziale Krise gefährliche Dimensionen annimmt, legt der Turnerbund sich erneut gegen *radikale* sozialistische Bestrebungen fest und bekräftigt, den amerikanischen Staat gegen »rote Umstürzler« verteidigen zu wollen. Reformbestrebungen sollen sich nur im Rahmen von Gesetz und Verfassung bewegen. In der Eröffnungsrede wird der Bund als »Erziehungsverein« definiert, als »Verein zu körperlichen Übungen« und schließlich als »sozialpolitischer Verein«. Die Rangfolge, entsprechend der Wichtigkeit der Aufgaben, ist damit gegeben. Körperliche Pflege und sozialpolitische Bestrebungen werden der größeren Erziehungs- und Bildungsaufgabe untergeordnet[402]. In Boston werden die prinzipiellen sozialen Forderungen erweitert und konkretisiert. Außer der »Verkürzung der Arbeitszeit und Einführung eines Normal-Arbeitstages von acht Stunden für industrielle Zwecke«[403] wird ein »Verbot gegen Ausbeutung der Kinderarbeit zu industriellen Zwecken« gefordert. Kinderarbeit soll auf ein Alter von über 14 Jahren begrenzt werden[404]. Neu ist die Forderung, daß alle der Allgemeinheit dienenden Verkehrsmittel an den Staat überführt werde sollen[405].

Noch deutlicher als 1886 wurden auf dem 13. Bundestag in Chicago vom 20. bis 23.5.1888 kommunistische und anarchistische Organisationen der verbrecherischen Politik bezichtigt, wenn sie mit gewaltsamen Mitteln ihe Ziele durchsetzen wollten. Dabei verschließen sich die Turner keineswegs der Forderung nach größerer sozialer Gerechtigkeit, nur dürfe diese nicht mit »ungesetzlichen Mitteln« erkämpft werden. Der Beschluß lautet: »Die 13. Tagsatzung des Nordamerikanischen Turnerbundes erklärt sich mit allen gerechten Forderungen zur Verbesserung der sozialen Lage der Arbeiter in Einklang und entschlossen, mit ganzer Tatkraft dafür einzutreten, daß der sich immer drückender fühlbar machenden Monopolherrschaft gebührende Schranken gesetzt werden. Sie ist aber in Übereinstimmung mit der Plattform und den prinzipiellen Beschlüssen des Nordamerikanischen Turnerbundes der Ansicht, daß in der Republik alle notwendigen Reformen auf friedlichem und gesetzlichem Wege herbeizuführen sind.

Alle Appelle an die rohe Gewalt, wie auf Aufreizungen oder Versuch zum Aufruhr und gewaltsamer Selbsthilfe, wie sie in jüngster Zeit hier auf dem freien Boden der Republik gemacht werden, verdammt er als verbrecherisch auf das entschiedenste.«[406]

Die scharfe Absage an Gewaltakte, an Handlungen, die nicht »auf dem Rechtsboden des Gesetzes« stehen[497], erklärt sich indes nicht nur aus den ethischen Prinzipien der Turner, sie ist auch bedingt durch die Reaktion breiter amerikanischer Kreise auf das Bombenattentat 1886 und die vollstreckten Todesurteile gegen anarchistische Arbeiterführer im Jahre 1887. Dem Turnerbund war vorgeworfen worden, er sei anarchistischen Ideen zugänglich. Die Führung des Turnerbundes wies solche Vorwürfe zurück und betonte, daß sic bei der Freiheit der Meinungsäußerungen in der Organisation nicht für Äußerungen einzelner Mitglieder verantwortlich gemacht werden könne.

Auf dem 14. Bundestag in New York vom 22. bis 25.6.1890 traten die Turner wiederum für die prinzipielle Lösung der sozialen Frage ein und legten sich auf folgende drei Grundsatzerklärungen fest: »Da es zeitgemäß und notwendig ist, daß eine Organisation, welche dem Fortschritt auf allen Gebieten huldigt, der mächtigen sozialen Frage gegenüber eine unzweideutige Stellung einnehme, so sei es

Beschlossen, daß wir, die Vertreter des Nordamerikanischen Turnerbundes, die Arbeit als Quelle alles Reichtums und aller Zivilisation betrachten.

Beschlossen, daß wir die Bestrebungen der Arbeiter-Vereinigungen aller zivilisierten Länder nach Verbesserung ihrer Lage mit Freuden begrüßen.

Beschlossen, daß wir die Mitglieder des Nordamerikanischen Turnerbundes ersuchen, an der Lösung der sozialen Frage nach besten Kräften teilzunehmen.«[408]

»Unzweideutig« war diese Stellungnahme zwar, doch auch weniger verbindlich. Keine Unterstützung internationaler Arbeiterorganisationen wird propagiert, sondern nur eine Sympathieerklärung abgegeben. Schließlich blieb auch die Aufforderung an die Mitglieder des Bundes, tatkräftig zur Lösung der sozialen Frage beizutragen, eine Leerformel, gut gemeint, doch ohne konkreten Bezug.

### 2.2.2   Sozialreformerische Ideen C. H. Boppes

Zu den blutigen Ereignissen der Jahre 1886 bis 1887 nahm in einem Aufsatz mit dem Titel »Der Staat und seine Widersacher« 1889 C. Hermann Boppe, einer der scharfsinnigsten Köpfe des Turnerbundes, in dem von ihm redigierten »Turnerkalender« Stellung[409]. In Auseinandersetzung mit anarchistischen und kommunistischen Theorien legte er hierbei die ideologischen und sozialpolitischen Positionen des Turnerbundes fest. Da er, wie auch andere seiner Beiträge im Turnerkalender zwischen 1880 und 1900 belegen, als der führende Theoretiker des Turnerbundes anzusehen ist, kommt seiner Auseinandersetzung mit Karl Marx im Hinblick auf die Haltung des NAT zur sozialen Frage grundsätzliche Bedeutung zu. Boppe stößt bei der Beurteilung des Bombenattentats von Chicago und der Hinrichtung der vier Anarchisten sofort zum Kern des sozialethischen Problems vor, indem er feststellt: »In den Lehren, für welche am 11. November des Jahres 1887 unserer *christlichen Ära* zur Schande für die *Christusreligion* und die *freiheitlichen Institutionen* dieses Landes vier Männer den Tod durch Henkershand zu erleiden hatten, lag Wahrheit und Wahn. Die Wahrheit wird sich nur um so siegreicher Bahn brechen, je mehr ihr Gewalt entgegengestellt wird, dem Wahn verlieh das Märtyrerblut zeitweilig Macht und Schein der Wahrheit«[410].

Boppe ist davon überzeugt, daß der »*anarchistische Wahn*« ohne die »Barberei des 11. November und den ihr vorangegangenen alle Gerechtigkeit spottenden Schandprozeß« in ein Nichts zerstoben wäre. So aber hätten die scharfen Verfolgungsmaßnahmen viele Menschen in eine falsche Solidarität mit den Anarchisten und Kommunisten getrieben, dem Wahn sei »neue Verführungskraft eingehaucht« worden[411]. Die Gründe für das Verhalten der Anarchisten werden in der sozialen Notlage Amerikas gesehen, wo sich eine Minderheit auf Kosten der Mehrheit bereichere, ferner in dem Verlangen aller Unterdrückten nach radikaler Umgestaltung des Gesellschaftslebens, »nach *mehr Feiheit, mehr Gerechtigkeit,* mehr *Gleichheit*«[412]. Weil der amerikanische Staat mit allem sozialen Unrecht und Elend so eng verwachsen sei, habe er so viele Hasser. Diese aber vermöchten den Staat von den sozialen Übeln und Mißständen nicht zu trennen und erklärten *ihm* anstatt den Übeln und Mißständen den Krieg. Hier liege, so Boppe, ein verhängnisvoller Irrtum. »Die grimme Feindschaft gegen den *Staat von heute,* wie er *jetzt ist.* begeife ich, nicht aber die Feindschaft gegen den *Staat an und für sich*«[413]. Alle Menschen mit sozialem Gerechtigkeitssinn hätten ein Interesse an der Änderung des Bestehenden, der Streit ginge nur über das *Wie* und das *Was.* Der *reine Kommunismus* oder sein Gegenbild, der *reine Anarchismus,* seien aber Utopien mit ihrer Vision absoluter Vollkommenheit bei einer Zerstörung des Staates, beziehungsweise beim »Absterben« aller staatlichen Macht. Menschenglück hätte in dieser »vollkommenen Idealwelt« keinen Raum mehr, »die Menschheit würde *leidlos,* aber auch *freudlos, nicht glücklich* sein«[414]. Da der Staat die allgemeine Form der Zivilisation sei, müsse man ihn als Werk der Notwendigkeit und der Vernunft begreifen[415]. »Ungeachtet aller Mängel, die ihm anhaften oder neben ihm einhergingen, wurde der *Staat* zum *Wohltäter der Menschheit,* ja er schuf diese erst«[416]. Im folgenden setzt sich Boppe eingehend mit der marxistischen Theorie vom Absterben des Staates, Überführung der Produktionsmittel an die Allgemeinheit und der materialistischen Geschichtsauffassung auseinander, die auf falschen Freiheits- und Gleichheitsvorstellungen gegründet sei und die bewegenden Kräfte des Geistes ignoriere. Für ihn bedeutet Kommunismus nichts anderes als der sichere Weg zum Anarchismus[417]. »Die Anarchisten wollen den Staat, welcher die Ursache jedes nur denkbaren Unrechts sein soll. *bedingungslos abschaffen.* Das Wesen und die Mission des Staates, welche noch sehr der Entwicklung fähig ist, wird völlig verkannt. Im Staate, der immer den Inhalt haben wird, welchen die Menschen ihm geben, erblicken die Anarchisten das wesentliche Hindernis der persönlichen Freiheit, statt daß sie ihn als das *Organ der Gesellschaft* auffassen, welches die Aufgabe hat, die *Bedingungen der Freiheit für Alle und jeden Einzelnen* zu schaffen und das *Streben nach Freiheit* mit dem *Streben nach Gleichheit* auszusöhnen und in Einklang zu bringen.«[418] In einer kommunistischen Gesellschaft würde sich dagegen die Regierungstyrannei zur höchsten Vollkommenheit ausbilden. »*Zwang* würde überall, *Feiheit* nirgends sein ...«[419] Tiefeinschneidende Reformen seien notwendig, um die Mißstände im Staat und Gesellschaftsleben zu beseitigen. Dies erfordere aber ein fundamentales Umdenken. Am Menschen und nicht am Besitz müsse sich der Staat orientieren. »Das Menschenrecht und nicht das Besitzrecht muß des Staates Grundlage sein.«[420]. Der Staat müsse dem Wohle aller dienen und der einzelne im Staat einen Garanten für die Verwirklichung seines Anspruchs erblicken. Aus diesen Erkenntnissen ergibt sich für Boppe als Fazit: »Es gilt also nicht, den Staat abzuschaffen, sondern ihn zu idealisieren und zu vervollkommnen. Das soziale Problem, es wird nur durch den Staat, in welchem Volk und Regierung identisch sind, das Volk selbst sein Gesetzgeber und Gesellschaftseinrichter ist, eine Lösung finden.«[421] Um diesen Zustand zu erreichen, bedürfe es größter Anstrengungen auf intellektuellem und moralischem Gebiet.

In der Staatsauffassung Boppes und führender Turner spiegelt sich Hegels idealistische Auffassung vom Staat als der Wirklichkeit der sittlichen Idee und der Vernunft wider. Für diese kann sich nur im Kulturstaat soziale Gerechtigkeit entwickeln. Mit Boppe glaubten die Turner, Erziehung und Bildung seien der Schlüssel zu einem besseren, das heißt gerechteren Staatswesen, in dem auch weitreichende soziale Reformen möglich wären.

Bekenntnisse zu sozialen Reformen auf dem Boden eines freiheitlichen Rechtsstaates und der Grundlage humanitärer Bildungs- und Erziehungsprinzipien finden sich auch in den anderen Arbeiten Boppes jener Jahre. In »Das Turnen und republikanisches Bürgertum« (1881) erinnert er an die freiheitlichen Traditionen der republikanischen deutschen Turnbewegung, deren Ziel die Entwicklung des Volksstaates war. Damals wie heute gelte es, durch Reformen auf einen wahrhaft humanen Volksstaat hinzuarbeiten[422]. Die Turnstätten müßten zur hohen Schule der Demokratie werden und für die Gesamterziehung eine ähnliche Bedeutung erlangen wie einst die Gymnasien für die Demokratie in Hellas[423]. In seinem Nachruf »Karl Heinzen« (1882) identifiziert er sich mit den politischen Anschauungen dieses bekannten sozialrevolutionären »Achtundvierzigers«, der die »Plattform des Bundes der Radikalen« konzipiert hatte[424] und der »ebenso leidenschaftlich, wie er für die weitgehendsten sozialen Reformen eintrat, die kommunistische Lehre in ihren äußersten Konsequenzen« bekämpfte[425]. Er übernimmt Heinzens These, daß die Arbeiterrechte nicht die Menschenrechte seien, wohl aber die Menschenrechte die Arbeiterrechte[426]. Seine »Betrachtungen am Geburtstage der Republik« (1888) weisen ihn als hervorragenden Kenner der europäischen Geistesgeschichte aus. Scharf geht er mit der korrupten amerikanischen Parteiherrschaft ins Gericht und fordert: »Recht und Gesetz müssen mit humanem Denken und nicht anzuzweifelnder Gerechtigkeit identisch werden und nicht wie jetzt die Bedeutung von Waffen haben, welche von einer Minderheit benutzt werden, um sich die Herrschaft zu erhalten und den Kampf für ihre nie mit dem Volkswohl zu vereinbarenden Sonderinteressen zu führen«[427]. Entschieden spricht er sich wiederum gegen den Klassenkampfgedanken von Marx aus, in dem er eine Verirrung sieht, da er der wahren Demokratie und den Prinzipien der Gleichheit im bürgerlichen Recht widerspreche[428].

Das soziale Reformprogramm des »Bundes der Radikalen« wird von Boppe in seinem Aufsatz »Das Recht auf Arbeit« (1896) eingehend erläutert und von kommunistischen Zielsetzungen abgegrenzt, obwohl auch er sich gegen Privateigentum an Grund und Boden ausspricht[429]. Als Bekenntnis zur sozialen Demokratie ist die bedeutende Arbeit »Sociale Reformpolitik in der Republik« (1894) zu werten. Realistisch erkennt er, daß für eine Klassenpartei in den USA keine Chancen bestehen. »Alle Appellationen an das Klassenbewußtsein, alle Versuche, aus den Volksmassen eine spezielle »Arbeiter«-Klasse auszuscheiden, die im Gegensatz zum Volk und zu den allgemeinen Menschenrechten eine besondere Politik verfolgen ... soll, werden sich als fruchtlos erweisen.«[430]

Dagegen erwartet er von einer echten demokratischen Politik, daß die Arbeiterrechte zu Volksrechten werden. Eine sozialdemokratische Partei als Volkspartei könne solche Aufgaben lösen: »Eine socialdemokratische Partei und eine socialdemokratische Republik müssen wir anstreben, diese Partei darf aber keine Klassenpartei sein, nein, sie muß eine echte Volkspartei sein und die socialdemokratische Republik muß die Menschheitsinteressen wahren wollen, die Alles umfassen und auch den Arbeiter in seine vollen Menschenrechte einsetzen!.«[431] Nur eine Politik der Freiheit sei zu sozialreformerischen Arbeiten befähigt. Nach Boppe ist es ein »Satz von mathematischer Unumstößlichkeit«, daß die Verbesserung der sozialen Lage der Arbeiter in dem Maße fortschreitet, wie auch die Freiheit des einzelnen und auch die Beteiligung des Volkes am Staatsleben zunimmt[432]. Daraus folgert er: »Nur auf sozialdemokratischem Wege kann und wird die »sociale Frage« gelöst werden; die erste aller »socialen« wie politischen Fragen ist daher in der ganzen Welt die wahre Demokratie.«[433] Im folgenden setzt sich Boppe nochmals mit Karl Marx auseinander, den er einen »Denker von allerschärfstem Gepräge« nennt, dessen materialistische Geschichtsauffassung er jedoch ablehnt: Ihre Richtigkeit und Wissenschaftlichkeit bestreitet er ebenso wie die Theorie des Mehrwerts[434]. Ausführlich geht er auf die Marxsche Kritik am »Gothaer Programm« der SPD ein, aus der er persönlich folgert, der Sozialismus dürfe niemals zum Kommunismus ausarten, da dieser alles Individuelle zerstören würde. »Individualismus und Sozialismus müssen nebeneinander Raum haben, als einander bedingende und ergänzende Tendenzen aufgefaßt werden«[435]. Am Ende dieser Schrift legt Boppe ein 24 Punkte umfassendes Sozialprogramm vor, in dem alle aus den Bundestagen und prinzipiellen Beschlüssen der Turner bekannten Forderungen enthalten sind[436]; dabei distanziert er sich nochmals von kommunistischen Utopien und von dem Ansinnen einer Verschärfung der Klassengegensätze. Dadurch könne keine gerechte Verteilung des Arbeitsertrages erreicht werden.[437]

Boppes Tod 1899 war für die deutsch-amerikanische Turnbewegung ein schwerer Verlust. Ihm wie seinem Vorgänger Heinzen, dem langjährigen Redakteur des »Pionier«, war es gelungen, in die Prinzipienerklärung und die Platform des Nordamerikanischen Turnerbundes die Postulate des »Bundes der Radikalen« einzubringen, die dadurch Verbreitung und Anerkennung fanden[438]. Boppe wurde so innerhalb der Turnbewegung zum profiliertesten Vorkämpfer für soziale Reformen.

Die Forderung der Turner nach Überwindung der sozialen Not wurde nach Boppes Tod bis zum ersten Weltkrieg weiter erhoben, wenn auch um die Jahrhundertwende einige Mißstände vergangener Jahrzehnte beseitigt waren. In kaum einer Ausgabe der amerikanischen Turnzeitung fehlt ein Bericht zur sozialen Lage zur ungerechten Behandlung der Arbeiterschaft, Gefährdung ihrer Gesundheit durch Überanstrengung, über einseitige Arbeit und schlechte Ernährung. In der Ausgabe vom 28. März 1891 wird der Zusammenhang zwischen der sozialen Verelendung der Arbeiter und der Weiterentwicklung des kapitalistischen Wirtschaftssystems anklagend verdeutlicht: »Noch erschreckender tritt uns das leibliche Elend in den Industrie- und Fabrikarbeitern unserer Zeit entgegen. Die kapitalistische Wirtschaftsepoche, obgleich doch erst von kurzer Zeitdauer, hat zur Verunstaltung des menschlichen Körpers mehr beigetragen als die vorausgegangene 3000jährige Kulturperiode der Sklaverei und Leibeigenschaft. Bei der Erniedrigung der menschlichen Arbeitskraft zu bloßer Ware ist die körperliche Verkümmerung der arbeitenden Klasse die logische Folge. Und, wenn heute die Staatsregierungen auf die materielle Besserstellung des arbeitenden Volkes ihr Hauptaugenmerk richten, so werden dieselben unter anderen Gründen gewiß auch von dem geleitet, der durch Ausbeutung, Überarbeitung und Hunger unfehlbar eintretenden Degenerierung der Bevölkerung entgegenzuwirken.«[439]
Die Anklage richtet sich zum einen allgemein gegen die durch das kapitalistische Wirtschaftssystem verursachte Verelendung der Arbeiter, zum anderen insbesondere gegen deren körperlichen Verfall. Bemühungen um eine materielle Besserstellung der notleidenden Arbeiter werden zwar anerkannt, doch müßten sie, dies impliziert der Text, mit gesundheitsfördernden Maßnahmen verbunden sein. Wie wenige Jahre später der Arbeiter-Turnerbund in Deutschland, so waren auch die Turner des NAT davon überzeugt, daß regelmäßiges Turnen ein sehr wirkungsvolles Schutzmittel gegen Haltungsschäden und Organleiden bildete.

### 2.2.3 Imperialismus, Kapitalismus und soziale Frage

Das Ringen um soziale Gerechtigkeit erhielt eine neue Dimension, als die USA auf dem Höhepunkt ihrer kapitalistischen Entwicklung den Weg des Imperialismus beschritten und ihre Staatsgrenzen über den Kontinent hinaus in den ozeanischen Raum ausdehnten.
Die Epoche des amerikanischen Imperialismus ist gekennzeichnet durch die Zusammenballung der wirtschaftlichen Macht in wenigen Händen. So schlossen sich in den Jahren vor und nach dem Spanisch-Amerikanischen Krieg über 5000 Industriebetriebe zu etwa 300 Trusts zusammen[440]. Im Turnerbund beobachtete man diesen Prozeß mit großer Sorge: »In immer auffälligerer Weise vollzieht sich die Konzentration gewaltiger Kapitalmassen in den Händen weniger Finanzgewaltiger. Die Rockefellers, Carnegies ... kontrollieren Kapitalmassen, an welche das menschliche Vorstellungsvermögen kaum noch heranreicht. Leidtragende sind die arbeitenden Massen.«[441] Was die Turner darüber hinaus besonders bedrückte, war ihre Hilflosigkeit gegenüber der Macht der großen Kapitalzusammenfassungen, hatte doch das Kapital alle Möglichkeiten, Parteiapparate zu bestechen, Politiker unter Druck zu setzen und die Presse zu kontrollieren.
Von der innenpolitischen Situation her waren die Amerikaner zu Beginn der neunziger Jahre keineswegs auf diese imperialistische Politik vorbereitet, denn das öffentliche

Interesse wurde durch Farmeraufstände, wirtschaftliche Depression und erbitterte Lohnkämpfe in der Industrie völlig beherrscht. Mit der zunehmenden weltpolitischen Verflechtung ihres Landes konnten sich die Amerikaner von diesen internen sozialen und wirtschaftlichen Problemen abwenden. Gestärkt wurde die neue imperialistische Politik ferner durch ein Sendungsbewußtsein, das aus der angeblichen rassischen Überlegenheit des Anglo-Amerikaners abgeleitet wurde.

Im Spanisch-Amerikanischen Krieg intervenierte Amerika auf öffentlichen Druck und aufgrund der Forderung des Kongresses unter Präsident Mc. Kinley zugunsten Kubas, ohne zu bedenken, daß die kubanische Notlage eine Folge der nordamerikanischen Zollgesetzgebung war, die zu einem völligen Zusammenbruch des kubanischen Zuckerexports geführt hatte. Der Krieg gegen Spanien erregte die Gemüter außerordentlich. Auch die deutsch-amerikanischen Turner wurden von der Kriegspsychose erfaßt und traten in großer Zahl in die Armee ein, getreu ihrem Grundsatz »Ein Land, eine Flagge, eine Ehre«, an dem sie festzuhalten entschlossen waren, »mit welcher fremden Macht immer die Vereinigten Staaten in einen Krieg verwickelt werden sollen«[442]. Die Bereitschaft der Turner, »für die Vereinigten Staaten in all und jeder Hinsicht und bei all und jeder Gelegenheit einzutreten«[443], erklärt sich aber nicht nur aus der Überzeugung, einen gerechten Krieg zu führen, um die Not der Kubaner zu beseitigen, sondern auch aus dem Verlangen, immer stärker werdenden Angriffen gegen das Deutsch-Amerikanertum entgegenzutreten, wurde doch die deutschstämmige Bevölkerung beschuldigt, sich nicht genügend für die amerikanischen Interessen einzusetzen und sich dem Staat gegenüber nicht loyal zu verhalten[444].

Indes sollte sich die Situation schnell ändern, denn der Krieg war infolge der amerikanischen Überlegenheit bald beendet, am 13. August 1898 wurde das Friedensabkommen unterzeichnet, in dem Puerto Rico, Kuba, und die Philippinen an die USA abgetreten wurden, doch die annexionistische Politik wurde aus handels- und wirtschaftspolitischen Gründen gerechtfertigt und mit dem neu gewonnenen Machtbewußtsein der Amerikaner, daß man Kriegsgewinn nicht zurückgeben dürfe, nachträglich legitimiert.

Dies erwies sich als schwerer Fehler, denn auf den Philippinen setzten die Eingeborenen nach dem Friedensvertrag ihren Freiheitskampf fort, der die Amerikaner mehr Menschenleben und Geld kostete als der Krieg gegen Spanien. Immer lauter wurde daraufhin in Amerika die Forderung, die imperialistische Politik aufzugeben und den Philippinen die Unabhängigkeit zu gewähren.. Zu denen, die solche Forderungen am nachdrücklichsten proklamierten, obwohl sie zu Beginn des Spanisch-Amerikanischen Krieges für eine militärische Aktion eingetreten waren, gehörten die Turner, die nun zu entschlossenen Gegnern des Imperialismus wurden. Sie fühlten sich durch ihr früheres Eintreten für die amerikanische Kriegspolitik mitschuldig an der folgenschweren Entwicklung und prangerten daher um so heftiger die imperialistische Politik an. In dieser spannungsreichen Zeit warnte die Amerikanische Turnzeitung in fast jeder Ausgabe die Turner vor der Gefahr des Imperialismus und wies auf die Unvereinbarkeit solcher Tendenzen mit den Prinzipien des Nordamerikanischen Turnerbundes hin. In vielen Turnvereinen wurden Debatten veranstaltet und Resolutionen verfaßt, um auch die Öffentlichkeit von der Position der Turner zu überzeugen.

Was die Turner an der amerikanischen Politik am meisten beunruhigte, war nicht so sehr die Gefahr internationaler Verwicklungen als Folge der überseeischen Expansionen als vielmehr die Verletzung demokratischer Grundsätze durch die Aufrichtung einer amerikanischen Herrschaft über fremde Völker. Kolonialpolitik war für die Turner unvereinbar mit humanitären Prinzipien, mit der Durchsetzung der Menschenrechte, auf denen auch die amerikanische Demokratie aufgebaut sein sollte. Mit ihrer antiimperialistischen Haltung bezogen die Turner mutig eine damals wenig populäre Position, denn viele Amerikaner glaubten, mit der imperialistischen Politik würde Amerikas Sendung erfüllt und seine Ideale der religiösen und politischen Freiheit in die Welt getragen. Solche Argumente wies der Nordamerikanische Turnerbund zurück. »Man sagt, es sei unsere Pflicht, den Völkern in entfernten Ländern die Segnungen der Freiheit und der Zivilisation zu bringen. Dies kann aber nicht glücken: schon jetzt lehnen sich die »befreiten« Völker gegen unsere angeblich wohlwollenden Absichten auf.«[445] Als im Präsidentschaftswahlkampf des Jahres 1900 vom Nordamerikanischen Turnerbund traditionsgemäß eine Wahlaussage erwartet wurde, entschloß sich die Bundesleitung angesichts der Tatsache, daß die Republikaner offiziell für die Expansion, die Demokraten für die Unabhängigkeit der Philippinen und den Verzicht auf eine imperialistische Politik eintraten, sich neutral zu verhalten, da, wer aus Überzeugung Republikaner sei, »für keine der in Betracht kommenden Parteien auch nur die geringste Sympathie haben« könne[446].

Die Turner hatten damit, wenn auch relativ spät, eine ähnliche Stellung bezogen wie Karl Schurz, der sich bereits 1893 entschieden gegen jede koloniale Gebietserweiterung ausgesprochen und daher auch die aufziehende kriegerische Stimmung mit allen publizistischen Mitteln bekämpft hatte. Am meisten fürchtete er die Rückwirkung eines Expansionskrieges auf die politischen Institutionen der Republik, deren moralisches Fundament er dadurch bedroht sah. Puerto Rico wie Kuba müßten unabhängige Staaten werden, und die Philippinen seien einer anderen Macht, etwa Holland oder Belgien, zu überlassen, dann könnten die USA, befreit von der verantwortungsvollen Bürde einer Kolonialmacht, die Stellung der »großen neutralen Weltmacht« einnehmen[447]. Bei der Ablehnung der Expansionspolitik spielten sicher konstitutionelle Erwägungen und Handelsinteressen eine gewichtige Rolle, doch das stärkste Argument bezog Schurz aus den für ihn geltenden moralischen Prinzipien der Politik. So sagte er als Hauptredner auf einer Versammlung am 18. August 1898: »Es mag ein wenig altmodisch sein, aber ich glaube noch immer, daß die Ehre eines Volkes nicht weniger als die des einzelnen gebietet, ein gegebenes Wort zu halten…, daß Ehrlichkeit jetzt und immerdar am längsten währt. Und nun frage ich diejenigen unter uns, die eine Annexionspolitik befürworten, ob die Regierung, falls sie unter irgendeinem Vorwande irgendeine der spanischen Kolonien annektiert, nicht tatsächlich diesen Krieg, den sie nach feierlicher Erklärung im Namen der Freiheit und Menschlichkeit unternommen hat, in einen Krieg zum Zwecke der Selbstbereicherung verwandelt…. Ich frage sie, wer uns Glauben schenken wird, wenn wir wieder vor die Welt treten und die schönen Redensarten von selbstloser Freiheits- und Menschenliebe wiederholen. Ich frage sie, ob sie als Patrioten wirklich glauben, daß es unserer großen Republik würdig oder nützlich ist, vor aller Welt als eine Nation dazustehen, deren feierlichsten Beteuerungen man nicht trauen kann.«[448]

Schurz war in jenen Jahren einer der führenden Antiimperialisten der USA, der, wenn es um die Durchsetzung moralischer Prinzipien ging, auch vor einem Bruch mit Parteifreunden nicht zurückschreckte[449]. Die katastrophalen Folgen einer Annexion der Philippinen sah er voraus und schrieb im Wahlkampfjahr 1900 in einem Brief an Ch.

Francis Adams: »Ich habe sorgfältig und eingehend alle Vorgänge in ihren Einzelheiten und ihrer Bedeutung erwogen und bin dabei zu der felsenfesten Überzeugung gekommen, daß die Geschichte unseres Versuchs, die Philippinen zu erobern, eine Geschichte des Betrugs, falscher Vorspiegelungen und des brutalen Verrats von Freunden ist. Wir haben uns eine verfassungswidrige Gewalt angemaßt, die Grundprinzipien unserer Demokratie im Stich gelassen, unsere Soldaten mutwillig in einer ungerechten Sache geopfert, Unschuldige grausam hingemordet und so eine in der Geschichte der Republik unerhörte, entsetzliche Blutschuld auf uns geladen. Diese Politik muß ganz unausbleiblich über unser Land Gefahren, Verrohung, Schande und Unheil heraufbeschwören...«[450]

Die Turner setzten nach all diesen Enttäuschungen große Hoffnungen auf Theodor Roosevelt, der bei den Wahlen 1904 eine Neuorientierung der amerikanischen Politik versprach. Obwohl seine Politik des »Progressive Movement« sich an neuen Moralvorstellungen – besonders in der Wirtschaft – orientierte, konnte und wollte er jedoch die imperialistische und kapitalistische Gesamtentwicklung nicht rückgängig machen.

### 2.2.4 Sozialreformerische Beschlüsse der Bundestage
### Richtungskämpfe und soziale Schichtung im Nordamerikanischen Turnerbund von 1890 bis zum ersten Weltkrieg

In den »Grundsätzen und Forderungen des Amerikanischen Turnerbundes« kam der Frage der Verstaatlichung nach der Jahrhundertwende indes nicht mehr die zentrale Bedeutung zu wie vordem, obwohl der 19. Bundestag in Philadelphia im Jahre 1900 noch die Abschaffung aller privaten Monopole und die Überführung aller der Allgemeinheit dienenden Verkehrsmittel an den Staat oder das Gemeinwesen verlangte[451]. Diese Bestimmungen wurden schon wenige Jahre später aus der Platform gestrichen und finden sich dann nur noch in allgemein gehaltenen Formulierungen wieder[452].

Die »Allgemeinen Grundsätze des NAT« von 1900 stellen einen Kompromiß zwischen den sozial fortschrittlichen und den konservativen Kräften im Turnerbund dar[453]. Von den engagierten Sozialisten im NAT wurden Unklarheit und Ungenauigkeit der Formulierungen kritisiert, vor allem so allgemein gehaltene Forderungen wie: die Lage der arbeitenden Klasse verbessern, Kinderarbeit und schwere körperliche Arbeit für Frauen verbieten, die Gesundheit der Arbeiter erhalten und sie vor Gefahren der Arbeit schützen. Solche Programme seien keineswegs sozialrevolutionär, sondern fänden sich in fast allen Industriestaaten.[454] Als es schließlich auch auf dem 23. Bundestag 1908 zu keiner wesentlichen Umgestaltung der Grundsätze mehr kam, wurde nur zu deutlich, daß die soziale Frage für die Turner an Bedeutung verloren hatte und die sozialistischen Kräfte im Turnerbund eine Minderheit bildeten[455].

Der Nordamerikanische Turnerbund war in den Jahren zwischen 1893 und 1906 einigen ernsten Belastungen ausgesetzt, die im Zusammenhang mit der gesamtwirtschaftlichen Entwicklung des Landes und den gemäßigter werdenden sozialpolitischen Forderungen des Bundes stehen. Sie bedürfen einer ausführlicheren Darlegung. Der NAT zählte im Jahre 1891 39 379 Mitglieder[456] und nahm in den beiden folgenden Jahren noch zu, so daß er 1893 mit 41 877 Mitgliedern den höchsten Stand in seiner Geschichte erreichte[457]. Hatte eine günstige wirtschaftliche Entwicklung diesen Anstieg mitverursacht, so führte nach 1893 ein wirtschaftlicher Zusammenbruch bisher nicht gekannten Ausmaßes zu einem starken Rückgang der Mitgliederzahlen im NAT. Die Mehrheit der Turner, die zur arbeitenden Bevölkerung gehörten, wurde von der Krise schwer getroffen. Als die Krise von der Landwirtschaft auf die Industriegebiete übergriff und 15000 Firmen und Betriebe in Konkurs gingen, stieg die Zahl der Arbeitslosen in der Industrie auf vier Millionen an[458]. Der Vorort kommentierte in seinem Jahresbericht von 1896/97 den Mitgliederschwund der vorausgegangenen Jahre wie folgt: »Die schweren Zeiten, ... unter denen der Arbeiter besonders zu leiden hat, zwingen diesen, alle nicht zum Lebensunterhalt unbedingt nötigen Ausgaben zu vermeiden – und die Arbeiterklasse stellt ja bei weitem das größte Kontingent zur Mitgliederzahl unseres Bundes«[459]. Da aber selbst nach einem positiven wirtschaftlichen Umschwung von 1896 ab[460] die Zahl der Turner noch weiter zurückging und der NAT 1900 mit 33964 Mitgliedern einen Tiefstand erreichte[461], um dann allerdings in der Mitgliederzahl wieder anzusteigen, können wirtschaftliche Gründe *allein* nicht den Mitgliederschwund erklären. Prüft man die bundesinterne Entwicklung jener Jahre genauer, so fallen die Spaltungstendenzen im Nordamerikanischen Turnerbund auf, die sozialpolitische Ursachen haben. Zwischen 1890 und 1895 kam es zu heftigen Streitigkeiten des Bundes mit den Turnbezirken »Chicago«, »New York« und »Long Island«[462].

Während die Auseinandersetzungen in New York und Long Island im ganzen einen lokalen Charakter behielten, weiteten sie sich um die »Chicago Turngemeinde« erheblich aus. Den Anlaß hatte der Ausschluß eines Turners aus dem Verein gegeben. Die Tatsache, daß dieser radikaler Sozialist war, stellte angeblich »ein Vergehen wider den Verein« dar[463]. Als der betroffene Turner gegen diesen Beschluß beim Bezirksvorstand Berufung einlegte, kam es zu einem Rechtsstreit, in dem schließlich auch der Bundesvorort Stellung beziehen mußte. Dieser versuchte zunächst, die Ereignisse zu bagatellisieren[464]. Die Chicagoer ließen dies aber nicht zu, ging es ihnen doch darum, »gegen die liberalen Tendenzen des Bundes« anzugehen[465] und deshalb möglichst viele Mitglieder auf ihre Seite zu ziehen, die mehr konservativ als radikal-sozial dachten[466]. Sie erklärten daher im September 1891 gemeinsam mit drei anderen Turnvereinen ihren Austritt aus dem Nordamerikanischen Turnerbund und gründeten den »National-Amerikanischen Turnerbund«. Der Vorort nahm am 20. September 1891 zu dem neuen Bund Stellung und versicherte: »Wir hätten alles getan, um die »Turngemeinde« und diejenigen Turnvereine, die ... in so sonderbarer Weise demonstrieren zu müssen glauben, dem Turnerbund zu erhalten, aber nicht unter ... Aufopferung der fortschrittlichen Prinzipien des Turnerbundes«[467]. Dem pflichteten auch viele Vereine bei, die darüber empört waren, daß die »Abtrünnigen« dem Turnerbund »eine neue Platform rückschrittlicher Tendenzen aufzwingen« wollten[468]. Bald wurde deutlich, daß die meisten Vereine den Sonderbund ablehnten. Auf seiner ersten Tagsatzung 1892, auf der sechs Vereine vertreten waren, hatte er noch selbstbewußt erklärt »... wir alle wollen nichts von den Prinzipien des Nordamerikanischen Turnerbundes wissen«[469]. Er erwies sich freilich als nicht lebensfähig: Da es ihm nicht gelang, weitere Vereine zum Austritt aus dem NAT zu bewegen, mußte er sich Anfang 1893 auflösen. Einige Vereine wurden später auf Antrag hin wieder in den NAT aufgenommen. Die Diskussion im Bund ging allerdings weiter und führte erst 1895 zu einem vorläufigen Ende[470].

War die »soziale Frage« bei der Diskussion, ob im NAT fortschrittliche oder konservative Prinzipien verfolgt werden sollten, auch nicht expressis verbis angesprochen worden, so hatte sie doch eine nicht unwesentliche Rolle gespielt. Ganz im Zeichen einer sozialpolitischen Auseinandersetzung standen die Ereignisse des Jahres 1906, die zur Gründung eines »Amerikanischen Arbeiter-Turnerbundes« führten. Er machte es sich zur Hauptaufgabe, in den Turnern ein Solidaritätsgefühl zu wecken, »damit sie alle mit uns denken, fühlen und handeln«[471]. Auf der von Arbeiter-Turnern in Union Hill im Staate New York abgehaltenen Tagung, jedoch nur von wenigen Vereinen beschickt, hielt man dem NAT vor, er habe gegen Geist und Tendenz seiner eigenen Grundsätze verstoßen[472], handele entgegen seinen fortschrittlichen Statuten, habe die Tradition der Achtundvierziger zu Grabe getragen und tue nichts, um das Solidaritätsbewußtsein der Arbeiterschaft zu fördern[473]. Dem NAT wurde ferner vorgeworfen, er habe anläßlich eines Streiks in einer Bergwerksgesellschaft nicht eindeutig für die Interessen und Ziele der dortigen Arbeiter Stellung genommen[474].

Doch obwohl der neugegründete Amerikanische Arbeiter-Turnerbund sich die Unterstützung der Arbeiter zur Hauptaufgabe gemacht hatte und daher auf eine »Abwanderung« der Arbeiter aus dem NAT hoffte, fand er bei diesen nur geringes Interesse. Eine Spaltung des NAT wurde zwar dadurch weitgehend verhindert, dessen sozialethisches Fundament wurde aber immer schwächer. Zu erklären ist das auch aus der soziologischen Struktur des Bundes. Denn der NAT blieb wohl eine Organisation, in der der »Arbeiterstand das größte Kontingent« stellte,[475] aber seine Führungsschicht setzte sich größtenteils aus Akademikern, wohlhabenden Kaufleuten, Lehrern, Ärzten, Journalisten und kleineren Fabrikanten zusammen[476].

Eine Aufstellung über das Jahreseinkommen der Turner 1895 [477] macht deutlich, daß die überwiegende Zahl der Turner den unteren Sozialschichten zuzuordnen war. Danach verdienten:

|  |  |  |  |  |
|---|---|---|---|---|
| Unter | 400 | | Dollar | 32,59 % |
| 400 | – | 600 | Dollar | 20,67 % |
| 600 | – | 900 | Dollar | 14,75 % |
| 900 | – | 1.200 | Dollar | 10,89 % |
| 1.200 | – | 1.800 | Dollar | 9,04 % |
| 1800 | – | 3.000 | Dollar | 7,17 % |
| 3.000 | – | 6.000 | Dollar | 3,59 % |
| 6.000 | – | 15.000 | Dollar | 1,10 % |
| 15.000 | – | 60.000 | Dollar | 0,22 % |
| 60.000 | und mehr | | Dollar | 0,03 % |

Es mußten demnach mehr als 53 % aller Mitglieder mit weniger als 600 Dollar jährlich ihren Lebensunterhalt fristen, nur knapp 5 % aller Turner bezogen ein Jahreseinkommen von mehr als 3000 Dollar, ein Einkommen, das nach Aussagen der Turnzeitung einen Bürger als »wohlhabend« qualifizierte[478].

Daß die Führungskräfte in den Vereinen zur »Intelligenz« gehörten, in der Regel zu den Bundestagen als Delegierte geschickt wurden und finanziell besser gestellt waren als die Mehrzahl der Turner, belegt folgende Feststellung der Turnzeitung: »... sie kommen in unverhältnismäßig großer Zahl in die Bundestagsatzungen und drücken denselben ein entschieden intelligentes und freisinniges Gepräge auf«[479]. Weniger angesehen als die »Intelligenzler« waren im Turnerbund offenbar die kleinen Gruppen der mehr als 3000 Dollar verdienenden Geschäftsleute, denn diese identifizierten sich zumeist nicht mit den Zielen des Bundes und waren ihm vorwiegend aus merkantilen Gründen beigetreten[480].

Obwohl sich im Zuge der Integration der Turner in die amerikanische Gesellschaft die unterschiedlichen Positionen zwischen konservativen und fortschrittlichen Kräften mehr und mehr ausglichen, so daß auch die sozialreformerischen Ideen manches von ihrer ursprünglichen Radikalität und Unbedingtheit verloren, gab es bis zum ersten Weltkrieg doch immer wieder heftige Diskussionen über die Haltung des Bundes zu partei- und sozialpolitischen Fragen[481]. Auf dem 24. Bundestag 1910 ging es um eine offizielle Stellungnahme des Bundes zum Wahlsieg der sozialistischen Partei in Milwaukee. Eine Resolution wurde vorgelegt, in der der Nordamerikanische Turnerbund im Einklang mit seinen prinzipiellen Erklärungen seine Befriedigung über den Sieg der freisinnigen Bürgerschaft von Milwaukee über die beiden alten Parteien aussprach und damit die Hoffnung verband, die neuen Beamten würden die Verwaltung reformieren[482]. Die Meinungen hierüber gingen auf dem Bundestag auseinander: die eine Gruppe war der Auffassung, im Turnerbund seien alle politischen Parteien vertreten und die »Allgemeinen Grundsätze« würden ausdrücklich eine Parteinahme verbieten. »Und wenn unsere Erklärungen auch von sozialreformerischen Ideen reichlich durchtränkt sind, so darf dies doch nicht als eine Forderung an den Bund betrachtet werden, sich in den Dienst der sozialistischen Partei zu stellen.«[483]. Die andere Gruppe war dagegen der Auffassung, den Delegierten der Tagsatzung sei erlaubt, in gewissen Fällen politische Parteien zu unterstützen. Dabei konnten sie sich auf einen Passus der 1908 vom Bundestag in Chicago angenommenen »Allgemeinen Grundsätze« stützen, wonach der Turnerbund zwar keine politische Partei sei, der seine Mitglieder auf ein bestimmtes Dogma hin verpflichtete, aber doch auf soziale und freisinnige Prinzipien ausgerichtet, wie sie in der vorliegenden Resolution zum Ausdruck kämen[484]. Nach langer und heftiger Diskussion wurde schließlich die Resolution mit 200 gegen 176 Stimmen angenommen. Damit hatte der Nordamerikanische Turnerbund offiziell für eine Partei und deren soziales Reformprogramm Stellung genommen[485].

Versucht man zusammenfassend die Bedeutung der »sozialen Frage« für den NAT in der Zeit vom Bürgerkrieg bis zum ersten Weltkrieg herauszuarbeiten, so wird offenkundig, daß die Integration der Turner in die amerikanische Gesellchaft unter Zurückdrängung, beziehungsweise Preisgabe radikaler und sozialrevolutionärer Prinzipien erfolgte. Mit der Übernahme gemäßigter reformistischer Positionen vollzog sich eine wachsende Entfremdung von den damaligen Sozialisten in den USA. Soziales Engagement und Bekenntnis zu sozialreformerischen Ideen blieben zwar grundsätzlich im NAT erhalten, doch glaubte dieser ungefähr ab 1880, die sozialen Ziele primär über einen volksweiten Aufklärungs- und Bildungsprozeß und nicht über einen Klassenkampf erreichen zu können. Die Arbeiterschaft, aus der sich größtenteils der Nordamerikanische Turnerbund rekrutierte, folgte im ganzen bereitwillig diesem Weg, der ihr von der Führungsschicht, die zur kleinbürgerlichen Intelligenz gehörte, gewiesen wurde, erkannte sie doch den Wechselbezug von Bildung und Wohlstand und sah darin für sich selbst die beste Aufstiegschance in der neuen Gesellschaft.

## 2.3 Die Bedeutung des deutsch-französischen Krieges und der Reichsgründung für die Deutsch-Amerikaner

Kein Ereignis zwischen Bürgerkrieg und 1. Weltkrieg hat die Deutsch-Amerikaner so erregt und zu einer so leidenschaftlichen Parteinahme für oder gegen die deutsche Sache geführt wie der deutsch-französische Krieg und die Reichsgründung 1870/71.

120

Der Sieg über Frankreich und die Gründung eines einigen deutschen Reiches ließ bei den meisten Immigranten und Flüchtlingen der Revolution von 1848 den früheren Haß auf den Hohenzollernstaat und Wilhelm I. vergessen. Von fast allen Turnern wurde die deutsche Einheit jubelnd begrüßt. Die New Yorker Staatszeitung und die Illinois Staatszeitung versicherten ihren Lesern, unter Kaiser Wilhelm werde Deutschland ein freies Land.

Daran glaubte auch Fritz Anneke, der das neue Deutschland stark im Frieden sah, so wie es stark im Kriege gewesen sei: durch die Einheit werde nun die Freiheit verwirklicht[486]. Wie er dachten Hecker und Willich, Schurz und Körner, um nur die Prominentesten der älteren Generation zu nennen. Willich, der als Sechzigjähriger bei Ausbruch des Krieges in Deutschland weilte, wollte sogar am Kampfe teilnehmen. Wie der sozialrevolutionäre Ferdinand Feiligrath, so schloß auch der Junghegelianer Arnold Ruge, der in der Frankfurter Nationalversammlung (1848) der Linken angehört hatte, seinen Frieden mit Bismarck und dem Kaiser.

Überschwengliche Feiern anläßlich des militärischen Sieges über Frankreich und der Reichsgründung wurden von den Deutschen in New York, Chicago und anderen Städten veranstaltet. Ein großer Festzug in Chicago symbolisierte bildreich epochale Ereignisse deutscher Geschichte von der Germanenzeit über das Mittelalter und den dreißigjährigen Krieg bis zu Kaiser Wilhelm, Generalfeldmarschall Moltke und Reichskanzler Bismarck. Turner und Sänger, Stützen des Festzuges, defilierten am Bürgermeister und Stadtrat und an den Honoratioren der Stadt vorbei[487]. Die große Mehrheit der Deutsch-Amerikaner war mit Stolz erfüllt über die Schlagkraft der deutschen Armeen und die so lange ersehnte deutsche Einheit. Viele, die früher Napoleon III. als Chauvinisten verurteilt hatten, ließen sich nun von einer solchen deutschnationalen Begeisterung hinreißen, daß sie selber zu Chauvinisten wurden.

In dieser Begeisterung und aus tiefer Deutschlandsehnsucht schrieb Konrad Krez sein Gedicht »An mein Vaterland«, von dem die letzten Strophen, die bei den Deutsch-Amerikanern besonders beliebt waren, hier wiedergegeben werden sollen:

> Land meiner Väter, länger nicht das meine,
> So heilig ist kein Boden, wie der deine,
> Nie wird dein Bild aus meiner Seele schwinden.
> Und knüpfte dich an mich kein lebend'Band,
> So würden mich die Toten an dich binden,
> Die deine Erde deckt, mein Vaterland!

> O würden Jene, die zu Hause blieben,
> Wie deine Fortgewanderten dich lieben,
> Bald würdest du zu einem Reiche werden,
> Und deine Kinder gingen Hand in Hand
> Und machten dich zum größten Land auf Erden,
> Wie du das beste bist, o Vaterland.[488]

Von dem Chor der Deutschlandbegeisterten jener Zeit heben sich nur wenige Stimmen ab, die kritisch distanziert bis radikal verneinend sind: wir finden sie bei den Sozialisten und einigen ihnen verbundenen Turnern. Einer der schärfsten Kritiker ist Karl Heinzen. In New York riefen Anhänger Heinzens, Delegaten des dortigen Freidenker-

Bundes, ferner der deutschen Sektion der Internationalen-Arbeiterassoziation und des sozialdemokratischen Arbeiter-Vereins für den 19. November 1870 zu einer Versammlung in Cooper-Institut auf. In der in drei Abschnitte gegliederten Einleitung wurde gegen die Fortsetzung des Krieges protestiert, der nur dem Sturz der französischen Republik dienen solle. Vergewaltigungs- und Eroberungskriege führe nur der Despotismus, hieß es in dem Aufruf, ein freies Frankreich könne nie zu einer Gefahr für ein freies Deutschland werden. Damit war die Forderung nach Veränderung der verfassungsmäßigen Struktur verbunden, denn ein freies Deutschland, so wurde gefolgert, könne nur aus freien Provinzen bestehen. Deshalb wäre auch die gewaltsame Einverleibung von Elsaß und Lothringen wider den Willen ihrer Bewohner ein Rückschritt zu der barbarischen Politik der Feudalmonarchie. Schließlich müßten die Erfolge der deutschen Waffen der gesitteten Menschheit und dem deutschen Volk selbst zum Heile gereichen, der Weg zur Humanität müsse beschritten, das heißt, der Militarismus beseitigt und ein allgemeiner Friede auf der Grundlage des Selbstbestimmungsrechts der Völker geschlossen werden. Dafür müßten sich die Deutsch-Amerikaner einsetzen, um so Sittlichkeit, Menschlichkeit und Vernunft zum Siege zu verhelfen[489]. Auf dem dann folgenden »Anti-War-Meeting« vom 19. November 1870 wurde in drei Punkten der sieben Punkte umfassenden Resolution, von der eine Abschrift an den Kongreß der USA ging, beschlossen:

»1. Daß wir die Fortführung des Krieges gegen die französische Republik verurteilen; als höchst ungerecht und höchstens die Interessen des Despotismus und des Gottesgnadentums fördernd;

2. Daß wir unsere innigsten Sympathien unseren unglücklichen Brüdern und Schwestern in Frankreich und Deutschland aussprechen, die in gleicher Weise unter den Greueln dieses ungerechten Krieges leiden, der im Sonderinteresse von despotischen Herrschern geführt wird;

3. Daß wir die gewaltsame Einverleibung Elsaß-Lothringens als einen Akt mittelalterlicher und tyrannischer Willkür brandmarken.«

Die US-Regierung wird dann aufgefordert, im Geist der Unabhängigkeitserklärung zu handeln, sich für die französischen Republikaner einzusetzen und auf ein Ende des Krieges hin zu drängen. Ferner solle die Regierung den europäischen Mächten die Abschaffung der stehenden Heere und die Einrichtung eines internationalen Schiedsgerichts vorschlagen[490].

Während diese Resolution bei aller Entschiedenheit in der Ablehnung des Krieges, der Annexion Elsaß-Lothringens und jeder despotischen Herrschaft konstruktive Vorschläge für eine künftige Friedenssicherung enthält, ist der Aufruf zu einer Massenversammlung für den 10. April 1871, überschrieben »Die Sozialdemokratie an ihre Brüder, die Arbeiter in New York«, radikaler, klassenkämpferisch und gegen die Herrschenden schlechthin gerichtet. Die alte Feudalordnung sei auf Mord, Diebstahl und Betrug gegründet und solle nun mit aller Gewalt erhalten werden. In dem Aufruf heißt es dann: »Arbeiter! Lernen wir die Verhältnisse verstehen, aber auch die Menschen. Ob der Ordnungshalter Napoleon oder Wilhelm heißen möge, er handelt nur im Interesse und Auftrag seiner Bande …, ob sie französisch spricht oder deutsch; es ist dieselbe; ihr Interesse ist international; sie kann nur durch Waffen des Internationalismus bekämpft werden. Das Hauptaugenmerk der Herrschenden ist darauf gerichtet, die Nationen zu entzweien, ihre Interessen zu teilen, um sie desto leichter beherrschen und ausbeuten zu können …«[491]

Wenig später, am 25. Mai 1871, schreibt Ferdinand Adolph Sorge, seit 1867 Beauftragter des Generalrats der Internationalen Arbeiterassoziation in den USA, an Karl Marx in London und teilt diesem mit, daß sich die New Yorker Sektionen der Sozialistischen Arbeiter-Union zu einer Feier im Gedenken an die Junischlacht und den Kommuneaufstand in Paris vereinigen werden. Marx wird um eine Grußadresse gebeten: »Einige Worte von Ihnen würden uns sehr willkommen und von Nutzen sein.«[492] Mit Schreiben vom 8. Juli 1871 teilt er Marx mit, daß die New Yorker vor wenigen Tagen eine Generalversammlung zu Ehren der Junischlacht und der Kommune hatten[493].

Der Einfluß von Marx über Sorge auf die deutsch-amerikanischen Arbeiter ist unverkennbar in der Argumentation über die Folgen des deutsch-französischen Krieges und einer Annexion Elsaß-Lothringens. Schon im September 1870 hatte Marx geschrieben: »Die Militärkanaille, Professorenschaft, Bürgerschaft und Wirtshauspolitik gibt vor, die Annexion von Elsaß und Lothringen sei das Mittel, Deutschland auf ewig vor Krieg mit Frankreich zu schützen. Es ist umgekehrt das probateste Mittel, diesen Krieg in eine europäische Institution zu verwandeln. Es ist in der Tat das sicherste Mittel, den Militärdespotismus in dem verjüngten Deutschland zu verewigen als eine Notwendigkeit zur Behauptung eines westlichen Polens – des Elsaß und Lothringens. Es ist das unfehlbarste Mittel, den kommenden Frieden in bloßen Waffenstillstand zu verwandeln, bis Frankreich so weit erholt ist, um das verlorene Terrain herauszuverlangen. Es ist das unfehlbarste Mittel, Deutschland und Frankreich durch gegenseitige Selbstzerfleischung zu ruinieren.«[494] Marx sieht darüber hinaus klar, daß ein besiegtes Frankreich in die Arme Rußlands hineingezwungen werde und damit der Krieg von 1870 »notwendig einen Krieg zwischen Deutschland und Rußland im Schoße trägt«[495]. Die Verurteilung der Annexion Elsaß-Lothringens teilt auch Karl Heinzen mit Marx, obwohl er von anderen ideologischen Voraussetzungen ausgeht. Schon vor der Revolution von 1848 hatte er 1844 in der Mannheimer Abendzeitung geschrieben, daß die deutsche Einheit nichts wert wäre, wenn sie nicht eine Einheit in Freiheit sei[496]. Als sich nach 1866 abzeichnete, daß Deutschland in Zukunft von den Hohenzollern regiert werde, glaubte Heinzen, eine tausendjährige deutsche Geschichte habe dann ihren Sinn verloren: dies bedeute auf unabsehbare Zeit eine Versklavung Deutschlands[497]. Mit dieser Haltung bereits verärgerte er viele seiner deutsch-amerikanischen Landsleute, die Preußens militärische Siege und Führungskraft bewunderten. Vollends stieß er sie ab, als er nach der Kapitulation Napoleons III. bei Sedan und dessen Exil auf der Kasseler Wilhelmshöhe schrieb, nun sei der Mörder von Rastatt zum Retter des Mörders von Paris geworden und beide stünden auf der Wilhelmshöhe auf einem Herrschaftssitz, der in opferreicher Sklavenarbeit erbaut worden sei[498]. Leon Gambetta, der den Widerstand der französischen Republik organisierte, wurde von Heinzen als Held gefeiert, während er Bismarck, der den Krieg gegen die Republik weiterführte, als Erzfeind verdammte. Amerika klagte er an, daß es in diesem Kampf zwischen Autokratie und Republik, zwischen freiheitlich-demokratischer und absolutistisch-reaktionärer Staatsform eine Politik der Feigheit und Immoralität betreibe[499]. Ferner war er davon überzeugt, daß Frankreich über Generationen hin vom Rachegedanken Deutschland gegenüber erfüllt sein werde. Der Sieg über den französischen »Erbfeind« hatte für ihn keinen Wert, solange er nicht mit dem Sieg über alle die großen »Erbfeinde« verbunden wäre, von denen die Deutschen unterdrückt würden, insbesondere von dem der»Servilität«. Wegen»sentimentaler Servilität«und »hohlem Patriotismus« attackierte er die Deutsch-Amerikaner, an ihrer Spitze Karl Schurz, und ihre Sympathiekundgebungen für Deutschland 1870/71. Unter der Herrschaft Kaiser Wilhelms, den er stets mit Tyrann, Mörder und Bluthund apostrophierte, werde Preußen-Deutschland die »Gottesgnadenherrschaft«, auf Militär und Bürokratie gestützt, verfestigen. Mit diesen Angriffen gegen seine Landsleute und der Deutung des deutsch-französischen Krieges als eines Kampfes zwischen Republik und Despotismus verlor er die meisten ihm noch verbliebenen Freunde. Doch nahm er um seiner Überzeugung willen auch dies in Kauf.

Bei manchen der freisinnigen Turner wich im Laufe der Jahre die Begeisterung über Deutschlands Einheit einer Ernüchterung, als sie erkennen mußten, daß Freiheit und soziale Gerechtigkeit in ihrem alten Vaterland noch lange nicht erkämpft waren. Die Distanziertheit gegenüber dem Kaiserreiche bekundet sich 1885 in dem achtzeiligen Gedicht von Friedrich Karl Castelhuhn»Für Deutschland«, wo aufs neue zum Kampf für die Freiheit aufgerufen wird:

>»Auch dies sei noch gesungen,      Drum ihr im deutschen Lande
> Weil man's nicht gerne spricht:      Vom Stolze lasset noch!
> Die Einheit ist errungen,      Zerbrecht erst eure Bande
> Die Freiheit aber nicht!      Und euer Sklavenjoch!«*

## 2.4. Bildungsziele, Bildungspläne und Bildungsinstitutionen des Nordamerikanischen Turnerbundes

### 2.4.1 Bildungsbestrebungen vor und nach dem Bürgerkrieg bis 1880

Nach den Intentionen seiner Gründer sollte das Turnen im»Sozialistischen Turnerbund« eine körperliche *und* geistige Ausbildung umfassen. Im Jahre 1851 erklärte der Vorort: »Der Sozialist ist ... Gegner einer Gesellschaft, die die Keime des Verderbens für ihre Zukunft in einem vernachlässigten Erziehungssystem repräsentiert und nicht Jedem nach seinen Fähigkeiten und Talenten die Gelegenheit gibt, sich zu seinem persönlichen wie allgemeinen Vorteile alle nur möglichen Grade geistiger und körperlicher Ausbildung anzueignen«[501]. Hinter dieser Forderung nach Chancengleichheit in einem besseren Erziehungssystem stand ein starkes politisches Motiv: »Nur dann, wenn die Intelligenz bis zu der niedersten Hütte der Armut dringt, wird es möglich sein, die Interessen des Volkes mit Nachdruck zu erkämpfen, denn dann gibt es keine Aristokratie der Intelligenz mehr, sondern die Massen werden als geisteseben-bürtige Kämpfer emporwachsen, an Zahl den Geistesaristokraten überlegen, und die wahre Freiheit wird siegen.«[502]

Die Quintessenz der Gedanken einer Festrede von Wilhelm Rapp, gehalten beim vierten allgemeinen Turnfest im Jahre 1853 des»Sozialistischen Turnerbundes«, ist in folgenden Sätzen wiedergegeben: »Nur die Erziehung kann, indem sie alle Bürger aufklärt, die Herrschaft der wahren Demokratie begründen. Darin muß man die Lösung der Probleme suchen, welche uns beschäftigen. Die Wiedergeburt der Gesellschaft ist die Wiedergeburt des Einzelnen durch die Erziehung«[503]. Erziehung, von fortschrittsoptimistischen Vorstellungen begleitet, wurde als notwendige Vorform politischen Denkens und Handelns angesehen. Sie sollte den mündigen Bürger

124

befähigen, politische Ereignisse zu verstehen, zu durchschauen und zu bewerten, um damit auch diejenigen kontrollieren zu können, die führende Positionen im Staate einnahmen. »Die Politik ist in einer Republik die Wissenschaft des Lebens. Ein jeder Bürger soll sie verstehen, damit sie nicht von wenigen, die sie zum »Handwerk« machen, zum persönlichen Nutzen ausgebeutet werden kann«[504]. Die politische Aufklärung wurde als eine wesentliche Voraussetzung für die Verbreitung sozialistischer Ideen angesehen: »Der Sozialismus kann sich nur in einem Volke Bahn brechen, das sich auf einer gewissen Stufe geistiger Aufklärung und politischer Mündigkeit ... befindet«[505]. Um dieses Ziel zu erreichen, empfahl der Vorort auf mehreren Bundestagen die Einrichtung von Bilblioteken und Gewerbeschulen[506]. Im Jahre 1855 gab der Bundestag in Buffalo den Vereinen die Anregung, Tagesschulen für Zöglinge zu gründen, damit diese nicht nur körperlich, »sondern von frühester Jugend an auch geistig radikal ausgebildet« würden[507]. All diese Bestrebungen standen unter dem Leitgedanken einer Erziehung zu politischer Aktionsbereitschaft. Insgesamt war die Zeit von den Anfängen der deutsch-amerikanischen Turnbewegung bis zum Ende des Bürgerkrieges bestimmt von einer Unterordnung des Turnens unter politische Ziele, obwohl in der Diskussion immer wieder die Eigenwertigkeit des Turnens herausgestellt wurde. Das Turnen wurde in der Aufbauphase vornehmlich betrieben, um mit geistig und körperlich gut ausgebildeten Männern politische Forderungen durchsetzen zu können. Es war daher Diener und Mittel einer politischen, vorwiegend sozialrevolutionären Bewegung.

Nach Beendigung des Bürgerkrieges, der eine weitgehende Erfüllung der politischen Ziele gebracht hatte, setzten sich mehr und mehr diejenigen Kräfte im Turnerbund durch, die auf radikales politisches Handeln verzichten und politische Aktionen nun in den Erziehungsbereich integriert sehen wollten. Anstelle des umfassenden politischen Kampfes, wie er in der Teilnahme der Turner am Bürgerkrieg seinen Höhepunkt erreicht hatte, trat eine Aufklärungs- und Bildungskampagne, das heißt primär ein Bestreben, das amerikanische Erziehungswesen zu reformieren. Am deutlichsten wird dies in dem Aufruf der deutsch-amerikanischen Turner an das amerikanische Volk im Jahre 1871, in dem es heißt: »Darum muß es vor allem unser Bemühen sein, die Volksbildung nach Kräften zu unterstützen, und durch Gründung von Schulen (...) unseren erstrebten Zielen näher zu kommen«[508]. Mit der Reformierung des Erziehungswesens glaubte man den Schlüssel zur gesellschaftlichen Veränderung in die Hand zu bekommen.

Konkrete Maßnahmen wurden bald nach dem Bürgerkrieg eingeleitet. Hatte der Bundestag in Washington 1865 beschlossen, daß Turner ihre Kinder wenigstens bis zum 12. Lebensjahr in die Schule schickten, so machte es die Bundesversammlung 1868 den Vereinen zur Pflicht, »in ihrem Wirkungskreis für die Schulverpflichtung bis zum 14. Jahre zu agitieren«[509], und wies sie an, sich dafür einzusetzen, daß das Turnen als obligatorisches Unterrichtsfach in die Schulen eingeführt würde. Ab 1870 kam es zu einer Zusammenarbeit mit der neugegründeten Lehrervereinigung, welche die Forderungen der Turner übernahm und in der Turnfrage folgende Beschlüsse faßte:

»1. dahin zu wirken, daß das Turnen von allen unter ihrem Einflusse stehenden Schulen als obligatorisch anerkannt und im Lehrplan einen gebührenden Platz finde,
2. nur solche Turnlehrer anzustellen, welche ein Diplom vom Turnerbunde haben oder durch einen Bundesverein als tüchtig empfohlen werden, und

3. allen jüngeren Lehrern deutsch-amerikanischer Schulen zu empfehlen, sich Bundesturnvereinen anzuschließen, um sich wenigstens als Vorturner aus-zubilden«[510].

In Erweiterung früherer Empfehlungen plädierte der Bundestag in Boston 1868 zudem dafür, »Sonntagsschulen« für Zöglinge und Kinder zu gründen[511]. Das Zöglingsturnen wurde bald zu einem Schwerpunkt in der neuen turnerischen Arbeit[512]. Die Kinder sollten eine vielseitige körperliche Ausbildung erhalten, die auch Schwimmen umfaßte[513]. Dies implizierte ferner eine stärkere Hinwendung zu dem Jahnschen freien Turnen und eine Absage an das »Nur-Geräturnen«[514].

Welche Bedeutung der Nordamerikanische Turnerbund der Bildungsfrage zumaß, geht aus der Einsetzung zweier neuer »Comites« hervor, dem »Comite für praktisches Turnen und Turnlehrerseminar« und dem »Comite für geistige Bestrebungen«. Während im ersten »Comite« die Richtlinien für Wetturnen und Preisturnen konzipiert, ferner die gesamten Richtlinien für das praktische Turnen ausgearbeitet und Methodik und Lehrplan für das Turnlehrerseminar entwickelt wurden, hatte das zweite Komitee die Aufgabe, ein bildungs- und gesellschaftspolitisches Schulungsprogramm auszuarbeiten, um das Bildungsniveau der Mitglieder entsprechend den Beschlüssen der Bundestage zu heben. Ferner sollten Vorschläge für den Aufbau eigener Schulen ausgearbeitet und Kontakte mit den offiziellen Schulämtern aufgenommen werden. Am wichtigsten erschien anfangs die Empfehlung zur Einrichtung von Bibliotheken und die Organisation von Vortragsabenden in den Vereinen, mit denen das »geistige« Turnen organisiert werden sollte.

In New Ulm wurde 1876 die enge Verbindung von sozialer Frage und Erziehungsfrage diskutiert und erstmals die Reform des Erziehungswesens als Voraussetzung für die Lösung der sozialen Frage angesehen[515]. Allem übergeordnet war das Bemühen, durch zeitgemäße Reformen gegen die öffentliche Korruption vorzugehen[516]. Nahmen auf dem 8. Bundestag in Cleveland vom 26. bis 28. Mai 1878 auch innenpolitische und soziale Probleme den breitesten Raum ein, so wurden doch Bildungsfragen nicht ausgeklammert und die Forderung nach unentgeltlichem Unterricht in den öffentlichen Schulen erhoben[517]. Damit war eindeutiger als bisher der Weg gewiesen. Der Sprecher des Bundesvororts appellierte dann auch in seiner Grußansprache auf dem folgenden Bundestag (1880) an die Delegierten, sich noch stärker auf das Gebiet der Erziehung zu konzentrieren und sich nachdrücklich für die Ein-führung des Turnen in die öffentlichen Schulen einzusetzen. Die Arbeit im Erziehungswesen erhielt damit Priorität für den NAT. Der Vorsitzende Dr. M. Starkloff spannte den Bogen noch weiter und regte an, »neue Aufgaben zu finden«, das heißt »die Sache der Turnerei aus einer deutschen zu einer amerikanischen zu machen«. »Läge darin nicht ein des Strebens würdiges Ziel? Die Wege dazu sind gezeichnet, und die Aufgabe wäre keine hoffnungslose. Überall finden wir Gymnasien und Turnanstalten, die aber des bei uns so regen Geistes entbehren. Sie sind meistens nur Anstalten zu Heranbildung von Athleten – jedes Gemütsleben, jedes innere Gefühl fehlt ihnen. Können wir da nicht eine Reform versuchen? – Schon füllen sich die Turnhallen mit unseren Streitern, schon haben wir die Aufmerksamkeit amerikanischer Pädagogen und Jugendfreunde auf uns gezogen – wie nun, wenn wir mit all unserer Macht dafür arbeiteten, das Turnen in die Schulen des Landes einzuführen und damit dem amerikanischen Volk ein Geschenk zu machen, wie es schöner nicht gedacht werden kann? – Es scheint mir, als ob das ein würdiges Streben wäre, denn wer die Jugend hat, der hat die Zukunft.«[518]

Doch waren damit nicht die Ziele des NAT zu weit gesteckt? Schließlich hatte er schon früher erkennen müssen, daß sein Bestreben, Intelligenz und Leistungsfähigkeit seiner Mitglieder zu heben, in der Öffentlichkeit nicht gebührend anerkannt wurde.

### 2.4.2 Turnen in die amerikanischen Schulen!
*Probleme der Amerikanisierung*

Die von Doktor Starkloff 1880 vorgeschlagene Richtung wurde indes konsequent weiterverfolgt; 1882 wurden die Turnorganisationen verpflichtet, ihren Einfluß im Erziehungswesen zu sichern und auszubauen. Starkloff sah in der Konzentration des NAT auf ein Erziehungsprogramm, aus dem sich auch die Beantwortung politischer und sozialer Fragen ergäbe, ein Kernproblem des Bundes. Über Bildung zu Freiheit und sozialer Gerechtigkeit, so könnte man seine leitenden Ideen programmatisch zusammenfassen. In seiner Eröffnungsrede vor dem 10. Bundestag sagte er:»Wir leben in einem Staatswesen, wo jeder Bürger nicht allein das Recht hat, sondern die Verpflichtung hat, seine Meinung zum Ausdruck zu bringen und, um eine Meinung haben zu können, muß er mit der Politik seines Landes vertraut sein. Dem Manne von tüchtiger Schulbildung ist es ein leichtes, sich politisch zu orientieren. Der Mann, der seine ganze Zeit in der Tretmühle körperlicher Arbeit verbringen muß, muß sich über seine Pflichten und Rechte als Bürger einer Republik belehren lassen, und dafür sind die Turnhallen die geeignetsten Plätze. Sie waren von jeher der Sammelpunkt geistigen Strebens, und schon mancher wurde in ihnen in den Stand gesetzt, mehr und mehr in das öffentliche Leben einzugreifen. In ihnen erwachte und erstarkte schon bei vielen die Liebe zur Freiheit und der Wille, ihr Leben den Idealen »Fortschritt, freier Gedanke und gleiches Recht« zu widmen«[519].

In der Rede Starkloffs verdient ein weiterer Gedanke Beachtung, der neu ist in der deutsch-amerikanischen Turnbewegung: der Hinweis auf eine direkte Übertragung von im Turnen gewonnenen Eigenschaften und Qualitäten in die Arbeitswelt. Starkloff prägt hierfür den Begriff der »Nervengymnastik«. Dadurch, daß Turnen Muskel *und* Nerven trainiere, sei es möglich, die geistigen Tätigkeiten zu steigern und das Gedächtnis und »eigentümliche Gedankenwege« zu stärken. Seine Erkenntnis, in Ansätzen schon bei den Philanthropen zu finden, faßt er in die Sätze zusammen:»Das Turnen ist demnach also nicht, wie viele annehmen, eine Ausbildung roher physischer Kräfte, sondern es ist eine harmonische Übung sämtlicher Organe, wobei kein einzelnes vernachlässigt oder bevorzugt wird; daß dabei Gesundheit, Gedächtnis und Verstandesschärfe erzeugt wird, ist erklärlich«[520].

Von den achtziger Jahren an verstand sich der NAT primär als Erziehungsinstitution; daher nahmen auch erziehungsorganisatorische Probleme mehr Raum ein als bisher. Die hier verfolgten Intentionen einer allseitigen körperlichen und geistigen Ausbildung beeindrucken als kühne Zukunftsperspektive. Der Vorort setzte sich in den Jahren 1883/84 als konkretes Ziel, im Schulunterricht die gleichwertigkeit der geistigen und physischen Ausbildung im Prinzip durchzusetzen. Angestrebt wurde »eine Reform des gesamten Erziehungswesens dieser großen Nation, dahin zielend, daß der körperlichen, gesundheitlichen Erziehung gleiche Anerkennung wie der geistigen gezollt werde; mit anderen Worten eine Umkehr zur Erziehungsweise der Alten, durch welche körperlich und geistig schönere und leistungsfähigere Menschen herangebildet werden«[521]. In ihrem Bemühen um eine Schulung demokratischen Bewußtseins gingen die Turner noch weiter.

Für den NAT wurde erstmals die Gründung von »Zöglings*vereinen*« angeregt, in denen die Jugendlichen mit parlamentarischen Spielregeln vertraut gemacht werden sollten[522]. Die Initiativen zur Verbesserung des Turnbetriebs innerhalb und außerhalb der Vereine und zur Einführung des Turnens an den öffentlichen Schulen wurde durch die 1882 gegründete Turnlehrerschaft des Nordamerikanischen Turnerbundes verstärkt, welche 1883 Verbindung mit der deutsch-amerikanischen Lehrer-organisation aufnahm[523].

Um das Turnen in die amerikanischen Schulen zu tragen, forderte der Vorort 1886 mit Nachdruck die Vereine auf, Verbindung mit der englisch-sprachigen Bevölkerung zu suchen[524]. Hier allerdings zeigte sich ein Dilemma, denn auf der einen Seite wurden Beschlüsse gefaßt, die englische Sprache in den Vereinen zu verwenden, auf der anderen blieb jedoch die deutsche Sprache in den Turnschulen dominierend; wer sie nicht beherrschte, konnte dem Unterricht nicht folgen und auch nicht die Turnziele begreifen. Auf dem Bundestag in Boston 1886 wurde ein Antrag »Wallber«, der die weitgehende »sprachliche Integration« forderte, abgelehnt. Dort hieß es: »Unsere Turnlehrer sollen und müssen befähigt sein, Turnunterricht in unseren öffentlichen Schulen in *englischer* Sprache zu erteilen ...«[525].

Selbst eine schwache Kompromißformel erwies sich nicht als tragfähig: Befehle beim Turnen sollten auch in englischer Sprache erteilt werden[526]. Der Vorschlag des Vororts, Versammlungsabende in den Turnvereinen auch in englischer Sprache durch-zuführen, wurde auf dem Bundestag gar nicht erst diskutiert. Statt dessen wurde verstärkt die Pflege des deutschen Familiensinns gefordert, betrachtete man doch die deutsche Familie als Hort der deutschen Sprache. Noch klarer zeigt sich auf dem 13. Bundestag in Chicago vom 20. bis 23. Mai 1888, daß in dem Maße, wie sich die Organisation in die amerikanische Gesellschaft integrierte und Verbindung zu amerikanischen Erziehungsorganisationen aufnahm – wie zum Beispiel zur American Association for the Advancement of Physical Education and Recreation – auch die Appelle zur Erhaltung des Deutschtums, deutscher Sprache, deutscher Sitte und deutscher Geisteshaltung immer stärker wurden. Einige glaubten, die Zeit sei nicht mehr fern, »in welcher in diesem unserem Landes der deutsche Familienkreis, die deutsche Schule und insbesondere die *deutschen Turnvereine* den *einzigen Hort* bilden werden für die Erhaltung, Pflege und Fortpflanzung unserer edlen deutschen Muttersprache, unserer schönen deutschen Sitten und Ideale bei unserer Jugend«[527].

Die Auseinandersetzung zwischen den vorwärtsdrängenden und bewahrenden Kräften im NAT nahm damit zu. Während die »Puristen« in der Pflege deutscher Kulturwerte, gemäß Jahnscher Tradition, ihren eigentlichen Bildungsauftrag sahen, glaubten die Verfechter einer Assimilation an das Angloamerikanertum, den Turngedanken allein durch die breite Öffnung zur amerikanischen Gesellschaft hin popularisieren zu können. Beide Seiten konnten gewichtige Argumente für ihre Positionen anführen, doch erwies sich in der »Neuen Welt« auf Dauer die Assimilationskraft stärker als der Wille, das Deutschtum zu bewahren, obwohl er immer wieder durch deutschbewußte Literaten bekräftigt wurde.

Der wichtigste Beschluß des Bundestages 1890 in New York vom 22. bis 23. Juni 1890, soweit er die pädagogische Arbeit des Turnerbundes betrifft, war die Zusammenlegung des Turnlehrer-Seminars mit dem Seminar der deutsch-amerikanischen Lehrer[528]. Zwischen 1865 und 1892 veranstaltete der Nordamerikanische Turnerbund insgesamt zwölf Turnlehrer-Versammlungen, auf denen die Frage diskutiert wurde, wie das Turnen am besten in die öffentlichen Schulen eingeführt werden könne. In den dokumentarischen Berichten über diese Turnlehrerversammlungen finden sich nur wenige grundsätzliche Diskussionsbeiträge zu den Erziehungszielen des Lehrerseminars.

Um festzustellen, in wie vielen Volksschulen, privaten und öffentlichen höheren Lehranstalten das deutsche Turnen eingeführt worden war, führte der Vorort 1897 eine statistische Erhebung durch. An alle Schulen des Landes wurden Fragebogen verschickt. Die Antworten ergaben, daß in 161 öffentlichen Schulen, 69 Privatschulen, 37 Akademien, 64 Colleges, 68 High Schools, 20 Universitäten und 36 anderen Lehranstalten regelmäßiger Turnunterricht abgehalten wurde[529]. Überraschend war bei der Ermittlung die Vielzahl der Turnsysteme, nach denen in amerikanischen Schulen unterrichtet wurde[530]. Spätere Untersuchungen ergaben, daß diese »Systeme«, Gruppen und Schulen sich im wesentlichen auf drei »Grundformen« reduzieren ließen: die schwedische, die militärische Gymnastik und das deutsche Turnen. Das schwedische System (Haltungs- und Organschulung) wurde vor allem im Osten praktiziert, hier vorwiegend in höheren Lehranstalten, das deutsche System besonders im mittleren Westen und dem Gebiet der »Great Lakes«. Allein in den Schulen von St. Louis und Chicago erhielten 289000 Schüler deutschen Turnunterricht[531]. Trotz solcher erfreulichen Einzelerscheinungen muß das Gesamtergebnis für den NAT dennoch insofern enttäuschend gewesen sein, als an den »high schools« mit (im Jahre 1908) einer Million Schülern, den Fachschulen mit 70000 Schülern, den Colleges mit 110000 und den Universitäten mit 50000 Studierenden das deutsche Turnen sich nicht hatte durchsetzen können[532].

Die Gründe müssen darin gesucht werden, daß zum einen der *Sport* an den Universitäten und »high schools« sehr an Popularität gewonnen, zum andern es der NAT versäumt hatte, außerhalb der Volksschulen für die Verbreitung des deutschen Turnens nachdrücklich zu werben[533].

Für die ablehnende Haltung des NAT gegenüber dem »akademischen Sportunterricht« werden in der Nordamerikanischen Turnzeitung folgende Argumente angeführt:

a) Der Sportunterricht fördere nur wenige Schüler und Studenten. »Man sucht nur einige kräftige Schüler aus und setzt aus ihnen das »Team« zusammen, das für die Anstalt an verschiedenen Plätzen Ruhm und Ehre sammelt. Diejenigen, die des Sports am meisten bedürfen, kommen am meisten zu kurz.«[534]

b) Die Roheit vieler Spiele gefährde die Gesundheit der Sportler. Als Beispiel dafür wurde immer wieder »Football« angeführt, das in dem Maße an Popularität gewann und die Massen faszinierte, wie es an Härte und Dynamik zunahm. Häufig kam es bei diesem Kampfspiel zu schweren Verletzungen.

c) Der Jugendliche werde durch das Spiel verzogen, verliere sein seelisches Gleichgewicht, da »das sinnlose Beifallsgelärm den Hochmut der jungen Helden bis zum Wahnsinn« steigere[535]

d) Der Sportbetrieb an den höheren Lehranstalten sei Wegbereiter des Berufsathletentums und mache das »Spiel« zum Geschäft. In vielen Colleges seien sporttreibende »Studenten« eingeschrieben, die weder studiert hätten noch studierten. Diese Sportler seien demnach keine Studenten, sondern Berufsathleten[536].

e) Der Sportunterricht ziele im Unterschied zum deutschen Turnen nicht auf eine allseitige, das heißt, harmonische körperliche Ausbildung, sondern auf Einseitigkeit und Spezialistentum. Da es den Colleges ausschließlich darum gehe, mit ihren Mannschaften zu siegen, würden die studentischen Sportler auch nur dazu ausgebildet, in ihrer speziellen Sportart erfolgreich zu sein. Eine breite und vielseitige Ausbildung der Sportler läge nicht in ihrem Interesse. Dies sei aber Ziel des deutschen Turnens, dessen voluntaristische, vitale und soziale Werte wie folgt bestimmt werden:

»Es (das Turnen) allein darf den Anspruch erheben, den Menschen körperlich allseitig auszubilden und sittlich fördernd zu beeinflussen. Es besitzt eigens gebaute Geräte für Übungen im Stütz und Hang, bei denen Arme, Schultern, Rumpf und Beine zur Arbeit herangezogen werden; durch eine stramme Geh- und Laufschule wird ein männerwürdiger Gang und bestimmtes Auftreten erreicht; die mannigfaltigen Sprünge entwickeln besonders den Wagemut; die Freiübungen ohne und mit Belastung der Hände fördern neben turnerischer Gewandtheit den Sinn für gesetzmäßige Gemeinarbeit und gemessene rhythmische Bewegung; die Spiele erziehen zur Schlagfertigkeit und erheitern wohltätig die ganze Arbeit.«[537]

Die Gründe dafür, warum der NAT letztlich sein Ziel nicht erreichen konnte, dem deutschen Turnsystem in den USA allgemeine Geltung zu verschaffen und es zum Gemeingut des amerikanischen Volkes zu machen, sind indes mannigfacher Art und keineswegs nur in der zunächst einseitigen Agitation für die Einführung des Turnens in die *Volksschulen* zu suchen. Ein zweiter wichtiger Faktor war der Mangel an Turnlehrern, an die bei steigender Nachfrage immer höhere Anforderungen gestellt wurden. Während in den ersten Jahren des NAT vielfach Preisturner eine Anstellung als Turnlehrer erhielten, mußte um die Jahrhundertwende neben einem entsprechenden Turnlehrerdiplom ein Elementarlehrerzertifikat vorgelegt werden. In den größeren Städten wurde von den Turnlehrern verlangt, sich neben der Prüfung im Spezialfach einer Prüfung in sämtlichen anderen Elementarlehrzweigen zu unterziehen. Diesen erhöhten Anforderungen trugen viele Turnlehreranstalten dadurch Rechnung, daß sie Kurse von zwei-, drei oder vierjähriger Dauer abhielten[538]. Der Turnerbund machte nun die bittere Erfahrung, daß die Zahl der Seminaristen des Bundesseminars zurückging, obwohl der Bedarf an Turnlehrern stieg[539]. Ein weiterer Grund für das Nichterreichen des gesteckten Zieles war die Abkapselung vieler Vereine gegenüber ihrer Umwelt als Folge einer nativistischen Kritik an der deutschstämmigen Bevölkerung. Aufgrund dieser Selbstisolierung verloren die Turner häufig den Kontakt zu anderen Bevölkerungsgruppen, obwohl die Öffnung zur amerikanischen Gesellschaft das erklärte Ziel des NAT war.

Schließlich hätten die Bemühungen, das Schulwesen im Lande maßgeblich zu gestalten, nur dann zum Erfolg führen können, wenn versucht worden wäre, auch nicht-deutschstämmige Lehrer in größerer Zahl für die Sache des deutschen Turnens zu gewinnen. Beispielgebend hätten hier die Verfechter der schwedischen Gymnastik sein können, die in wenigen Jahren außerordentliche Erfolge erzielten, und denen es gelang, amerikanische Pädagogen von der Richtigkeit ihres Systems zu überzeugen[540]. Die Amerikanische Turnzeitung gibt dafür eine plausible Erklärung, die indirekt eine Kritik an zahlreichen ihrer Turnvereine einschließt: »Die Schweden wollten nicht den Schweden schwedisches Turnen beibringen, sondern dem amerikanischen Lehrer. Durch ihre Normalschulen und Sommerkurse sind sie mit der amerikanischen Lehrerwelt in enge Verbindung getreten und haben sie für das Turnen und ihr System zu begeistern gewußt«[541]. Während sich die Publikationen über das deutsche Turnwesen fast ausschließlich an die Mitglieder des NAT selbst richteten, informierten die »Schweden« bereits früh die amerikanische Bevölkerung durch eine Vielzahl von Arbeiten über ihr System[542]. Erst zu Beginn der neunziger Jahre bemühte sich der Vorort um ein Abkommen mit anglo-amerikanischen Zeitungen, um die Amerikaner mit Formen und Gedanken des deutschen Turnens vertraut zu machen, aber diese Verhandlungen scheiterten.

Eine gezielte Werbung für das deutsche Turnsystem war erst möglich, als 1894 die Monatszeitschrift »Mind and Body« herausgegeben wurde, allerdings zunächst nur in deutscher Sprache. Auch die Amerikanische Turnzeitung rief zu verstärkter Agitation auf: »Wir müssen den Amerikanern unsere Verdienste aufzeigen. Wir müssen zu ihnen kommen, ihre Sprache sprechen und ihre Sitten und Eigenschaften berücksichtigen«[543], doch erst nach der Jahrhundertwende schien man in weiten Kreisen des NAT den Wert der Öffentlichkeitsarbeit erkannt zu haben. In den Rahmen dieser Werbearbeit, die sich zunehmend auf Publikationen und Vorträge in englischer Sprache stützte, gehörten auch turnerische Schaustellungen und Turnfeste, nur war das Interesse der anglo-amerikanischen Bevölkerung hieran recht gering[544].

Eine Ausnahme bildeten hier die Werbeaktionen anläßlich der Weltausstellung 1894 in Chicago, wo drei große Massenvorführungen stattfanden, und zwar als Schauturnen
von      a) 900 Jungen und Mädchen,
            b) 1500 Kindern und Erwachsenen und
            c) 2000 aktiven Turnern.

Damit sollte die ganze Breite turnerischen Lebens demonstriert werden. Die »Turnerdivision« bildete bei der Straßenparade zur Eröffnung der Weltausstellung »den schönsten und imposantesten Teil des Zuges«[545]. Noch wirkungsvoller waren die täglichen vier bis fünf Unterrichtsstunden im Kinderturnen, die unter der Leitung erfahrener Turnlehrer im Kindergebäude während der Ausstellungszeit stattfanden. Insgesamt haben sich etwa 18000 Kinder daran beteiligt[546]. Um darüber hinaus das Interesse der Zuschauer für die geistigen Bestrebungen des NAT zu wecken und sie über dessen Ziele und Entwicklung zu unterrichten, wurden Informationshefte und turnerische Lehrhilfen in englischer Sprache herausgegeben. Mehr als 5500 Pädagogen trugen sich in die ausliegenden Listen ein und baten damit um weiteres Instruktionsmaterial. Die Turnzeitung konnte mit Recht feststellen: »Zu keiner Zeit ist für das Turnen so wirkungsvoll Propaganda gemacht worden wie zur Weltausstellung«[547].

Aber auch diese erfolgreiche Aktion konnte die drohende Stagnation des NAT nicht verhindern. Sie lag im wesentlichen darin begründet, daß es nicht gelang, die Masse der Jugendlichen für die Ziele des Bundes zu gewinnen. »Der junge Turner ist in allen turnerischen Betrebungen nur vereinzelt mehr zu finden«, konstatierte enttäuscht 1895 die Turnzeitung[548]. Lebhaft wurde diskutiert, wie dem Notstand abzuhelfen sei. Es wurde vorgeschlagen, mehr geistige und gesellige Abende zu veranstalten, damit Jugendliche untereinander intensiven Kontakt bekämen. Die tieferen Gründe für das Fernbleiben der Jugend scheute man sich offenbar klar auszusprechen. In einer Ausgabe der Turnzeitung wird dieses Problem allerdings deutlich aufgezeigt, wenn es heißt: »Die amerikanische Jugend ist begeistert von »sports«… Mit dem Turnen allein kann die Jugend nicht erreicht werden, dazu bedarf es der Jugend-, Kampf- und Volksspiele. Was ist also natürlicher, als daß wir auch solche Spiele mit in unser Programm aufnehmen. Wir fahren immer noch fort mit künstlichen Ordnungsübungen, logischen Übungsfolgen in den Freiübungen, sinnreichen Riegen und übertriebenem schulgerechten Geräteturnen. Wir müssen die volkstümlichen Übungen wie Lauf, Hürdenrennen, Kugelstoßen, Gewichtwerfen, Radfahren und Spiele wie Baseball, Kricket, Polo, Golf, Tennis oder Wettkämpfe wie Rudern, Schwimmen, Schlittschuhlauf, Querfeldeinlauf übernehmen. Zwar wird ein Teil dieser Übungen im Volksturnen betrieben, doch eigentlich nur so nebenher… Mittels der Bewegungsspiele könnten wir die Jugend gewinnen, die bis jetzt nicht kommt oder verlorengeht«[549].

Damit schlug die gegen den Sport gerichtete Propaganda auf den Turnerbund zurück, denn die Devise, man lege mehr Wert auf körperliche Erziehung als auf die Befriedigung des Ehrgeizes, ignorierte das jugendpsychologische Moment des Wetteifers, die Freude am Leistungsvergleich und am kämpferischen Spiel. Obwohl der NAT in gewissem Umfang Vergleichswettkämpfe und Einzelwetturnen durchführte, war entscheidend für das wachsende Desinteresse der Jugend, daß das Turnen seine Sonderstellung behielt und es letztlich nicht gelang, das Vereinsleben durch mehr Spiele und sportliche Disziplinen zu stimulieren und zu bereichern.

*2.4.4   Das Turnlehrerseminar des Nordamerikanischen Turnerbundes*

Wie bereits erwähnt, hatte der Turnerbund früh die Notwendigkeit und Bedeutung einer Ausbildungsstätte für Turnlehrer erkannt. Auf dem Bundestag in Pittsburgh vom 1. bis 5. September 1856 war die Gründung einer Schule am Vorort beschlossen worden[550]. Dieser Beschluß wurde auf dem Bundestag in Rochester 1860 erneuert und sogar ein detailliertes Ausbildungsprogramm für die praktischen und theoretischen Lehrveranstaltungen erörtert, aber erst nach dem Bürgerkrieg waren die organisatorischen und finanziellen Voraussetzungen für die Gründung eines Turnlehrerseminars gegeben. Der Bundestag in St. Louis 1866 entschied nach Prüfung des Curriculums, die Gründung noch in demselben Jahr vorzunehmen. Am 29. November 1866 eröffnete der erste Vorsitzende des Nordamerikanischen Turnerbundes, S. Spitzer, in New York-City, dem Vorort, das Lehrerseminar, in dem zunächst 19 Mitglieder von Turnvereinen auf besondere Empfehlungen hin aufgenommen wurden. Mitglieder der »Fakultät« waren H. Huseler, Dr. H. Balser, Dr. J. Hoffmann, E. Mueller und H. Metzner, führende Persönlichkeiten im NAT. Das Lehrerseminar wurde 1871 nach Chicago verlegt, doch als dort ein Feuer das Gebäude zerstörte, mußte das Seminar 1872 mit 40 Studierenden wieder nach New York übersiedeln. Da die Ausbildungsbedingungen hier ungünstig waren, wechselte man 1875 nach Milwaukee über. In den nun folgenden 13 Jahren (1875-1888) konnte sich unter Leitung von George Brosius das Seminar zu einer sehr gediegenen und geachteten Ausbildungsstätte entwickeln. Nach kurzer Verlegung in die Turnhalle von Indianapolis (1889-1891) fand es wieder eine neue Heimstätte in Milwaukee. Im Jahre 1907 wurde dann endgültig das »Deutsche Haus« in Indianapolis zum neuen Standort des Seminars bestimmt, wo es sich unter der Leitung von Emil Rath zu einer bedeutenden und in den USA allgemein anerkannten Erziehungsinstitution entwickelte, die auch staatlich gebilligt wurde.

In Milwaukee kam es 1891 zum Zusammenschluß des Turnlehrerseminars mit dem Deutsch-Amerikanischen Lehrerseminar, einer Ausbildungsstätte für Lehrkräfte an weiterführenden Schulen. Diese neue Organisationsform sollte dazu beitragen, die Zahl der auszubildenden Lehrkräfte zu erhöhen. Zu diesem Zweck wurde in unmittelbarer Nachbarschaft des Lehrerseminars ein Gymnasium errichtet, in dem das Turnlehrerseminar untergebracht wurde. Die Bundesmitglieder ermöglichten durch eine freiwillige Spende von 30000 Dollar den Bau einer Bundesturnhalle[551]. Beide Anstalten wahrten in dem am 31. Juli 1891 abgeschlossenen Vertrag ihre Selbständigkeit, verpflichteten sich jedoch nach einem gegenseitig vereinbarten Lehrplan zu einer harmonischen Zusammenarbeit. Den Zöglingen des Turnlehrerseminars sollte so ein gründlicher pädagogischer Unterricht gesichert und den Teilnehmern des Lehrerseminars eine gediegene turnerische Schulung zuteil werden. Nach dem Bundesorgan sollte es »Ziel des Zusammenwirkens ... sein, daß jeder Lehrer in der Lage ist, den Unterricht in der Schule oder im Verein zu leiten und daß jeder Turnlehrer sich in der Schulklasse ebenso heimisch fühlt wie auf dem Turnplatz«[552]. Doch obwohl angestrebt wurde, die Anstalt zu einer »Pflanzstätte für deutsche Erziehungs- und Unterrichtslehre«[553] zu machen, schließlich war man von der Überlegenheit deutscher Erziehungsmethoden überzeugt, so wurde doch die englische Sprache als gleichrangig mit der deutschen anerkannt. Nur dann, so hatte man erkannt, bestand Hoffnung, Turnunterricht in die Schulen des Landes einzuführen, wenn die Lehrer die Landessprache beherrschten.

Schon vor dem Zusammenschluß gab es ein übersichtliches, in praktische und theoretische Lehrveranstaltungen gegliedertes Ausbildungskonzept, das später ausgebaut wurde und im einzelnen umfaßte:

a) Praktisches Turnen, Turnsprache, Gerätekunde, Turnlehrerziele, Anfertigung von Lehrplänen für die aufeinanderfolgenden Lehrklassen.

b) Entwicklung, Systematik, Methodik und Literatur des gesamten Turnwesens unter besonderer Berücksichtigung der Turnsysteme, die mit dem deutschen konkurrieren.

c) Turngeschichte, unter besonderer Berücksichtigung der politischen Geschichte und der prinzipiellen Bestrebungen des Nordamerikanischen Turnerbundes.

d) Grundzüge der Kulturgeschichte der Menschheit.

e) Deutsche und englische Sprache und Literatur.

f) Erziehungslehre.

g) Anatomie und Physiologie.

h) Diätetik, Heilgymnastik und Heilkunde.

i) Turn- und Volksgesang.

k) Stoß-, Hieb- und Bajonettfechten.

l) Schwimmen[554].

Die Zusammenarbeit war wie folgt geregelt: »Aller turnerischer Unterricht, sowie der Fecht- und Schwimmunterricht am Turnlehrerseminar, Lehrerseminar und seiner Musterschule werden von Lehrkräften erteilt, die der Turnerbund stellt und salariert. Für den Unterricht in allen übrigen Lehrfächern, die noch fürs Turnlehrerseminar vorgeschrieben sind, sorgt dagegen das Lehrerseminar«[555]. Die Leitung des Turnlehrerseminars lag bei einem fünfköpfigen Direktorium. Die Seminaristen hatten sich einer Aufnahmeprüfung zu unterziehen und mußten mindestens ein Jahr Mitglied eines Bundesvereins sein. Personen, die nicht dem Turnerbund angehörten, konnten ebenfalls in einen Kurs aufgenommen werden, mußten dafür aber 160 Dollar bezahlen. Der Kursus endete nach einem Jahr mit einer Abschlußprüfung, und mit der Verleihung von Zeugnissen und Diplomen[556].

Nach einem zwölfmonatigen Kurs, der im September 1891 mit 15 Seminaristen begann, erkannte das Direktorium, daß die Ausbildungszeit zu kurz war. So heißt es im Jahresbericht 1893/94: »Der Seminarausschuß des Vororts, das Direktorium und der Beobachtungsausschuß sind einig darüber, daß den Anforderungen, die man in bezug auf allgemeine und fachwissenschaftliche Bildung an die Turnlehrer heute zu stellen gezwungen ist, nur Genüge geleistet werden kann, wenn der Kursus erweitert wird, daß die Mängel und Unvollkommenheiten, die sich jetzt noch bemerkbar machen und sich bei einem einjährigen Kurs immer bemerkbar machen werden, nur durch die Ausdehnung des Kurses auf zwei Jahre beseitigt werden können«[557].

Ein entsprechender Beschluß wurde auf der Bundestagsatzung in Denver 1894 gefaßt[558]. Die Delegierten stimmten ferner der Einführung sogenannter Sommerkurse während der Ferienzeit zu, deren Ziel es war, Lehrkräfte von öffentlichen und privaten Schulen mit dem deutschen Turnwesen vertraut zu machen[559].

Mit der Einführung eins zweijährigen Kurses im September 1895 ging – ganz entgegen den Erwartungen des Vororts – die Zahl der Seminaristen stark zurück. Von 1898 bis 1901 erschienen keine Teilnehmer[560]. Die Ursachen für den Rückgang und schließlich das Ausbleiben der Turner sind hauptsächlich in der hohen finanziellen und zeitlichen Belastung der Seminarteilnehmer zu sehen. Hinzu kam, daß sich die Berufschancen verringert hatten, da zahlreiche Vereine wegen der Wirtschaftskrise keine Turnlehrer mehr einstellten. Zwischen dem Lehrerseminar und dem Turnlehrerseminar kam es daraufhin zu Spannungen[561], die es notwendig machten, »die ganze komplizierte Verwaltungsmaschinerie durch neue direkte Verträge zwischen dem Turnerbund und dem Deutsch-Amerikanischen Lehrerseminar zu ersetzen«[562].

Um Kompetenzstreitigkeiten zu vermeiden, übernahm nun der Vorort die Leitung des Seminars. Die Ausbildung wurde wieder auf ein Jahr herabgesetzt, die Seminaristen gemeinsam unterrichtet, nur in den Fächern deutsche und englische Sprache und Literatur erfolgte eine Sondereinteilung. Insgesamt wurde eine Aufgliederung in vier Gruppen vorgenommen. Da für die Studenten des Lehrerseminars (Gruppe A) die Turnlehrerausbildung ledigleich ein Zusatzstudium darstellte, mußten für sie die Anforderungen entsprechend herabgesetzt werden. Als Abschlußzeugnis erhielten sie ein Diplom als Turnlehrer für Volksschulen. Die Zöglinge des Turnlehrerseminars wurden entsprechend ihrem Allgemeinwissen und der Kenntnis der deutschen und englischen Sprache den Gruppen B, C und D zugewiesen (Diplom B: Turnlehrer für Bundesvereine und deren Schulen; Diplom C: Turnlehrer für Volksschulen und höhere Schulen; Diplom D: Turnlehrer für Volksschulen und höhere Schulen, sowie für Bundesvereine und deren Schulen[563].

In der Ausbildungsfrage kam es Anfang 1904 wiederum zu Spannungen zwischen dem Turnerbund und dem Deutsch-Amerikanischen Lehrerseminar, als der Turnerbund behauptete, nur die Zöglinge des Turnlehrerseminars hätten eine sie für den Unterricht in öffentlichen Schulen und Vereinen qualifizierende Ausbildung; der Versuch, mit dem Zusammenschluß beider Anstalten von Absolventen beider Seminare eine gleichwertige Turnausbildung zu geben, sei mißlungen. Mit einem Zusatzstudium allein könne man den Anforderungen, die an einen Turnlehrer gestellt würden, nicht gerecht werden. Als es schließlich auch in der Frage der Kostenverteilung zu Differenzen kam, beschlossen am 29. September 1906 die Vertreter des Verwaltungsrates des Deutsch-Amerikanischen Lehrerseminars und der Turnerbund die Trennung der beiden Anstalten[564]. Ein Angebot des Deutsch-Amerikanischen Lehrerseminars, die Bundesturnhalle zum Preise von 15 000 Dollar zu erwerben, wurde von Vertretern des Vororts im September 1906 angenommen[565]. Auf einer Sondersitzung des Vororts am 12. Januar 1907 wurde daraufhin die Verlegung des Turnlehrerseminars beschlosen und das »Deutsche Haus« in Indianapolis zum neuen Standort des Turnlehrerseminars bestimmt. Das Seminar erhielt den neuen Namen »Normal College of the North American Gymnastic Union«[566].

Mit dem Aufbau und der Erweiterung des Turnlehrerseminars konnte nun die Ausbildung der Studenten in acht Kursen erfolgen:

a) Einjähriger Elementarkursus für nichtimmatrikulierte Turner der zweiten oder dritten Stufe, die den achtjährigen Kursus einer Volksschule absolviert hatten und der deutschen Sprache in hinreichendem Maße mächtig waren, um in einem Jahr zu Turnlehrern der Bundesvereine ausgebildet zu werden.

b) Einjähriger Kursus für immatrikulierte Turner und Turnerinnen, welche die zur Aufnahme in das Seminar für deutsche Sprache und Literatur vorgeschriebene Prüfung bestanden und sich zu Turnlehrern und Turnlehrerinnen für Bundesvereine und Privatschulen ausbilden wollten.

c) Zweijähriger Kursus für immatrikulierte Turner und Turnerinnen, welche in das Seminar für deutsche Sprache und Literatur aufgenommen wurden und sich zu Turnlehrern und Turnlehrerinnen für Bundesvereine, öffentliche Volksschulen und High Schools ausbilden wollten.

d) Zweijähriger Kursus für immatrikulierte Turner und Turnerinnen, die der deutschen Sprache nicht mächtig waren und sich für die Erteilung des Turnunterrichts an öffentlichen Schulen und High Schools vorbereiten wollten.

e) Vierjähriger Kursus für immatrikulierte Turner und Turnerinnen, die in das Seminar für deutsche Sprache und Literatur aufgenommen wurden und sich zu Turnlehrern und Turnlehrerinnen für Bundesvereine, öffentliche High Schools, Colleges und Universitäten ausbilden wollten.

f) Vierjähriger Kursus für immatrikulierte Turner und Turnerinnen, die der deutschen Sprache nicht mächtig waren und sich für Erteilung des Turnunterrichts an öffentlichen High Schools, Colleges und Universitäten vorbereiten wollten.

g) Spezialkurse für immatrikulierte und nichtimmatrikulierte Turner und Turnerinnen in Fächern, die während des Schuljahres gelehrt werden.

h) Sommerkurse[567].

Die Aufnahme in die Kurse setzte gute Führung, Gesundheit und körperliche Leistungsfähigkeit voraus. Zur Immatrikulation wurde ferner der Nachweis eines vierjährigen Besuchs der High School (Diplom) verlangt, beziehungsweise das Bestehen einer gleichwertigen Aufnahmeprüfung gefordert. Das Turnlehrerseminar war laut Gesetz zur Erteilung akademischer Grade und Titel ermächtigt. Für die Kurse c) und d) wurde der Titel »Graduate in Gymnastics«, für die Kurse e) und f) der Grad eines »Bachelor of Science in Gymnastics« vergeben[568].

Als der erste Kurs im »Deutschen Haus« begann, zählte die Fakultät des Turnlehrerseminars 33 Lehrkräfte[569]. Die Schulungsarbeit konnte, wie den statistischen Unterlagen zu entnehmen ist, in den nächsten Jahren beträchtlich gesteigert werden und erreichte 1915 ihren Höhepunkt, als 72 Studenten aufgenommen wurden. Danach setzte, bedingt durch die Auswirkungen des ersten Weltkrieges und die daraus resultierenden innenpolitischen Spannungen, eine rückläufige Bewegung ein[570].

Herausragende Persönlichkeit des »Normal College« war in diesen Jahren Emil Rath, dessen Wirken von einem Fachmann später wie folgt gewürdigt wurde: »Emil Rath was recognized and admired as a scholar, an author and a dynamic leader of his profession. He possessed a strong and wholesome personality, high ideals, and unwavering belief in the importance of physical education and a keen desire to promote the aims and objectives as he saw them«[571].

Die weitere Entwicklung des Normal College sei hier skizziert. Im Jahre 1923 beschloß das Kuratorium, das Curriculum unter Einbeziehung moderner Lehrmethoden zu ändern und den Ausbildungsgang auf drei, 1932 auf vier Jahre auszudehnen. Auf der 38. National Convention der American Turners 1939 wurde das Kuratorium beauftragt, Verhandlungen über eine Anbindung des Colleges an die Indiana Universität zu führen. Im Jahre 1941 wurde das Normal College in die Universität integriert.

Das Normal College hat durch seine »Graduierten« eine bemerkenswerten Einfluß auf die amerikanische Leibeserziehung in Schulen und Hochschulen ausgeübt.

### 2.4.5   Georg Brosius (1839 bis 1917) – der »amerikanische Turnvater«

Die deutsch-amerikanische Turnbewegung verdankt nach dem Bürgerkrieg vor allem einem Mann Aufschwung und Ausbreitung, dem 1839 von deutschstämmigen Eltern in Lancaster/Pennsylvania geborenen Georg Brosius.

Lebenslauf und Portrait dieses Mannes sollen nachgezeichnet werden, weil sich darin vieles für die gesamte Bewegung Typische, man möchte fast sagen typisch Deutsche widerspiegelt. Der Vater, aus Darmstadt/Hessen stammend, kleinbürgerlicher Handwerker, arbeitete in Lancaster/Pennsylvania als Zuschneider. »Nebenbei aber entwickelte er eine besondere Vorliebe für das Militär, und bald ist er ein eifriges Mitglied der Lancaster Miliz Kompanie.«[572] »Er war mit Leib und Seele Soldat und opferte sein ganzes Vermögen dieser seiner Lieblingsbeschäftigung«[573], so heißt es in der Jubiläumsschrift für den Sohn Georg Brosius. Dieser tut bereits mit 16 Jahren Dienst in der vom Vater befehligten Kompanie, und wenn auch das rein militärische Leben auf den Sohn keinen so großen Reiz ausübt, wie auf den Vater, so steckte doch auch in ihm die Freude an körperlicher Disziplinierung, ja sogar an eingeübtem Drill. Das beim Vater Erlernte überträgt er später in seinen Turnunterricht. Er nennt »his early military training in the manual of arms and tactics by his father«[574] als eine Quelle, aus der er seine Kenntnisse als Turnlehrer für die Unterweisung des deutschen Turnsystems schöpfte. Höhepunkte seines Turnlehrerlebens sind die von ihm für die großen Turnfeste eingeübten, ja eingedrillten Massenfreiübungen. Für Vater und Sohn blieben die militärischen Übungen keineswegs nur eine Art Freizeitbeschäftigung. Beide zollten ihren Tribut als Soldat im Krieg, der Vater im Krieg mit Mexico (1846 bis 1848), der Sohn im Bürgerkrieg (1861 bis 1865).

Die Bedeutung seines Lebens als Soldat ist eng mit dem als Turner verwoben. Symbolisch deutet das der Nordamerikanische Turnerbund an, indem er zum 25jährigen Turnerjubiläum seinem »amerikanischen Turnvater«[575] ein von Künstlerhand gefertigtes Bild schenkt, auf dem neben drei Szenen aus seinem Turnerleben als vierte wichtige Szene ein Sturmangriff aus dem Bürgerkrieg dargestellt ist. Während dieses Kampfes geriet Brosius in die Gefangenschaft der Konföderierten. Er mußte große Leiden über sich ergehen lassen. Nur seiner durch das Turnen erworbenen Widerstandskraft hatte er es nach eigener Aussage zu verdanken, daß er in der Gefangenschaft überlebte.

Glücklichere Motive haben die anderen drei wichtigen Szenen aus Brosius' Leben, die auf dem genannten Bilde Brosius' Porträt umrahmen. Brosius turnt selbst, Brosius unterweist seine Turnriege, Brosius führt seine Riege auf dem Turnfest in Frankfurt im Jahre 1908 vor. Symbolisch für den Geist, in dem Brosius seine Arbeit tat, sind aber auch die Worte, die man unter sein in der Mitte abgebildetes Porträt gesetzt hatte, die Worte, die in der Französischen Revolution geboren, auf dem Panier aller derer standen, die für Freiheit und Menschenrechte kämpften: Freiheit, Gleichheit, Brüderlichkeit.

Skizzieren wir kurz den Weg, der Brosius vom Turner über den Ausbilder von Turnern zum Ausbilder von Turnlehrern und schließlich zum Hauptverantwortlichen im Nordamerikanischen Turnerbund führte. Schon als Junge besuchte er die von dem politischen Flüchtling Fritz Anneke in Milwaukee gegründete Privatturnschule. Im Jahre 1854 trat er in die vom Turnverein Milwaukee eröffnete Turnschule ein. Als Achtzehnjähriger gewann er auf dem 9. Bundesturnfest in Milwaukee (1857) den ersten Zöglingspreis. Nach der Unterbrechung seines Turnerlebens durch die Kämpfe im Bürgerkrieg – dem Rufe Lincolns war Brosius wie viele deutsch-amerikanische Turner mit großer Begeisterung gefolgt – übernahm er nach seiner Entlassung vom Militärdienst und nach der Wiederherstellung seiner Gesundheit die Führung des Turnvereins Milwaukee und zwei Jahre später die Leitung des Turnunterrichts an der sogenannten Engelmann-Schule, einer deutsch-englischen Akademie. Hinzu kam kurz darauf eine turnerische Lehrtätigkeit am »Nationalen amerikanischen Lehrerseminar« und am Milwaukee Gymnasium, das im wesentlichen von Angloamerikanern besucht wurde, für den Deutschamerikaner zweifellos eine Anerkennung seiner Tüchtigkeit. Von 1870 bis 1871 arbeitete er in Chicago als Leiter zweier Turnvereine und des Turnlehrerseminars, das zu der Zeit gerade dort seinen Sitz hatte. Nach dem großen Brand kehrte er wieder nach Milwaukee zurück und gründete eine eigene Turnschule. Im Jahre 1873 wurde er aufs neue Lehrer im Milwaukee-Turnverein. Zwei Jahre später, 1875, wurde das bisher als Wanderinstitut fungierende Lehrerseminar dem Milwaukee-Turnverein angeschlossen. Die folgenden Jahre brachten einen ungeahnten Aufschwung des Turnens und der Turnbegeisterung in Milwaukee, der dazu führte, daß Brosius mit seiner Riege auf Turnfesten fast alle Preise »wegschnappte«[576].

Das wiederum entfachte in vielen anderen nordamerikanischen Turnvereinen einen ähnlichen Turneifer. Mit den Erfolgen wuchs das gesellchaftliche Ansehen der Turner in der Stadt Milwaukee so sehr, daß man anläßlich eines Präsidentenempfanges sogar ein Schauturnen in das Festprogramm aufnahm. Als schließlich 1880 auf dem Deutschen Turnfest in Frankfurt die von ihm trainierte Riege unerwartete Erfolge errang, breitete sich Brosius' Ruhm über ganz Nordamerika aus. Von der Wirkung des Turnens beeindruckt, führte die Stadtverwaltung in Milwaukee Turnen in allen öffentlichen Schulen ein. Die Leitung wurde Brosius übertragen. Da er gleichzeitig Leiter des Lehrerseminars war, hatte er nun die besten Bedingungen für die Ausbildung seiner Lehrer. Als in den 80er Jahren in New York ein neuer, sehr schnell wachsender Turnverein entstand, wollte dieser Brosius als »den bekanntesten und erfolgreichsten Turnlehrer«[577] Nordamerikas haben. Brosius nahm den Ruf an. Unter seiner Leitung, so bescheinigte man ihm später, begann »frisches, frohes und freudiges Turnerleben« zu pulsieren[578]. Die Zahl der Aktiven, der Turnschüler und Turnkinder sowie der Mitglieder der Altersriege nahm stetig zu. Die letzte Etappe eines begeisternden und Nachahmung weckenden Turner- und Turnlehrerlebens wurde erneut Milwaukee, wo der Nordamerikanische Turnerbund eine Bundesturnschule errichtet hatte, in der Lehrerkurse abgehalten wurden. Selbstverständlich wurde Brosius Direktor dieser Schule. Schließlich übernahm er noch einmal die Leitung des Milwaukee Turnvereins, die er bis 1914, dem Jahr seines goldenen Turnjubiläums, innehatte. Dem 75-Jährigen wurden aus diesem Anlaß große Ehrungen zuteil. Diese Jubiläumsfeier wenige Wochen vor dem Ausbruch des ersten Weltkrieges (20. - 21. Juni 1914) war zugleich eine Rücktrittsfeier. In seiner etwas holprigen Sprache spricht er allen Turnern, die »seine langjährige Wirksamkeit als verdienstvoll und erfolgreich« anerkannt haben, seinen »wärmsten Dank« aus[579]. 1917 stirbt er.

In der Festschrift zum 50jährigen Jubiläum wird die Bedeutung Brosius' nicht nur für die Turnbewegung, sondern darüber hinaus für die Kulturgeschichte der Vereinigten Staaten hervorgehoben. Das Mitglied des Prüfungsausschusses für das Turnlehrerseminar, Superintendent Rathmann, schreibt: »Der Nordamerikanische Turnerbund hat es stets als seine Hauptaufgabe betrachtet, das Turnen zum Gemeingut des amerikanischen Volkes zu machen. Sein großer Erfolg in dieser Richtung ist in erster Linie seinen tüchtigen Lehrern und dem Manne zu verdanken, der während langer Jahre dieselben in der erfolgreichsten Weise heranbildete. Brosius' 50jährige Tätigkeit als Turnlehrer und Leiter der Turnlehrerbildungsanstalt wird für alle Zeiten ein wichtiges Kapitel in der Kulturgeschichte der Vereinigten Staaten bilden.«[580]

Wie war es möglich, daß ein kleinbürgerlicher Handwerkersohn, im eigenen Beruf ebenfalls Handwerker, er war Maler und Dekorateur, einen so bedeutenden kulturellen Beitrag leisten konnte? Welchen persönlichen Qualitäten verdankt er seinen Aufstieg? Welche besondere gesellschaftliche Struktur ermöglichte die Entfaltung seiner Anlagen!

Die deutschstämmigen Amerikaner, sowohl diejenigen, die zu Beginn des 19. Jahrhunderts einwanderten, als auch die späteren politischen Flüchtlinge nach 1848 brachten ein starkes Kulturbewußtsein mit. Man schämte sich seines Deutschtums nicht, auch dann nicht, wenn man wegen politischer oder ökonomischer Verhältnisse, mit denen man nicht einverstanden gewesen war, Deutschland verlassen hatte. Brosius' Vater vertritt die Gruppe der Kleinbürger, die aus Deutschland ausgewandert waren, um in den USA bessere ökonomische Bedingungen zu finden. Das Deutschlandbild, das diese Gruppe in sich trug, blieb trotz der ökonomisch besseren

Existenz, die man sich in den Staaten hatte schaffen können, ein von Heimweh und Sehnsucht verklärtes. Die Vereinsliederbücher legen ein beredtes Zeugnis davon ab. Die eingewanderten Deutschen sprachen zwar auch vom »amerikanischen Vaterland«, für das man in den Kampf zog, als Lincoln zur Verteidigung aufrief, zumal die später Eingewanderten zugleich die revolutionären Prinzipien verteidigten, um deretwillen sie Europa verlassen mußten, aber Deutschland blieb etwa bis zum ersten Weltkrieg die innere Heimat. Der Existenzkampf aller Einwanderer in Nordamerika hatte sich zunächst weniger im menschlichen Gegeneinander als gegen die Widrigkeiten der Natur abgespielt. Gerade in diesem Kampf hatten deutsche Männer für die Entwicklung der amerikanischen Zivilisation Bedeutendes geleistet, sei es in der Land- und Forstwirtschaft, im Städte- und Brückenbau, in der Medizin, in der Industrie. Dieses Wissen erhöhte das Kulturbewußtsein der Deutschen. Ihr Kulturbewußtsein steigerte sich noch, als die »Achtundvierziger« einwanderten. Sie kamen als die Träger des modernen Fortschrittsglaubens, fochten für die in der Französischen Revolution geborene Idee an Freiheit, Gleichheit und Brüderlichkeit und glaubten, sie auf amerikanischem Boden auf allen Gebieten verwirklichen zu können. Hier stießen sie aber auf die puritanisch denkenden Anglo-Amerikaner, die von Freiheit im Glauben und in der Moral nichts wissen wollten. Brosius erlebt die Hoffnung und Enttäuschung vieler seiner Turnbrüder mit, die zwar als Flüchtlinge, zugleich aber als selbstbewußte und überzeugte Verfechter ihres neuen Glaubens in die USA gekommen waren.[581]

Dieses von vielen Deutschen als bedrückend empfundene Spannungsverhältnis löste sich durch die Teilnahme der Deutschen, besonders der deutschen Turner im Kampf gegen die Sezessionisten.[582]

Brosius, obwohl alteingesessener Deutsch-Amerikaner im Vergleich zu den Achtundvierzigern, litt mit seinen Landsleuten unter den Integrationsschwierigkeiten, die durch die »narrowmindedness« der puritanischen Anglo-Amerikaner entstanden, und freute sich, als nach dem Bürgerkrieg auch für die Deutschen die Vereinigten Staaten zum amerikanischen Vaterland wurden. Charakteristischerweise erfüllte die deutschen Einwanderer neben dem Wunsch, auf amerikanischem Boden ein neues Vaterland zu finden, das Verlangen, die Seele des deutschen Mutterlandes zu bewahren. So entstanden überall Clubs, in denen man versuchte, deutsche Geselligkeit, deutsche Lieder, Musik und Literatur wach zu halten. Daß auch die Turnvereine zu Sammelplätzen für die Pflege und Erhaltung des Deutschtums wurden, ist in der Geschichte der nordamerikanischen Turnvereine nachzulesen[583].

Der Kampf um die Erhaltung des Deutschtums wurde für viele der deutschen Einwanderer ein Kampf um die Erhaltung der deutschen Sprache in einer englisch sprechenden Umgebung. Dieser Kampf ist eines der zentralen Themen in der »Amerikanischen Turnzeitung«. Die ältere Generation war sich dessen bewußt, daß die Erhaltung einer Kultur im wesentlichen über die Erhaltung der Sprache geht. Englisch als Verständigungsmittel war auch für sie kein Problem. Aber Sprache ist auch Ausdrucksmittel der Psyche eines Volkes. Und eben diese verändert sich, wenn die Sprache die der jeweiligen Kultur zugehörigen Inhalte und deren Nuancen nicht mehr vermitteln kann. Je mehr sich die junge, in Amerika geborene Generation der Sprache der Anglo-Amerikaner anpaßte, desto stärker unternahmen kulturbewußte Deutsch-Amerikaner Versuche, vor allem in literarischen Zirkeln, in deutschen Zeitungen, mit deutschsprachigen Aufführungen, ja sogar mit geistigen Wettbewerben in Preisarbeiten, die zum Beispiel anläßlich der großen Turnfeste stattfanden, Sprache und Kultur des deutschen Volkes zu bewahren. Vor allem war es die klassische Kultur, die man lebendig zu erhalten versuchte. Auseinandersetzungen mit den Werken und Ideen Goethes und Schillers finden sich immer wieder in der Amerikanischen Turnzeitung; zum Beispiel erschienen in mehreren Turnzeitungen hintereinander Abhandlungen über Goethes »Faust«. Neben den Bemühungen um die deutsche klassische Literatur gab es zahlreiche, mehr oder weniger geglückte Versuche, deutschsprachige Gedichte zu schaffen. Fast jede Amerikanische Turnzeitung enthält auf der ersten Seite ein deutsches Gedicht, selbst zu den geistigen Turnwettbewerben anläßlich der Turnfeste wurden Gedichte eingereicht und trugen zuweilen einen Preis ein. Einer der angesehensten deutsch-amerikanischen Lyriker war Max Hempel. Auf ihn soll weiter unten näher eingegangen werden.

Georg Brosius besaß zweifellos eine große Integrationsfähigkeit für die beiden Bevölkerungsgruppen, der Anglo-Amerikaner und der Deutsch-Amerikaner. Charakteristisch ist, daß er zum Beispiel gleichzeitig am »Nationalen Deutsch-Amerikanischen Lehrerseminar« und am Milwaukee Gymnasium unterrichtete, »das hauptsächlich von Anglo-Amerikanern besucht wurde«[584]. Interessanterweise ging seine Wirkung nicht von seiner Sprachgewalt oder Sprachgewandtheit aus. Offenbar das Gegenteil war der Fall. Ein gewisser Mangel an Schulbildung bewirkte eine Schwerfälligkeit im Formulieren sowohl in Rede als auch in Schrift. So schreibt ein zeitgenössisches Mitglied des Turnerbundes: »Was ihn am meisten beschwerte, war der Umstand, daß die geringen Erziehungsgelegenheiten seiner Jugend ihm in der Ausgestaltung seines Werkes durch Wort und Schrift nicht die starken Waffen in die Hand gelegt hatten. So mußte er es meistens anderen überlassen, für ihn zu sprechen und zu schreiben. In einem Zeitalter, wo die offene Rede und die Feder die öffentliche Meinung diktieren, war das ein peinliches Hindernis«[585].

Um so erstaunlicher, daß er eine so hohe Stellung erreichte. Großmann, damals Präsident des NAT, gibt die Antwort: »Daß er sich trotzdem zur Geltung bringen konnte, daß er sich aus einfachem Handwerkertum zur Führerstelle in einer großen Erziehungsbewegung emporringen konnte, daß er zum »Turnvater« Amerikas wurde, ist darum ein um so größeres Verdienst. Er wirkte durch seine eigenartige und außerordentliche Persönlichkeit.«[586] Dennoch ist nicht zu übersehen, daß ein solcher Aufstieg nur möglich war in einem demokratischen Gesellschaftssystem, in dem auch der sozial »kleine Mann« durch persönliche Tüchtigkeit aufsteigen konnte. Es ist schwer, posthum das Wesen einer Persönlichkeit zu erfassen, von der es kaum eigene schriftliche Zeugnisse gibt. Es wird ein wenig sichtbar in den Glückwunschschreiben, die ihm anläßlich seines fünfzigjährigen Turnjubiläums zugesandt wurden. Diese sind eine einzige, allerdings, dem Zeitgeschmack entsprchend, auch pathetisch übersteigerte Laudatio auf Brosius. Seine angeborenen, gar nicht erlernbaren inspirativen Fähigkeiten rühmt wiederum überschwenglich Turnbruder Großmann: »Er war ein wahrhaftes Lehrgenie, der dort Erfolge zu gestalten wußte, wo bildungsgewandtere Kollegen zurückblieben. Seine schöpferischen Ideen waren bahnbrechend.«[587] Mit dieser »angeborenen Genialität« verbanden sich in Brosius Qualitäten, die von seinen Kollegen und Schülern als spezifisch deutsch empfunden wurden. Ein Turnbruder, Henry Hartung, lobt seinen Fleiß und seine rastlose Arbeit. Aus Hartungs Glück-

wunschschreiben zu Brosius' fünfzigstem Turnerjubiläum mögen auszugsweise die Stellen zitiert sein, welche die von allen Zeitgenossen hochgeschätzten, von Brosius selbst erworbenen Fähigkeiten sichtbar machen: »So sind es vor allem drei Faktoren, die ihn mich als Mensch und Turnlehrer hochschätzen lassen.
Erstens: Seine treue, unermüdliche Hingabe an einen Beruf, der, obwohl einer der ehrenvollsten und edelsten, doch zugleich auch einer der undankbarsten und schwersten ist .... Es ist dies umso mehr anzuerkennen, als ihm unzweifelhaft des öfteren Anerbieten gemacht wurden, seine Person zu einem weit höheren Preis auf dem Erwerbsmarkt zu verwerten ... Trotz aller Kämpfe und Anfechtungen hielt er aus mit eiserner Energie und Zähigkeit und blieb dem Berufe treu ....
Zweitens: Seine echte deutsche Gründlichkeit und peinliche Gewissenhaftigkeit ... Wie kein zweiter nach ihm hat er als »self made man« zu einer Zeit, als der systematische Turnbetrieb in diesem Lande noch sehr im argen lag, durch fleißiges Studium und rastlose Arbeit unserem Turnsystem in diesem Lande eine feste Grundlage geschaffen...
Drittens: Seine Liebenswürdigkeit und Herzlichkeit im Umgang mit seinen Schülern, Kindern sowohl als Erwachsenen, durch die er dieselben an sich fesselte und für die Ziele der Turnerei zu begeistern verstand.«[588]
Neben der von Hartung genannten Liebenswürdigkeit und Herzlichkeit bescheinigt ihm der Superintendent der öffentlichen Schulen von St. Louis, Carl S. Rathmann, Takt, Begeisterungsfähigkeit und ein strenges Pflichtgefühl.
Dieses Taktgefühl, die Fähigkeit, andere für seine Sache zu begeistern und seine natürliche Herzlichkeit bilden die Grundlage für seine Erfolge in der Kommunikation mit anderen Menschen. Der schlichte Satz in der Laudatio Großmanns »Und er war ein Mann, der nicht hassen konnte«, beleuchtet einen Zug im Wesen dieses Mannes, in dem die so oft geforderte Humanität Wirklichkeit wurde.
Die übersteigert pathetischen Worte eines Turnbruders, Friedrich Michel aus New York, mögen der von vielen seiner Zeitgenossen empfundenen Humanitas Ausdruck geben: »Wäre ich ein Rodin, dann würde ich für alle Zeiten Brosius in leuchtendem Marmor leben und atmen lassen, ein Bild körperlicher und seelischer Vollkommenheit, der echte Typus eines aller politischen und sozialen Vorurteile baren deutschamerikanischen Turners – ein Vorbild spätesten Geschlechtern!«[589]

*2.4.6  Bundesturnfeste und ihre Neugestaltung*

Bundesturnfeste gehörten von den Anfängen an zur festen Tradition der deutschamerikanischen Turnbewegung. Verantwortlich für deren Durchführung war der technische Ausschuß. Da mit dem Turnfest in Milwaukee im Jahre 1893 eine Diskussion über die Turnfestordnung einsetzte, soll sich die Untersuchung über Inhalt und Form dieser für die Turner so attraktiven Veranstaltung über den wichtigen Zeitraum der zwanzig Jahre von 1893 bis 1913 erstrecken.
Der erste Sprecher des Bundesvororts, Heinrich Braun, würdigte in seinem Jahresbericht das 26. Turnfest von Milwaukee (1893) als das Hauptereignis des Jahres und schrieb: »Mit berechtigtem Stolze können wir auf das Fest zurückblicken. Die Massen der Turner ... in ihrer schmucken Tracht machten einen erhebenden Eindruck, der besonders beim Aufmarsch und bei den Massenstabübungen die Zuschauer zu wahrer

Begeisterung hinriß. Die vortreffliche Manneszucht, das brüderliche Einvernehmen und die ausgezeichneten Leistungen dürfen ebenfalls mit goldenen Buchstaben in die Geschichte des Nordamerikanischen Turnerbundes geschrieben werden«[590]. Einflußreiche und angesehene anglo-amerikanische Erzieher waren erstmals als Gäste geladen, um sich über Formen und Ziele des Turnens zu informieren. Die Berichte der drei Gäste, Dr. Ed. Hitchcock, Dr. D. A. Sargent und Dr. Ed. M. Hartwell über das Turnfest waren sehr positiv. Da die drei Pädagogen vorher zwar entschiedene Befürworter der körperlichen Erziehung, dem deutschen Turnen gegenüber aber eher skeptisch-reserviert waren, wurde dieser Bericht vom Vorort freudig begrüßt und zu Propagandazwecken vielfältig verwendet[591].

Obwohl das Fest manche organisatorischen Mängel hatte[592], wurde das Festprogramm wie vorgesehen abgewickelt: großer Festzug, Vereinsturnen der aktiven Turner und der Altersriegen, Einzelpreisturnen, Massenübungen (Stabübungen), Massengeräteturnen, Volksturnen, Preisfechten, Preisschwimmen, Pyramidenbau, Fackelreigen der Damenklassen, Schauturnen der Milwaukeer Turnschulen, Turnspiele der aktiven Turner und Zöglinge der Turnvereine von Milwaukee, Keulenschwingen der Damenklassen und die geistigen Wettkämpfe: Singen, Stegreifreden und Preisdeklamieren.

In der Turnfestordnung nahm das Vereinsturnen den ersten Rang ein. Es fand in drei Gruppen statt, und zwar am Barren, hoch und tief, und am Seitpferd. Diese Geräte waren gewählt worden, weil an ihnen ein Zusammenturnen am leichtesten möglich war. Doch obwohl man dem Bericht nach an der Auswahl der Übungen »so recht die Reichhaltigkeit unseres deutschen Turnsystems erkennen konnte«[593], drängte das Vereinsturnen das Einzelwetturnen so sehr zurück, daß es nach dem Turnfest von Milwaukee zu einer lebhaften Diskussion über eine Änderung der Turnfestordnung kam. Der Wert des Vereinsturnens wurde selbst von seinen Verfechtern hierbei relativiert: »Der enthusiastische Verehrer des Vereinsturnens muß bekennen, daß die monatelange Einübung der verlangten und selbstgewählten Übungen weder für den einzelnen Turner noch für das allgemeine Turnen ersprießlich sein kann, und nachweislich hat die Folge auch immer bestätigt, daß einer solchen Anstrengung nicht eine Zeit des Aufschwungs, wohl aber eine solche der Reaktion folgt.«[594]

Um den aktiven Turnbetrieb in den Vereinen zu fördern, wurde nun das Einzelwetturnen propagiert. Früher geäußerte Befürchtungen, das Einzelwetturnen fördere Individualismus und Strebertum, vernachlässige die Gruppenidee, führe zu einseitiger körperlicher Ausbildung, wurden um der Stimulierung des gesamten Turnens willen nun stark zurückgedrängt. – Demgegenüber wurden die Forderungen eines Teils der Turnerschaft, man müßte dem »geistigen Turnen« auf den Turnfesten die gleiche Bedeutung zuerkennen wie dem praktischen Turnen und dementsprechend die Festordnung ändern[595], mit erheblicher Zurückhaltung aufgenommen.

Bereits für das 27. Bundesturnfest in St. Louis 1987 wurde vom technischen Ausschuß mit Rücksicht auf die wachsende Kritik an der Turnfestordnung eine Änderung vorgenommen. Doch gaben sich die Turner damit nicht zufrieden. Der technische Ausschuß selbst gestand ein, es sei ein Fehler gewesen, einschneidende Änderungen ohne vorherige Prüfung für ein Bundesfest vorzunehmen[596], die Turnzeitung kritisierte, durch die Massenaufführungen würde zwar die Schaulust des Publikums gestillt, aber der familiäre Charakter des Festes, »die harmlose Gemütlichkeit, welche früher Turner und Turnbesucher beseelte und die Feste zu einem wirklichen Volksfeste gestaltete«[597], sei verlorengegangen. Des weiteren hätte die »Preisdrillerei«, das monatelange Einüben der Festübungen in den Vereinen, sich so vermehrt, daß der Turnbetrieb dadurch »auf einseitige Bahnen gelenkt« worden sei[598].

Die auf dem Bundesturnfest in St. Louis gewonnenen Erfahrungen veranlaßten den Vorort, den Entwurf einer neuen Turnfestordnung ausarbeiten zu lassen. Doch auch auf dem Turnfest in Philadelphia 1900 waren die alten Mängel nicht behoben. Der erste Sprecher des Vororts forderte: »Weg mit dem vielen Preis- und Schauturnen! Vereinfacht unsere Festordnung!«[599]. Es müsse mehr Gelegenheit zur Kontaktaufnahme im fröhlichen Kreise gegeben werden, zur Erneuerung von Freundschaften beim Glase Gerstensaft auf dem Festplatz. Selbst der technische Ausschuß, der die neue Ordnung konzipiert hatte, mußte bekennen, daß die Turnfeste freudloser geworden seien. »Unsere Feste waren keine fröhlichen Feste, es waren Arbeitsfeste, welche wir gefeiert haben.«[600]

Als im darauffolgenden Jahr 1901 in Buffalo ein Turnlehrertag abgehalten wurde, kam es wiederum zu einer Umgestaltung der Festordnung. Eine wegweisende Neuerung, die zunächst lebhaft kritisiert wurde, war die Zulassung von Damenklassen zu Massen- und Musterturnen[601]. Die Übungen für die Turner wurden vereinfacht und gekürzt. Außer den obligatorischen Marsch-, Frei- und Volksübungen wurden jetzt nur noch je zwei Übungen am Reck und Barren und je eine Übung am Längs- und Seitpferd gefordert. Dadurch, daß die Übungen der Turner der höchsten Stufe zugleich in die Wertung für das Einzelturnen einging, sollten die Preisturner auf dem Fest genügend Zeit und Gelegenheit erhalten, »außer anstrengender Arbeit auch etwas vom sozialen Teil eines Festes genießen zu können«[602].

Der Einzelwettkampf im Geräte- und Volksturnen umfaßte je zwei Übungen am Reck, Barren und Pferd sowie zwei Volksturnarten. Volksturnarten waren Hochsprung, Weitsprung, Kugelstoßen, Wettlaufen, Hochhangeln und Schnellhangeln. Bei diesen Wettkämpfen zeigte sich, daß »sportliches Denken« Eingang in Turnerkreise gefunden hatte. Waren beim Volksturnen früher nur Gruppen von drei Übungen preisberechtigt, so wurde jetzt auch die einzelne Übung prämiert. Kritik entzündete sich vor allem an der Überbewertung der Leistung gegenüber ästhetischen Prinzipien, sah man doch hierin die Preisgabe eines alten Turnerideals: »... beim Weitsprung gilt ein Rückfallen nicht mehr als Fehlsprung, sondern der hinterste Eindruck des Körpers wird gemessen. Schöne Haltung und graziöser Niedersprung zum sicheren Stand – alles wird geopfert in der Sucht nach Höchstleistungen«[603]. Zu den genannten Disziplinen des Volksturnens kamen noch Spezial-Volksturnarten wie Gewichtstemmen, Ringen, Keulenschwingen, Stafetten-Wettlauf, Wettlauf über 220 Yards, Hindernislauf über 120 Yards und Schnellschwimmen, von denen allerdings auf den Turnfesten nur jeweils einzelne dieser Turnarten in das Programm des Wetturnens aufgenommen wurden.

Eine bemerkenswerte Neuerung der Festordnung, die auf dem Turnlehrertag beschlossen wurde, betraf das Festspiel. Da der erste Versuch einer Festspiel-Aufführung auf dem Turnfest 1900 ein Erfolg war, man hatte sich hierbei an der Praxis der Deutschen Turnerschaft orientiert, wurden nun für die besten eingesandten Festspiele vom Vorort Geldprämien in Höhe von 300, 200 und 100 Dollar ausgesetzt.

Das Kulturprogramm umfaßte weithin Preissingen und Preisdeklamieren. Zur Intensivierung der geistigen Bestrebungen im NAT wurden Vereinspreise für entsprechende Leistungen ausgesetzt. Unabhängig davon wurden regelmäßig literarische Preisaufgaben verteilt.

Das 29. Bundesturnfest in Indianapolis 1905 ist in mancher Hinsicht ein Höhepunkt in der Geschichte der deutsch-amerikanischen Turnbewegung. Erstmals waren mit Genehmigung des State Departments in Washington Einladungen an europäische Turnverbände ergangen; erstmals nahm eine Riege der Deutschen Turnerschaft an einem amerikanischen Turnfest teil. Der Vorort würdigte die deutsche Beteiligung an dem Fest, indem er allgemein auf die freundschaftlichen Beziehungen zwischen den Vereinigten Staaten und dem deutschen Volk hinwies und hervorhob: »Die Amerikaner deutschen Stammes sind überzeugt, daß sie dem Lande, dessen Bürger sie sind, keinen größeren Dienst erweisen können als dadurch, daß sie sich ihr deutsches Stammesbewußtsein wahren und nach wie vor das Eindringen deutschen Wesens und deutscher Kultur in das amerikanische Volksleben vermitteln und fördern. Dem von Staatsbürgerrecht und Landesgrenzen unabhängigen Gefühle der Zusammengehörigkeit aller Deutschen auf dem Erdenrund entsproß die Idee, zum 10. Deutschen Turnfest (Nürnberg, 1903) eine Riege des Nordamerikanischen Turnerbundes zu entsenden. Daß dieses Gefühl frohen Widerhall fand in den Herzen der deutschen Stammesgenossen jenseits des Weltmeeres, beweist die Beteiligung einer Riege der Deutschen Turnerschaft am 29. Turnfest des Nordamerikanischen Turnerbundes«[604].

Das zweite bedeutende Ereignis war der Besuch des Vizepräsidenten der Vereinigten Staaten, Fairbanks, der in seiner Ansprache zunächst die Demonstration der Riege der Deutschen Turnerschaft unter Leitung von Professor F. Keßler lobend hervorhob und dann die Verdienste würdigte, die sich der NAT um die Volkserziehung in den USA erworben habe. Die Angriffe von Anglo-Amerikanern gegen das Deutsch-Amerikanertum wies er entschieden zurück. »This Turnfest is an honor to us all and one which we most sincerely and heartily appreciate. The good work you ... are doing, is far-reaching. It tends to improve our citizenship; it makes stronger and better men and women«. Seine an den ersten Vorsitzenden, Hermann Lieber, und an alle versammelten Turner gerichtete Grußbotschaft schloß mit den Worten: »I wish to express to you, my friends, my profound appreciation of your most cordial greeting ... We are all Americans, proud of our citizenship, and eager to advance the welfare of our country and the honor and glory of our Republic«[605].

Außerordentlich beeindruckt von dem Bundesturnfest zeigte sich Bundessenator Albert J. Beveridge, der in einem Dankesbrief an Lieber versprach, sich für die Ziele des NAT einzusetzen, glaubte er doch, ihre hohe volkserzieherische Bedeutung erkannt zu haben. So schrieb er: »If this discipline could be extended among all young men and women of this Nation, the result in one generation would be to produce a type of manhood and womanhood far superior to anything which has been seen upon the earth before, except perhaps the picked men and women of Greece at the period of her highest development ... The moral, mental and physical wellbeing of the American people would be advanced beyond estimate could we all have the good fortune to have such a training as the North American Gymnastic Union is furnishing its members«[606].

Das dritte herausragende Ereignis war der Festzug, der mit einem Fackelzug eingeleitet wurde, und die Eröffnungsfeier auf einem Platz in der Stadtmitte. Der Festzug, vor allem die mitgeführten Festwagen, fanden das besondere Interesse der etwa 50000 Zuschauer, ebenso die in den Hauptstraßen der Stadt aufgestellten vier plastischen Turn-

gestalten. Die unter der Leitung von Rudolf Schwarz, einem Künstler von nationalem Ruf, hergestellten Festwagen – die Republik, die Auswanderung, die Ansiedlung der Eingewanderten, die Beteiligung am Bürgerkriege, die deutsche Turnkunst – gaben dem Festzug eine tiefere Bedeutung, so daß der Superintendent der öffentlichen Schulen der Stadt dem Ersuchen des Festausschusses entsprach und die Schuljugend offiziell auf den historischen Sinnbezug der Festwagen hinwies[607]. Festspiel, Konzerte, Unterhaltungsabende und Vorführungen der verschiedenen Gesangssektionen und andere kulturelle Veranstaltungen verliehen dem Fest einen volkstümlich-musischen Charakter. Wenn auch Bemühungen, über die Stadtgrenze hinaus die amerikanischen Bürger für das Fest zu interessieren, keinen Erfolg hatten, da es an planmäßigen und weiterreichenden Informationen fehlte, so konnte der Festausschuß doch mit Recht erklären, daß er seine drei Hauptziele erreicht habe:
1. das Bundesturnfest nicht zum Fest einer einzelnen Körperschaft, sondern zu dem der ganzen Stadt zu gestalten;
2. innerhalb des Turnerbundes und unter der deutsch-amerikanischen Bevölkerung das Interesse für das Fest und die Sache der Turnerei wachzurufen und
3. europäische Turnverbände mit Nachdruck auf das nationale Fest des Turnerbundes aufmerksam zu machen[608].
Leider war es dem Nordamerikanischen Turnerbund nicht möglich, den mit dem 29. Turnfest gesetzten Maßstab zu halten. Als 1913 erstmals in der Geschichte des NAT ein Bundesturnfest im Westen veranstaltet wurde, nahmen an diesem Fest in Denver nur etwa 1000 Turner teil[609], während die Zahl der Turnfestbesucher in Indianapolis erheblich höher war[610]. Der geringe Besuch war hauptsächlich bedingt durch die schwache Beteiligung der Turnvereine aus dem Osten der Vereinigten Staaten, denen es kaum möglich war, die hohen Reisekosten aufzubringen. Unzufriedenheit über einzelne Bestimmungen der Turnfestordnung veranlaßten darüber hinaus einige Vereine, dem Bundesturnfest fernzubleiben[611], obwohl vom Turnverein Denver eine sehr intensive und systematische Werbung betrieben worden war. Die sommerliche Hitze und die zahlreichen Differenzen bei der Kampfrichtertätigkeit schufen ein Reizklima, das erst mit den beifällig aufgenommenen Vorführungen endete. Die Presse verhielt sich recht reserviert. Der Verlauf des Festes entsprach weitgehend dem Programm anderer Turnfeste. Während des Festes artikulierte sich der Wille der Turner, altertümliche Wettübungen fallen zu lassen und statt dessen die Turnfeste mit turnerischen Spielen anzureichern. Ein sehr gelungenes Experiment waren die Turnfahrten am Ende des Festes, die in die nähere und weitere Umgebung Denvers, so in das gewaltige Felsengebirge Colorados führten[612].

### 2.4.7 Auszeichnungen und Turnersymbole

Verdienten Vereinsmitgliedern wurden bei Festen und Feiern Anerkennung und Ehrungen zuteil. Dabei erwies sich die Sprache der Symbole als eine Bindekraft, die Tradition und Fortschritt vereinte. Eine der ehrenvollsten Auszeichnungen, die der Nordamerikanische Turnerbund vergab, war das Diplom aus Anlaß einer fünfzigjährigen Mitgliedschaft. Die Zuordnung allegorischer und historischer Gestalten, Symbole und Embleme auf dieser Urkunde enthält ein Stück Turngeschichte und verdient daher eine nähere Beschreibung und Deutung.
In der Mitte des oberen Randes der Ehrenurkunde sehen wir Jahns Bild und darunter

eine breite Borte mit der Zahl 50 in Golddruck. Der Bundesstempel auf der unteren Seite ist ebenfalls in Gold, die Schleife darüber in den Turnerfarben Rot und Weiß gehalten. Links im Bild steht die Columbia, in der Linken ein Geschichtsblatt haltend, auf dem der Willkommensgruß verzeichnet ist, mit dem sie einst die Achtundvierziger, die Gründer des Turnerbundes, empfing: »Statt Schwarzrotgold mein Sternenbanner!«. Beide Flaggen umrahmen das Bild Jahns. Columbia blickt nieder auf eine Tafel, auf der die zu ihren Füßen sitzende *Klo,* die Muse der Geschichte, mit einem Griffel die wichtigsten Jahreszahlen aus der Geschichte des Nordamerikanischen Turnerbundes eingegraben hat: das Revolutionsjahr 1848/49, die Gründung des Turnerbundes 1850, die Zeit des Bürgerkrieges 1861 bis 1865, die Tagsatzung von Cleveland 1878, auf der die »principiellen Beschlüsse« angenommen wurden, das Goldene Jubiläum des Turnerbundes 1900. Diese der Vergangenheit angehörenden Jahreszahlen hat Klio mit ihrer Unterschrift »beglaubigt«; sie setzt nun den Griffel an, um die nächste für die Geschichte des Turnerbundes bedeutsame Jahreszahl aufzuzeichnen. Auf den Stufen unter ihr liegt neben Lorbeerkränzen ein älteres Pergament, das einige für die Geschichte der Leibesübungen bedeutende Namen enthält. Sie reichen vom griechischen Altertum bis zu den Befreiungskriegen. Oben steht *Olympia,* Schauplatz der berühmtesten Wettkämpfe und Spiele der Hellenen, darunter *Siegfried* und *Brunhild,* Heldengestalten des Nibelungenliedes, die an die Einzelwettkämpfe des älteren »germanischen« Mittelalters erinnern; dann folgt *Buhurt* oder der ritterliche Scharenkampf, verbunden mit dem Namen *Mainz,* wo Pfingsten 1184 zum Reichsfeste 40.000 Ritter versammelt waren, geschart um Kaiser Friedrich Barbarossa, der noch als Dreiundsechzigjähriger am Turnier teilnahm; zuletzt der Name *Hasenheide,* wo 1811 Jahn, »der Alte im Barte«, seinen Turnplatz eröffnete. Auf der rechten Seite der Urkunde ragt eine Eiche empor, in deren Mitte ein Schild mit dem Turnermotto »Frisch, Frei, Stark, Treu«. Darüber ist ein Wappen angebracht mit den Inschriften »Bahn frei!« und »Gut Heil!« und den Symbolen Fackel, Schwert und Eule als Zeichen des mutigen Kampfes der Turner für Freiheit, Recht und Wahrheit.

Ähnlich gestaltet ist die Ehrenurkunde für fünfundzwanzigjährige Mitgliedschaft. Auf der linken Seite unter dem Sternenbanner, in einen Goldrahmen gefaßt, das Bild von Jahn, verziert mit zwei Schleifen, die das Motto tragen »Bahn frei!« und »Gut Heil!«. Darunter erkennen wir eine Putte mit einer Schriftrolle, auf der die Turnerdevise zu lesen ist »Freiheit, Wohlstand und Bildung für alle!«. Überragt wird die Zweiergruppe von einer üppigen lorbeerbekränzten Frauengestalt, die sich auf eine Tafel mit der Inschrift »Mens sana in corpore sano« stützt und huldvoll einen Turner auf der rechten Bildseite grüßt, der ihr einen Eichenkranz entgegenstreckt. Mit Lorbeer- und Eichenblättern ist die Urkunde umrahmt.

Im Jahre 1916 wurden zwei Entwürfe preisgekrönt, der eine als Abzeichen für das Turnlehrerseminar, der andere für den Turnerbund. Beide zeigen Diskuswerfer, klassische athletische Typen, umrahmt von dem Wahlspruch der Turner »Frisch, Frei, Stark, Treu.« Der dem Diskuswerfer des Myron nachgebildete Athlet in der Schwungphase ist heute noch das Wahrzeichen der »American Turners«, nur daß die deutschen Worte durch das englische Motto: »Sound mind, sound body« ersetzt worden sind.

Bereits also im ersten Weltkrieg erfolgte eine Abwendung von der aus deutsch-romantischen Vorstellungen resultierenden Motivwahl. Auf starke, an die Rüdesheimer »Germania« erinnernde Frauengestalten, Lorbeer- und Eichenkränze, Fahnen und

146

Girlanden wurde verzichtet und eine bildliche Orientierung zur griechischen Klassik hin vollzogen, strengere Formen wurden gewählt und neutralere Aussagen gemacht[613].

### 2.4.8  Festspiel

An Washingtons Geburtstag, am 22. Februar 1894, wurde in Indianapolis das »Deutsche Haus«, das eine »Pflanzstätte der Bildung, Gesundheit und Humanität«[614] sein sollte, mit dem Festspiel »Deutsche Gaben« von Konrad Nies, St. Louis, eingeweiht. Dieses Festspiel ist ein so charakteristisches Zeugnis für die Vorstellungswelt der deutsch-amerikanischen Turner am Ende des 19. Jahrhunderts, für ihren Kultursynkretismus, ihr romatisch verbrämtes Deutschlandbild, ihre klischeehaften Impressionen landsmannschaftlicher Eigenarten und der Verbindung banaler »Handlungen« und feierlicher Deklamation, daß eine Interpretation sinnvoll erscheint. Denn daraus wiederum läßt sich ein Verhaltenswandel gegenüber früheren Generationen, etwa den »Achtundvierzigern« ableiten, wie er auch in den sich wandelnden Grundsatzerklärungen des NAT und zahlreichen literarischen Zeugnissen aus dem Turnerlager jener Jahre deutlich wird.

Das Festspiel von Nies beginnt mit einem Picknik im Walde, an dem eine Anzahl junger Deutsch-Amerikaner, die aus allen Gegenden Deutschlands stammen, teilnehmen und die sich mit Skatspielen die Zeit vertreiben. Beim Skatklopfen geraten ein Bayer und ein Preuße in Streit, als jeder die Vorzüge seiner engeren Heimat anpreist. Schwabe, Sachse, Badener, Schlesier und andere mischen sich ein und steigern die Erregung, bis der Genius der deutschen Sprache erscheint, der die landsmannschaftliche Zerrissenheit verurteilt und warnend ruft:

»Seid Ihr nur deshalb übers Meer gekommen,
Um Euch in Landsmannschaften hier zu spalten,
Statt treu vereint, zu eignem Nutz und Frommen,
Als Deutsche hier in diesem Land zu walten?«[615]

Der Genius fordert dann die Burschen auf, ihm nach einem Platz im Mittelwesten Nordamerikas zu folgen, wo sich Deutsche zusammenschlossen und mit vereinter Kraft ein Stück neuer Heimat erstehen ließen. Er führt sie zum »Deutschen Haus« in Indianapolis. Vor dem Haus steht Columbia, Amerikas Symbolfigur, davor zur Rechten und zur Linken der Genius des Hauses und der Genius der deutschen Sprache, beide umlagert von Deutschen in ihren verschiedenen Landestrachten. Als Gabe zum Gedeihen des Hauses überreicht nun ein Vertreter jedes Volksstammes das Beste aus seiner Heimat: der Schlesier die Geselligkeit, der Österreicher den Walzer, der Bayer das bayerische Bier, der Pfälzer den Wein, der Schwabe den Christbaum. Ihnen folgt als allegorische Gestalt die Turnerei. Nach ihrem Ruf »Gut Heil« und der Verheißung, daß durch Turnen »die kranke Welt gesunde«, verkündet sie pathetischkraftvoll:

*»Ich schmied der Freiheit gold'ne Schwingen*
*Mir aus Germaniens Edelerz:*
*Ich lös' der alten Knechtschaft Schlingen*
*Und Sieg um Sieg im Völkerringen*
*Erobre ich Columbias Herz.«[616]*

Am Schluß erscheint, Arm in Arm, die deutsche Tonkunst und das deutsche Lied, von

Columbia als Schwesternpaar begrüßt. Columbia weiht dann auf Bitten des Genius des Hauses die neue Stätte deutschen Kulturlebens, in der auch der Angelsachse, gleichen rassischen Ursprungs wie der Deutsche, einzutreten aufgefordert wird.

> *»Was Meer und Grenzwall ein Jahrtausend schied,*
> *Mein Sternenbanner hält es neu umschlossen;*
> *Vereint führ' wieder hier die gleichen Bahnen*
> *Den Angelsachsen ich und den Germanen.«*[617]

Eine strukturelle Analyse des Stückes macht das gesellschaftliche Verhalten der Deutsch-Amerikaner jener Zeit sichtbar und läßt die Parallele zu patriotischen Festspielen im wilhelminischen Deutschland erkennen, die aus Anlaß der Reichsgründung, der Sedanfeier und des Kaisergeburtstages aufgeführt wurden. Der allegorische Charakter des Stückes, seine lebenden Bilder, die Blumen und Fahnensymbolik korrespondieren zugleich mit Inhalten und Formen des damals bei den Nationalen Turnfesten üblichen Festzugs. Das Festspiel von Nies ist ein deklamatorisches Schaustück, aufgebaut auf einer scheindualen Ordnung, denn die stammesmäßige Zerrissenheit der Deutschen in der ersten Szene erweist sich für Nies in Wahrheit als Ausdruck der Vielfalt deutschen Volkstums und damit als starke Bindekraft. Inhaltlich besteht das Festspiel aus einer Reihung von Gedichten mit teils recht banalen Sentenzen, aus allegorischen Darstellungen, die musikalisch umrahmt werden. Die Distanz zur Bühne, die Feierlichkeit der Szenenfolge drängt den Zuschauer in die passive Haltung des huldvollen Betrachters. Ehrfurcht und Ergriffenheit, Stolz auf deutsch-amerikanische Kulturleistungen soll die pathetische Deklamation und farbige Bildersprache bewirken, doch ihre Inhalte haben keine geistige Tiefe. So ist das Festspiel ein oberflächliches Schaustück, das die Selbstzufriedenheit deutsch-amerikanischer Turner widerspiegelt, ähnlich wie die von der Deutschen Turnerschaft mitgestalteten Festspiele im wilhelminischen Reich nationale Überheblichkeit zum Ausdruck brachten.

### 2.4.9   Das »geistige Turnen«

Das »geistige Turnen« bildete wie in Deutschland (DT und ATB) einen wesentlichen Bestandteil auch der deutsch-amerikanischen Turnbewegung. Was verstanden die deutsch-amerikanischen Turner unter diesem etwas merkwürdigen Begriff? Bereits die Tatsache, daß geistiges Turnen gefordert wurde, weist darauf hin, daß es nicht nur darum ging, durch Gymnastik körperliche Gesundheit zu fördern, sondern daß es vielmehr darauf ankam, eine geistige Haltung zu initiieren und zu fördern, die dem konservativen, kapitalistischen, bürgerlichen Denken entgegengesetzt war, mit dem Ziel, eine Veränderung der bestehenden politischen Verhältnisse herbeizuführen. Durch Vorträge und Aufsätze wurde den Mitgliedern der Turnvereine der Zusammenhang zwischen körperlichem und geistigem Turnen klar gemacht. Aufsätze und Gedichte von Maximilian Großmann, E. A. Zündt und Johann Straubenmüller zum Thema »geistiges Turnen« finden sich im »Amerikanischen Turnerkalender«[618]. Interessant ist die Rechtfertigung der »idealen Bestrebungen« der Turnvereine aus dem »Wesen der Turnerei«. So versucht Maximilian Großmann in einem im »Amerikanischen Turnkalender« von 1880 erschienenen Aufsatz nachzuweisen, daß immer nur dann,

148

wenn das »Turnen« nicht um seiner selbst willen, sondern in Verbindung mit einem geistigen Ziel betrieben wurde, es einen erzieherischen, humanen Wert für ein Volk besessen habe. Belegt wird diese These mit einem historischen Rückblick auf die idealisiert geschauten Zustände im antiken Athen und auf die Turnbewegung Jahns, die zur geistigen Erneuerung des deutschen Volkes und damit zur Befreiung von politischer Fremdherrschaft geführt habe. Die durch die Turnbewegung entstandene geistige Verwandlung des deutschen Volkes hätte auch zu einem Wandel der innenpolitischen Einstellung geführt. »Die Turnerei mit ihrem geistigen Inhalt hatte den Freiheitssinn des Volkes gehoben. Diese politische Bedeutung der Turnerei war es, welche am Ende des 5. Jahrzehnt unseres Saeculums als ein revolutionärer Geist ganz Europa mit frischem Hauch durchwehte, den »Demokratischen Turnerbund« bewog, sich offen für die Republik zu erklären. Er hatte wohl erkannt, daß nur in ihr das Heil zu suchen sei.«[619]

Wie die demokratischen Turner in Europa, kämpfte auch der 1850 gegründete nordamerikanische »Sozialistische Turnerbund« für die Verwirklichung der neuen revolutionären Ideen. Diese Bestrebungen propagandistisch durch das eigene Verhalten und Tun, aber auch durch aufklärende Reden und Schriften und schließlich durch das dichterische Wort zu verbreiten, war Gegenstand des geistigen Turnens. Großmann teilt offenbar mit vielen älteren Turnern eine gewisse Skepsis den jugendlichen Mitgliedern der amerikanischen Turnvereine gegenüber. »Schon jetzt wissen gar viele Turnvereine darüber zu klagen, wie die junge Welt wohl auf dem Turnplatz zu finden ist, wo sie sich tummelt und schwingt, reckt und ringt – daß sie wohl auch da sei, wenn es ein Vergnügen, einen Ball oder eine Turnfahrt gibt – daß sie aber in der Regel da fehlt, wo es sich um die ernsten Zwecke der Turnerei ... handelt.«[620] Die »Base-Ball-Vereine und Yachtclubs«, die auf dem Boden des freien Amerika so üppig wuchsen, sind für ihn ein Beispiel für Vereinigungen von bloßen »Systematikern« ohne geistige Bestrebungen. Darum fordert er, »die Turner müssen um der öffentlichen Meinung willen, deren Gunst sie nicht durch gelungene Riesenschwünge, sondern durch ihren ethischen und geistigen Wert gewannen, das geistige Turnen, die idealen Bestrebungen pflegen, wegen derer sie so allgemein geachtet sind«[621]. Konkret wird am Schluß des Aufsatzes als notwendige intellektuelle Tätigkeit aller Turnvereine »die Verbreitung, Besprechung, Durchdenkung und Agitation« der angestrebten Ziele gefordert, eine Arbeit, die »durch Vorträge, Debatten, Agitationsversammlungen und schriftliche und mündliche Propaganda sowohl innerhalb der Vereine und des Bundes als auch anregend über das ganze Land hin«[622] getan werden müsse.

Drei Jahre später, 1883, erscheint wiederum im Amerikanischen Turnkalender ein Aufsatz von E. A. Zündt über »Geistiges Turnen«. Als Inhalt des »geistigen Turnens« nennt Zündt nicht mehr die Förderung und Verbreitung der politisch revolutionären Ideen, vielmehr geht es ihm um eine Förderung und Stärkung des Deutschtums » – namentlich auf amerikanischem Boden haben wir, aus weniger sprödem Teig gebackenen Deutschen, alles aufzubieten, um nicht baldigst unserer Stammeseigentümlichkeiten verlustig zu gehen und das Beste und Edelste, was wir aus dem alten Vaterland mit herübergebracht, in dem großen Golf des materiellen Getriebes und Gewoges verschlungen und versenkt zu sehen«.[623] Deutschtum zu erhalten ist für ihn aber nur möglich, wenn alles getan wird, die deutsche Sprache zu erhalten und deutschamerikanische Literatur zu fördern. Zündt stellt besorgt fest, daß die deutschen Kinder in den anglisierten Schulen möglichst schnell ihr Deutsch abstreifen. Ja, er glaubt eine Welle von Deutschfeindlichkeit aller anderen eingewanderten Nationalitäten gegen seine Landsleute zu spüren, sieht darin aber nur den Ausdruck von Neid und Unterlegenheitskomplexen. »Im Haß gegen das Deutschtum und alles, was ihm gedeihlich ist, bieten sich alle anderen hier sässigen Nationalitäten nur zu willig die Hände, als fühlten sie alle gleichmäßig, daß doch noch der Tag kommen wird, an welchem deutscher Geist, deutscher Fleiß und deutsche Ausdauer über alle Gegner den Sieg davontragen dürften«.[624] Die Turner aber sind für Zündt diejenigen, die am stärksten Deutschtum verkörpern. So bekennt er mit markigen Worten: »Es gibt keine echte deutschere Genossenschaft in diesem Lande als die der Turner, und so muß auch sie jeder Zeit und in allem, was deutsches Wesen angeht, den Reigen anführen«[625]. Seine Forderung an den Turnerbund geht deshalb dahin, durch Ausschreibung von Wettbewerben und Preisarbeiten die Turner zu »literarischen Leistungen in deutscher Zunge« anzuspornen. Nun gab es zwar bei den großen Turnfesten das sogenannte Preisdeklamieren, aber das genügte Zündt nicht, ihm ging es um das produktive Schaffen eigener Werke in deutscher Sprache, um die Förderung aller musischen Tätigkeiten durch die Turner.

»Jedenfalls sollten die Turner alles, was geistiges Schaffen, namentlich in deutschen Kreisen, fördert, kräftigst unterstützen und jedem Felde der Kunst, sei es Dichtkunst, Musik, Malerei oder Plasik, ihre Unterstützung und Aufmunterung angedeihen lassen.«[626] Aber wenn auch in allen musischen Bereichen »geistig« geturnt werden könne, so sollten die Turner doch vorzüglich der Poesie ihren Schutz gewähren. Denn »die Dichtkunst ist es, welche so recht eigentlich dem sprachlichen Genius dient und das Deutschtum als solches im engeren Kreise zusammenzuhalten berufen sein dürfte«.[627] Zündt schlägt vor, der Bundesauschuß sollte Preise ausschreiben, berufene Turner sollten die Preiswürdigkeit eines Dramas, eines epischen Gedichtes, eines Liedes, einer Novelle prüfen. Die als preiswürdig anerkannten sollten beim jeweiligen Bundesfest verlesen oder aufgeführt werden. Eine preisgekrönte Arbeit sollte dann von einer der größeren deutschen Zeitungen publiziert werden, um dadurch in weiteren Kreisen der jüngeren Generation Interesse und Nacheiferung zu wecken. Schließlich verbindet sich Zündts Streben nach Stärkung des Deutschtums mit dem alten politischen Fortschrittsgedanken, den bereits Großmann als Inhalt des geistigen Turnens proklamiert hatte: »wir brauchen nur entschieden wie *ein Mann* für alles einzustehen, was den Fortschritt und die Erkenntnis der Wahrheit auf politischem, sozialem und kirchlichem Gebiet fördert, wir müssen unsere Muttersprache und all die reichen Gaben der Literatur, welche sie uns vermittelt, ehren, erkennen und nützen …«. Aus den folgenden Worten läßt sich erahnen, in welch aufreibenden Kampf sich die deutschstämmigen Amerikaner mit den Amerikanern anderer nationaler Herkunft versetzt sahen. »Wir müssen Hand in Hand mit der Förderung der materiellen Interessen unserer Landsleute auch das, was der deutsche Geist hier zu Lande unter schwierigen und sehr oft entmutigenden Verhältnissen dennoch unverdrossen und unbelohnt produziert, hochhalten – unsere deutsche Zeitungspresse, die in fortschrittlichem Geiste wirkt, ermutigen und unterstützen, und für *alles* müssen die *Turner* in der vordersten Reihe zum Kampfe ausziehen, fest, entschieden, neidlos, mit dem Schild der Wahrheit und dem Schwert des Rechts, und wir werden dann nicht nur unseren Gegnern da, wo sie unsere schwachen Punkte zu unserem Verderben benutzen möchten, ein Paroli bieten, sondern sie auch physisch und moralisch nötigen, zu würdigen, was wir leisten und anstreben; sie werden uns in dem Guten und Wahren dann gewähren lassen, in allen Dingen, welchen sie nur Heuchelei und Pharisäertum entgegenzusetzen haben.«[628]

Geistiges Turnen, so wie es Großmann bzw. Zündt und mit ihnen noch andere Vertreter der deutsch-amerikanischen Turnbewegung, zum Beispiel Straubenmüller, sahen, ging somit in zwei verschiedene Richtungen. Einmal sollten die Mitglieder der Turnvereine intellektuell und moralisch die neuen politischen Ideen vom freien, sich selbst verantwortlichen Individuum, das sich in einem auf Recht und Wahrheit basierenden demokratischen Staatsgefüge zu wahrhaft humanem Wesen entwickeln kann, verbreiten, stärken und durchsetzen, zum anderen sollten ihre geistigen Anstrengungen auf eine Entfaltung des Deutschtums hinauslaufen.

Wenn beide Ziele gleichzeitig anvisiert wurden, dann geschah es ganz offensichtlich mit einer Art deutschem Sendungsbewußtsein: Die ausgewanderten deutschen Turner, begeistert von den in Europa seit der Französischen Revolution entwickelten Ideen einer humanisierten Menschheit, stießen in Nordamerika immer wieder auf Gruppen, die sich im harten Existenzkampf befehdeten; sie erkannten und erfuhren Ausbeutung und wenig humanes zwischenmenschliches Verhalten. Ihr Fehlschluß lag aber darin, daß man nur echt deutsch zu sein brauche, um ein ideales Beispiel für edles Menschentum zu geben.

Waren die Turner in den ersten Jahrzehnten des Bestehens ihres Turnerbundes nahezu einmütig davon überzeugt, daß es ihre Aufgabe sei, nicht nur Träger der deutschen Kultur in den USA zu sein, sondern auch den Amerikanern selbst – und zwar zu deren Nutzen – die Inhalte und Werte deutscher Kultur zu vermitteln, so änderte sich diese Haltung, je länger die Turner Bürger des neuen Staates waren. Gegen Ende des 19. Jahrhunderts zeigte sich sehr deutlich, daß viele Turner ihre einst so feste Bindung an die deutsche Kultur verloren und sich in die amerikanische Gesellschaft integriert hatten. Der Turnerbund beobachtete, wie wir wissen, diese Entwicklung mit großer Sorge und versuchte, ihr durch eine intensive Agitation entgegenzuwirken, indem er lapidar konstatierte und forderte: »Der Pol, um den sich die Zukunft des deutschen Turnens dreht, ist, deutsch zu sein und deutsch zu handeln, wo immer wir in unserer Eigenschaft als Turner tätig sind«[629]. Eine so rigorose Forderung wurde von zahlreichen Turnern abgelehnt; sie argumentierten, ein Festhalten am Deutschtum und an der deutschen Sprache stünde dem Bemühen entgegen, das Turnen zum Gemeingut des amerikanischen Volkes zu machen[630]. Den geringsten Widerhall fanden die Forderungen des Bundes bei der Turnerjugend, die in den USA aufgewachsen war, die nur schwache Bindungen an Deutschland hatte und auch der deutschen Sprache nicht mehr mächtig war. Der Bund erkannte sehr wohl: »Die ganze deutsch-amerikanische Kulturarbeit ist auf Sand aufgebaut, solange sich unsere Jugend der Muttersprache entäußert«[631]. Aber anstatt Kompromisse und Formen flexibler Anpassung zu suchen, wiederholte er immer entschiedener seine Forderung und mahnte die Eltern: »Duldet keine englischen Brocken ..., denn sie (die Kinder – d. Verf.) sollen nicht bloß deutsch lesen und deutsch schreiben, sie sollen auch deutsch denken lernen«[632].

Im Bemühen, deutsches Kulturgut zu erhalten, machte der Bund zwei Fehler: Erstens trat er die Flucht nach vorne an, indem er forderte, die deutsche Sprache neben dem Englischen als zweite Landessprache anzuerkennen. Nicht nur, daß er dabei die

Bedeutung der deutschen Sprache und den Wert des Deutschtums für das amerikanische Volk weit überschätzte, er verstieg sich auch zu der Behauptung, die deutsche Sprache und Kultur sei »der wichtigste Bestandteil der gesamten geistigen Kultur der Neuzeit«[633]. Zweitens scheute er, über das Verhalten mancher Turner verärgert und in seiner Haltung verunsichert, selbst vor Schmähungen nicht zurück, indem er die guten Deutschen, die als Bewahrer kulturellen Erbes den Amerikanern an Bildung, Intelligenz und Charakter überlegen seien, von den schlechten Deutschen, den »geistig tiefer Stehenden« schied, den »Minderwertigen«, die »ihre Muttersprache, ihr Volkstum, verleugnen, um in das fremde Element schließlich ganz aufzugehen«[634]. Die amerikanische Presse reagierte zunehmend heftiger auf deutschen Kulturdünkel und steigerte mit Beginn des ersten Weltkrieges ihre Angriffe gegen das Deutschtum so sehr, daß die Turnzeitung bitter vermerkte: »Wenn die anglo-amerikanische Presse als der Ausdruck der öffentlichen Meinung unseres neuen Vaterlandes angesehen werden kann, dann gibt es nichts Verhaßteres in den Vereinigten Staaten als das, was deutsch ist«[635]. Der Turnerbund intensivierte um die Jahrhundertwende seine Kulturarbeit, indem er immer wieder die Vereine zur Abhaltung geistiger Turnabende aufforderte, auf Anfragen Redner benannte und diese honorierte, zu Diskussionen anregte und schließlich auch Vereinspreise für geistige Bestrebungen verlieh. Die Punktverteilung war dabei wie folgt geregelt:[636]

| | |
|---|---|
| Für jede Versammlung, in der über ein selbst gewähltes oder vom Bundesvort gestelltes Thema debattiert wird: | 10 Punkte |
| Für jede Versammlung mit Vortrag und Debatte: | 12–20 Punkte |
| Für jede Deklamation, sowie für jeden Gesangs- und Musikvortrag: | 1 Punkt |
| Für jede Theatervorstellung, welche von der dramatischen Sektion des Vereins gegeben wird: | 10–25 Punkte |
| Für jede deutsche Theatervorstellung durch eine engagierte Schauspieltruppe: | 1–10 Punkte |
| Für jedes von der Gesangssektion gegebene Konzert: | 10–25 Punkte |
| Für die Teilnehmerzahl: bis zu… | 5 Punkten. |

Der erwartete Erfolg blieb aber aus, denn in den Vereinen ließ das Interesse am geistigen Turnen mehr und mehr nach. Als der Vorort für die Jahre 1905/1906 von den Vereinen Berichte über ihre geistigen Betrebungen anforderte, antworteten von den 237 Vereinen nur 43[637]; für 1911/1912 gingen sogar nur von 30 Vereinen Meldungen über geistige Bestrebungen ein[638]. Dabei ergab sich ein sehr unterschiedliches Bild, denn während das Gros der Vereine geistige Bestrebungen ignorierte, entwickelten einige Vereine eine erstaunliche Aktivität. So errang in der Zeit 1911/12 der New Yorker Turnverein mit 212 Punkten den ersten Platz; es folgten der Turnverein Germania, Los Angeles mit 210 Punkten und der Turnverein East Pittsburgh mit 176 Punkten, die weit vor den drei nächsten Vereinen lagen[639]. Ein Grund für die nachlassende Kulturarbeit lag sicher auch in der besonderen Art deutscher Geselligkeitspflege, das heißt, dem Treffen in der Wirtschaft beim Glase Bier. »Die Turner haben die Amerikaner zu dem Glauben gebracht, ein Deutscher und ein Bierfaß seien ein und dasselbe«[640], kommentierte mit bissiger Ironie 1890 die Turnzeitung das Trinkbedürfnis der Turner. Dem Jahresbericht von 1897/1898 ist zu entnehmen, daß von 294 Turnvereinen 189 eigene Wirtschaften oder Clublokale besaßen[641].

Dennoch wäre es nicht gerechtfertigt, das gesellige Beisammensein in der Wirtschaft oder im Bierkeller als das Charakteristische des Vereinslebens zu betrachten. Unter der Vielzahl deutscher Vereine in den USA nahmen die Turnvereine eine Sonderstellung ein, gerade weil sie sich lange um ein recht breites Bildungsangebot bemühten. So bestanden in den Vereinen vielfach Gesangssektionen und Laientheatergruppen, Turnschulen und Elementar- und Sonderschulen und literarische Zirkel. Einige Vereine gaben eigene Vereinszeitungen heraus, die meisten hatten eigene Bibliotheken. Dies läßt den Schluß zu, daß der Wert der Bildung immer noch besonders anerkannt wurde, wenn auch das leidenschaftliche Bemühen darum, wie es den Geist der Gründerjahre charakterisierte, einer breiteren Geselligkeitspflege gewichen war.

Indes war es auch unvorstellbar, daß der bisweilen mit messianischem Eifer proklamierte deutsche Bildungsgedanke in einer sich wandelnden Gesellschaft und bei sich änderndem Gruppenbewußtsein auf die Dauer erhalten bleiben konnte. Anläßlich des Bundesturnfestes in Milwaukee 1857 stellte man die Preisfrage: »Ist die Erhaltung des deutschen Elements innerhalb der Vereinigten Staaten für die Fortentwicklung desselben erforderlich oder nicht?«. Die Antwort des Preisträgers Friedrich Münch lautete: »Je länger der Zeitpunkt sich verschiebt, da unser Volk (gemeint das deutsche Volk – der Verf.) frei und in seiner ganzen Größe unter den Nationen der Erde auftreten wird, desto gewissenhafter sollen wir inzwischen die von dem Geschick uns zugeteilte zweite Aufgabe erfüllen, nämlich in aller Welt, wohin wir gehen, das Evangelium des Menschentums zu verkündigen und die Apostel zu sein der edleren Sitte, der gleichen Rechte und der Freiheit für Alle. Büßen wir unseren nationalen Charakter ein, so ist es mit der Apostelwürde hier wie allerwärts zu Ende« (siehe Dokument). Nach Münch zeichnen die Deutschen Fleiß, Ordnungsliebe, Sinn für Schönheit, Friedensbereitschaft, Freude an Geselligkeit, Warmherzigkeit, Liebe zu Kunst und Wissenschaft aus. Diese Werte gelte es ins amerikanische Volk zu tragen. Voraussetzung dazu sei zum einen die Erhaltung deutscher Sitte, besonders eines innigen Familienlebens, deutscher Sprache, deutschen Gesanges und der Fortbestand der deutschen Turnerei, zum andern die Errichtung deutscher Universitäten und Schulen[642]. Ähnliche Gedanken im Sinne einer Mission, die den deutschen Turnern in den USA aufgegeben sei, äußerte Gustav Tafel 1857 in seiner Festrede am 9. Stiftungsfest des ältesten Turnvereins in den USA, der Cincinnati Turngemeinde (siehe Dokument). Er appellierte an die Turner als die »Träger einer edlen und guten Sache«, die übernommene Mission auszuführen, auf Reformen hinzuarbeiten und die »Segnungen der Turnerei so vollständig wie möglich zu entwickeln«[643].

Vorstellungen edlen Menschseins sind der deutschen Klassik entnommen. Schillers Gedanken einer ästhetischen Erziehung finden sich in dem Aufsatz von Karl Hangl »Geistiges Turnen und geistige Entwicklung«[644]. Die »geistig schöne Gestalt« wird als das Ideal edlen Turnertums angesehen, auf die der Turnlehrer, der mit einem »verständigen Gärtner« verglichen wird, hinarbeiten müsse. »Eine schöne Gestalt, einen schönen Geist und eine schöne Seele, vereint zu einem Wesen, das ist das hohe Ziel unseres Strebens«[645]. – Im Kantschen Sinne einer geistigen Selbstbefreiung, einer Erziehung zur Sittlichkeit, die nur auf Wahrheit beruhen kann, will W. Gundlach den Bildungsprozeß »Vom Mittelalter zur neuen Zeit« verstanden wissen. Die Turner werden aufgefordert, ihn in Anwendung moderner wissenschaftlicher Erkenntnisse weiterzuführen[646].

Anfang der sechziger Jahre, so berichtet Metzner, wurden in den USA sämtliche deutschen Klassiker nachgedruckt, und zwar in hohen Auflagen; dazu kamen die Romantiker[647]. Zwanzig Jahre später, so Metzner, habe das Interesse daran stark nachgelassen[648]. Im Jahre 1882 glaubte Jacob Lucas noch optimistisch, trotz des sich abzeichnenden Aufgehens des Deutschtums im Amerikanertum, der amerikanische Nationalcharakter könne vom »deutschen Wesen« geprägt werden[649]. Neun Jahre später gibt Hermann O. Dreisel auf die Frage »Sind wir unseren Zielen näher gerückt?« eine recht negative Antwort: der Turnerbund habe sich von seinen Zielen immer mehr entfernt, seine Reformfähigkeit mit einem geistigen Substanzverlust eingebüßt. Das »deutsche Wesen« in der Turnerei schwinde mehr und mehr, die Turnfeste seien zu einem Geschäft geworden, bei dem es darum ginge, größtmöglichen persönlichen Profit zu erringen. Noch negativer ist seine Bewertung des »geistigen Turnens«. »Die Denkfaulheit, Gleichgültigkeit und die an Feindseligkeit grenzende Meinungsverschiedenheit der einzelnen Turner machen es zur Unmöglichkeit, eine geistige Riege im Turnverein zu bilden... Schließlich gibt das geistige Comitee die Suche nach geistigem Turnen auf und verwandelt sich allmählich in ein Vergnügungscomitee«[650]. Prüft man die Jahresberichte der Ausschüsse für geistige Bestrebungen von 1890, 1900 und 1915, so ergibt sich ein recht variables Bild. Der Ausschuß von 1890 konstatiert einen erfreulichen Fortschritt: die Beteiligung an den Debatten, die Zahl der gehaltenen Vorträge und die Beantwortung der vom Vorort ausgesandten Themen hat sich erhöht. Folgende zehn Fragen standen zur Diskussion:

1. Warum befürwortet der Turnerbund die Trennung von Staat und Kirche? (Abstimmung: Für 917, Gegen 11)
2. Welchen Einfluß hat die kontraktliche Ausbeutung der Sträflingsarbeit durch Privatpersonen auf die Arbeitsverhältnisse des Landes? (Gegen Ausbeutung 591, Für 10)
3. Ist von dem gegenwärtigen System, welches fast ausschließlich die Anstellung von weiblichen Lehrkräften in den öffentlichen Schulen berücksichtigt, eine rationelle Erziehung der amerikanischen Jugend zu erwarten? (Für Abschaffung 599, Gegen 111)
4. Welche Vorteile würden für das Volk aus der Verstaatlichung der Eisenbahnen und Telegraphen erwachsen? (Für Verstaatlichung 1210, Gegen 86)
5. Ist das australische Wahlsystem Mehrheitswahlrecht für die auf drei Jahre zu wählenden Abgeordneten, Verhältniswahlrecht für die auf sechs Jahre zu wählenden Senatoren geeignet, reformierend in die Politik einzugreifen und ehrliche Wahlen herbeizuführen? (Für das australische Wahlsystem 1009, Gegen 86)
6. Würde es Geschäftsstörungen hervorrufen, wenn die Freiprägung von Silber zum Gesetz erhoben würde? (Für 217, dagegen 1)
7. Wie können Turnlehrertage von wesentlichem Nutzen werden? – Empfohlen wurden Kostensenkungen und Entsendung der Vereinsturnlehrer zu den Turnlehrertagen im Ferienmonat August, wobei die Vereine die erforderlichen Mittel bewilligen sollten. (Abstimmung: Für 269, Gegen 21)
8. Haben die Zöglingsvereine den Erwartungen, die in sie gesetzt wurden, entsprochen? (Ja: 429 – Nein: 208)

154

9. Ist es vorteilhaft, die Beteiligung der Turner der einzelnen Vereine bei Bezirks-, Kreis- und Bundesturnfesten durch eine gewisse Punktzahl zu werten? (Für 387, Gegen 98)

10. Ist die Einführung des Boxens in unseren Turnunterricht zu empfehlen? (Ja: 199 – Nein: 522).[651]

Der Vorort zeigte sich mit dem Ergebnis zufrieden und verband mit dessen Bekanntgabe die Erwartung, »daß die Turnvereine mit frischer Kraft während der nächsten Wintermonate auf dem geistigen Gebiet tätig sein werden, damit das geistige Turnen dieselbe Bedeutung erhalte wie das körperliche Turnen«[652].

Nach dem Jahresbericht 1900 des Ausschusses für geistige Bestrebungen wurden insgesamt 23 Themen zu Debatten bekanntgegeben, sieben davon waren solche des Vorjahres. Der Themenkatalog umfaßte Fragen wie: mögliche Programmänderung des Turnerbundes, Einflußmöglichkeiten des Deutschtums in den USA auf die kulturelle Entwicklung des Landes, Turnziele, Vollmitgliedschaft von Frauen und Mädchen, Ausbildung von Vorturnern, Klassen oder Stände in den USA, »angeborene« Rechte, Frauenstimmrecht, Haltung gegenüber den Buren im südafrikanischen Krieg und andere. Zweiunddreißig Vereine gaben Berichte und Abstimmungsergebnisse an den Vorstand; sieben Vereinen wurden Preise zuerkannt.

Die literarischen Preisaufgaben umfaßten folgende vier Themen, die auch in den 23 Debattenthemen enthalten waren:

1. Über den Einfluß der Konkurrenz auf den materiellen, sittlichen und intellektuellen Fortschritt.

2. Soll der Turnerbund sein aus einer Reihe von Einzelforderungen bestehendes Programm beibehalten, oder soll er sich mit einer allgemeinen Darlegung der Grundsätze und Bestrebungen begnügen?

3. In welcher Weise und nach welcher Richtung soll das Deutschtum Amerikas seinen Einfluß auf die kulturelle Entwicklung dieses Landes geltend machen?

4. Turnziel: was wir wollen und sollen[653].

Der Vorort nahm zu dem wohl wichtigsten Diskussionskomplex der Amerikanisierung wie folgt Stellung: »Der Amerikanisierungsprozeß, über den gerade in den letzten Monaten in so vielen Vereinen debattiert wurde, läßt sich nicht aufhalten; das Streben der Turnvereine muß deshalb darauf gerichtet sein, die junge Generation für die Ziele des Turnerbundes zu gewinnen, anstatt sie durch hämische Bemerkungen abzustoßen. Die Turnvereine müssen zu ihrer Selbsterhaltung ihre erzieherische Aufgabe ernst nehmen, wenn sie verhindern wollen, daß in ihren Hallen eine Generation heranwachse, die Karl Heinzen einst zu dem herben Ausspruch Veranlassung gab: »Lieber ein Indianer als ein Deutsch-Amerikaner«.«[654]

Im Berichtsjahr 1914 bis 1915 wurden 13 Themen zu Debatten im Bundesorgan veröffentlicht und in Sonderdrucken sämtlichen Bundesvereinen zugeschickt. Die Fragen bezogen sich zu einem großen Teil auf das Leben in den Turnvereinen: Sollen die Zöglinge am geselligen Leben des Vereins teilnehmen? Wie und in welchem zeitlichen Umfang soll das Turnen der Altersklassen gestaltet werden? Trägt der Bau von Schwimmbädern zur Weiterentwicklung der Vereine bei? Wie können die Turnfahrten attraktiver werden; in welcher Weise hat das Turnlehrerseminar zum Aufbau der Turnvereine und des Bundes beigetragen? Einige Themen waren von brennender politischer Aktualität, «Die Haltung des Turnerbundes im Weltkrieg entsprechend dem

Aufruf des Bundesvororts», «Die Haltung der amerikanischen Regierung im Weltkrieg entsprechend einer Antwort des Staatssekretärs Bryan an Senator Stone» und «Kommentare der Zeitungen Englands zu der Antwort des Staatssekretärs». Hierbei ging es um die Forderung einer strikten amerikanischen Neutralitätspolitik und den Erlaß von Gesetzen, welche die Ausfuhr von Waffen, Munition und Kriegsvorräten verhindern sollten.

Obwohl nach Paragraph 76 der Bundesstatuten die Vereine verpflichtet waren, dem Bundesvorort über ihre geistige Tätigkeit Bericht zu erstatten, gingen im Berichtsjahr 1914/15 bei einer Gesamtstärke des NAT von 218 Vereinen nur von 21 Vereinen Meldungen über geistige Bestrebungen ein. Prüft man die Liste der 21 aufgeführten Vereine, die Vereinspreise für geistige Bestrebungen erhielten, genauer, so ist der Gesamteindruck noch deprimierender; die Zahl der im Berichtsjahr gehaltenen Vorträge beträgt durchschnittlich drei, Debatten gab es nur in vier der insgesamt 21 Vereine, Deklamationen, Gesangs- und Musikvorträge in nur 10 Vereinen, hier aber zahlenmäßig zum Teil sehr unterschiedlich, so daß die niedrigste Zahl bei drei, die höchste bei 41 liegt. Konzertveranstaltungen gab es nur in fünf Vereinen, und zwar durchschnittlich zwei im Jahr. Theatervorstellungen führten zehn Vereine durch, im Schnitt drei pro Jahr[655].

Die »geistigen Bestrebungen« im Turnerbund hatten damit einen Tiefpunkt erreicht, über den auch der Hinweis des Vororts nicht hinwegtäuschen konnte, daß die 21 Vereinsberichte kein vollständiges Bild der geistigen Bestrebungen im Nordamerikanischen Turnerbund wiedergäben; Zeitungsberichte ließen angeblich erkennen, daß in den Bundesvereinen ein viel regeres geistiges Leben herrsche, als es sich in den Berichten widerspiegele. Statt nach den Ursachen für das bundesweite Nachlassen des Interesses am »geistigen Turnen« zu fragen und anhand einer genauen Analyse daraus Konsequenzen für die weitere Arbeit des NAT zu ziehen, wurden indirekt die Schriftwarte und Ausschußvorsitzenden der Vereine für das wachsende Desinteresse verantwortlich gemacht, die es versäumt hätten, die Berichte regelmäßig einzusenden[656]. Das Desinteresse am geistigen Turnen verstärkte sich noch im folgenden Jahr, als nur vier Vereine ausgezeichnet werden konnten, deren Punktzahl erheblich unter der bisherigen lag[657]. Offen war nur die Frage, ob das Nachlassen der geistigen Bestrebungen kriegsbedingt oder strukturbedingt war, das heißt mit den Prinzipien des NAT zusammenhing.

## 2.5    Max Hempel (1863 bis 1906) und die Turnerlyrik

Max Hempel war ein typischer Vertreter des geistigen Turnens, der durch Vorträge, Aufsätze und Gedichte eine starke Wirkung ausübte. Seine Werke sind vom Fortschrittsglauben und von Aufklärungseifer ebenso wie von der Begeisterung für alles Deutsche durchdrungen. Der 1863 in Dresden geborene Doktor Hempel wanderte 1880 in die Vereinigten Staaten aus. Er wirkte als Lehrer in den Städten St. Louis und Omaha. Später widmete er sich dem Medizinstudium und graduierte 1901 an der Washington Universität als Arzt. Das Gedicht »Im Seciersaal« bringt seine tiefe Erschütterung über soziales Elend und irdische Begrenztheit der ärztlichen Kunst zum Ausdruck. Er starb 1906 nach kurzer schwerer Krankheit. Neben seiner Tätigkeit als Lehrer und Arzt wirkte er als Sprecher der sogenannten Freien Gemeinde von Nord St. Louis. Die Max Hempel Memorial Association schreibt im Vorwort des von ihr herausgegebenen Gedichtbandes folgende Sätze über seine Arbeit in dieser Gemeinde: »-damit hatte er seinen wahren Wirkungskreis gefunden, und er widmete sich seiner Aufgabe mit dem Feuereifer seiner idealistischen Natur. Dem Kampfe für Aufklärung, für Wahrheit und Recht, war von nun an sein Streben geweiht. Er war einer der berufensten, weil überzeugungstreuer Vertreter der monistischen Weltanschauung, ein zielbewußter Vorkämpfer für Fortschritt und Menschenwürde. Seine gehaltvollen, scharf durchdachten Vorträge, die durch eine glänzende Rednergabe unterstützt wurden, lockten eine immer wachsende Zuhörerschaft«[658]. Seiner Weltanschauung gibt Hempel in einer Reihe lyrischer Gedichte Ausdruck.

Was diese Gedichte im größeren Zusammenhang der Arbeit einer Betrachtung wert macht, ist nicht ihre künstlerische Form, aufschlußreich ist nur, wofür sich der deutsche Emigrant in seiner neuen Heimat Amerika engagierte, wozu er die deutschen Gruppen, zumal die in den Turnvereinen, aufrief und anfeuerte. Sieht man von den speziellen Turnerliedern ab, die unter »Turnerlyrik« allgemein behandelt werden sollen, so sind es vor allem zwei Themenkreise, denen er gefühlsstarken, oft pathetischen Ausdruck verleiht: die soziale Frage der anzustrebenden gerechten Güterverteilung und die politische einer freiheitlichen Staats- und Gesellschaftsordnung.

Soziales Elend, gesteigert durch sinnlose Kriege, Knechtschaft der Fronarbeiter und Unfreiheit vor allem der Lohnarbeiter hatte ihn im zurückgelassenen Europa erschüttert, erschreckte ihn aber nicht weniger in Amerika, das er wie viele revolutionär gesinnte Deutsche als Land der Hoffnung betreten hatte. So gibt er seiner Enttäuschung über Amerika in folgenden Zeilen Ausdruck:

> *- und wie in Banden*
> *Europa tausendjähr'ge Sünde hält,*
> *So kamst auch du, Amerika, zu Schanden,*
> *Schlecht, wie die alte, bist du, neue Welt!*
> *Hier gibt es hungrige und satte Magen,*
> *Die rauhe Sorge klopft an manche Tür,*
> *Wie sie's getan seit grauer Vorzeit Tagen,*
> *Und wie man drüben mordet, so auch hier*[659].

Die Erfahrung menschlichen Elends in allen seinen Erscheinungsformen hüben und drüben wird zu einer wesentlichen Motivation für Hempels Atheismus[660],

Trotz der Enttäuschungen im Lande der Verheißungen ist Hempels Fortschrittsglaube und der an eine große soziale Revolution unerschütterlich.
Die revolutionären zuversichtlichen Töne sind die stärksten. So klingen solche des Aufruhrs aus dem »Neuen Mailied«:

> *Zornig singt der Schwarm der Knechte:*
> *»Stillt, o stillet unsere Not!*
> *Gebt uns freier Menschen Rechte,*
> *Gebt uns Arbeit, gebt uns Brot!«*
>
> *Mit Erschrecken und mit Schaudern*
> *Mancher hört der Knechte Schrei;*
> *Lauscht entsetzt dem immer lautern,*
> *Neuen Sang im Monat Mai.«*[661]

Am Ende des Gedichts »Zeitbild« wird die Vision eines Weltbrandes beschworen, in dem die alte faule Welt zusammenbricht. Der »Menschheit Genius« erschaudert vor dem Kommenden:

> *Schon hört sein Ohr das schwere*
> *Gewalt'ge Schreiten ungezählter Heere,*
> *Schon sieht er, wie, umloht von wilden Flammen,*
> *Bricht jäh der Bau der alten Welt zusammen,*
> *Wie Sklaven blutig tilgen ihre Schande -*[662].

Das sind Verse, die die Weltrevolution ankündigen. Sie sollten die deutsch-amerikanischen Bürger, vor allem die Abeiterturner und Sänger aufrütteln und zu revolutionärer Gesinnung und Tat anfeuern, um die sozial gerechte Gesellschaft herbeizuführen. Neben den sozialrevolutionären Tönen klingen in Hempels Gedichten auch andere an, die typisch sind für einen aus Deutschland Eingewanderten und die das wiedergeben, was die Herzen vieler Deutsch-Amerikaner bewegte, den Schmerz um die verlorene Heimat, der die erste Generation daran hinderte, unbeschwert und unbelastet die neue Identität von Amerikanern anzunehmen. Sie blieben *Deutsch*-Amerikaner und gaben sich großen Mühe, ihr Deutschtum auch in der neuen Welt zu

158

bewahren. Wie für viele seiner Landsleute in Amerika ist der Zwiespalt charakteristisch, der Zwiespalt zwischen Zorn und Sehnsucht, wenn er an Deutschland denkt, Zorn über die politische Unfreiheit, die dort herrscht und die ihn aus dem Lande trieb. Wie viele seiner Landsleute wartet er auf eine Nachricht, die eine politische Umwälzung in der alten Heimat ankündigt und die auf den Anbruch der Freiheit im alten Europa hoffen lassen könnte. Mancher Briefwechsel mit sozialistischen Freunden, die in Europa geblieben sind, bestätigt diese Haltung der Sehnsucht die in gefühlsseligen Versen ein idealisiertes Bild der Heimat entwirft. Es gibt nichts Vergleichbares mit dem, was Heimat, deutsche Heimat heißt:

*In meiner Heimat - ach, so schön wie diese*
*fand ich kein Land auf meinem Wanderpfade,* -[663]

Darum die Mahnung an die Landsleute:

*»Bleibe treu dem Vaterlande,*  *Halte fest im deutschen Herzen*
*Bleibe treu dem Vaterhaus,*   *Der Erinn'rung heilig Pfand,*
*Zogst du aus den lieben Räumen* *Bleibe treu dem Vaterhause,*
*Auch im Zorne einst hinaus.*   *Bleibe treu dem Vaterland!«*[664]

Nach dem Verlust des Heimatbodens war der Wunsch der deutschen Emigranten verständlich, auf fremdem Boden wenigstens ihre deutsche Identität zu bewahren. Dieser Wunsch wurde um so stärker, je schneller sich die Söhne und Töchter mit der angloamerikanischen Bevölkerungsgruppe vermischten. [665]

Wissend, daß mit der deutschen Sprache auch deutsches Bewußtsein untergeht, beschwört er, an ihr festzuhalten:

*»O schäme dich der deutschen Sprache nicht,*
*sind andere Töne dir auch mehr vertraut,*
*So tief und innig wie das deutsche Wort*
*Klingt keiner andern Sprache schönster Laut.«*[666]

Dem begreiflichen Wunsch, das Deutschtum zu erhalten, folgt eine übersteigerte Idealisierung dessen, was deutsches Wesen sei. Da wird die Tugend der Treue als »ureigen« deutsch bezeichnet, und alle wissen angeblich darum.

*»Denn alte deutsche Treue*
*War jedem Volk bekannt.«*[667]

In einem Gedicht »Zum neuen Jahre« bringt er einen ebenso gefühlsseligen wie selbstgerechten Toast auf den deutschen Geist aus:

> »Man rühmet laut des Deutschen treu Gemüt,
> Das nie mit Undank Güte könnte lohnen;
> Und wo noch Redlichkeit und Treue blüht,
> Da, meint man, müssen brave Deutsche wohnen.«[668]

Daneben stehen in schon peinlich wirkender Hypertrophie »wahr sein«, »fleißig sein« als Synonyma für »deutsch sein«, zum Beispiel:

> »Ja, deutsch sein heißt auch: wahr sein«.[669]

und

> » - wo du fleiß'ge Menschen schauest,
> Die mühevoll den Grund bebaun,
> Da findest du gewißlich Deutsche.«[670]

In den Turnerliedern ist die Rede vom

> »Altdeutschen Mut, dem Furcht ein Rätsel war«[671]

vom

> » - deutschen Sinn, der nur nach Hohem strebt.«[672]

In einer nicht mehr zu überbietenden Weise steigert Hempel seine verblendete Verehrung des deutschen Geistes und dem Gedicht »Deutsches Wort und deutscher Geist« in dem er seiner Überzeugung Ausdruck gibt, daß deutscher Geist, dem aller anderen Nationen überlegen, selbst dann noch Sieger bleiben wird, wenn die deutsche Sprache untergehen sollte.

> »Und käm' die Zeit, da, …   seh ich zum Troste über ihrer Bahre
> … die deutsche Sprache fällt,   Den deutschen Geist als Sieger aller Welt.«[673]

Mit nationalistischen Scheuklappen vor den Augen, verschließt Hempel sich vor den Erkenntnisleistungen anderer Völker und glaubt, daß die Resultate wissenschaftlicher Forschungen und Ideen neuen politischen Strebens »aus dem deutschen Geist geboren« seien.

> »Was von dem Weltenrätsel uns entsiegelt,
> So weit erhellt die endlos dunkle Spur;
> Was sich in jedem Wissen widerspiegelt,
> Was wir belauscht vom Leben der Natur;
> Was zu des Freiheitstempels hohen Thoren,
> Zu Wahrheit, Licht uns führt aus Dunkels Haft;
> Ward es nicht aus dem deutschen Geist geboren?
> Ist's nicht ein Teil von seiner trotz'gen Kraft?!«[674]

160

Geradezu grotesk klingen im Munde des deutschen Freidenkers die beiden Schluß-
zeilen des fünfstrophigen Gedichts, in denen deutsches Sendungsbewußtsein sich in
religiöser Sprachform äußert:

*»Geht hin und prediget in allen Zungen*
*Das Evangelium vom deutschen Geist!«*[675]

Glücklicherweise sind die deutschtümelnden phrasenhaften Töne in des Schul-
meisters Hempel Gedichten, deren Vers- und Strophenformen zumeist der Lyrik der
deutschen Klassik entnommen sind, nicht immer so penetrant wie hier. Es ist sicher,
daß solche »Riesenschwünge« des geistigen Turnens auf Unverständnis der Einheimischen stoßen, aber auch kritische Deutsch-Amerikaner abschrecken mußte.
Überschaut man die Wirkung Hempels auf dem Sektor des »geistigen Turnens«, so ist
seinem Kampf für die Erhaltung des Deutschtums auf die Dauer kein Sieg beschieden
gewesen. Ebensowenig konnte er dem Freidenkertum zum Siege verhelfen. Im
Gegenteil, der angloamerikanische Puritanismus breitete sich weiter aus. Das soziale
Engagement blieb jedoch das stärkste Motiv, das die deutsch-amerikanische Bevölkerungsgruppe bewegte.
Die »Sache der Turner« wurde nicht nur in Aufsätzen reflektiert, sondern auch von
Begeisterungsfähigen und Sprachgewandten in Gedichten und Liedern gefeiert und
besungen. Die Turnerlyrik bildet einen Teil der deutsch-amerikanischen Dichtung. Sie
enthält nicht nur Themen aus dem Turnerleben im engeren Sinne, wie Turnfahrten,
Wettkämpfe, Werte des Turnens, zur »Sache der Turner« gehören das Engagement für
politische und soziale Veränderungen, das Verwirklichen angestrebter Ideale im
eigenen Tun, aber auch das Bewahrenwollen der Werte der verlassenen deutschen
Heimat, der einfältige überspannte Glaube, daß die großen und neuen Fortschritts-
ideen aus dem deutschen Vaterland in die neue Welt herübergebracht worden seien,
und zwar von den dort vertriebenen Turnern; dazu gehört schließlich der Stolz auf
die vollbrachten Pionierleistungen in der neuen Heimat, deren großartige Natur
ebenfalls Motive für manches Gedicht liefert. Verstreut finden sich Gedichte, die ganz
persönliche und damit rein menschliche Erlebnisse und Empfindungen gestalten.
Einen besonderen Platz nehmen die eigentlichen Lieder ein, bei denen die Melodie
eine entscheidende Rolle spielt und deren Zweck es ist, Geselligkeit und Gemeinschaft
durch gemeinsamen Gesang zu fördern.
Im Turnerkalender von 1894 erschien ein Aufsatz von Doktor H. H. Fick mit dem Titel
»Die deutsche Muse in Amerika«[676], und 1909 veröffentlichte Heinrich Metzner einen
Vortrag mit dem Thema »Deutsch-amerikanische Dichtung«. Beide Verfasser
bekennen, daß die Dichtung deutschstämmiger Amerikaner nicht die Anerkennung
gefunden habe, wie sie es ihrer Meinung nach verdiente. Grund dafür sei einmal die
Gleichgültigkeit der großen Masse der Eingewanderten für schöne Literatur überhaupt, zum anderen die Geringschätzung, die Deutschland gegenüber den Erzeugnissen aus Amerika habe. Amerika wurde vom geistigen Deutschland als das Land der
Jagd nach dem Dollar und damit als ungeistig abgewertet (trotz der englischen Meister-
werke der Longfellow, Bryant, Lowell). Überblickt man die deutsch-amerikanischen
Gedichte von den ersten, von Pastorius, dem Gründer von Germantown, 1683
geschmiedeten Verse über die pietistische Dichtung des 18. Jahrhunderts, die Gedichte
der verschiedenen Einwanderungsgruppen (1. nach den Freiheitskriegen, 2. in den

161

dreißiger Jahren, 3. in den vierziger Jahren und 4. nach 1848) bis zu den lyrischen Erzeugnissen im ersten Jahrzehnt des 20. Jahrhunderts, so wird sich keines finden, das einen die Zeiten überdauernden künstlerischen Wert besäße. Sie sind nur deshalb interessant, weil sie auch auf der politisch-geistigen Ebene zum Zeugen dafür werden, wie die Gruppen der deutschen Einwanderer, aus bestimmten gesellschaftlichen Strukturen kommend, die sie zum Teil zerbrechen, zum Teil bewahren wollen, sich mit den Strukturen, die sie im Siedlungsland vorfinden auseinandersetzen, wie sie neue suchen, zuweilen mit Erfolg, oft aber auch wie sie scheitern.

Sie scheitern vor allem mit dem Versuch, im fremden Land ihre deutsche Identität zu wahren, trotz aller Bemühung der Führungsschicht, diese durch Förderung des deutschen Schrifttums und durch Stärkung der menschlichen Kontakte in einem regen Vereinsleben zu erhalten.

Ihre politischen Träume konnten sie im Lande der ersehnten Freiheit nur zum Teil verwirklichen. Die sozialen Mängel der kapitalistischen Wirtschaftsstruktur, der sie zu entfliehen gedachten, fanden sich auch hier. Wenn es in den Vereinigten Staaten auch keine Willkürherrschaft despotischer Fürsten zu bekämpfen gab, in den Vertretern der Kirche sah man die Unterdrücker der eigenen geistigen Entfaltung. Der Kampf gegen sie ging nicht zugunsten der freidenkerischen Turner aus. Einige Hinweise auf die ältere Turnerlyrik vor der Einwanderung der Achtundvierziger mögen die typischen Verhaltensweisen der Deutschen in der neuen Heimat beleuchten. Die ersten eigentlichen Turner-Dichter sind Follen und Lieber, die den Geist der Freiheitskriege in ihren Gedichten zum Ausdruck bringen, oft gepaart mit der Begeisterung für die großartige Natur Amerikas. So kommt es zu der seltsamen Vermengung von politischer Lyrik mit Naturlyrik, wenn Lieber in einem Gedicht »Der Niagara« singt:

Dort bricht ein unermeßliches Gewässer,

Wie ein erzürntes Volk, los vom Erpresser.[677]

Sammlungen wie der »Deutsch-amerikanische Dichterwald« 1836 in Detroit, das »Schiller Album« 1859 in Philadelphia, das »Schleswig-Holstein-Album« 1864 in Cincinnati, Zeitschriften wie die »Alte und neue Welt« 1834 in Philadelphia, der »Turnerkalender«, »Jahrbücher der deutsch-amerikanischen Turnerei« und schließlich die »Turnzeitung« veröffentlichen laufend die dichterischen Erzeugnisse der Deutsch-Amerikaner. Follen verfaßt ebenfalls deutsche Gedichte, übersetzt sie aber bereits ins Englische. Unter den Einwanderern der dreißiger Jahre befinden sich viele Gebildete (Lehrer, Journalisten, Juristen). Man nennt diese Gruppe vor allem im Westen wegen ihrer klassischen Bildung die »lateinischen Bauern« »latin farmers«. Die geistige Disposition dieser Männer schaffte ein günstiges Klima, in dem sich Dichtung entwickeln konnte, zumal in diesen Jahren überall deutsche Vereine gegründet wurden: im Jahre 1836 der erste deutsche Verein in Washington. In den vierziger Jahren – bis 1848 – folgte eine sehr starke Einwanderungswelle, die vor allem Handwerker und Bauern nach Amerika brachte. Sie waren ihres Arbeitseifers wegen sehr geschätzt, hatten aber, so Metzner, wenig Sinn für Poesie. Eine bedeutende Rolle für das geistige Leben und damit auch für die Dichtung spielen erst die Achtundvierziger, die sich in einem breiten Strom in die Vereinigten Staaten ergossen. Unter ihnen befanden sich wiederum Männer mit hoher Bildung, die ihren Einfluß im öffentlichen und gesellschaftlichen Leben geltend machten. Das deutsche Vereinsleben erstarkte. Neue deutsche Gedichtsammlungen wurden herausgegeben. Dichterische Wettbewerbe wurden ausgeschrieben. Folgende Namen als Lieferanten lyrischer Beiträge in Zeitschriften und Sammlungen tauchen immer wieder auf: Andriessen, Castelhun, Heinzen, Heintz, Huter, Müller, Puchner, Rothacker, Straubenmüller, Soubron, Schnauffer und Zündt. Über 300 Gedichte in 22 Jahrgängen des Turnerkalenders und drei Jahrbüchern und 185 Lieder des Liederbuches des Nordamerikanischen Turnerbundes 1894 bilden die Grundlage für diese Studie über die deutsch-amerikanische Turnerlyrik.

Studie über die deutsch-amerikanische Turnerlyrik. Einige Lieder besingen das Turnvergnügen selbst. [678]

Max Hempel, von dem allein 15 Gedichte, offenbar wegen ihrer leichten Sangbarkeit, als Lieder vertont, in den offiziellen Turnliederkanon aufgenommen wurden, verarbeitet ebenfalls gern Turnmotive beziehungsweise Motive aus dem Turnvereinsleben, oft in der Kombination von Wandern, Turnen und Kneipen. Da wird nach Bardenart die erste Riege des Vereins in einem Lied gefeiert, Barren, Reck und Maßkrug zur geheiligten Dreiheit deutschen Turnertums hochstilisiert:

*Die Ersten am Barren, die Ersten am Reck,*
*Die Ersten im fröhlichen Kriege,*
*Beim Leichten und Schweren sind immer dabei*
*Die Turner der ersten Riege*
*Die Turner der ersten Riege*

...

*Doch Mühe, sie fordert gebührenden Lohn,*
*Die Durstigen leeren die Krüge,*
*Es zechen nach altem geheiligten Brauch*
*Die Turner der ersten Riege*
*Die Turner der ersten Riege.*[679]

Wie bittere Ironie des Schicksals klingen allerdings folgende Verse, in denen Hempel, der mit 43 Jahren an einer unheilbaren Krankheit starb, den Gesundheitswert des Turnens besingt. Wenn es um die vermeintliche geistig-physische Heilkraft des Turnens geht, verliert der Arzt Max Hempel den Sinn für die Realität.

> *Was schiert mich Krankheit, schiert mich Plage,*
> *Was weiß von Rheuma ich und Gicht!*
> *Und wär ich einmal in der Lage,*
> *Lacht' ich dem Arzte in's Gesicht,*
> *Ich kehr zum Turnplatz schnell zurück,*
> *Und wär' gesund im Augenblick.*
>
> *Denn dort jagt' ich mit Schwung und Kippe,*
> *Mit Wende, Kehre, Hang und Stütz*
> *Hinweg der Krankheit ganze Sippe,*
> *Daß sie enteilte wie der Blitz!*
> *Das Turnen ist mir immerhin*
> *Die allerbeste Medizin!*[680]

Lustig klingt das Bärenlied, in dem das Turnen der Altersriege besungen wird. Hempels Lieder wollen aber nicht nur die Fröhlichkeit im Leben der Turnvereine heben. Eine Reihe anderer Lieder dienen dazu - sie haben einen feierlichen, festlichen Charakter -, die hohen Ideale in das Bewußtsein der Turner zu rufen. In mehreren Liedern werden die hinter dem Motto »frisch, frei, stark und treu« stehenden Werte besungen und die Turner dazu aufgefordert, sie in ihrem Leben und der Gesellschaft zu verwirklichen. Ein Beispiel dafür seien die vier kurzen Verse über den Wahlspruch, ein typisches Turnerprodukt jener Jahre mit sich wiederholenden Schlagworten in der Verbindung von bierfreudigem Muskelprotzertum, freigeistigen Hieben auf die Pfaffen und teutonischer Ahnenbeschwörung.

> *Frischen Muth und frischen Trunk*          *Starke Tat zur rechten Zeit*
> *Mag der Turner leiden,*                    *Sei dem Turner eigen,*
> *Angeboren ist der Muth,*                    *Kraft im Handeln, Kraft im Arm*
> *Trinken lernt er beizeiten!*                *Wird er immer zeigen*
>                                              ...
> *Freies Wort und freien Geist*              *Treu dem Bund und treu dem Lieb,*
> *Hält er hoch in Ehren,*                    *Treue unserem Streben;*
> *Ob ihn auch der Pfaffen Zunft*             *Treu der Ahnen Sprach und Art,*
> *Gerne möchte wehren.*                       *Treu dem Turnerleben!*[681]

Zahllos sind die Variationen, die sich in den übrigen Liedern des Liederbuchs zu diesem Motto finden. Über 50 Jahre dienen die vier Worte dazu, Dichter zu einer neuen lyrischen Komposition anzuregen. Hin und wieder taucht noch einmal das Wort fromm als Thema einer Strophe auf, aber nicht im religiösen Sinn.[682] Straubenmüller hatte das »fromm« aus dem Wortschatz der Turner ausgeschlossen[683]. Vom Thema her sind die Gedichte bzw. Lieder auswechselbar[684].

Ein Gedicht von Heydenreich ist in Wortwahl und Sprachrhythmus den bekannten Versen Schillers »Drei Worte nenn ich euch, inhaltsschwer«… nachgebildet. Nur sind hier vier Worte daraus geworden:

> *»Vier Worte nenn' ich euch, inhaltschwer,*
> *Sie pflanzet von Munde zu Munde,*
> *Sie tragt als Gepräge von außen her,*
> *Wie tief in des Herzens Grunde!*
> *Der Turner ist seines Namens nicht werth,*
> *Wenn er nicht auf die vier Worte hört!«*[685]

Dann folgen die Appelle: der Turner sei frisch, frei, stark und treu. Für jeden Appell eine Strophe. Wie bei Schiller wird die Anfangsstrophe variiert am Schluß wiederholt. Eine weitere Idealvorstellung hatten die Turner aus Deutschland mit in die Vereinigten Staaten genommen, und zwar die verklärte und idealisierte Vorstellung vom schönen griechischen Menschen, den man durch Turnen neu zu verwirklichen dachte.
Zwar beherrscht diese Vorstellung das Denken der Deutsch-Amerikaner nicht mit der Intensität wie das der Deutschen, aber der griechische Mensch ist für sie ebenfalls ein erstrebenswertes Vorbild. Beispielhaft mögen hier einige Zeilen aus einem Gedicht von Rudolph Puchner stehen:

> *Schau'st du mein Freund, in's Alterthum zurück,*
> *Siehst du den Jüngling nach Vollendung streben.*
> *Nicht war's allein des eig'nen Hauses Glück,*
> *Nach dem sich seine Blicke hoffend heben:*
> *Es war die Kraft, die seinen Leib durchdrang,*
> *Das schöne Ebenmaß war es der Glieder,*
> *Und in des Geistes frei gehegtem Drang*
> *Fand er das Ebenbild der Götter wieder.*
>
> *Ihr aber, die ihr jenes Vorbild kennt,*
> *Folgt ihm auch ganz in allen seinen Zügen!*
> *…*[686]

Ähnlich griechenlandbegeistert beginnt Doktor Fick seinen Prolog, den er für das Schauturnen gelegentlich des goldenen Jubiläums der Turngemeinde Cincinnati im Jahre 1898 schrieb:

> *Ich eil im Geiste heute in ferne Weiten;*
> *'Gen Hellas trägt mich der Gedankenflug,*
> *Zum Land, das stets der Schönheit Krone trug,*
> *Zum Lande, das beglückt in frühen Zeiten*
> *Der Grazien Lächeln und der Musen Gunst,*
> *Der Wissenschaft Asyl, ein Heim der Kunst.*[687]

Die vom deutschen Idealismus in den griechischen Menschen projizierte Verbindung von leiblicher Schönheit und geistiger Freiheit, die höchstes Gutsein bedeutet, taucht in der deutschamerikanischen Turnerlyrik auch ohne die Verbindung mit dem Griechentum als genanntes Hochziel für die Turnergefolgschaft auf. Geistige Freiheit wird meist als Freiheit von kirchlicher Bevormundung und in der Gesellschaft von sich breit machendem Muckertum verstanden. Die Art und Weise, wie die Lyrik dieses Thema gestaltet, durchläuft eine ganze Skala von Tönen, von pathetisch erhabenen bis zu naiv lächerlichen. Pseudoreligiös – feierlich klingen die Verse Goldbergers:

>>Wir bauen fest und trauen fest
Auf Wahrheit, Recht und Freiheit
Kein echter Turner je verläßt
Die hehre, heil'ge Dreiheit.<<[688]

Auch Zündt kann das Attribut heilig nicht entbehren, wenn es um die Freiheit geht. Es stört ihn nicht im geringsten, es mit Wörtern aus der Soldatensprache zu kombinieren. Naiv pathetisch klingt Straubenmüllers Wunsch,

*Daß von jedem Turnlokale*
*Ringsum Licht und Freiheit strahle!*[689]

Straubenmüller macht sich in sarkastischen Versen über die Pfaffenzunft, den Teufelsglauben und die kirchlichen Mucker lustig. So endet sein >>Teuflisches Lied<<:

*>>Ach ja! Mit der Romantik*          *Die größte Schwefelbande*
*Verschwand der Teufel auch,*         *Hat ausgespielt, juchhe!*
*Und hinterließ den Menschen*         *Kein Pfaff mehr kann dich wecken,*
*Gestank und Schwefelrauch.*          *Du todter Spuk – adje!<<*[690]

Auf dem Marsch zur Geistesfreiheit hilft zwar das Stählen des Körpers durch das Turnen, aber allein genügt es nicht, um sich von den einengenden Fesseln der in der Gesellschaft geltenden Normen und Wertvorstellungen zu lösen. Das große Wort, an dem die Fortschrittsgläubigen des Jahrhunderts ihre Begeisterung entzünden, ist auch für die deutsch-amerikanischen Turner >>Wissenschaft<<!

*Das Licht, das unsern Geist beseelt,*
*Strömt aus dem Born der Wissenschaft,*
*Die des Jahrhunderts Wunder schafft!*[691]

heißt es in einem Turnerlied von Zündt.

Mit einem Hieb auf die Feinde der Wissenschaft dichtet Heintz 1892 in einem Gedicht, das er mit Anspielung auf die biblische Schöpfungsgeschichte >>Es werde Licht<< nennt:

*Die schwarze Schar – mag sie auch weiter singen –*
*Die Wissenschaft erglänzt im hellsten Licht!*
*Sie ist's, die jede starre Fessel bricht –,*
*Und Heil und Glück wird sie der Menschheit bringen.*[692]

Anstelle der Autoritätsgläubigkeit der Kirche und ihren Dogmen gegenüber war eine ebenso vorbehaltlose, emotional bestimmte Wissenschaftsgläubigkeit getreten. Deutlich wird diese Emotionalität, wenn man untersucht, wie der Gegenstand der wissenschaftlichen Forschung, die Natur, gefeiert wird. Wenn Zündt in seinem Gedicht »Turner allzeit voran« schreibt:

> *Was uns die Natur verkündet,*
> *Sei uns Evangelium!*

oder
> *Folgt ihr solcher Offenbarung*
> *Seid ihr auf der rechten Spur*[693],

so zeigt die Sprachform bereits, daß es sich um eine neue Glaubenshaltung und nicht um Wissenschaftserkenntnis handelt.

In einem langen Gedicht stellt Doktor Paul Carus »in schlichten Jamben die Weltgestaltung und monistische Anschauung« dar[694]. Hierin ist die Natur eine im Schellingschen Sinne beseelte Schöpfung, die sich zu stets höheren Stufen entwickelt, bis, auf der höchsten und letzten, Vernunft zu sich selber kommt. Von einem rein mechanischen Weltbild waren die Turner weit entfernt.

Natur in den Gedichten und Liedern der nordamerikanischen Turner hat zwei verschiedene Aspekte: Natur, die um ihrer selbst willen erlebt und besungen wird, sogenannte reine Naturlyrik, und Natur, deren Erlebnis den Anstoß oder den Rahmen bildet zu philosophischen Gedanken und Betrachtungen über historische Ereignisse. Von der erstgenannten Art gibt es nur wenige. Unter ihnen befinden sich ein paar, die das jahreszeitliche Geschehen besingen: »Vögleins Frühlingssehnsucht« von Metzner[695], eine sprachlich naive Nachahmung romantischer Vierzeiler. Das einzige, in das offizielle Liederbuch aufgenommene Lied, das nur ein Naturerlebnis besingt, stammt nicht von einem Deutsch-Amerikaner, es ist Heines kleines Frühlingslied: »Leise zieht durch mein Gemüt ...«

Californien, das »Land der Blumen und Orangen«, regt Castelhun und Heintz zu lyrischen Gedichten an. Heintz besingt aber auch die Totenstille in der Wüste von Nevada, die den Menschen dazu zwingt, sich vor der erhabenen Natur »mit tiefem Schweigen« zu verneigen. Die großen Flußlandschaften Nordamerikas, der Niagara[696], der Missouri und andere namentlich ungenannte Ströme, inspirierten zu eindrucksvollen lyrischen Produkten.

Eines der schönsten Gedichte »Nächtliche Bootfahrt«[697] von Robert P. R. Nix ist dem Anhang beigefügt. Es erinnert nach Aufbau und Sprachform stark an Heines Lyrik.

Das offizielle Liederbuch enthält eine Reihe von Wanderliedern, die auf den sogenannten Turnfahrten – meist am frühen Morgen begonnen – gesungen wurden. Die darin besungene Natur präsentiert sich immer in der gleichen frohen und beschwingenden Weise. Die wandernde Sonne, eilende Wolken, dahinziehende Vögel locken in die Ferne. Blühende Täler, grünende Berge, eine sich ins Blaue schwingende Lerche oder eine lockende Nachtigall wecken die Sehnsucht, so daß der Dichter Ebt singt: »Möchte jubelnd wandern immerzu«[698]. Es gibt kein Turnerwanderlied, in dem diese Elemente fehlen. Aber neben den zahllosen Liedern, in denen das weltanschauliche Programm der Turner, das »Frisch, frei, stark und treu«, das ständige Vorwärts zu den gesteckten Zielen besungen wird, bilden die Naturlieder nur einen geringeren Teil der Turnerlyrik.

167

Eine ebenfalls kleine, aber besondere Gruppe unter den Gedichten der Turnerlyrik bilden die Balladen, deren Thematik und Darstellungsweise charakteristisch sind für den Geist der nordamerikanischen Turner. Mittelpunkt ist stets ein heldischer Mensch – Mann oder Frau –, der mutig und unerschrocken für das Recht kämpft oder auch Rache übt. Dem Helden wird dabei meist ein besonderer Nimbus des Stolzes verliehen. In Märklins »Harfnerin« taucht allerdings auch das soziale Thema von einem Proletarierkind auf, das dem Laster verfällt. Den herkömmlichen Rahmen sprengt das Thema der Ballade »Der Maskenball« von Jacob Heintz. Hier wird der schauerliche Einbruch des Todes ins Leben gestaltet: In der Masse der fröhlich feiernden Maskierten taucht plötzlich, ebenfalls maskiert, die Pest, die Cholera auf.

Als spezifische Turnerballade ist Wilhelm Müllers »Wendell Phillips und die Turner von Cincinnati« anzusehen. Da naht Philipps »ein mächtiger Kämpe«, »ein Winkelried«, »ein Held, der zündenden Wortes Strahl in seiner Feinde Reihen schmettert!«. Er spricht zur Befreiung der Negersklaven. Der Pöbel will ihn aufhängen. »Da eilt in weißem Gewand die Schar (der Turner) einher in festgeschlossenen Reihen«, und mit dem alten Turnruf »Gebt frei die Bahn« verschaffen sie ihm Raum und führen ihn zum Rednersaal, wo er nunmehr zu »nicht mehr tauben Ohren« spricht[699]. – Puchners »Held am Nordseestrand« besingt den tapferen Harro, der ohne Rücksicht auf die eigene Gefahr den letzten Schiffbrüchigen und, ohne es zu wissen, den eigenen Bruder aus dem gestrandeten Schiff rettet[700]. Theodor Max' Ballade »Heribald«[701] rühmt den unerschrockenen Sänger, der sich von dem grausam herrschsüchtigen Ritter Harro nicht einschüchtern läßt und ihm die Wahrheit sagt. Vor dem Schwert Harros schützen ihn die anderen als Gäste anwesenden Ritter. Der Mut vor Fürstenthronen hat gesiegt. Casper Buth berauschte sich in seiner Ballade »Simsons Tod« an der Kraft des Rache übenden Simson:

> *»Es liegt, von tausend Leichen rins umgeben,*
> *Der blinde Riese da, doch nicht allein,*
> *Im Tod mächtiger als je im Leben.«*[702]

Aus den letzten beiden Zeilen dieser Ballade wird ersichtlich, wie der Riese Simson zu einer Symbolfigur für den Revolutionär wird.

> *»Viele blinde Riesen leben, die noch nicht*
> *Mit seiner Kraft ihr letztes Wort gesprochen.«*[703]

Puchners Indianermädchen Owaissa aus der gleichnamigen Ballade und Andrießens »Maid von Midian«, Nachbildung einer englischen Ballade von William Bedford, sind zwei Frauengestalten, die den selbstgewählten Tod einer schmählichen Liebe vorziehen.

In 19 achtzeiligen Strophen zeichnet Hermann Determann das Bild der stolzen Germanin Thusnelda, die als Gefangene im Triumphzug der Römer mitgeführt wird. Erschreckend an diesem Gedicht sind die grellkriegerischen Töne, die sich im letzten Drittel mit Germanenschwärmerei und patriotischer Deutschlandbegeisterung mischen. Die Gedanken der gefangenen Fürstin weilen bei der Varusschlacht, die mit grausamer Wollust geschildert wird; sie wandern weiter zu der Siegesfeier, nachdem »Deutschland war befreit von jenen Römerschergen« und schließlich zum Verrat, zu dem »Römerlist und deutsche Zwietracht sich verschworen«. Der Schluß ist Lust am Waffengerassel und deutscher Überheblichkeitsdünkel. Nicht nur, daß falsche Bildwahl und banale Sprachgebung das Gedicht zu einem Edelkitschprodukt machten; der Traum von einem großgermanischen Reich deutscher Nation, das vom Appennin zum Nordseestrand, vom Rhein bis zur Weichsel reicht, verbindet sich mit Rachegedanken und martialischen Machtgelüsten.

> *»Roma's Herrschaft wird einst sich feige ducken,*
> *Vor des deutschen Schwertes scharfen, wucht'gen Hieben*
> *Wird der Feldherrn Kunst gleich dürrem, welkem Laube,*
> *Das der Sturm erfaßt, zersplittern und zerstieben,*
> *Und der Römer Kaiser winden sich im Staube*
>
> *Dann, Thusnelda, wenn vom Fels zum Meere,*
> *Wenn vom Rhein bis zu der Weichsel fernen Quellen,*
> *Deutsche Krieger wetzen ihre langen Gere,*
> *Dann wird auch der Römer stolze Macht zerschellen,*
> *Und wo prunkend jetzt des Kaisers Schranzen sitzen,*
> *Heißen Blickes sich an deiner Schönheit weiden,*
> *Werden deutscher Fürsten blaue Augen blitzen,*
> *Wird man blutig rächen deine Schmach und Leiden!«*[704]

Chauvinistisch ist der Geist der von J. Heintz komponierten Ballade »Der wilde Hans«, deren Stoff er einer Schwarzwaldsage entnahm. Der wilde Hans, geschildert als ein »seit Jahren in der Welschen Mitte« lebender »finsterer Geselle«, aber »männlich, voller Muth«, führt mit Hilfe eines gemeinen, hinterlistigen Tricks in dunkler Nacht eine ganze Kompanie französischer Soldaten zu einer Stelle, von wo sie tödlich in einen See abstürzen müssen.
Unbegreiflich für einen Verfechter des auch von den nordamerikanischen Turnern vertretenen Geistes der Brüderlichkeit ist das schon perverse Erbfeinddenken, wie es aus der vorletzten Strophe spricht:

> *»Und Mann für Mann schritt auf dem Todespfade*
> *So ahnungslos in's dunkle, kühle Grab.*
> *Ihr Schicksal war's – denn wahrlich, ohne Gnade*
> *Brach über Deutschlands Feinde Hans den Stab. –*
> *Aus tiefen Sinnen schien er zu erwachen,*
> *Als fern im Osten schimmerte der Tag –*
> *Und als der letzte Feind dort unten lag,*
> *Tönt durch die Luft sein heis'res wildes Lachen.«*[705]

Viele deutsch-amerikanische Turner sind offensichtlich während der wilhelminischen Ära in einer Schicht ihres Wesens nicht nur ansprechbar für deutsch-patriotische Äußerungen, sondern auch für großgermanisch-imperialistische Gedanken. Man ist überrascht, wenn man das 1894 herausgegebene offizielle Liederbuch durchblättert, in wieviel Liedern, ähnlich wie damals in Deutschland, mit den Säbeln beziehungsweise

Schwertern gerasselt wird und wie oft man sich auch mit der starken Faust brüstet. Meist geschieht dieses bramarbasierende Großtun beim Biertrinken. Und so klingen diese Töne gerade in den sogenannten Trinkliedern an, aber auch in Marschliedern sind sie zu hören. Die Häufigkeit der darin enthaltenen Vorstellungen macht sie nicht nur lächerlich, sondern auch gefährlich. Da heißt es:

> *Der Feind zerstiebt im Pulverdampf,*
> *Das war ein lustig Jagen!*
> *Die Thoren, mußten sie den Kampf*
> *Mit solchen Helden wagen.*
> *Ein Kriegsgott jeder deutscher Mann,*
> *Kein Teufel ihn obsiegen kann.*[706]

Natürlich fehlt in dem Liederbuch nicht Körners berühmtes, grausam kitschiges Schwertlied, in dem die Metapher »Die Braut« für »das Schwert« gesetzt wird und die Schlacht ein »schöner Liebesgarten« wird »voll Röslein blutig rot und aufgeblühtem Tod«.
Die Tatsache, daß der Dichter in den Feiheitskriegen einige Stunden nach Vollendung des Gedichtes fiel, erhöhte die Beliebtheit dieses die Schlacht verherrlichenden Liedes.
– Beinahe unfaßbar ist es, daß Max Hempel ein in den Liederkanon aufgenommenes Kneiplied dichtet, in dem er Wotan zu den Bier trinkenden Göttern über die Deutschen sagen läßt:

> *Doch die Deutschen haben alle*
> *Selbst die Schuld in diesem Falle*
> *Sie verstehen leider nicht,*
> *Wie man haut und wie man sticht*
> *Und die Feinde prügelt.«*[707]

Zu den Gedichten, in denen sich deutscher Patriotismus artikuliert, gehört auch Zündts »Deutschland erwacht«, 1870 geschrieben. Hier finden sich keine blutrünstigen Drohungen, aber Begeisterung über die Einigung der Deutschen. Selbst die Kaiserkrone schreckt den Demokraten nicht. Er hofft auf eine Verbindung von Volksfreiheit und einigender Kraft durch den Kaiser. In seinem Gedicht läßt er Millionen deutsche Bürger dem aufwachenden Barbarossa zurufen:

> *»Tritt heran an's Licht o Held!*
> *Sieh dein Volk, es steht vereinigt,*
> *Stark wie keines in der Welt!*
> ...
>
> *Deutschland, Deutschland ist entstanden,*
> *Eine Seel, ein Herzensbund.«*[708]

Nur zwei Gedichte finden sich in dem umfangreichen Material der Turnerlyrik, in denen der Schrecken und das Grauen des Krieges und einer Schlacht geschildert werden. Es ist das in freien Rhythmen gestaltete, sprachlich überzeugende Gedicht von Otto Soubron »Nach der Schlacht« (siehe Anhang), das im Turnerkalender von 1900 abgedruckt wurde, und »Die Kriegsfurie« von Theodor Max. Die Schlußverse des ersten Gedichts lauten:

> »Schaut hin auf dieses Bild und schaudert! …
> In jedem dieser starren, bleichen Gesichter
> Liegt eine Anklage gegen die Menschheit,
> Die in schrecklicher Verblendung die Aufgabe humaner Cultur
> Sucht im Vernichtunskampf, im Massenmorde!
> O! Fluch jenen herzlosen Schurken und Thoren,
> Die eitel sich sonnen im blutigen Ruhm;
> Und Schmach jenen Weibern, die stachelnd die Mordgier,
> Beifällig lächelnd winden den Lorbeer
> Ihr um das tigergestirnte, gräßliche Haupt.«[709]

Hier wird jedem Schlachtenruhm und jeder Kriegsheldenverehrung eine Absage erteilt. Aus dem zweiten der beiden genannten Gedichte, die an der Schwelle des Jahrhunderts erschienen, in dem zwei grauenvolle Weltkriege die Menschheit erschütterten und bis zum heutigen Tage kriegerische Auseinandersetzungen stattfinden, seien ebenfalls einige Verse zitiert, die geradezu prophetisch klingen:

> *»Weh' denen, die den Krieg heraufbeschwören,*
> *Aus Ruhmessucht, aus zeitlichem Gewinn!*
> *Wehe dem Volk, das über Tod und Leben*
> *Die Macht in eines Menschen Hand gegeben!*
> *...*
> *Wiegt denn der Glanz des allergrößten Sieges*
> *Die Greuel auf der opfervollen Schlacht?*
> *...*
> *Der Krieg und wär er siegreich aller Enden,*
> *Kann nimmer den Impuls zum Fortschritt geben,*
> *Zum Rückgang gar wird er den Fortschritt wenden,*
> *Denn Krieg ist Tod! Der Friede ist das Leben!*
> *Umsonst die Opfer, die dem Krieg sich weihen!*
> *Der Friede nur bringt Fortschritt und Gedeihen.«*[710]

Den Trinkliedern, die einen sehr großen Raum im Liederbuch einnehmen, soll keine besondere Untersuchung gewidmet werden. Sie kreisen meist um das Thema Wein, Weib und Gesang oder Heimat und Vaterland oder allgemein um das »Freut euch des Lebens«. Gegen die amerikanische Prohibition und die Abstinenz propagierenden Temperenzler werden Spottlieder und Spottgedichte verfaßt. Einen originellen Beitrag zum Thema Trinken liefert Wilhelm Müller mit einem umfangreichen Gedicht, »Das Lied vom Bier«, das er nach Aufbau und Wortlaut genau Schillers Lied von der Glocke nachdichtet. – Er widmet es dem deutschen Reichskanzler.[711] –
Die Politik Bismarcks war eines der politischen Tagesthemen unter den deutsch-amerikanischen Turnern und findet ebenfalls ihren Niederschlag in der Turnerlyrik. Straubenmüller schüttet in zwei Gedichten zum 1. April 1885 und zum Patriotenfest am 13. Mai 1885 beißenden Spott über den deutschen Kanzler. Zwar wird Bismarcks Leistung der Reichsgründung und Einigung der deutschen Stämme anerkannt, aber sein Verhältnis zum Volk wird als ein gestörtes erklärt: »Und Bismarck schlägt des Volkes Wünsche tot«. In der dritten Strophe von »Zum Patriotenfest« heißt es:

> Man mag dich als des Reichs Begründer ehren,
> Man wird dich fürchten, doch dich lieben nicht![712]

Während er Junkern und Fabrikherren hilft, lasse er »das arme Volk in Not ersticken«. Wenn aber ein Unzufriedener grolle, lege man ihm den Maulkorb an.
In dem Geburtstagsgedicht ist die Lauge noch beißender, die über Bismarck ausgeschüttet wird. Darin wird ihm sogar persönlicher Schacher und Ausbeutung des Volkes vorgeworfen. Straubenmüller bezeichnet ihn als »tollste(n) Sproß von einem Räuberadel«. Offenbar anspielend auf einen Spendenaufruf heißt es:

*Freiwill'ge Gaben schrieb man aus,     Und Bismarck hat das Opferlamm*
*– Man weiß sie zu erpressen –          Des Volkes aufgefressen!*

Desgleichen brandmarkt er die vielen Verhaftungen:

*Hoch stehst Du auf der Wacht der Zeit,*
*Du könntest viele retten,*
*Doch hast Du keinen je befreit,*
*Steckst Hunderte in Ketten.*[713]

Das Problem von Herrschaft und Freiheit beschäftigte die Deutschamerikaner nicht nur als ein Problem, das sie in Deutschland hinter sich gelassen hatten, es trat ihnen auch in ihrer neuen Heimat entgegen. Straubenmüller, der in Deutschland verfolgte leidenschaftliche Kämpfer für demokratische Freiheiten in den Jahren von 1848 bis 49, den man »zur Auswanderung« begnadigt hatte, erfuhr in den Vereinigten Staaten erneut Verfolgungen, und zwar durch die Sezessionisten, denen Herrschaft über die Schwarzen als ein verbrieftes Recht erschien. Wegen seines leidenschaftlichen Kampfes um die Verwirklichung der Freiheiten und Menschenrechte für alle war zwei Tage vor der Wahl Lincolns zum Präsidenten auf Straubenmüller ein Attentat verübt worden, bei dem nicht er selbst, sondern ein Arbeiter tödlich getroffen worden war. Der Glaube, daß nach dem Sieg der Union ein demokratisches Staatsgebilde entstehen würde, worin sich alle »Bürgertugenden« entfalten konnten, erwies sich als irrig, und Straubenmüller beklagt 20 Jahre später in einem Gedicht »Auf James A. Garfields Tod«, das den Präsidentenmord vom 19. September 1881 zum Gegenstand hat, daß sich »mit den Ring- und Raubsystemen« »das Verderben« eingenistet habe, was ja nichts anderes bedeutet, als daß sich im damaligen Gesellschaftssystem Strukturen herausgebildet hatten, die Herrschaft und Gewalt festigten. Daß diese Gewaltaus-übung im Wirtschafts- und Finanzsystem liege, stand für Straubenmüller fest. Die letzte Strophe seines Gedichtes macht es deutlich:

*»Nein! Nimmer soll der Mammon uns berauschen,*
*Was hilft das Jagen nach Genuß und Glück?*
*Wir wollen nimmer dem Versucher lauschen,*
*Wir schaudern vor dem Götterfluch zurück!*
*Schon hat sich eingenistet das Verderben;*
*Fort mit den Ring- und Raubsystemen, fort!*
*Laßt uns um jede Bürgertugend werben,*
*Sei dies der letzte Präsidentenmord!«*[714]

Offenbar war Garfield für Straubenmüller ein Präsident, der sich für die Belange des Volkes einsetzte. Denn »um dich weint die ganze Nation!«, heißt es in der ersten Strophe. Interessant ist in diesem Zusammenhang die Anmerkung der Redaktion, die sie als Fußnote unter das abgedruckte Gedicht setzte. In ihr wird deutlich, daß viele deutsch-amerikanische Turner sich gegen das Amt des Präsidenten überhaupt wandten. Die Anmerkung lautet: »Volkesfreiheit und Präsidentschaft vertragen sich nicht miteinander. Das Würger- und Raubsystem, das so widerliche und nie endende

173

Kämpfen um Patronage und Ämter, lassen sich größten Teils auf die Existenz der Präsidentschaft zurückführen. Darum gibt es nur ein Radikalmittel gegen Präsidentenmorde – die Abschaffung der Präsidentschaft.«[715]
Im Jahre 1890 druckte der Turnerkalender ein Gedicht ihres mehrfach preisgekrönten Turnerdichters E. A. Zündt ab, in dem die Methoden bei der Wahl des Präsidenten karikiert werden. Es hat an Aktualität noch nichts verloren (siehe Anhang).
Ein anderes politisches Gedicht, um die Jahrhundertwende entstanden, entbehrt, heute gesehen, nicht einer historischen Ironie. Im Jahre 1899 besingt Hugo Andrießen die Befreiung Cubas von spanischer Herrschaft durch »das tapfere Heer der Amerikaner«.
Daß die soziale Frage als Thema in der nordamerikanischen Turnerlyrik auftaucht, ist selbstverständlich, wenn es auch auffällt, daß unter den in Zeitungen und Zeitschriften beziehungsweise den Kalendern abgedruckten Gedichten die Zahl derer, die das Thema arm und reich ausdrücklich behandeln, relativ gering ist im Vergleich zu jenen, welche die allgemeinen Turnerprobleme und Ideale aussprechen, wie Recht, Gleichheit, Freiheit, Brüderlichkeit. Wo die soziale Frage behandelt wird, erscheint sie in folgenden Motiven: Armut und Not, die Mädchen oder Frauen in das Laster der Prostitution treiben, das Leben in den Palästen der Reichen und in den Hütten der Armen oder auch der sterbende Reiche, der sich vor der Verdammnis fürchtet[716].
Das Gesamtbild, das sich aus der Thematik und der Sprachform der Turnerlyrik von der Mentalität der nordamerikanischen Turner zeichnen läßt, ist folgendes: Sie sind von dem Bewußtsein durchdrungen, daß die Verwirklichung ihrer Ideale von Freiheit und gleichem Recht für alle Menschen eine neue Epoche der Humanität heraufführen wird. Die Verwirklichung kann nur geschehen, wenn alle Turner ihren Mitmenschen diese Ideale vorleben und, wenn nötig, dafür kämpfen. Jeder Schritt auf dem Weg der Realisierung ihrer Ideen bedeutet Fortschritt. Ein unbändiger Fortschrittsglaube gibt ihnen den entsprechenden Elan. Erst am Ende der Bewegung, im ersten Jahrzehnt des 20. Jahrhunderts, klingen auch Töne der Resignation an. Metzner zum Beispiel gibt am Ende seines oben erwähnten 1909 gehaltenen Vortrags zu, daß die von den Turnern und ihren Dichtern geweckten Hoffnungen Schiffbruch erlitten hätten, daß »die Turner in ihrem Kampf für Menschenrechte flügellahm geworden« seien. »Liegt nicht vielmehr«, so fragt er, »der Gedanke nahe, daß sie (die Turner) über kurz oder lang ganz ihre ethischen und fortschrittlichen Ziele aus den Augen verlieren?«[717]
Gesteigert durch die idealisierende Wirkung des Heimwehs und das Bedürfnis, in der fremden Umgebung die Identität der deutschen Gruppe zu erhalten, wird der Wert des Deutschtums überstark gepriesen und zu seiner Wahrung aufgerufen. Nicht immer besitzen die Formen dieses Bewahrens hohe Idealität. Oft verliert es sich in banaler deutscher Bierabendgemütlichkeit. Der »Geschmack« am »Heldischen«, das Schwärmen für Schwerterklang und blutigen Kampf, für einen mit berserkerhafter Kraft durchbrechenden furor teutonicus wird in den Balladen sichtbar. Nichts spiegelt deutlicher die geistige Impotenz einiger Autoren wider als das Bemühen, durch Kumulation und Repetition Stimmungsgehalte zu erzeugen, vergehende Reize anzuhalten und Aussagen zu verstärken.

Schließlich ist bei den Turnern auch die Winckelmannsche Griechenlandtradition noch lebendig. Sie huldigen nicht nur dem lateinischen Wahlspruch »Mens sana in corpore sano«, der den Umschlag aller Turnkalender neben dem »Frisch, frei, stark und treu« ziert, sie sind auch der Überzeugung, daß nur der schöne Körper Gefäß eines edlen Geistes sein kann. Die harte soziale Wirklichkeit, das Wirtschaftssystem, das die Gegensätze von reich und arm so kraß entwickelte, verstellte den Weg zur Verwirklichung der Turnerutopien. Für manche Turner lösten sich ihre Ideale in Illusionen auf. Vielleicht ist das 1899 veröffentlichte Gedicht von Konrad Nieß »Frau Illusion« nicht nur Ausdruck der Enttäuschung eines einzelnen. Die letzte Strophe lautet:

> *Die Essen sprühen; die Nebel rinnen;*
> *In Last und Lärm sticht Traum und Trug.*
> *Still zieht ein stolzes Weib von hinnen. –*
> *Mit einem Lächeln kühl und klug*
> *Seh' ich den Purpurschein erblassen,*
> *Und leise hebt sein Haupt der Hohn.*
> *Grell bricht der Tag in alle Gassen,*
> *Gehab dich wohl, Frau Illusion!*[118]

## 2.6 Das Verhältnis des Nordamerikanischen Turnerbundes zur Deutschen Turnerschaft und zum Arbeiter-Turnerbund im Spiegel der Turnzeitungen.

Das Verhältnis der amerikanischen Turner zu Deutschland und den deutschen Turnern war stark von Emotionen bestimmt und schwankte zwischen Sehnsucht und Bewunderung, Enttäuschung und Verbitterung. Schon an den ersten Deutschen Turnfesten, die von freiheitlichem Geist getragen waren, nahmen deutsch-amerikanische Turner teil (Coburg 1860, Berlin 1861, Leipzig 1863). Sie alle verband die Hoffnung auf ein einiges Deutschland und eine Demokratisierung des staatlichen und gesellschaftlichen Lebens. Mit Preußens Machtanstieg ab 1864 kühlten die Beziehungen merklich ab. Der Sieg über Frankreich rief im Nordamerikanischen Turnerbund unterschiedliche Reaktionen hervor. Während die Niederlage des »Erbfeindes« und die Reichsgründung im allgemeinen freudig begrüßt wurden, beargwöhnte und kritisierte man heftig die Festigung der Fürstenmacht, vor allem die dominierende Machtstellung der Hohenzollern. In den Zeitungen der drei Turnerbünde (DTZ, ATZ, AMTZ) spiegeln sich die wechselvollen Beziehungen zwischen den amerikanischen und deutschen Turnern wider.

Besorgt und enttäuscht waren manche amerikanischen Turner insbesondere darüber, daß sich in der einst freiheitlich gesinnten Deutschen Turnerschaft nach 1871 ein Gesinnungswandel vollzogen hatte und sie zu Verehrern Bismarcks und Kaiser Wilhelms geworden war. Aus dieser Enttäuschung läßt sich die relativ scharfe Sprache des Exekutivkomitees des NAT verstehen, das 1872 seine Position von derjenigen der DT deutlich abgrenzte und feststellte: »The Turners of America have nothing in common with the Turners of the Vaterland except physical training. Of our endeavors for reform in political, social and religions fields, of our struggle against corruption and slavery of all forms, Turners of Germany know nothing ... The American Turner movement as organized today, with its platform and constitution, its hopes and endeavors, is preeminently American«[719].

Eine Verbesserung der deutsch-amerikanischen Turnbeziehungen läßt sich aus den Artikeln ablesen, die in der DTZ in den folgenden Jahren erschienen sind und ausführlich über den Kampf der amerikanischen Turner gegen die »Know nothings« und Nativisten und über die Beteiligung der Turner am Bürgerkrieg berichten. Höhepunkt dieser von großer Sympathie getragenen Berichterstattung ist die Wiedergabe der von Henry Metzner geschriebenen »Geschichte des Nordamerikanischen Turnerbundes« in mehreren Folgen des Jahrgangs 1875 der DTZ. Genaue Statistiken innerhalb einer umfassenden Darstellung deutsch-amerikanischer Turnbestrebungen enthält die Arbeit von Robert Riecken, St. Louis, die als Beitrag zum 5. Deutschen Turnfest 1881 in Frankfurt a. Main gedacht war. Der Turnverein Milwaukee/Wisconsin schickte unter Leitung von Georg Brosius eine Turnriege nach Frankfurt, die Gemeinde Cincinnati organisierte eine »Turnfahrt« nach Deutschland, an der 500 deutsch-amerikanische Turner teilnahmen. Daher ist die Begeisterung Rieckens verständlich, der die Turner zu ihrer Initiative beglückwünscht und mit seinen Darlegungen die Hoffnung verbindet, nun möge es zu festeren Bindungen zwischen den Turnern beider Länder kommen, nun sollten frühere Vorurteile und Mißverständnisse ausgeräumt sein[720].

In demselben Jahr, 1881, wurde die Deutsche Turnerschaft offiziell eingeladen, am 23. Bundesturnfest in St. Louis teilzunehmen. Die Einladung war überaus herzlich gehalten und schloß mit dem Bekenntnis: auch wenn wir Deutsch-Amerikaner getrennt von unserem alten Vaterland leben und eine neue Heimat gefunden haben, so ist doch die Liebe zum Land unserer Kindheit geblieben, so haben wir deutsche Wertvorstellungen, Sitten und Gebräuche und den Sinn für deutsche Gastfreundschaft bewahrt[721]. Wenige Wochen später finden wir einen sehr positiven Bericht über das 23. Bundesturnfest in St. Louis in der DTZ abgedruckt, der der Amerikanischen Turnzeitung entnommen ist. Zugleich beklagt sich jedoch die DTZ über diskriminierende Äußerungen des Nordamerikanischen Turnerbundes. So sei dort behauptet worden, auf den deutschen Turnplätzen würden »Gamaschenhengste« herangebildet, das heißt die Turner zu gehorsamen Staatsdienern gedrillt, ferner habe der NAT der DT unterstellt, sie habe das Sozialistengesetz Bismarcks gebilligt, das gegen die Sozialdemokraten gerichtet sei. Die DT kommentiert nur kurz solche Unterstellungen, und eine solche Sprache belasteten sehr die guten Beziehungen[722].

Als der NAT 1884 zu seinem Bundestag in Davenport/Iowa zusammenkam, wurden die Delegierten vom Bürgermeister der Stadt, einem Deutsch-Amerikaner, sehr freundlich begrüßt. Die DTZ gab diese Grußansprache wieder, in der die Verdienste der amerikanischen Turner um Reformen des gesellschaftlichen Lebens gebührend gewürdigt wurden. Der Bürgermeister richtete aber auch eine wohlwollend ernste Mahnung an die Turner, sie sollten ihre guten Sitten und Gewohnheiten mit den besten anglo-amerikanischen Tugenden vereinen, von denen er nannte: Energie, Aktivität und gesunder Realismus, Großzügigkeit, politischer Takt und das schnelle Erfassen sich ändernder Begebenheiten[723]. Im Jahre 1885 wurde die DT wiederum zum amerikanischen Bundesturnfest eingeladen. »Wir heißen Euch herzlich willkommen!«, schloß der Brief[724]. Im darauffolgenden Jahr nahm erneut eine Delegation am Deutschen Turnfest teil, das in Dresden abgehalten wurde[725]. Dann aber kühlten die Beziehungen merklich ab. Anlaß waren wiederholte Behauptungen des NAT, die deutschen Turnvereine stünden ganz unter Regierungskontrolle und seien eine Vorschule für das Heer, das die stärkste Stütze des Monarchismus bilde. Als Beispiel für die monarchistische Gesinnung der DT wurde eine Grußrede des Staatsministers Finger zur Eröffnung des 21. »Mittelrheinischen Turnfestes« wiedergegeben, in der die Turner wegen ihrer Staatstreue gelobt wurden. »Die Turnerei wird heute recht hoch geachtet«, so hatte Finger ausgeführt, »die Turner sind ein Element der Ordnung und Gegner aller umstürzlerischen Bewegungen«[726]. Solche von Staatsseite kommenden Elogen machten die DT in den Augen der amerikanischen Turner sehr suspekt. Sie reagierten entsprechend heftig! Daraufhin lehnte die DT 1893 eine Einladung zum Bundesturnfest des NAT ab und begründete dies mit einem »Schmähartikel« in der Amerikanischen Turnzeitung. Dort war die DT der »Götzendienerei« gegenüber Bismarck und Kaiser Wilhelm beschuldigt worden. Beide, der Reichsgründer und der Deutsche Kaiser, gehörten in eine Irrenanstalt, so hatte der Verfasser des Artikels geschrieben. Der Vorsitzende der DT, Doktor Goetz, verfaßte alsbald einen Antwortbrief, in dem er ausführte: dies ist mehr als schlechter Stil, dies ist rüde und läßt jeden Anstand vermissen[727]. Dem NAT war diese Reaktion offensichtlich unangenehm, und er versuchte, den Streit mit der Bemerkung beizulegen, es habe sich bei dem betreffenden Artikel um eine Kritik an der staatlichen Ordnung in Deutschland aus republikanischer Sicht gehandelt, damit sei keineswegs eine Schmähung beabsichtigt gewesen[728]. Die Atmosphäre blieb indes mehrere Jahre kühl, bis 1898 die DT eine Einladung an den NAT schickte und hinzufügte, man möge die Verärgerung und Verbitterung vergessen[729]. Doch bald darauf kam es nochmals zu einer starken Abkühlung in den Beziehungen der beiden Turnerbünde, als die Nachricht verbreitet wurde, Doktor Goetz sei gestorben. Hier lag eine Verwechslung mit einem Kaufmann gleichen Namens aus Leipzig vor. Die Amerikanische Turnzeitung veröffentlichte nun einen Nachruf, in dem die Verdienste von Doktor Goetz zwar hervorgehoben, er aber heftig wegen seiner nationalistischen Politik als Reichstagsabgeordneter und wegen seiner Verehrung Bismarcks und Kaiser Wilhelms kritisiert wurde. Er hätte niemals die Sympathien der amerikanischen Turner besessen, schrieb der Autor. – Goetz gab eine Antwort unter der ironischen Überschrift: »Eine Stimme aus dem Jenseits« und führte dabei aus, er habe sein Leben lang für »gleiches Recht für alle« gekämpft. Diese Aussage war unwahr und daher ein Alarmsignal für die deutschen Arbeiterturner, die ihrerseits nun das »Bekenntnis« des Doktor Goetz ironisch analysierten und daran erinnerten, daß der nationalliberale Reichstagsabgeordnete als einziger seiner Fraktion für den Ausweisungsparagraphen im Sozialistengesetz gestimmt habe. Hiermit habe er gezeigt, was er unter »gleiches Recht für alle« verstehe[730]. Unmittelbar darauf veröffentlichte die DT das Schreiben eines deutsch-amerikanischen Turnlehrers, in dem dieser sich über führende Sozialisten in den USA beklagte, die das Turnwesen dort geschmäht hätten[731]. Offenbar ging es der DT darum, sozialistische Gesinnung schlechthin als turnerfeindlich zu apostrophieren.

Der erbitterte Kampf, der in diesen Jahren zwischen der Deutschen Turnerschaft und dem Arbeiter-Turnerbund geführt wurde, fand in der Amerikanischen Turnzeitung seinen Niederschlag. In dieser Auseinandersetzung nahm der NAT aufgrund seiner sozialpolitischen Zielvorstellungen und seines demokratischen Selbstverständnisses eindeutig für den 1893 gegründeten Arbeiter-Turnerbund Stellung. Immer wieder berichtete die Amerikanische Turnzeitung über die »langsamen, aber erfreulichen Fortschritte«[732], die der ATB in bezug auf seine Mitglieder machte. Hart wurden die politischen Schikanen und Schwierigkeiten verurteilt, die dem ATB in seiner Aufbauphase 1894/95 von seiten der Obrigkeit und auch der DT bereitet wurden.

Das gespannte Verhältnis zwischen der Deutschen Turnerschaft und dem Nordamerikanischen Turnerbund endete um die Jahrhundertwende, als die amerikanischen Turner zum 10. Deutschen Turnfest (1903) nach Nürnberg eingeladen wurden. Am 28. November 1902 ersuchte die Vorturnerschaft des New Yorker Turnvereins den Vorort, die Einladung anzunehmen[733]. Der Vorort stimmte dem zu und ernannte nach entsprechender Qualifikation acht Turner für die Bundesriege. Da noch weitere Vereine des Bundes Turnerriegen schickten, konnten insgesamt 120 Turner des NAT am Turnfest in Nürnberg teilnehmen[734]. Verständlicherweise wurde die Deutschlandfahrt der amerikanischen Turner in den USA mit größtem Interesse verfolgt, war sie doch eine Art Test für die deutsch-amerikanischen Turnbeziehungen. Die überaus freundliche Aufnahme der Turner in Hamburg, München und Nürnberg, die hervorragenden turnerischen Leistungen des DT, die ausgezeichnete Organisation des Festes und die große Teilnehmerzahl von 34000 Turnern beeindruckten die deutsch-amerikanischen Gäste sehr. Da auch die Amerikanische Turnzeitung in mehreren Artikeln über das Deutsche Turnfest eindrucksvoll berichtete, war das Echo des Nürnberger Festes in der amerikanichen Turnerschaft groß[735].

Die Beziehungen zwischen den beiden Turnerbünden verbesserten sich weiter, als die DT eine Einladung zum 29. Bundesturnfest des NAT 1905 in Indianapolis erhielt und Doktor Goetz die Einladung mit folgendem Schreiben annahm: »Ich spreche im Namen des Ausschusses der Deutschen Turnerschaft den herzlichsten Dank aus und fühle mich beglückt, Ihnen mitteilen zu können, daß wir unter Führung des Vorsitzenden unseres Turnausschusses, des Herrn Doktor Keßler, Stuttgart, eine Riege von acht Mann zu dem Fest schicken werden«[736]. Die Riege wurde in Indianapolis herzlich willkommen geheißen und hinterließ mit ihren Vorführungen einen starken Eindruck.

Im Jahre 1908 organisierte der NAT, nochmals unter der Leitung von Georg Brosius, eine Fahrt zum Deutschen Turnfest nach Frankfurt a. Main, an der etwa 600 Turner, darunter 90 Aktive, teilnahmen, die für ihre Hantelgymnastik großen Applaus erhielten. Die amerikanischen Turner weckten ferner mit ihrer Baseball-Demonstration ein unerwartet großes Interesse bei den deutschen Zuschauern. Ungefähr 500–600 amerikanische Turner nahmen dann am großen Festzug teil und wurden hierbei mit Blumen und Kränzen von der Frankfurter Bevölkerung begeistert gefeiert.

Sechs Jahre später, 1914, planten 100 deutsche Leibeserzieher eine Reise in die USA, um die Methoden amerikanischer Leibeserziehung, insbesondere die Spielerziehung zu studieren und um sich über die Ausstattung der Schulen mit Turnhallen und Spielplätzen zu unterrichten. Das Exekutivkomitee des Turnerbundes hatte die Reise, die durch die größeren Städte des Ostens und des mittleren Westens führen sollte, sehr sorgfältig vorbereitet, als der erste Weltkrieg ausbrach, der die freundschaftlichen Bindungen unterbrach[737]. Danach dauerte es einige Jahre, bis die DT und der American Turnerbund, wie sich der NAT nannte, wieder engere Kontakte herstellten[738].

### 2.6.1 Der Wandel des Jahn-Bildes bei den deutsch-amerikanischen Turnern

Der Wandel von radikal-fortschrittlichen beziehungsweise sozialrevolutionären Ideen der deutsch-amerikanischen Turner in den Anfängen der Bewegung zu gemäßigten, teils sogar konservativen Vorstellungen in den Jahrzehnten vor dem ersten Weltkrieg zeigt sich exemplarisch in der Beurteilung Jahns. Die Emigranten der Revolution von 1848, meist Angehörige des Demokratischen Turnerbundes, hatten sich von Jahn weitgehend distanziert und ihn sogar verspottet, da dieser in der deutschen Revolution eine unrühmliche Rolle gespielt hatte. Daher wird er in der Aufbauphase der Turnbewegung in den USA kaum erwähnt. Nur einer setzt sich bissig-kritisch wiederholt mit Jahn und der Deutschen Turnerschaft auseinander, die er von servilem und engstirnigem Denken korrumpiert sieht: Karl Heinzen. Obwohl Heinzen ein eifriger Förderer des Turnwesens in den USA war – wenn er auch hier nicht an Kritik sparte –, geißelte er mit bitterer Ironie Formen des Turnens in Deutschland, wie zum Beispiel das deutsche Turnfest in Berlin 1861, das er als ein »Untertanen-Fest« von »bierpausbackiger Verworfenheit« bezeichnete[739].

»Was der hohle Teutonismus nur an lächerlicher Renommage, schwarzrotgoldenem Bombast, Jahn-Arndtscher Biederbigkeit, bukolischer »Gau« = haftigkeit, gut = und blutiger Ungefährlichkeit und serviler Patristerei leisten kann, das ist bei jenem Fest erschöpft worden. Wozu braucht man Freiheit und Männlichkeit, Ehre und Charakter, Verstand und Denkvermögen, wenn man solche Feste feiern, »Gut Heil« rufen, den Bauchschwung ausführen, »Hand auf Vordermanns Schulter legen« kann mit aller höchster Erlaubnis?«[740]

Indem er die Redner, insbesondere Theodor Georgii, verspottet, weil sie von Freiheit redeten und Servilismus übten, beendet er die Hiebe auf die deutschen Turner mit den Sätzen:
»Auch der Bauschwung ist jetzt der neueste Aufschwung der Nation. »Reck und Barren« soll sie retten, einigen, frei machen und ihr zu Ruhm und Achtung verhelfen. Wenn auch diese Manie wieder ausgetobt hat …, werden die Teutschen wieder ein anderes Auskunftsmittel finden, der Freiheit zu entgehen. Eher aber als anerkennen, daß zur Freiheit die Freiheit nötig ist, und zwar zunächst die des Kopfes, werden sie auf den teutonischen Bauchschwung die asiatische Bauchbetrachtung folgen lassen und ein Nationalfest feiern, wobei 40 Millionen teutonischer Talapoinen tiefsinnig ihren Nabel anstieren.«[741]
Der Tenor bleibt auch in späteren Traktaten der gleiche: die Anklage richtet sich gegen »schwarzrotgoldene Hohlköpfe«, »ekelhafte Festsäufer und Vaterlandbrüller«[742], deren Wortschwall unerschöpflich sei wie ihr Bier, die längst vergessen hätten, daß sie sich einmal im Namen der Freiheit erhoben hätten. Mit Singen, Reden, Turnen und Saufen wollten sie Deutschland einig, frei und stark machen.
»Die Erinnerung an 1848 ist ihnen sogar verhaßt worden; aber die Reminiszenzen aus der glorreichen Zeit, wo sie von Despoten auf die Schlachtbank geführt wurden, um deren Throne zu retten, stecken ihnen noch wie die Residua einer schlechten Krankheit im Leibe und brechen bei jeder Gelegenheit als nationale Erkennungs- und Verbrüderungszeichen blühend aus ihrer Untertanenhaut hervor. Der franzosenfressende Königsknecht Arndt und der schauerliche Teutone Jahn sind ihre nationalen Tonangeber geblieben und unter deren Inspiration stößt alles auf die »Einheit und Freiheit des Vaterlandes« an, Reaktionär und »Fortschrittlicher«, Polizist und »Demokrat«, Sänger und Turner, ja sogar Waschweib und »Revolutionär«. – »Hoch!« »Gut Heil!« »Gruß und Handschlag« – hol euch alle der Henker!«[743]
Ähnlich wie im Deutschland nach der Reichgründung, so beginnt auch in Nordamerika in den achtziger Jahren eine Hinwendung zu Jahn, die zwar nicht – wie in der Heimat des Turnens – zu einem Jahnkult führt, aber doch zu einer Jahnverehrung. Im Turnerkalender 1883 erscheint aus der Feder des sonst so scharfsinnig-kritischen C. H. Boppe ein Aufsatz »Jahn der Politiker«, in dem Jahn als der »Urtyp des »politischen« - Turners« gepriesen wird. Boppe kann sich dabei auf die Laudatio stützen, die anläßlich der Verleihung der Ehrendoktorwürde an Jahn in Kiel und Jena gehalten wurde, am 31. Oktober 1817: Jahn, so heißt es dort, habe die Turnkunst zur Neubelebung germanischer Kraft und Tüchtigkeit ersonnen und ausgebildet, habe den Zusammenhang zwischen Turnen und Politik erkannt; an festem Sinn, altbiederen Sitten, an Tiefe und Donnergewalt der Rede sei er nur mit Luther zu vergleichen.[744] Zwar muß auch Boppe gestehen: »Jahns geistiger Horizont war nicht gerade ein sehr ausgedehnter«, aber was er einmal erfaßt und sich zur Aufgabe gemacht habe, das hätte er mit einer achtunggebietenden Gewalt und Hingebung vertreten[745]. Insbesondere lobt er den prophetischen Blick Jahns, der das deutsche Volk als »Mittel- und Mittlervolk Europas« gesehen hätte, das, wenn es zur inneren und äußeren Einheit finden würde, »zum Begründer des ewigen Friedens in Europa, zum Schutzengel der Menschheit werden könne«[746]. Angesichts solch idealisierter Betrachtungsweise, die Jahns Freund-Feind-Denken verschleiert, seinen Juden- und Franzosenhaß ignoriert und grotesk-schauerliche Vorstellungen wie die Anlage eines »Todesstreifens« zwischen Deutschland und

Frankreich geflissentlich übersieht, wundert es nicht, wenn Boppe das Wirken Jahns in der Revolutionszeit 1848/49 lediglich als traurige Verirrung abtut. Jahn sei von Volksfeinden manipuliert worden, da ihn »Reaktionäre wieder von den Toten auferstehen ließen, damit er der stürmischen Jugend als Vogelscheuche diene«[747]. Nicht der »Politiker« des Jahres 1848, sondern der Jahn der Freiheitskriege sei und bleibe daher das mustergültige Vorbild des »politischen« Turners – als könne das Wirken einer Persönlichkeit in isolierte Prozesse aufgelöst und nur die »progressiven« Teile für die Sache des Turnens in Anspruch genommen werden.

Der Weg für eine uneingeschränkt positive Betrachtung war jedenfalls damit gewiesen, und es liegt nahe, zumal in der amerikanischen Turnerlyrik jener Jahre eine auf Deutschlands Einheit und Stärke bezogene »Vaterlandsbegeisterung« durchschlägt und Gedanken von einem großgermanischen Reich laut werden, hier eine geistige Verbindung zu der neuen Jahnverehrung zu sehen. In den »Jahrbüchern der deutschamerikanischen Turnerei« Bd. I, 5, finden wir 1890 die »Schwanenrede« Jahns und seine beiden nach Form und Inhalt miserablen »Marschlieder der Turner in der Schlacht bei Leipzig 1813« abgedruckt, im Turnkalender 1895 das sehr mäßige Gedicht Johann Straubenmüllers »Turnvater Jahn über seine Namensvettern«[748], ein Lobpreis auf den »Sprachreiniger« Jahn, der gegen Schlendrian und Dummerei zu Felde gezogen sei; doch besondere Aufmerksamkeit verdient nur der 1899 in der deutschen Arbeiterturnzeitung wiedergegebene Beitrag eines deutsch-amerikanischen Turners »Erinnerung an den Begründer des deutschen Turnwesens«, in dem Jahn wie folgt geschildert wird:

»Vater Jahn, der jedem deutschen Turner vor Augen stehet, das eiserne Kreuz auf die Brust geheftet, in dunklem altdeutschen Rock, den Hemdkragen weit übergeschlagen, die hagere Gestalt ungebeugt, das runzelige Antlitz von weißem Haupt- und Barthaar umwallt, das stahlblaue Auge durchdringend und ernst unter den buschigen Augen hervorlugend.«[749]

Gepriesen wird Jahn als Freiheitsheld, der mit seinem an biblischer Sprache geschulten »Prophetenstil« die Herzen der deutschen Jugend mächtig ergriffen habe und mit Lützows »unsterblichem Freikorps, der wilden verwegenen Jagd«, als Sieger in Paris einziehen durfte – eine den Realitäten wenig entsprechende Schilderung. Jahn sei nach dem Krieg das Opfer von »elenden Kriechern und Demagogenriechern« geworden. Der »Völkerfrühling« 1848 hätte ihn zwar ins Parlament zu Frankfurt geführt, aber der »Rufer im Streit war alt geworden, die knorrige Eiche ragte (wohl) noch hoch empor aus längst vergangener Zeit, aber sie fühlte nicht mehr den Völkerfrühlingshauch![750]« Auffallend ist neben der pathetisch-gefühlvollen Sprache der ausdrückliche Hinweis darauf daß sich Jahn deshalb ein »unvergängliches Lorbeerblatt« erworben habe, weil er von 1806 bis 1848 für Deutschlands Einheit und Größe gekämpft habe. Die »Erinnerungen« schließen mit dem Ausdruck brüderlicher Verbundenheit: die deutschen Turner hätten die Lehren »Vater Jahns« weit über die Grenzen der alten Heimat hinaus verbreitet. Sie, die Deutsch-Amerikaner, seien durch diese Lehren in der fremden Welt wieder zusammengeführt worden[751]. Im Festzug des Nordamerikanischen Turnerbundes anläßlich des 29. Bundesturnfestes in Indianapolis 1905 – er unterschied sich in der Idee und Gestaltung kaum von dem der Deutschen Turnerschaft jener Jahre – trägt der letzte Festwagen die riesige Büste des »Alten im Barte«. Eine Aufnahme aus der Festschrift zeigt den Festausschuß gruppiert vor dem Jahnbild, damit die geistige Nähe zum »Turnvater« demonstrativ hervorhebend. Auf allen Ehrenurkunden um 1900 ist Jahn abgebilet, sei es von der schwarzrotgoldenen Flagge umrahmt, sei es mit Schleifen verziert, die das Motto »Bahn frei!« und »Gut Heil!« tragen. In St. Louis errichteten die Turner Jahn ein imposantes Denkmal. Kaum etwas kann eindringlicher die Annäherung von Ideen und Wertvorstellungen reichsdeutscher und amerikanischer Turner bestätigen als die Verehrung Jahns als »politischen« Turner, Freiheitskämpfer und Patrioten, Künder deutscher Einheit und Größe. Vor der Enge und Gefährlichkeit der Jahnschen nationalistischen Ideologie hatte man diesseits und jenseits des Ozeans die Augen verschlossen.

## 2.7 Wandlungen des Übungsguts und des Bewegungsverhaltens im Turnerbund und in der amerikanischen Leibeserziehung ab 1880

In seinem 1897/98 im Auftrag des United States Commissioner of Education erstellten »Report« gab Doktor E. M. Hartwell im Abschnitt »Leibeserziehung an amerikanischen Schulen« einen kurzen Bericht über Ausmaß und Bedeutung des Turnens in den Public Schools.

Dabei führte er aus, daß es den Bemühungen der Sachwalter der schwedischen Gymnastik und des deutschen Turnens zu verdanken sei, wenn es heute in den amerikanischen Schulen einen systematisch aufgebauten Unterricht in Leibesübungen gäbe. Insbesondere die Absolventen des Turnlehrerseminars des NAT hätten sich in den großen Städten wie Chicago, Kansas City, Cleveland, Denver, Indianapolis, St. Louis, Milwaukee, Cincinnati, St. Paul und San Francisco um die Leibeserziehung verdient gemacht. Er schloß mit dem Satz: »The promotion of gymnastic teaching in the public schools has ever been one of the cherished aims of the American Turners«.

Hartwell war wie kein anderer kompetent für ein solches Urteil. Der hochgebildete Mediziner, Pädagoge und Historiker war seit 1890 Director of Physical Training for the Boston Public Schools, das heißt verantwortlich für die körperliche Ausbildung in den Schulen dieser großen Stadt. Er hatte England, Deutschland und Schweden bereist und sich fundierte Kenntnisse über die Aktionsweisen der Leibesübungen – Turnen, Gymnastik, Spiel und Sport – in diesen Ländern erworben. In seinem Referat, das er anläßlich der »Conference in the Interest of Physical Education« 1889 in Boston hielt, sprach er sich dafür aus, daß die verschiedenen Richtungen und »Systeme« der Leibesübungen nebeneinander bestehen, sich aber ihres gemeinsamen geistigen Ursprungs bewußt bleiben sollten. »The plays of the kindergarten, the athletic sports to which British and American youth are so devoted, and the systematic gymnastics of the Swedes and Germans have all developed from one germ, from healthful play ...«[752]. Als Leibeserzieher gab er der schwedischen Gymnastik und dem deutschen Turnen den Vorzug vor dem angelsächsischen Sport, da er in ihnen komplexere Bildungsmöglichkeiten sah[753]. Für ihn war die Kenntnis der historischen Entwicklung der Leibeserziehung in Europa unabdingbare Voraussetzung für das Verständnis der Leibeserziehung in den USA: nur von den europäischen Ursprüngen her könnte sie in ihrer Besonderheit erfaßt und bewertet werden. Ohne die Respektierung dieser Zusammenhänge gäbe es in der amerikanischen Leibeserziehung keinen Fortschritt, würde sie in »drill and tactics« steckenbleiben[754].

Der zweite herausragende Leibeserzieher auf der erwähnten Konferenz von Boston (1889), die für die amerikanische Leibeserziehung richtungweisend wurde, war Doktor E. Hitchcock, Professor für Hygiene und Physical Education am Amherst College/Massachusetts und erster Präsident der 1887 gegründeten AAAPE (American Association for the Advancement of Phys. Ed.). Er hatte den »Amherst-Plan« entwickelt, ein System leichter gymnastischer Übungen, ähnlich dem von Dio Lewis[755], unter Verwendung von Hanteln. Seine Hauptaufgabe sah er darin, Körperkraft und Gesundheit der Studenten durch tägliches Üben von 15 bis 20 Minuten konstant auf durchschnittlich hohem Niveau zu halten, damit diese den Studienbelastungen gewachsen waren[756]. Anthropometrische Messungen wurden vorgenommen, um »Idealdaten« für die beste körperliche Entwicklung des »Durchschnittsstudenten« zu ermitteln.

Der dritte bedeutende Leibeserzieher auf der Konferenz in Boston war Doktor D. A. Sargent, Direktor der Hemenway Gymnastikanstalt in Harvard und der School of Physical Education in Boston. Sein Erziehungsprogramm war ebenfalls auf Breitenarbeit angelegt, hatten doch seine Untersuchungen ergeben, daß nur 10 % der Studierenden sich körperlich betätigten. So entwickelte er nach zahlreichen Tests individuelle Trainingsprogramme, führte Freiübungen ohne Handgeräte durch und verwandte eigens von ihm konstruierte und installierte Geräte zur Steigerung der Kraft und der Ausdauer. Erstmals in der amerikanischen Leibeserziehung versuchte er, Jugendliche für Sport und Spiel zu begeistern. Die hierbei von diesen gewonnenen Erfahrungen sollten sie im Sinne einer gesundheitsbewußten Haltung ins Leben übertragen.

Auf der Konferenz in Boston nahm Sargent im »Systemwettstreit« eine vermittelnde Haltung ein, obwohl sein Harvard-Programm nahe an das herankam, was er als »America's need« bezeichnete:

Amerika brauche, was sich in Europa durchgesetzt habe, eine Verbindung von Elementen des kraftschulenden deutschen Turnens, des Energie und Willen weckenden und schulenden englischen Sports, der Anmut und Geschmeidigkeit fördernden französischen Kalisthenie und der auf Haltungsschulung und präzisen funktionalen Bewegungen aufgebauten schwedischen Gymnastik[757].

Sargents Konzeption einer individuellen Hilfe zur Persönlichkeitsbildung, einer Intensivierung neuromuskulärer Funktionen und einer Festigung der leiblichen Struktur, eines Gesundheits- und Fitneßprogramms für alle, war wegweisend für die USA. Besonderen Erfolg hatte er in seiner Harvard Summer School of Physical Education, in der er in wenigen Jahren eine große Zahl hochqualifizierter Leibeserzieher heranbildete.

Zu der Bostoner Konferenz waren auch Vertreter des Nordamerikanischen Turnerbundes geladen, die Wesenszüge des deutschen Turnsystems erläuterten. Hartwell hatte in seinem ersten »Report« 1886 bereits öffentlich die Arbeit der Turner gewürdigt. Dieses Jahr brachte dann auch eine Wende in der Geschichte des NAT, denn damals erfolgte eine entschiedene Öffnung hin zur amerikanischen Gesellschaft. Vertreter des NAT nahmen an der zweiten Zusammenkunft der AAAPE teil, hielten Referate und demonstrierten praktisches Turnen. Dank der damit eingeleiteten Öffentlichkeitsarbeit[758] befaßte sich die Bostoner Konferenz hauptsächlich mit dem deutschen Turnen und der schwedischen Gymnastik.

Nach Ansicht der Turner war die schwedische Gymnastik zu formalistisch, zu wenig innovierend und motivierend und nicht auf soziale und ethische Ziele ausgerichtet. Diesem Negativkatalog begegneten die »Schweden« mit dem Hinweis, das deutsche System sei nicht wissenschaftlich abgesichert, beziehungsweise begründet, die Bewegungen zu sehr rhythmisiert und ohne tiefere physiologische Wirkung. Da sie insgesamt mehr rekreativ als edukativ seien, würden körperliche Schwächen – zum Beispiel Haltungsschwächen – nicht beseitigt.

Die Verfechter des schwedischen Systems sahen die Vorzüge ihrer Gymnastik darin, daß sie täglich betrieben wurde, systematisch und rational-funktional aufgebaut war, vom Leichteren zum Schwereren sich steigerte und auf Kommandoton exakt ausgeführt wurde. Die der Gymnastik immanenten Werte manifestierten sich vornehmlich in einer korrektiven und heilgymnastischen Wirkung. Daher dienten auch die in den elf Grundformen zusammengefaßten Übungen des Beugens und Streckens, Hebens, Balancierens und Hüpfens, bei denen alle Muskelgruppen beansprucht wurden, primär der Verbesserung der Herz- Kreislauffunktionen. Wenn Herz und Lunge voll funktionsfähig wären, so glaubten die »Schweden«, würden auch die Muskeln jeder »vernünftigen« Forderung nachkommen.

Gegenüber solcher nach ihrer Meinung verengten Sicht der Körperschulung betonten die Turner die Notwendigkeit eines a) allgemeinen und lokalen Krafttrainings durch Ringen, Gewichtheben, Stoßen, kalisthenische Übungen mit Gewichten und Stütz- und Beugeübungen an Barren, Reck und Ringen, b) die Notwendigkeit von Geschicklichkeitsübungen (Balancieren; Springen: Pferd, Bock; Schwingen: Barren, Reck, Seitpferd), c) von Übungen zur Steigerung der Schnelligkeit (Laufen, Seilchenspringen, Tanzen, Hüpfen, Klettern, Schwimmen), d) von Ausdauerübungen (Wandern, Marschieren, Rudern, Schlittschuhlaufen), e) von Übungen, die Konzentration und geistige Spannkraft förderten, wie Ringen, Fechten, Ballspiele und Hindernislaufen.

Die Turner nannten damit einen Übungskatalog, der weit über das recht lange schwerpunktmäßig praktizierte Hallenturnen und die drillmäßig betriebenen Frei- und Ordnungsübungen hinausging und der an das Übungsgut von Jahn und GutsMuths anknüpfte. Aber auch in dieser Zeit dominierten in der Ausbildung noch körperbildende Übungen mit und ohne Gerät, die einexerziert wurden.

In dem Jahrzehnt von 1885 bis 1895 war Carl Betz, Leiter der Summer School in Kansas City, Lehrkraft in mehreren Turnvereinen und an der Normal School in Milwaukee, einer der führenden Turnpraktiker des NAT. Nach seinem Plan wurde, zuerst in Kansas City, bald darauf in zahlreichen Städten des mittleren Westens deutsches Turnen in die Public Schools eingeführt. Im Jahre 1887 beschrieb er in einem Brief, wie er den Turnlehrern sein Übungsgut vermittelte, das in der Grundphase aus exerziermäßig durchgeführten Freiübungen mit und ohne Gerät (Stab, Keule, Hantel) bestand, denen Geräteübungen und Turnspiele folgten.

Jeden Samstag, so Betz, würde er die Fachleiter für Turnen an den einzelnen Schulen gemeinsam unterrichten. Diese wiederum würden am darauffolgenden Montag ihren Stellvertretern und den an den Schulen angestellten Leibeserziehern das Übungsgut weiter vermitteln, damit von Dienstag an die Woche über in den Schulen geübt werde. Diese auf Kommandoton betriebenen Freiübungen würden täglich um 10 Uhr auf ein Gongzeichen hin von allen Schülern der Stadt praktiziert. Jeder Lehrer habe außerdem ein Handbuch mit Übungsanweisungen, in das er auch die Übungen eintrüge, die vorgeführt worden seien. Bisher seien es ausschließlich Freiübungen, doch sollten sie um Übungen mit Gymnastikgeräten, um leichte Spiel- und Turnübungen erweitert werden[759].

1910 war dank der Vorarbeiten von Betz und der Absolventen der Normal School des NAT in 52 Städten deutsches Turnen in den Public Schools eingeführt, wie eine Umfrage ergab[760]. Erwähnung verdient in diesem Zusammenhang auch, daß bereits 1886 in Californien auf Initiative der Turner ein Gesetz verabschiedet worden war, das den Turnunterricht in den öffentlichen Schulen zur Pflicht gemacht hatte.

Das Übungsgut hatte sich allerdings seit der Jahrhundertwende qualitativ und quantitiv beträchtlich verändert. Dazu schrieb 1903 H. Hartung, das Turnen sei um solche Disziplinen erweitert worden, die Körper, Geist und Charakter schulten, wie Boxen, Fechten, Ringen, Schwimmen, Rudern, Leichtathletik und Ballspiele[761].

Metzner unterstreicht die Bedeutung allseitiger Körperausbildung und der Spielerziehung, des »playground movement«, für den Turnerbund, besonders für die Normal School. Spiele seien von jeher integraler Bestandteil des Turnens gewesen, und zwar sowohl bei GutsMuths als auch bei Jahn. Sie hätten im Freien stattgefunden. Was heute unter der Bezeichnung »games« und »track and field« in der Leibeserziehung angeboten würde, sei ureigenstes Übungsgut der Turner. Das Sich-Beschränken auf das Geräte- und Hallenturnen sei erst später erfolgt und jahreszeitlich bedingt gewesen.

Schon Ende der 60er Jahre hätten Jungen und Mädchen in Cincinnati auf einer freien Spielwiese hinter der Turnhalle eifrig an Geräten geübt, seien gsprungen, hätten den Speer geworfen und mit dem Ball gespielt. Wie in Cincinnati, so sei dies auch in anderen Städten von Turnvereinen praktiziert worden. Daher sei es nur selbstverständlich, daß der Turnerbund die von Europa nach den USA übergreifende Spielbewegung nach Kräften unterstütze und die Turnlehrer zu einer Kooperation mit den Verantwortlichen des »playground movement« mit Freuden bereit wären.[762]

Die bereits erwähnte Umfrage des Jahres 1910 brachte noch ein anderes, die Arbeit der Turner sehr positiv beleuchtendes Ergebnis: die 52 Städte, in denen Turnvereine existierten, die entscheidenden Anteil an der Einführung des Turnens in den öffentlichen Schulen hatten – es gab eine tägliche Bewegungszeit von 15 Minuten in den Elementry Schools und zweimal wöchentlich Turnunterricht von 45 Minuten in den High Schools – besaßen ausreichende, meist moderne Übungsstätten. Nahezu alle Schulen verfügten über eigene Turnhallen, die meisten über Duschanlagen, viele über Schwimmbecken und Räume für »indoor play«. Am erfolgreichsten war die Bilanz der Außenanlagen mit Spielflächen, bespielbaren Schulhöfen und an die Schule grenzenden Rasenflächen, die mit Spiel- und Turngeräten ausgestattet waren. Ein großer Teil der Schulen erfüllte damit die Bedingungen für ein vielseitiges Angebot von Turnen, Sport und Spiel[763].

Größten Anteil an der Verbreitung des Spielguts hatte die Normal School des NAT, die mit der Aufnahme von Mannschaftssportarten in das Curriculum der Turnlehrerausbildung ein neues Feld erschloß. Im Jahre 1909 wurde in den »Notes from Normal School« hervorgehoben, Football, Soccer und Basketball hätten sich als sehr attraktive Spiele erwiesen[764]. Später, 1915, war das Curriculum noch mehr ausgeweitet: In die Frauenausbildung waren Hoch- und Weitsprung, Hürdenlauf, Schleuderball, Basketball, Schlagballweitwurf, Kugelstoßen, und Sprint über 100 Yards aufgenommen worden, in die Männerausbildung Hürdenlauf, Speerwerfen, Schleuderball, Weitwurf, Hoch- und Weitsprung, Sprints; ferner gab es nun Fußball für Männer und Hockey für Frauen[765]. Wettkampfmannschaften für Soccer, Football und Basketball waren 1917 aufgebaut, der Stundenanteil für die Leichtathletik vergrößert und die Schwimmausbildung intensiviert worden. In Verbindung mit Boy Scouts-Organisationen wurde »scouting« angeboten[766]. Im darauffolgenden Jahr erzielte die Basketballmannschaft der Schule herausragende Erfolge, wurden motivierende Leichtathletik- und Schwimmwettkämpfe durchgeführt, »to give the Seniors, especially, opportunities to win points to wear their emblems before graduating«[767].

Die Berichte spiegeln den Umbruch im Bewegungsverhalten und die Bemühungen um ein variationsreiches Übungsgut wider. In weniger als 20 Jahren hatte das Normal College sich neuzeitlichen Ideen einer »sportlichen Erziehung« ganz geöffnet, sein Curriculum beträchtlich erweitert und sich weitgehend amerikanischen Gegebenheiten und Vorstellungen angepaßt, ohne das alte Erziehungsziel aufzugeben: »to introduce gymnastic training into the public school system of the country«[768]. Eine Analyse der Turnliteratur – besonders von »Mind and Body« – ergibt weiter, daß an die Stelle des Kraftturnens ein modernes Schwungturnen getreten war. Die Verbindung von Einzelübungen zu Übungsganzheiten und Übungsreihen, wie sie Rath am Beispiel der Oberarmkippe am Barren erläuterte, war exemplarisch für die neue ideenreiche und fließende Bewegungskunst, die auch rhythmische Bodenübungen umschloß[769]. Das statische Turnen, zentriert auf Stütz- und Halteübungen, war damit im Bereich der Turnlehrerausbildung endgültig überwunden. Es wurde allerdings noch einige Zeit im Turnerbund gepflegt, und zwar in Form der »Pyramiden«, mit denen einzelne Vereine auf den Turnfesten männliche Kraft, zuchtvolle Haltung und entschlossene Solidarität demonstrierten[770].

Die Hinwendung zu einem gelösteren Bewegungsverhalten läßt sich auch in den Freiübungen mit und ohne Gerät verfolgen. Die abstrakt-formalistische Standgymnastik, exerziermäßig betrieben, wird zu einer schwungvollen Haltungsschulung weiterentwickelt, zwar zunächst noch ohne fließende Übergänge und weiterhin unter Betonung des Männlich-Kraftvollen, aber mit wachsender Bewegungsamplitude (Positions-und Standbeinwechsel, Fallen in den Liegestütz, Drehungen)[771]. Die Freiübungen werden weiter rhythmisiert und ab 1915 mit Musikbegleitung durchgeführt[772]. Der Krieg bringt einen »Rückschritt« im Bewegungsverhalten, da »military drill« und »military training« der gesamten amerikanischen Leibeserziehung verordnet werden. Danach aber setzen sich moderne Bewegungsauffassungen weiter durch. So enthalten die Freiübungen auf dem Bundesturnfest 1921 Elemente der neuen Ausdrucksgymnastik[773]. Später, 1929, sind Spiel und Sport in ein breites Ausbildungskonzept für die Turnvereine aufgenommen. Jährlich finden Juniorenturnfeste statt, um dem Wettkampfbedürfnis der Jugend zu entsprechen. Die Vereine werden aufgefordert, im städtischen Raum und außerhalb sich an folgenden Wettkämpfen zu beteiligen: Soccer, Football, Hockey, Tennis, Golf, Leichtathletik, Fechten, Basketball oder auch an anderen Sportarten, die im Turnerbund nicht angeboten werden[774]. Zunächst widerstrebend, später aber mit umso größerem Eifer haben sich die Turner der Spiel- und Sportbewegung geöffnet.

Der Durchbruch zu einer freien Spiel- und Sportauffassung, zu vielseitigen natürlichen

Bewegungsformen in der amerikanischen Leibeserziehung ist kein isolierter Prozeß, sondern Teil eines allgemeinen sozialen Wandels und struktureller Veränderungen in der amerikanischen Gesellschaft während des »progressive movement«. Die wirtschaftlich günstige Lage der USA gegen Ende des 19. und zu Beginn des 20. Jahrhunderts ermöglichte es staatlichen und gesellschaftlichen Organen, sich verstärkt um das Wohlergehen der Bürger zu kümmern. Das höhere Schulwesen wurde weiter ausgebaut, Sportprogramme in allen Campus-Universitäten angeboten, in den Städten zunehmend Raum für Spiel und Sport, für Freizeit und Erholung geschaffen. Erstmals in der Geschichte der USA wuchs in allen Schichten der Wunsch nach Entspannung und Rekreation, wurde das öffentliche Interesse bei steigendem Freizeitangebot auf das breite Feld der Leibesübungen, auf Spiel und Sport gelenkt. Mit dem gleichen Eifer, mit dem sie ein halbes Jahrhundert vorher den technisch-zivilisatorischen Aufbau des Landes vorangetrieben hatten, bauten die Amerikaner nun ihre Sportstätten und gründeten Clubs und Vereine zur Förderung von Sport und Spiel.

Parallel zu der Spiel- und Sportbewegung, (the playground movement), die im Zuge der Umstellung des amerikanischen Lebens neue Möglichkeiten der aktiven Erholung in den Städten schuf, erfolgte der Ausbau der amerikanischen Gesundheitserziehung (public health movement) und die Einrichtung von Gesundheitsämtern (Health Departments) in den größeren Städten des Landes.

Versucht man die Grundzüge des Entwicklungsprozesses der Leibeserziehung in den USA von der Bostoner Konferenz (1889) bis zum ersten Weltkrieg darzulegen, so muß man zu Beginn auf das Nebeneinander von Übungsformen hinweisen, die sich hauptsächlich aus Teilen des deutschen Turnens, der schwedischen Gymnastik und der Methode Doktor Sargents zusammensetzten. Sie wurden primär unter dem Aspekt der Gesunderhaltung betrieben, dienten der Haltungsverbesserung und der geistigen Disziplinierung. Auch die College-Programme waren ähnlich ausgerichtet, obwohl hier Sportarten wie Leichtathletik, Ringen, Boxen, Baseball, Basketball und Football in wachsendem Maße betrieben wurden. Im ersten Jahrzehnt des 20. Jahrhunderts brachte »playground and recreation movement« den zweiten wichtigen Anstoß zu einer Neuorientierung der amerikanischen Leibeserziehung. Die Jahre von 1900 bis zum ersten Weltkrieg waren auf allen Gebieten vom Reformgeist erfüllt, der besonders die städtischen Mittelklassen beseelte. Eine der stärksten sozialethischen Motivationen war der Wille, individuelle Werte in einer zunehmend organisierten und technisierten Gesellschaft zu erhalten. Führender Vertreter dieser neuen Richtung war Doktor L. H. Gulick (1865 – 1918), verantwortlich für das von christlich-sozialem Geist geprägte YMCA-Sportprogramm; er gründete 1906 die Playground Association of America, die spätere National Recreation Association. Die Schaffung von Freizeit- und Erholungsräumen war für ihn eine wichtige Sozialhilfe, die zur öffentlichen Angelegenheit erhoben werden sollte[775]. Wie wohl kein amerikanischer Leibeserzieher vor ihm war er von der sozialanthropologischen Bedeutung des Spiels als gemeinschaftsbildende Kraft und Mittel der Charaktererziehung überzeugt.

Sein Nachfolger Clark W. Hetherington (1870 – 1942) teilte mit ihm nicht nur die Auffassung vom hohen erzieherischen Wert des Spiels, sondern plädierte sogar dafür, die Spielerziehung zur Grundlage aller Erziehung zu machen. Ihm ist es mit zu verdanken, daß auf dem Hintergrund einer sich nach dem ersten Weltkrieg voll entfaltenden Spiel- und Sportbewegung in den USA die Curricula in Schule und Hochschule den

veränderten Bedingungen angepaßt und unter Verwertung neuer psychologischer, physiologischer und pädagogischer Erkenntnisse auf Altersstufe und Leistungsniveau der Schüler und Studenten bezogen wurden. Die amerikanische Leibeserziehung sollte nach ihm eine vierfache Zielsetzung haben:
1. organic education, daß heißt Entwicklung der Muskel- und Organkraft in Verbindung mit einer allgemeinen Körperhygiene; 2. psychomotor education, das heißt Schulung neuromuskulärer Funktionen, um Kraft und Bewegungsgeschick zu erhöhen und größere körperliche Sicherheit und Festigkeit zu erlangen; 3. character education, das heißt Entwicklung moralischer, sozialer und geistiger Kräfte durch das Spiel; 4. intellectual education, das heißt Lernen, Erfahrung sammeln und Kommunikation schaffen durch das Spiel[776].
»The child builds up insights, sympathies, understandings and habitual recreation, which become the foundation fo social thinking.«[777].
Die Parallele zu der Erziehungslehre von John Dewey, für den die Schule in erster Linie eine soziale Institution sein sollte, die gesundes Sozialverhalten der Kinder und Jugendlichen weiterzuentwickeln habe, ist evident; im Unterschied zu Dewey aber ist die Betonung der Charaktererziehung durch Spielerziehung und psychomotorische Bewegungsschulung ein Wesensmerkmal der amerikanischen Leibeserziehung zu jener Zeit.


## 2.8  Die Frauen in der nordamerikanischen Turnbewegung

Das Schrifttum der nordamerikanischen Turnbewegung spiegelt deutlich den Wandel der Vorstellungen wider, die man sich von der Frau und ihrer Funktion in der Gesellschaft im Laufe eines Jahrhunderts – etwa von der Mitte des 19. bis zur Mitte des 20. Jahrhunderts – machte. Während im 19. Jahrhundert die fortschrittlichen Turner aufgrund der von ihnen verfochtenen Lehre von der Gleichberechtigung aller Menschen zwar theoretisch die Gleichberechtigung der Frauen forderten, konnten sie sich in der Praxis doch nur sehr vereinzelt dazu durchringen, ihr diese zuzugestehen, zum Beispiel in den eigenen Vereinen hinsichtlich der Wählbarkeit für die Vereinsämter. Noch heute gibt es bei den American Turners Vereine, die den Frauen die Wählbarkeit für die Ausschüsse verweigern. Die Frage um das Mitspracherecht der Frauen in den Vereinen hatte 1893 die Gemüter besonders erregt. Im Turnkalender desselben Jahres erschien ein von Jacob Heintz verfaßtes Gedicht »Zur Frauenfrage«, das den inneren Zwiespalt der Turner in ungewollter Komik deutlich macht. Die erste Strophe weist auf die Debatten hin, die in Louisville über die Frage geführt worden waren, ob auch Frauen leitende Funktionen in den Vereinen haben sollten.

> *In Louisville war's! Da kreuzten sich die Waffen*
> *Im Geisteskampfe, um ein gleiches Recht*
> *In unser'm Bund den Frauen all zu schaffen,*
> *Vier Stunden währte hitzig das Gefecht,*
> *Gar tapfer rang im Kampf der Radikale*
> *Für's »neue Weib« und neue Ideale[778].*

188

Offenbar waren aber die radikalen »Roten« mit ihrer Forderung nicht durchgedrungen. Heintz schloß sich den »Blauen« an und resümiert voller Widersprüchlichkeit in der letzten Strophe:

> *Wir sagen laut, wir geben frei es kund-*
> *Was wir gegründet, wollen selbst wir leiten*
> *Als Männer nur, nicht als ein Zwitterbund;*
> *Doch ehren wir und achten hoch die Frauen,*
> *Auf deren Edelsinn wir alle bauen.*[779]

Die übrigen sechs Strophen vermengen die Ansichten des fortschrittlichen Denkens mit den zu jener Zeit noch in voller Blüte stehenden konservativen Vorstellungen, die sich die Männer von den Frauen machten.
Männliche Verehrung gilt nicht den Intellektuellen unter den Frauen:

> *»Blaustrümpfe« aber in den Pluderhosen,*
> *Die werden niemals unser Ideal...*[780]

sondern der züchtig waltenden Hausfrau und Mutter:

> *Ein sittsam Weib, sie ist des Hauses Segen,*
> *Die Kinderschar erzieht sie mit Geschick,*
> *Und Mutterpflicht führt sie auf rechten Wegen*
> *Zu gründen fest sich ein Familienglück.*
> *Im trauten Heim, – Beschützerin der Liebe,*
> *Da herrsche sie! – nicht im Vereinsgetriebe.*[781]

Von diesem Frauentyp heißt es:

> *Dem edlen Weib in seinem Wirkungskreise,*
> *Ihm singen wir zum Lob und Preise.*

Daß diese Haltung der Meinung des größten Teils der Turner entsprach, geht aus der Anmerkung der Redaktion, die offenbar den kleineren Teil vertrat, hervor. Sie schreibt: »Unsere Stellungnahme in der Frauenfrage ist bekannt und der unseres Turnerdichters Jacob Heintz direkt entgegengesetzt. Wir sind überzeugt, daß diese Streitfrage, wie im Staate und in der Menschengesellschaft, auch im Turnerbunde im Sinne des Fortschritts und der Gleichheit in Menschenrechten ihre Lösung finden muß. Dem Ersuchen, dieses Gedicht als Ausdruck der gegenwärtigen Mehrheit im Turnerbunde im »Amerikanischen Turnerkalender« Raum zu geben, wollten wir aber nicht unser redaktionelles Veto entgegensetzen. Die Red.«[782].
Will man sich die kleinbürgerlichen Idealvorstellungen, die sich die deutsch-amerikanischen Turner von der Frau machten, obwohl sie deren Emanzipationsbestrebungen verbal unterstützten, verdeutlichen, so braucht man nur die Lieder zu studieren, die bei ihren geselligen Veranstaltungen gesungen und 1894 im »Liederbuch des Nordamerikanischen Turnerbundes« herausgegeben wurden. Der größte Teil dieser Lieder besingt die »sittsame junge Maid« und das »treu liebende Mütterlein«. Unter den in der amerikanischen Turnzeitung und dem Turnkalender veröffentlichten lyrischen

Erzeugnissen gibt es nur wenige Gedichte, in denen, zugleich mit einer sozialen Anklage, realistische Frauenbilder gestaltet sind, proletarische, ohne Tünche.

Selbst Max Hempel, Streiter für die geistige Befreiung der Menschen, geriet in den Zwiespalt zwischen traditionellen und progressiven Vorstellungen. In einem Aufsatz »Deutsche Dichter über die Frauen«, Turnkalender 1898, wirft er auf der einen Seite den Deutschen ihr Mißtrauen gegenüber jeder Frau vor, die auch nur den kleinsten Schritt über die Grenzen ihrer häuslichen Sphäre hinauswage. »Wenn mir je etwas am deutschen Charakter mißfallen hat, so ist es die oft sklavische Unterwürfigkeit, das bedingungslose Gehorchen unter Zittern und Zagen, welches der Mann von der deutschen Frau forderte.«[783] Andererseits erscheint eben diese Unterwürfigkeit auch bei ihm in einer Reihe mit den an der Frau bewunderten und geliebten Eigenschaften. »Die deutsche Frau besitzt eben Eigenschaften, die sie besser als irgendeine andere zur Gattin, zur Mutter, zur Glücksspenderin in der Familie geeignet erscheinen läßt. Ihre Sanftmut, ihre Milde, ihre Unterwürfigkeit unter den Willen des Mannes, ihre Anmut, ihr Liebreiz, ihr Edelsinn, ihr häusliches Wesen, ihre Keuschheit und Treue sind denn auch zu allen Zeiten den deutschen Poeten ein schier unerschöpfliches Thema gewesen.«[784] Das hier auftauchende Attribut edel in »Edelsinn« der Frauen ist eines der besonders beliebten schmückenden Eigenschaftsworte, mit denen die Frauen im Schrifttum der Deutsch-Amerikaner bedacht werden. So wird in J. J. Rhombergs Aufsatz »Die weibliche Menschenhälfte« das Wort edel in einem Absatz fünfmal hintereinander gebraucht: von der Frauen »edler Denkart«, »ihrem edleren Empfinden«, von »den edelsten Vorkämpferinnen«, von der »edelsten Seite des Menschentums«, von »edler Menschenkraft«[785].

Dem so idealisierten Bild von der Frau, deren wesentliche Aufgabe auch für die deutsch-amerikanischen Turner darin bestand, die private Sphäre des Mannes zu verschönern und zu erhöhen, entsprachen – etwa bis zur Jahrhundertwende – die Ziele und Formen des Frauen- und Mädchenturnens. Es wurden vor allem solche Übungen praktiziert, die Anmut und Grazie erhöhten. Alle muskelbildenden Übungen – zum Beispiel Stützübungen am Barren – wurden als dem weiblichen Körper unangemessen abgelehnt. Von den Geräteübungen hielt man nur bestimmte Schwungübungen an den Ringen für Mädchen reizvoll und nützlich. Als besonderes Übungsgut wurden Hüpf- und Tanzschritte vorgeschlagen, die den Körperbewegungen Leichtigkeit und Schönheit geben sollten. Schönheit barg Gutsein, beziehungsweise Edelsinn. So hatte es die deutsche Klassik von den Griechen her tradiert. Ihr Gedanken- und Sprachgut war auch noch bei den Deutsch-Amerikanern lebendig.

So wird die Forderung der Gleichberechtigung der Frau wie folgt begründet: »Als Hüterin der Humanität, als Pflegerin des Sittlichen und Schönen, als treue, ratende und tröstende Gattin und pflichtbewußte Erzieherin hat die Frau sich Verdienste errungen, welche die von den Männern aufgehäuften Kulturschätze voll aufwiegen«[786]. Deshalb: »... soll die Menschlichkeit humanisiert, veredelt werden, sich also wahrhaft menschlich gestalten, so muß das Starke sich mit dem Milden paaren, müssen Mann und Weib in voller Gleichberechtigung zusammenwirken.«[787] Die Gleichberechtigung der Frau wird also nicht aus dem natürlichen Recht des Individuums auf Selbstentfaltung und Selbstentwicklung verlangt, sondern als Lohn für die in Ehe und Familie geleisteten Verdienste. Die Gründe für die bisherige gesellschaftliche Ungleichheit der Frau sieht Rhomberg in dem in früheren Epochen von dem Mann mißbrauchten Recht des Stärkeren und im religiösen Aberglauben.

Alle Religionen hätten dazu beigetragen, aus der Frau ein zweitrangiges, vor dem Recht minderwertigeres Geschöpf zu machen. Aufgabe aller Fortschrittsgläubigen müsse daher der Kampf gegen religiösen Aberglauben sein. Als dritten Grund führt Rhomberg die Mißstände in der kapitalistischen Wirtschaftsordnung und den Umstand an, daß sich »infolge der immer wiederkehrenden Kriege zwischen den modernen Räubern auf den Thronen«» das weibliche Geschlecht in stets wachsender Überzahl befindet«[788] und damit aus Existenznot in Abhängigkeit gerate. Trotz solcher progressiven Einstellung tauchte aber immer wieder auch bei den Verteidigern der Gleichstellung der Gedanke auf, die Frauen könnten durch die Emanzipationsbestrebungen Schaden nehmen. So glaube man, daß ein Universitätsstudium sich für die Mädchen nachteilig auswirken könnte. Die Frauen hätten nun einmal, wenn auch infolge des Jahrhunderte dauernden Mangels an geistigem Training, ein kleineres Gehirn als die Männer. Ein zu früh begonnenes Studium könne nur auf Kosten der Nerven und damit der gesamten körperlichen Gesundheit gehen. Ärztliche Zitate werden als Belege für solche Zerstörung des Nervensystems durch ein Universitätsstudium angeführt, ja sogar als spätere Folge einer derartigen Überforderung eine Degeneration der von ihnen geborenen Kinder[789]. »Allein es ist heute, laut ärztlicher Berichte, schon mehr und mehr der Fall, daß Frauen, die ihre Entwicklungsjahre mit anstrengenden Studien in Schulräumen verbracht haben, als schwächliche Mütter gebrechlicher Kinder zu beklagen sind.«[790]
Neben der Schädigung der Mutterschaft stellt Rhomberg bei einer Reihe von Emanzipierten, besonders in den Neu-England-Staaten, einen Verlust an sexueller Attraktivität fest. Von diesen »Suffragetten« heißt es: »Allein die religiös verschrobene Ansicht von Welt und Leben hat unter diesen Frauen, namentlich in den patent-christlichen Neu-England-Staaten, bereits eine solche Verwirrung erzeugt, daß nicht wenige von ihnen ihren natürlichen Beruf derart verkennen, daß sie als eine Art Geschlechtslose ihr Leben verbringen. Alle gesunde Sinnlichkeit ist in ihnen erstorben, die eigentliche Liebe hat keinen Reiz mehr für sie, ein krankhaftes Schwärmen für Gelehrsamkeit und Politik, für Kirche und Modesachen zieht sie so vollständig von allem andern ab, daß sich bei ihnen an Stelle von Weiblichkeit nur noch ein widerlicher Schemen findet«[791]. Schrecken müßten jedem Manne die ärztlichen Untersuchungen eines Doktor Clark einjagen, der die »gänzliche Unfähigkeit zu lieben« vieler Frauen feststellte, in denen, wenn sie dennoch heirateten, »der Mann ein geschlechtlich erstorbenes, wunderliches Wesen (findet), dem er mit seiner vollen Liebe nur Widerwillen einzuflößen vermag«[792].
Die Mischung von Bigotterie und aggressivem Emanzipationsstreben war vielen Deutsch-Amerikanern besonders unsympathisch[793]. Dennoch spricht sich Rhomberg grundsätzlich für das Wahlrecht der Frauen aus in der unrealistischen Hoffnung, daß das gleichberechtigte Weib »im Dienste der Humanität« »durch Erhebung ihrer vollwichtigen Stimme«[794] Kriege verhindern könne.
Ein Blick auf die sportlichen Aktivitäten der Frau bis zum Ende des 19. Jahrhunderts zeigt, wie diese selbstbewußter und selbstsicherer wurden und wie die Anerkennung ihrer sportlichen Leistungen eine bedeutende Hilfe für die Anerkennung ihrer Gleichberechtigungsforderung wurde. Bis in die achtziger Jahre des 19. Jahrhunderts hinein hatten sich die amerikanischen Frauen im Sinne eines spielerischen Zeitvertreibs mit Rollschuh- und Schlittschuhlaufen, Bogenschießen und Fechten und zum Teil auch mit Reiten vergnügt. An Schwimmen bestand nur geringes Interesse. Zahlreiche

Stiche und Zeichnungen aus dieser Zeit illustrieren, daß es sich bei diesen Betätigungen um Gesellschaftsspiele handelte, an denen auch Männer teilhatten, ohne daß der Gedanke an eine besondere Leistung oder gar an Wettkampf vorhanden war. Zwei Ereignisse führten einen Wandel herbei. Das eine war die Einführung des Fahrrades. Mit dem Besitz des Fahrrades ergriff die Frauen die Lust, sich in Wettrennen zu messen. Wir besitzen einen Stich aus dem Jahre 1881, auf dem sogar das Wettrennen zwischen einer Frau – Miss Elsa von Blumen – mit einem trabenden Pferd dargestellt ist.[795] Das zweite, die Frauen zu Leistungen motivierende neue Spiel war Lawn Tennis (Rasentennis). Miss Mary Ewing Outerbridge brachte dieses Spiel 1874 von den Bermudas, wo es in einer britischen Garnison gespielt wurde, mit nach New York. Da zufällig ihr Bruder »Direktor« des Staten Island Cricket and Baseball Clubs war, erlaubte er seiner Schwester, auf dem Gelände des Clubs einen Platz für das Tennisspiel einzurichten. Von dort breitete es sich schnell aus. Zunächst wurde es zwar noch nicht nach den späteren strengen Regeln gespielt. »The first women players merely patted the ball to and fro.«[796] Mehr und mehr aber reizte das Spiel zum Wettkampf, und so veranstaltete der Staten Island Ladies' Club 1883 die ersten offiziellen Wettkämpfe nach Regeln. Von der 1887 ausgetragenen ersten Nationalen Meisterschaft der Frauen heißt es in »Four Centuries of Sport in America«: »Such ladies' play from the viewpoint of civilization, was particulary important, because lawn tennis was the first great sport or game for women in the country, and though golf is a good second, probably the greatest for women, that the world has ever known.«[797]

Hatte die Anerkennung dieser sportlichen Leistungen das Selbstbewußtsein der Frauen gesteigert, so bewirkte ein ganz anderes Faktum einen Wandel in der gesellschaftlichen Stellung der Frau. Dieser Wandel vollzog sich im Gefolge der ökonomischen Strukturveränderungen und hatte eine unmittelbare Einwirkung auf die Arbeit der Turnvereine.

Mit dem schnellen Anwachsen der Industriestädte stömten Tausende von jungen Frauen und Mädchen in die Fabriken, Werkstätten und Geschäfte, um ihre Arbeitskraft in Geld umzusetzen. Diese Frauen, die von den Arbeitgebern oft schamlos ausgebeutet wurden, brachten in die Städte das begreifliche Verlangen junger Menschen mit, sich des Lebens zu freuen. Der kommerzielle Vergnügungsbetrieb in den Großstädten beutete sie nun ein zweites Mal aus. »Apparently the modern city sees in these girls only two possibilities, both of them commercial: first, a chance to untilize by day their new and tender labor power in its factories and shops, and then another chance in the evening to extract from them their petty wages, by pandering to their love of pleasure.«[798] So schrieb zum Beispiel Jane Addames aus Chicago, die sich wie viele Verantwortliche der Turnvereine Gedanken machte über die gefährlichen körperlichen und seelischen Folgen dieses Tatbestandes und die Notwendigkeit einer Abhilfe. Auf sich selbst gestellt und mit einem gewissen Selbstbewußtsein ausgestattet, suchten die Mädchen ihren Glückshunger in den aus dem Boden schießenden schlechten Vergnügungsstätten zu stillen. J. Addames weist auf die in Chicago wie in anderen Großstädten entstandenen »gin-places« (euphemistisch nur »places« genannt) und die großen »dance-halls« hin, wo man den männlichen und weiblichen Jugendlichen den durch harte Arbeit erworbenen Lohn wieder aus der Tasche ziehe. »Alcohol is dispensed, not to allay thirst but, pretending to stimulate gaiety, it is sold solely in order to empty pockets.«[799] So werde die Psyche der Jugendlichen, die »joy with lust and gaiety with debauchery«[800] verwechselten, allmählich zerstört. Nach der Schilderung der erschreckenden Zustände bei den Massen der weiblichen Industriearbeiter ruft sie die Verantwortlichen in der Stadtverwaltung und den Turnvereinen auf, etwas für die physische und moralische Gesundheit der Mädchen zu tun. Für die jungen Männer habe man zur gesunden Freizeitbeschäftigung bereits eine Reihe von Spielplätzen geschaffen, nicht aber für die Mädchen.[801] In einigen Städten, zum Beispiel in Boston, begann man dann, städtische Turnhallen, Kricketfelder und Golfplätze zur Benutzung für die weiblichen Werktätigen zu schaffen. Auch in Chicago legte man Parks und Sporthallen an, die sofort von Tausenden von Frauen und Mädchen frequentiert wurden. Damit werde das echte Bedürfnis der arbeitenden weiblichen Bevölkerung nach sportlicher Betätigung demonstriert, hieß es.

Geregelte Formen nahm der Sportbetrieb der Frauen durch die Gründung von »Girls' Athletic Associations and Clubs« an, die immer zahlreicher wurden. Ziel aller dieser Clubs war es, wie die Girls' Athletic Association in Kansas City ausdrücklich formulierte »to ... further indoor and outdoor physical activities as a means toward physical, intellectual and moral growth«[802]. Eine besonders gute Wirkung auf die psychophysische Gesundung versprachen sich einige von der Gründung sogenannter »Girl's Walking Clubs«. Jessie Rawley in Philadelphia zum Beispiel hoffte, daß bei den Mädchen ihres »Walking Clubs« durch die Lust am Wandern und das Herumstreifen in Wald und Feld der Sinn für natürliche Freuden geweckt würde und daß sie von den verderblichen Genüssen der Großstadt abgelenkt würden[803].

Sie sind davon überzeugt, daß ein Mädchen, das die »Wanderlust« kennengelernt hatte, (offenbar ließ sich kein entsprechendes englisches Wort finden, das alle Nuancen der Empfindungen, wie sie das deutsche Wort enthielt, wiedergab), »will frequent the country lanes rather than the amusements parks, the fields rather than the moving pictures shows, and the woods rather than the crowded city streets«[804]. Gesundheit ist von nun an die Hauptaufgabe aller Körpererziehung für die Mädchen. Die kalisthenischen Ziele der Vergangenheit treten dahinter zurück.

Die für die Körpererziehung Verantwortlichen geben bis in den Ablauf des Alltags hinein den Mädchen Anweisungen für eine gesunde Lebensführung. In den Turnzeitungen, in den Turn- und Sportvereinen, in den Schulen wird auf die Notwendigkeit der Hygiene, eines gesunden Lebensrhythmus' – ausreichender Schlaf – und einer gesunden Haltung hingewiesen. In Abbildungen werden die Leserinnen von »Mind and Body« darüber unterrichtet, wie die einfachsten Tätigkeiten bis hin zum Schuhanziehen zu einer gesundheitsfördernden Turnübung gemacht werden können. Offenbar mußte noch zu Beginn des 20. Jahrhunderts in vielen Frauen erst ein Bewußtsein für die Notwendigkeit der Hygiene geweckt werden. Solche Regeln der Hygiene wurden zum Beispiel von May S. Kissock aus Minneapolis in ihrer Abhandlung »The function of the Woman's Athletic Association«[805] aufgestellt. Dabei waren diese Hinweise offensichtlich noch für die Woman's Athletic Associations an Universitäten notwendig. Die Verfasserin erwähnt es als vorbildlich, daß mehrere Universitäten ein Punktesystem eingeführt hätten, »honor points« für das konsequente Einhalten von Hygieneregeln in einem Zeitraum von 28 Tagen. Hygieneleistungen waren auf folgenden Gebieten zu erbringen: sleeping, bathing, care of teeth, exercise, eating, drinking of water, evacation, clothing, and general condition of health[806].

Mit der wachsenden Anteilnahme an den industriellen Prozessen und dem Eindringen in die Universitäten hatte sich die Stellung der Frauen im gesellschaftlichen und sportlichen Leben entscheidend verändert. Von nun an wiesen sie die früher erhobene Forderung, Mädchen in Turnen und Sport mit größerer Vorsicht und weniger Härte zu trainieren, zurück. Sie wurden darin von Wissenschaftlern unterstützt. So veröffentlichte »Mind and Body«[807] die Ansicht zweier bedeutender deutscher Physiologen, Professor Zander und Professor Schmidt, wonach es keiner besonderen Übungsformen für Mädchen bedürfe. Von Schmidt heißt es: »His stand is that girls are by no means delicate, fragile creatures, and that if they are to grow up to take their natural places in later life, they must be given sufficient vigorous exercise«[808]. Im Jahre 1918 stellten Clelia Mosher und Ernest Gale Martin an 45 Studentinnen Untersuchungen über Muskelstärke an. Sie kamen zu der Schlußfolgerung, daß der Unterschied in der Muskelstärke bei Mann und Frau kein geschlechtsspezifischer sei, sondern lediglich durch deren unterschiedlichen Gebrauch bewirkt werde, was wiederum seinen Grund in den konventionellen Einschränkungen der weiblichen Aktivitäten sowie ihrer Kleidung habe[809]. Anna Cressmann hatte in Philadelphie an der Germantown High School eine Art Modellprogramm für die Leibeserziehung der Mädchen entwickelt. Ziel des Programms war es: »to secure to all women the fullest and the sanest development of which they are capable«[810].

Zu einem harten, die eigene Leistung steigernden Training bedurfte es aber noch der Stimulation durch den Wettkampf. Der Wettkampfgedanke, beziehungsweise die Wettkampfforderung – um die Jahrhundertwende erst in wenigen Disziplinen vorhanden – bricht sich nun im ganzen Frauensport Bahn. In ihrem »Plan of Athletics and Honors for High School Girls« entwickelte Anna Cressmann 1917 für ihre Modellschule ein Punktesystem, nach dem die Teilnehmerinnen an den Übungen und Spielen, die am Ende des Schuljahres vor geladenem Publikum vorgeführt wurden, bewertet und geehrt wurden. Sie ist der Meinung, daß der Wettkampf, den man so lange vom Frauensport ferngehalten habe, aus Angst, daß sich in den Mädchen männliche Eigenschaften entwickeln würden (bristerous mannish qualities), in diesen erst die wahre Freude für sportliche Aktivitäten wachriefe. Sie schreibt: »Competition games and athletics arouse an interest and an enthusiasm that no other type of physical training work can create .... Girls enjoy the natural spontaneous activities more than the routine of the necessary formal work.«[811]. Gewinne aus dem sportlichen Wettkampf sind aber nicht nur mehr Freude und Begeisterung für das körperliche Training, Gewinne sind auch Mut, Ausdauer, Selbstkontrolle und Selbstvertrauen, Eigenschaften, die eine Frau bei der größeren Verantwortung, die sie in der Gesellschaft übernommen habe, dringend brauche. Warum schließlich solle das Gefühl von Freude und Freiheit, das die Mädchen in gleicher Weise wie die Jungen beim Wettkampf empfinden, in diesen ihre Fraulichkeit zerstören? »Why should the same expression of joy and freedom kill the girl's instinctive sense of womanliness?«[812].

Daß ein in dieser Weise durchgeführter Sportunterricht die Mädchen mehr fesseln konnte als der noch in vielen Schulen praktizierte Turnunterricht, war selbstverständlich. Emely Warren Elmore untersuchte die Gründe: »Why many girls dislike physical training«[813]. Nach ihrer negativen Kritik an dem veralteten Turnunterricht, dem Schwung (verve) und Spaß (fun) fehle, weist sie ebenfalls auf die Notwendigkeit einer Stimulation durch den Wettkampf hin. »The average college girl has no special desire to climb to the top of a rope or to do any other feat on apparatus unless there is some sense of competition ...«[814]. Darum erhält der in den Women's Athletic Associations betriebene Sport eine immer größere Anziehungskraft. In den Wettkampfspielen sehen die Verantwortlichen eine besonders gute Möglichkeit für die Frauen, ein Gruppenbewußtsein zu gewinnen. Darüber hinaus böten die Mannschaftsspiele eine ausgezeichnete Gelegenheit, demokratisches Verhalten zu üben. »On the athletic fields we have the most perfect democracy«, schreibt May S. Kissock[815]. Allerdings weist Kissock auch schon auf die sich bereits abzeichnenden Gefahren des modernen Wettkampfsports hin, wie Belohnungen und Verleihen von materiell wertvollen Trophäen und die damit verbundene Publicity. In der Warnung vor einem »descriminating moral sense« und dem Hinweis auf den alten griechischen Geist, der sich in dem einfachen Oliven- und Lorbeerzweig als Belohnung für den sportlichen Sieg bekundete, wird noch einmal die Jahrzehnte lang gepflegte Haltung der Turnvereine sichtbar.

In diesem Zusammenhang sollte noch auf eine andere alte Turnertradition hingewiesen werden, die ebenfalls in manchen Girls' Athletic Associations praktiziert wurde, das ist das Bemühen, neben dem Körper auch den Geist zu bilden. So schrieben in einigen Clubs Mädchen Essays, zum Beispiel über die Geschichte des Tanzes, oder sie hatten sich über das Thema »Public Playgrounds« schriftlich zu äußern. Auf diese Weise wurde über das Reflektieren der Praxis auch die intellektuelle Beweglichkeit gesteigert und gleichzeitig den Verantwortlichen neue Anregung gegeben.

War den Frauen durch größere Verantwortung und größere Leistungen eine zunehmende Anerkennung zuteil geworden, so übten im zweiten Jahrzehnt des 20. Jh. die Erkenntnisse einer neuen Wissenschaft, der Sexualforschung, ihre Wirkung ebenfalls dahingehend aus, den Frauen ihr Inferioritätsempfinden zu nehmen.

Im 19. Jahrhundert war das Verhalten der deutsch-amerikanischen Turner auf sexuellem Gebiet noch durch große Befangenheit gekennzeichnet. Sie verkündeten zwar allgemein Freude an gesunder Sinnlichkeit und verabscheuten das sexuelle Verhalten der puritanischen Angloamerikanerinnen als Heuchelei und Unnatur, aber Keuschheit ihrer Frauen und Mädchen im Sinne von Enthaltsamkeit außerhalb der Ehe bedeutete für sie eines der höchsten Güter. Auch das Thema der sexuellen Aufklärung wollten sie nur mit äußerster Vorsicht angeschnitten wissen. In der Behandlung dieser Frage nur nicht schamlos zu sein, war eine ihrer Forderungen. Das gleiche Wahlrecht hatte man der Frau zwar – wenn auch noch nicht allgemein und nur zögernd – zugestanden, aber von einer Gleichberechtigung auf sexuellem Gebiet konnte keineswegs die Rede sein. Aus dieser Perspektive gesehen, muß ein Aufsatz von Georg von N. Dearborn »Our sexual Birthright«, den der Nordamerikanische Turnerbund in »Mind and Body« veröffentlichte, geradezu revolutionär erscheinen. Dearborn räumt radikal mit der Auffassung von der allgemeinen und intellektuellen Unterlegenheit der Frau auf, einer Auffassung, die aus den barbarischen Zeiten einer auf biologischer Brutalität aufgebauten Gesellschaftsordnung stamme. Mit diesem Irrtum will er auch die geltende doppelte Sexualmoral für Männer und Frauen aufgehoben wissen. Die Auflehnung der Frauen gegen die ungleiche Behandlung auf dem sexuellen Sektor sei viel wichtiger als der Kampf um das Wahlrecht. Die Ungleichheit in der Sexualmoral sei der Boden, aus dem so manches menschliche Elend erwachse. Darum gelte es, mit allen Mitteln diese Ungleichheit zu beseitigen. Der Verfasser verlangt eine radikale Aufklärung beider Geschlechter über sexuelle Tatbestände und bestehende Irrtümer[816]. Von nun an sind Fragen der Sexualaufklärung und Sexualerziehung aus dem Schrifttum des Turnerbundes nicht mehr fortzudenken.

Im 20. Jahrhundert wird mit fortschreitender Emanzipationsbewegung das politische Engagement der Frauen immer stärker und wirkt sich auch auf die Arbeit der Frauen in den Turnvereinen aus. Als ein konkretes Beispiel für ihr politisches Engagement möge der offizielle Beschluß der »Women's Auxiliaries« gelten, jener nach dem ersten Weltkrieg gegründeten weiblichen Hilfstruppe der Turner, das Zustandekommen der Genfer Abrüstungskonferenz zu billigen und mit allen Organisationen zusammenzuarbeiten, die auf das Ziel einer Abrüstung hinarbeiten »in conformity with and in the spirit of our Turner principles«[817]. Wie im folgenden gezeigt wird, nahm die Zahl der in den Turnvereinen mitwirkenden Frauen und Mädchen in den letzten Jahrzehnten so stark zu, daß man in den meisten Vereinen ihrer Wählbarkeit für die Vereinsgremien keine Hindernisse mehr in den Weg legte. Ihre Hauptarbeit leisteten sie in den Cultural Education Committees.

## 2.9 Die Haltung des Nordamerikanischen Turnerbundes vor und nach dem Kriegseintritt der USA (1917)

Am 18. August 1914, wenige Tage nach Kriegsausbruch, erklärte Präsident Wilson: »The United States must be neutral in fact as well as in name. We must be impartial in thought as well as in action, must put a curb upon our sentiments as well as upon every transaction that might be construed as a preference of one party to the struggle before another«[818]. Die Mehrheit der Bevölkerung war wie der Präsident davon überzeugt, daß strikte Neutralität der einzige für Amerika gangbare Weg sei; die Feindseligkeiten in Europa wären allein Sache der unmittelbar beteiligten Staaten.

Bei der Stimmungslage, den blutsmäßigen und kulturellen Bindungen der Mehrheit der Amerikaner an den angelsächsischen Raum und bei den handelspolitischen Verflechtungen mit England war eine strikte Neutralität indes kaum durchführbar. Während fast die Hälfte der 100 Millionen Amerikaner britischer oder kanadischer Abstammung waren, stammte nur ein Fünftel aus Deutschland oder Österreich-Ungarn. Da auch die meisten anderen Bevölkerungsgruppen, obwohl größtenteils unbewußt, angelsächsisches Gedankengut in sich aufgenommen hatten, stand die überwiegende Mehrheit der Bevölkerung gefühlsmäßig auf Seiten der Alliierten. Die engen wirtschaftlichen Beziehungen besonders der Neu England-Staaten zu Großbritannien verstärkten diese Tendenz. Dennoch wurde das offizielle Bekenntnis des Präsidenten zur Neutralität von den meisten Amerikanern voll unterstützt[819]. Wilsons Wunsch, die USA aus dem Krieg herauszuhalten, um so einen »Frieden ohne Sieg« vermitteln zu können, war echt.

Die Bevölkerung bestärkte ihn in dieser Politik, als sie ihn im zweiten Wahlkampf (1916), der unter dem Motto »Er hielt uns aus dem Krieg heraus« geführt wurde, mit großer Mehrheit wiederwählte.

In den ersten beiden Kriegsjahren hatten sich aber Belastungen und wirtschafts-

196

politische Veränderungen ergeben, durch die Amerikas Neutralitätspolitik wesentlich erschwert wurde. Während der Handel mit den Mittelmächten fast zum Erliegen gekommen war, hatten die Lieferungen von Lebensmitteln, Baumwolle, Erzen, Munition und Kriegsgerät an Großbritannien außerordentlich zugenommen. Von 1914 bis 1916 waren die amerikanischen Exporte von 824 860 auf 3 214 000 (!) Dollar gestiegen. Der Handel mit den USA war für die Alliierten lebenswichtig[820], aber auch für die USA von vitaler Bedeutung. Eine Änderung oder gar eine Unterbrechung der Handelsbeziehungen hätte nicht nur die amerikanische Volkswirtschaft nachhaltig getroffen, sondern auch innenpolitisch zu einer schweren Krise geführt. Wilsons Forderung nach Freiheit der Meere und uneingeschränktem Handelsrecht der USA wurde von diesen Überlegungen mitbestimmt. Gleichzeitig forderte er von Deutschland eine strikte Einhaltung der Neutralitätsrechte[821]. Diese traditionelle amerikanische Neutralitätsauffassung widersprach aber sowohl der Kriegspolitik Großbritanniens, das den Mittelmächten durch eine Seeblockade die Zufuhr abschneiden wollte, als auch derjenigen Deutschlands, das die Briten durch einen U-Boot-Krieg in die Knie zwingen wollte. Daher mußte es zu Spannungen der USA sowohl mit Deutschland als auch mit Großbritannien kommen. Daß die Auseinandersetzung mit Deutschland ganz andere Dimensionen annahm als diejenige mit Großbritannien, hatte verschiedene Gründe. Zum einen verstärkte sich während des Krieges in der öffentlichen Meinung der USA die Sympathie für die Alliierten. Lagen die tieferen Ursachen hierfür in den vielen Gemeinsamkeiten der USA mit Großbritannien und der traditionellen Freundschaft mit Frankreich, so waren die aktuellen Anlässe für die wachsende antideutsche Stimmung die deutsche Verletzung der belgischen Neutralität, militaristisches Gebaren Wilhelms II., deutsche Sabotageakte in den USA – Ausweisung des Attachés Franz von Papen – und schließlich die Torpedierung von Handelsschiffen, die von einer ohnehin deutschfeindlichen Presse zu einer massiven antideutschen Propaganda genutzt wurden. Schwere Belastungen der deutsch-amerikanischen Beziehungen hatte die Versenkung des Fahrgastschiffes »Lusitania« am 7. Mai 1915 und des Passagierdampfers »Arabic« am 19. August 1915 gebracht, die beide Munition für England an Bord hatten. Bei der Torpedierung der Schiffe waren zahlreiche Amerikaner ums Leben gekommen. Die amerikanische Regierung protestierte energisch. Als am 24. März 1916 ein französisches Schiff, die »Sussex«, versenkt wurde, bei der wiederum Amerikaner ihr Leben verloren, stellte Wilson ein Ultimatum: wenn Deutschland nicht sofort den uneingeschränkten U-Boot-Krieg aufgibt, werden die USA die diplomatischen Beziehungen zu Deutschland abbrechen[822]. Die Briten hofften nunmehr auf den Kriegseintritt Amerikas, aber die deutsche Reichsregierung gab nach und erfüllte die Forderung Wilsons: der U-Boot-Krieg wurde vorübergehend eingestellt. Die englische Diplomatie war realistisch genug, von der Wirkung der gegen Deutschland betriebenen Greuelpropaganda, von der angeblichen Brutalität »deutscher Militaristen«, nicht den Eintritt der USA in den Krieg zu erwarten. Ihr ging es darum, die Amerikaner zu überzeugen, daß eine Seeblockade völkerrechtlich statthaft, der U-Boot-Krieg aber völkerrechtswidrig sei. Der britische Außenminister Sir Edward Grey schrieb später in seinen Memoiren: »Die Blockade Deutschlands war für den Sieg der Alliierten wesentlich, aber die Feindschaft der Vereinigten Staaten hätte ihre sichere Niederlage bedeutet ... Es war daher das Ziel der Diplomatie, die Blockade bis zur äußersten Grenze des Bruchs mit den Vereinigten Staaten voranzutreiben«[823].

Tatsächlich wog der U-Boot-Krieg in den Augen der Amerikaner auch viel schwerer als die britische Seeblockade, da der U-Boot-Krieg Menschenleben forderte, während die Briten vermeintlich nur Gegenstände und Güter beschlagnahmten. Daher fand auch das Sussex-Ultimatum Wilsons die volle Unterstützung durch die amerikanische Öffentlichkeit. Es wurde ein bedeutender diplomatischer Erfolg Wilsons, engte aber auch, als Deutschland im Januar 1917 wieder den uneingeschränkten U-Boot-Krieg ankündigte, den amerikanischen Handlungsspielraum erheblich ein. Eine erneute Versenkung von Schiffen mit Amerikanern an Bord mußte zum Abbruch der diplomatischen Beziehungen und zum Kriegseintritt der USA führen.

Ende 1916 verstärkten sich die Friedenshoffnungen. Wilson appellierte am 18. Dezember 1916 an die kriegführenden Staaten, die Feindseligkeiten zu beenden. Deutschland hatte in einem Verhandlungsangebot an seine Gegner eine Friedensbereitschaft erkennen lassen. Da änderte sich schlagartig die Lage, als im März 1917 deutsche U-Boote ohne vorherige Warnung drei amerikanische Schiffe versenkten. Als dann auch das Angebot einer deutschen Militärallianz mit Mexiko, das gegen die USA gerichtet war, bekannt wurde, steigerte sich die Kriegsstimmung in der Öffentlichkeit und im Kongreß. Der Abbruch der diplomatischen Beziehungen mit Deutschland am 3. Februar 1917 war bereits mit stürmischem Beifall aufgenommen worden. Bald darauf, am 2. April 1917, forderte Wilson vom Kongreß eine formelle Kriegserklärung. Der Senat stimmte am 4. April mit 82 gegen sechs Stimmen zu, zwei Tage später folgte das Abgeordnetenhaus mit 373 gegen 50 Stimmen[824].

Der Kriegseintritt der USA übertraf nicht nur in den Dimensionen alle Erwartungen, er war auch kriegsentscheidend. Die alliierte Transportflotte wurde wieder aufgefüllt, zwei Millionen US-Soldaten wurden nach Frankreich gebracht, die wesentlich zum Scheitern der deutschen Frühjahrsoffensive 1918 beitrugen. »Die deutsche Kriegsführung hatte sich des größten Vorteils begeben, den sie seit der Schlacht an der Marne gehabt hatte: Das Ausscheiden Rußlands aus dem Krieg wurde durch Amerikas Kriegsbeitrag wettgemacht und schließlich übertroffen«[825]. Die Niederlage zeichnete sich ab.

Die innen- und außenpolitischen Vorgänge im Verlauf des Krieges hatten die Deutsch-Amerikaner aufs stärkste erregt, denn nichts hatten sie mehr befürchtet als einen Kriegseintritt der USA auf Seiten der Alliierten.

Mit Kriegsausbruch hatten sie daher sofort größte Anstrengungen unternommen, um die Regierung der USA zu strenger Neutralität zu verpflichten. So versuchten sie, verschiedene Embargo-Gesetze durch den Kongreß zu bringen, stießen hierbei aber auf den Widerstand der Wilson-Administration. Schließlich mußten sie erkennen, daß trotz ihrer verzweifelten Bemühungen die Parteinahme der breiten Öffentlichkeit für die Alliierten immer mehr zunahm. Als die USA ihre diplomatischen Beziehungen zu Deutschland abbrachen, begann die schwerste Belastungsprobe für das Deutsch-Amerikanertum. Obwohl sie Teil des amerikanischen Volkes waren und sich für die nationalen Ziele der USA entschieden eingesetzt hatten, wurden sie nun öffentlich beschimpft, ihre Geschäfte wurden boykottiert und deutschstämmige Lehrer und Schüler von den Schulen vertrieben. In dieser Zeit wechselten viele Vereine und Familien, selbst Gemeinden und Städte ihren Namen und anglisierten diese. Sie hofften, dadurch Schwierigkeiten vermeiden, beziehungsweise ihre patriotische Gesinnung beweisen zu können[826].

Nach einigen Monaten war die Verfolgungshysterie beendet, das Verhältnis zwischen den Anglo-Amerikanern und den Deutsch-Amerikanern normalisierte sich langsam wieder, zumal die Deutsch-Amerikaner nun die Kriegsanstrengungen Amerikas tatkräftig unterstützten und sich auch in der Ableistung ihres Kriegsdienstes als loyale Amerikaner erwiesen[827].

Auch die Turner bekundeten wie fast alle Deutsch-Amerikaner bei Kriegsausbruch eindeutig ihre Sympathie für Deutschland. »In dieser ernsten Stunde schlägt unser Herz doch für das Land, in dem wir geboren wurden, für das Volk, aus dem wir hervorgegangen sind, und wir fühlen tief die ernste Lage, in der sich unser altes Vaterland befindet.«[828] Denn wenn sie auch den wilhelminischen Obrigkeitsstaat stark kritisiert und ihre Unzufriedenheit mit den politischen und sozialen Verhältnissen in Deutschland wiederholt öffentlich vorgetragen hatten, so waren sie doch ihrer alten Heimat in der Not des Krieges verbunden. »Wie ein Vater wohl oft mit den törichten Handlungen seines Sohnes nicht übereinstimmt, aber trotzdem die Liebe zu ihm bewahrt, so auch der fortschrittliche Bürger eines Staates, der trotz aller rückschrittlichen Handlungen ihm in der Stunde der Gefahr treu zur Seite steht!«[829]

In einem bald nach Kriegsausbruch vom Bundesvorort in deutscher und englischer Sprache erlassenen *Aufruf* an die Mitglieder und Vereine des Bundes wurden die Turner nochmals an das »Grundgesetz« des Nordamerikanischen Turnerbundes erinnert, das sich für die Schlichtung internationaler Streitigkeiten durch ein Rechtsverfahren aussprach, für eine international zu fördernde Kulturarbeit aller Völker zum Ausgleich trennender Gegensätze, für eine die Menschheit umfassende Friedensorganisation[830]. Da die Turner wie die deutsche Sozialdemokratie, der sie sich besonders verbunden fühlten, davon überzeugt waren, Deutschland führe einen Verteidigungskrieg, begrüßten sie die Bewilligung der Kriegskredite durch die Sozialdemokraten, »die edelsten Vorkämpfer einer höheren Kultur«[831]. Wie die SPD, so glaubten auch die deutsch-amerikanischen Turner damals, »daß das reaktionäre und barbarische Rußland, das beim Ausbruch des Krieges zwischen Österreich und Serbien vor einer Revolution im Innern stand, den Krieg gewollt und sich dafür längst gerüstet hat«[832]. Nach der Version der Turner hatte der Zar hinterlistig das »rachedürstige und leichterregbare Frankreich« in den Krieg hineingelockt[833]. Die Turner hofften dennoch, daß die Völker Europas bald zum Frieden, zu einer »ehrlich gemeinte(n) Vereinbarung zwischen den Völkern«[834] zurückkehren würden. In ihrem Aufruf wandten sie sich dann der amerikanischen Situation zu und betonten, die Verletzung der Neutralität würde »eine schwere Schädigung des Landes bringen«.

Aus den nun folgenden Sätzen spricht die Sorge um die weitere Entwicklung der innenpolitischen Verhältnisse in den USA. »Wir Turner stehen in vollem Einklang mit den Mahnungen, mit denen die Neutralitätserklärung der Bundesregierung dem Volke zur Kenntnis gebracht wurde. Aus diesem Grunde erheben wir als amerikanische Bürger entschiedenen Protest gegen das systematische Bestreben eines Teils der Presse, die öffentliche Meinung zu vergiften und durch einseitige und ungerechte Haltung die Zeitgeschichte zugunsten Englands zu entstellen. Als Bürger deutscher Abstammung wissen wir auch die Vorzüge Englands und Frankreichs zu schätzen, aber wir verwahren uns gegen böswillige Unterschiebungen und offenkundige Hetzereien gegen Deutschland, für das wir dasselbe Maß an Gerechtigkeit beanspruchen, das man jedem anderen Kulturland entgegenbringt.«[835] Fast beschwörend klingt dann die Mahnung, sich deutscher Kulturtradition bewußt zu bleiben, denn alle, denen »deutsches Blut in den Adern rollt«, dürften diese Kulturleistungen nicht vergessen und müßten in dieser schweren Zeit treu zu Deutschland stehen. »Die Mission des Turnerbundes ist von jeher gewesen, deutsche Ideale in das Wesen unserer Republik hineinzutragen, um die Lebensauffassung und den Lebensinhalt des ganzen amerikanischen Volkes zu bereichern. Wollen wir diese unsere eigenartige Arbeit versäumen, dann würden wir unserem amerikanischen Vaterlande einen schlechten Dienst erweisen. Es ist deshalb unsere vornehmste Aufgabe, uns in die deutsche Volksseele zu versenken, weil sie unser Erbteil ist und ohne sie Amerika uns ärmer erscheinen müßte. Wer dem Schaffen des deutschen Volkes mit Liebe gefolgt ist, kann sich der Erkenntnis nicht verschließen, daß es die ganze Welt reicher und humaner gemacht hat.«[836] Der Anregung des Bundesvororts, einen Unterstützungsfonds für bedürftige Familien gefallener oder verwundeter deutscher und österreichischer Soldaten einzurichten, wurde von zahlreichen Vereinen Folge geleistet. Am 3. Mai 1915 wurden an die Deutsche Turnerschaft und den Arbeiter-Turnerbund 10 000 Reichsmark (2 076 Dollar) überwiesen[837]. Besonders erregt zeigte sich der NAT über den »Waffenschacher« mit den Alliierten. In Washington versuchten Turner auf Kongreßmitglieder Einfluß zu nehmen. Doch obwohl Senator Hitchcock und zwei Abgeordnete persönlich die eingereichten Resolutionen gegen die Ausfuhr von Waffen vertraten, erreichten die Turner nichts. »Unsere Argumente«, berichtet Doktor Großmann dem Vorstand, »machten wenig Eindruck, da im Komitee eine entschieden deutschfeindliche Stimmung herrschte«[838]. Der Berichterstatter hob ferner das große Mißtrauen in Regierungskreisen gegenüber deutschen Absichten hervor[839]. In einer Prinzipienerklärung vom 30. Januar 1915 mahnten die Turner nochmals die Regierung, sich streng an die Gesetze der Neutralität zu halten, die Ausfuhr von Waffen, Munition und Kriegsgeräten zu verhindern, eine amerikanische Handelsmarine zu schaffen, um sich vor Übergriffen zu schützen[840]. In der klaren Erkenntnis, daß nach der Versenkung der »Lusitania« die amerikanische Öffentlichkeit und die amerikanische Regierung eine immer stärkere deutschfeindliche Haltung einnahmen, richtete der Bundesvorort am 2. Juni 1915 an Präsident Wilson folgendes Telegramm: »On behalf of the North American Gymnastic Union, a national organization founded in 1850, temporarily discontinued during the period of the Civil War owing to the voluntary enlistment in the Union Army of 65 per cent of its membership, and now comprising 218 societies, we respectfully submit that we would consider it the greatest calamity in the history of our republic if present negotiations would lead to open rupture with Germany in the face of repeated evidence of that government's true friendship for our country at all times, however critical, since the declaration of independence. In view of the bonds of friendship and blood ties existing between many millions of citizens in both countries, a rupture would cause the most profound and irremediable grief, particularly when the issue under discussions is seemingly based upon disputable facts and theories.«[841] Auch in der Amerikanischen Turnzeitung wurde in zahlreichen Artikeln die wachsende Unterstützung der Alliierten verurteilt. Zur »Neutralität unserer Bundesregierung« stellte der Vorort in seinem Jahresbericht fest: »Sogar Passagierdampfer der Entente-Mächte wurden in den Dienst gepreßt und liefen, beladen mit Munition für die Feinde Deutschlands, aus amerikanischen Häfen unbehindert aus«[842]. Seine Sympathie für Deutschland unterstrich der Bundesvorort durch verstärkte Agitation in den eigenen Reihen. Auf dem 26.

Bundestag 1915 wurde beschlossen, ein »Rednerbüro« einzurichten, das heißt, jeder Verein konnte nun entweder direkt oder über den Vorort sich mit bestimmten Rednern in Verbindung setzen, die unter anderem über folgende Themen sprachen: Der Weltkrieg und seine Heilung; Deutschland und die Vereinigten Staaten, die beiden größten Nationen der Erde, in ihren Beziehungen vor und nach dem Kriege; Der Krieg widerlegt die Existenz eines Gottes; Deutschlands große Vergangenheit und gegenwärtiger Daseinskampf (Lichtbildervortrag); Drei Jahrhunderte deutschen Lebens in Amerika; Die Sendung des deutschen Geistes[843]. Als sich im März 1916 die Beziehungen zwischen Deutschland und Amerika weiter verschlechterten und eine gefährliche Wende zu nehmen schienen, unternahm der Vorort erneute Anstrengungen, um einen »offenen Bruch zweier seit einem Jahrhundert eng befreundeter Mächte zu verhindern«[844]. Er forderte sämtliche Vereine des Bundes brieflich oder telegrafisch auf: »Urge immediately as many business men of your city as can be reached to protest by wire Thursday to the Congressmen and Senators of your State against the autocratic attitude of the President toward Congress in his dealings with Germany and against any move which might bring us on the brink of war. A war of our country with Germany would be a tremendous calamity for both nations.«[845] Eine weitere vordringliche Forderung des Bundes war die Errichtung eines Nachrichtenkabels, das unter Regierungskontrolle gestellt werden sollte, um so die einseitige und diffamierende Berichterstattung der englischen Presse zu unterbinden[846].

Als die »Chicago Tribune« um diese Zeit zwei Artikel veröffentlichte, in denen die Scheinneutralität der bewaffneten Handelsschiffe angeprangert wurde, druckte der Vorort diese Artikel und gab sie allen Vereinen bekannt[847]. Noch einmal richtete der Vorort am 30. März 1917 einen Aufruf an seine Mitglieder. Alle Turner sollten wiederum bei ihren Abgeordneten gegen den befürchteten Kriegseintritt Amerikas protestieren. »Wir glauben«, so schloß der Bundesvorort den Aufruf, »daß die jetzige Kriegsbegeisterung von gewissen Kreisen künstlich verursacht und genährt wird und daß die große Mehrheit des amerikanischen Volkes nichts von einem Kriege wissen will«[848]. Wenige Tage später, am 6. April 1917, erklärte der Kongreß der Vereinigten Staaten der deutschen Reichsregierung den Krieg. Resigniert mußte der Vorort feststellen; »daß alle Proteste die Kriegslawine nicht zum Stillstand bringen konnten«[849]. Ungeachtet dessen müßten die Turner sich ihrer Bürgerpflicht als Amerikaner bewußt sein[850].

Ein Jahr später hat sich, dem Vorortbericht nach, ein Wandel in der politischen Haltung des NAT vollzogen. Die These vom »Verteidigungskrieg« Deutschlands war aufgrund der Veröffentlichungen des Fürsten Lichnowsky, des ehemaligen deutschen Botschafters in London, aufgegeben worden; nun war man der Auffassung, die deutsche Reichsregierung hätte das Risiko eines Krieges bewußt in ihre Politik einkalkuliert. Um die Selbständigkeit des Bundes zu erhalten, lehnte der Turnerbund Sympathiekundgebungen für Deutschland, die von zahlreichen deutsch-amerikanischen Gruppen veranstaltet wurden, als »unklug« und »zwecklos« ab[851]. Man versuchte im Gegenteil durch Loyalitätsbekundungen für Amerika der anti-deutschen Stimmung entgegenzuwirken, um dem »Vernichtungskampf gegen alles Deutsche zu entgehen«[852]. Die Assimilation wurde nun zu einer politischen und psychologischen Notwendigkeit. Als die »Zimmermann-Note« die deutsch-amerikanischen Beziehungen weiter belastete, bezog der NAT demonstrativ Stellung für Amerika. »... wenn man die plumpe Note

Dr. Zimmermanns liest, dann erst erhält man einen Begriff von der hochgradigen Verkennung des amerikanischen Volkscharakters vonseiten der deutschen Staatsmänner, dann auch erscheint sogar das ungeheuerliche Gerücht in den Bereich der Möglichkeiten zu gehören, man habe in deutschen Regierungskreisen darauf gerechnet, daß im Kriegsfall die Amerikaner deutscher Abstammung ihrem Bürgereide untreu werden und sich auf Seite Deutschlands stellen würden«[853]. Der Gesinnungswandel, der sich hier vollzogen hatte, findet in der Devise Ausdruck »Monarchie oder Demokratie ist die Losung in dem titanischen Kampf!«[854]. Als weiteres Zeichen der Loyalität und der Entschlossenheit, für Amerika zu kämpfen, ist die Änderung eines Passus der »Allgemeinen Grundsätze« zu werten, die sich auf die Pflege deutscher Sprache, deutscher Sitten und Gebräuche bezog. Die Prinzipienerklärung wurde sorgfältig umgearbeitet, um Mißverständnisse zu vermeiden und der »Gefahr einer falschen Auslegung« vorzubeugen[855]. Bald darauf erhielt der NAT auch die öffentliche Anerkennung für seine Loyalitätsbekundungen, denn nachdem er der Bundesregierung die Mithilfe der Turnvereine an der körperlichen Ertüchtigung der Jugend angetragen hatte, wurde der NAT als »loyale und brauchbare Vereinigung« von der Bundesregierung bestätigt[856].

Nicht ohne Stolz veröffentlichte der Vorort in seinem nächsten Jahresbericht die Zahl der Turnen, die am Weltkrieg teilgenommen hatten. Sie betrug 5000. Ergänzend dazu brachte der Bericht noch das außerordentlich günstige Untersuchungsergebnis bei der Musterung, denn der Prozentsatz der Turner, die wegen körperlicher Untüchtigkeit zurückgewiesen wurden, lag mit 6,8 % erheblich unter dem Bundesdurchschnitt von 33,21 %[857]. Aus den genauen Angaben von 92 Vereinen, die 44 % der Mitglieder des Bundes stellten, ist ersichtlich, daß 2210 ihrer Mitglieder in der Armee ihren Dienst taten. So darf die Gesamtzahl von 5000 Soldaten aus den Reihen des NAT als richtig angesehen werden. Von diesen hatten bis zum Abschluß des Waffenstillstandes 740 Europa erreicht[858].

Mit einem abschließenden Bericht über den Weltkrieg bemühte sich der NAT um eine Vergangenheitsbewältigung eigener Art: er akklamierte den »Massensturz« der Monarchen und die Bildung bürgerlich-sozialdemokratischer Regierungen. Mit der Beseitigung des »alten Junkerregimes« sei nicht nur das »Joch der Monarchie«, sondern auch der Militarismus abgeschüttelt worden. Die Machthaber Deutschlands und Österreichs wurden dafür verantwortlich gemacht, in »unverantwortlich leichtfertiger Weise« den Krieg hauptsächlich verschuldet zu haben. Die Revolution in Deutschland und Österreich, die Gründung von republikanischen Staaten, wurde lebhaft begrüßt. Die Turner erwarteten davon eine Signalwirkung, das heißt eine langdauernde Entwicklung, die den Europäern Frieden, Freiheit und Wohlstand bringen sollte[859].

### 2.9.1 Vom ersten Weltkrieg bis zur Gegenwart – ein Überblick und kritisches Resümee

Die meisten deutsch-amerikanischen Turnvereine mußten während des Krieges um ihre Existenz kämpfen, und für viele bedeutete das Jahr 1917 das Ende ihrer Geschichte. Der Waffenstillstand von 1918 brachte ein Aufatmen in *den* Vereinen, die trotz aller Restriktionen in der Kriegszeit zusammengehalten werden konnten. Langsam schwand in der amerikanischen Gesellschaft der Haß auf die Deutschen, und die Vereine konnten erneut an die Öffentlichkeit treten. Im Juli 1921 fand nach acht Jahren wieder ein Nationales Turnfest des deutsch-amerikanischen Turnerbundes statt.

Aufgrund des erschütterten Selbstbewußtseins wurden bald darauf die bisherigen Grundsatzerklärungen überprüft. Sie sollten – ohne Preisgabe wesentlicher Zielsetzungen – der veränderten gesellschaftspolitischen Situation angepaßt werden. Im Jahre 1924 wurden die »Principles« der Turner neu formuliert und 1925 auf dem 30. Bundestag in Elkhart Lake/Wisconsin verabschiedet. Als wichtigste Grundsätze, in der alle anderen Forderungen enthalten sind, werden genannt:

»Liberty, against all oppression; Tolerance, against all fanaticism; Reason, against all superstition; Justice, against all exploitation; Free speech, free press, free assembly for the discussion of all questions, so that men and women may think unfettered and order their lives by the dictates of their conscience – such is our ideal, which we strive to attain through a sound mind in a sound body.«[860]

Die Turner bekennen sich also zur Rede-, Presse- und Versammlungsfreiheit gemäß den Grundsätzen von Freiheit, Gleichheit und Gerechtigkeit, auf denen die Verfassung der USA aufgebaut ist, und zu einer Haltung der Toleranz, die aus dem rechten Gebrauch der Vernunft abgeleitet wurde. Vom Gedanken des Fortschritts getragen, plädierten sie im Wissenschaftsbereich für eine Ausbreitung der Naturwissenschaften und eine naturwissenschaftlich begründete Erkenntnislehre. Als Anhänger eines Vernunftsglaubens wollen sie, daß die Beziehungen zwischen Staat und Kirche gelöst werden: Kirchen dürfen sich nicht in staatliche Belange einmischen. Der Staat aber mit all seinen Einrichtungen, seinen Rechten und Gesetzen sei nur eine Phasenerscheinung in einer sich neu bildenden Menschheitsgesellschaft. Seine wichtigste Aufgabe sei es, die Sicherheit seiner Bürger auf der Grundlage der Rechtsgleichheit zu erhöhen und den Einfluß der Volksmassen auf die politische Willensbildung zu vergrößern.

In der Innenpolitik votierten sie für eine weitere Demokratisierung, insbesondere für eine direkte Beteiligung der Bevölkerung an weitreichenden politischen Entscheidungen (Referendum). Da alle Menschen frei und gleich seien, müßten auch die inhumanen Einwanderungsgesetze aufgehoben werden. Sie forderten ferner eine Garantie für den freien Gebrauch der eigenen Sprache, da sie Wert darauf legten, die deutsche Sprache zu bewahren und zu kultivieren.

Im sozialen und wirtschaftlichen Bereich knüpften die Turner im wesentlichen an ältere Forderungen an, wenn sie sich grundsätzlich gegen eine Zentralisation wirtschaftlicher Macht aussprachen und ihre Verpflichtung erneuerten, sich für ein ausreichendes Einkommen eines jeden Bürgers einzusetzen. Ebenso erneuerten sie ihre Forderung nach Überführung der natürlichen Ressourcen des Landes wie Kohle, Öl, Gas, Erze, ferner Wälder und Gewässer in Gemeineigentum und sprachen sich gegen eine Monopolisierung von Eisenbahn, Telefon und Rundfunk aus.

Außenpolitisch forderten die Turner die Beseitigung von Handels- und Reisebeschränkungen und eine verstärkte internationale Zusammenarbeit. Diese könne am besten, so glaubten sie, durch ein internationales Schiedsgericht erreicht werden, das Rechtsverletzungen ahnde, sowie durch eine weltweite Friedensorganisation, die sich auf die Idee internationaler Verbrüderung gründe und Haß und Diskriminierung beseitige. Voraussetzung für eine wirkungsvolle Arbeit solcher Organisationen sei eine globale Abrüstung und eine Ächtung aller Kriege, die Verbrechen gegen die Menschheit darstellten, mit Ausnahme des Verteidigungskrieges[861].

Mit diesen in den ersten Nachkriegsjahren verkündeten Grundsätzen glaubten die Turner, einen wichtigen Beitrag zur Friedenssicherung zu leisten und zu den fortschrittlichen Kräften zu gehören, »die eine bessere Welt, eine edlere Menschenrasse, wirkliche Demokratie und gleiche Rechte erstrebten«.[862]

Unverkennbar sind in den »Principles« der Turner aus den Jahren 1924/25 neue Ideen der von überspannten Erwartungen getragenen und schließlich gescheiterten Wilsonschen Politik enthalten. Dieser Politik ging es vordringlich darum, eine internationale Institution zu schaffen, die künftig Streitigkeiten zu schlichten und Kriege zu verhindern versprach. Jener Institution sollte es auch überlassen bleiben, alle noch bestehenden Ungerechtigkeiten zu beseitigen. Für die Turner war dies indes weniger ein juristisches Problem als eine ethische Zielsetzung; daher sind ihre Vorstellungen von der Weltorganisation primär auf die Durchsetzung kosmopolitischer Ideen, auf eine Weltverbrüderung und ein Ende von Völkerhaß und Diskriminierung einzelner und Gruppen gerichtet, die sie selbst während des Krieges in den USA erlebt hatten. Schon in dem »Aufruf der deutsch-amerikanischen Turner an das amerikanische Volk« im Jahre 1871[863] war dieses besonders hervorgehoben worden. Solche Forderungen erhielten nun eine universale Perspektive und wurden als Teil eines Entwicklungsprozesses angesehen, der unter den Leitgedanken von Frieden und Gerechtigkeit stand. Es ist bemerkenswert, daß diese Gedanken propagiert wurden, nachdem die Abstimmung über Friedensvertrag und Völkerbund im Kongreß gescheitert war und die Isolationisten immer größeren Einfluß auf die amerikanische Außenpolitik gewinnen konnten. Die Haltung der Turner ist also nicht durch die Regierungspolitik bestimmt, wenn auch der außenpolitische Erfolg bei der maritimen Abrüstung (1921/22) die Hoffnung auf eine *weltweite* Abrüstung mitbeeinflußt haben wird.

Die »Principles« von 1924 bleiben in den wesentlichen Punkten bis 1947 erhalten. Im Jahre 1947 fügten die Turner diesen hinzu, daß sie keine *politische Partei* seien, von ihren Mitgliedern aber eine positive staatsbürgerliche Haltung forderten. In den darauffolgenden Jahren gab es eine weitgehende Neuorientierung. Sie basierte auf einer vierfachen Zielsetzung, die von der Idee einer in Harmonie lebenden »family group« bestimmt wurde. Seit 1957 bekennen sich die »American Turners«
1. zu den alten Vorstellungen einer Gesundheitserziehung (sound body), 2. zu denen einer geistigen Erziehung (sound mind) und 3. zu den zeitbezogenen Forderungen nach Rekreation und Sozialisation in einer sich wandelnden Gesellschaft, die in ein »Zeitalter der Freizeit« eingetreten ist. Wo überall im Lande Freizeitprogramme ausgearbeitet und Freizeiteinrichtungen geschaffen wurden, die der Erholung (recreation) dienten, da wollten auch die Turner nicht abseits stehen. Ihr Ziel war es, alle Mitglieder der »family group« anzusprechen. 4. fordern sie auf zur Übernahme von Verantwortung in den verschiedenen kommunalen und staatlichen Bereichen, getreu ihrer Devise, daß die Demokratie von der Aktionswilligkeit ihrer Bürger lebe. Die »Principles« enden daher mit der Aufforderung an die Mitglieder, gute Bürger zu sein und ihre verbrieften Rechte auf Unabhängigkeit dadurch zu demonstrieren, daß sie ihrer Wahlpflicht genügten und sich bei ihren Entscheidungen auschließlich vom Gewissen leiten ließen.

Die »Principles« *nach* 1957 enthalten also keine politische Aussagen, keine sozialen Forderungen mehr, denn die einst politisch so aktiven und engagierten Turner sind gänzlich unpolitisch geworden beziehungsweise verstehen ihre politische Verpflichtung allgemein als Bürgerpflicht. Die Aufforderung, am Gemeinwohl, an »worthy civic projects«, mitzuarbeiten, ist an die Stelle eines umfassenden Katalogs detaillierter

sozialpolitischer Forderungen getreten. Nach den bitteren Erfahrungen zweier Weltkriege, in denen die Turner die Hauptursache für den Mitgliederschwund und das
starke Nachlassen der kulturellen Aktivitäten sehen,[864] wollen sie sich nicht mehr um
politische Fragen streiten und daher sich auch nicht mehr auf ein – selbst fortschrittliches – Sozialprogramm verpflichten, sondern wie in einer Großfamilie Geselligkeit
pflegen und auf die Aufrechterhaltung ihrer Gesundheit bedacht sein. Damit haben sie
ihren Traditionen in wesentlichen Bereichen entsagt.

Aber nicht nur die »Principles«, sondern auch die Diskussionen und Resolutionen der
Bundestage spiegeln den Wandlungsprozeß in den letzten Jahrzehnten wider. Wie in
der Zeit vor dem ersten Weltkrieg, so nahmen die Turner auch danach zunächst wieder
unmittelbar zu aktuellen politischen, sozialen und wirtschaftlichen Problemen
Stellung, protestierten gegen Mißstände oder machten Vorschläge, wie Notlagen
beseitigt und die USA in eine bessere Zukunft geführt werden könnten.

So gab es in den zwanziger Jahren eine heiße Diskussion über das Alkoholverbot. Die
Prohibition spaltete die Bevölkerung und die Parteien in zwei Lager: die »Nassen«
(wets) und die »Trockenen« (dries) und förderte Schmuggel, Gangsterunwesen und
Gesetzlosigkeit, so daß der ursprüngliche Sinn und Zweck des Alkoholverbots, die
Kaufkraft der Güterindustrie zu heben, nicht erreicht wurde. Die Turner sprachen sich
auf dem 29., 30. und 31. Bundestag (Convention) in den Jahren 1923 bis 1925 entschieden gegen die Prohibition aus, die sie als »Ausgeburt mittelalterlicher Gesinnung in
unserem freien Land«[865] bezeichneten.

Ebenso erregten das Wiederaufleben der Geheimbünde »Ku – Klux – Klan«, die
Zensur, die Beschränkung der Lehrfreiheit, eine antideutsche Geschichtsschreibung
und eine weit um sich greifende Mißachtung des ersten Zusatzparagraphen der Verfassung die Besorgnis der Turner. Der amerikanische Kongreß versuchte seine Macht-
vollkommenheit zu vergrößern, indem er das sogenannte 18. Amendment zum Vorschlag brachte und den Staatslegislaturen zur Ratifizierung unterbreitete, anstatt es
den Konventionen des Volkes vorzulegen, wie es Artikel 5 der Verfassung vorschrieb.
Dieses Gesetz richtete sich nach Meinung der Turner gegen die persönliche Freiheit
des amerikanischen Bürgers. Deshalb sollte durch Anrufung des Obersten Gerichts
versucht werden, das Gesetz zu annullieren. Die Convention von Cleveland 1927
enthält unter Paragraph 11 folgende Resolution: »Wir sind gegen die Prohibition, als
deren Folge die Achtung vor den Gesetzen, die Gesundheit des Volkes und die
Ehrlichkeit unserer Beamten immer mehr schwinden, während Heuchelei, Bestechlichkeit und heimlicher Suff zunehmen.«[866]

In Opposition standen die Turner aufgrund ihrer betont antiklerikalen Haltung ferner
zu dem Entwurf eines Gesetzes, der, wie sie meinten, den Sonntag nach puritanischer
Ethik zu einem Tag erklären sollte, der für »Tränen und Trübsal geschaffen« sei. Nach
Auffassung der Turner würden dadurch »Erholung und unschuldige Lebensfreude
verboten und behindert«[867]. Scharfer Protest erhob sich, als auf Drängen der Kirchen-
organisationen die Aufsichtsbehörden der öffentlichen Erziehungsanstalten erwogen,
das Bibellesen in den Schulen einzuführen. Die Trennung von Staat und Kirche war
von jeher eine Forderung der Turner. Nun befürchteten sie eine einseitige Beeinflussung, die dem Auftrag der Schule, künftige Bürger der demokratischen Republik
zu erziehen, zuwiderliefe.

Als um die Mitte der zwanziger Jahre ein Streit um die Evolutionstheorie Darwins entbrannte, griffen die Turner hier ebenfalls ein und verteidigten die darwinistische Lehre[868].

Auf dem 29. Bundestag 1923 in St. Louis nannte Präsident Stempfel den Turnerbund ein »Bollwerk des Liberalismus« in den USA[869] und rügte die intolerante Haltung anglo-amerikanischer Kreise in Neu England, die über den Krieg hinaus antideutsch geblieben seien und besonders die Turner verunglimpften. Rückblickend auf die Kriegsereignisse stellte er fest, daß

»es unsere Pflicht als Amerikaner und als Turner war, der Regierung unsere Hilfe anzu-tragen in der Ausbildung der jungen Männer, die zu den Waffen gerufen waren, in der Ausbildung unserer eigenen Söhne und Brüder, so daß sie körperlich besser vorberei-tet waren, die Strapazen des entsetzlichen Krieges zu bestehen. Hätten wir anders gehandelt, wäre es Verrat gewesen, Verrat an unserem Lande, Verrat an den Traditio-nen des Turnerbundes, Verrat an unserem eigenen Fleisch und Blut. In der Erfüllung unserer Pflicht als Bürger mag uns das Herz geblutet haben, aber es gab keinen anderen ehrenvolleren Weg ... Mit Genugtuung darf konstatiert werden, daß die Mitglieder-schaft des Turnerbundes die Feuerprobe treuer Bürgerpflicht mannhaft und entschlos-sen bestanden hat. Für diejenigen, die deutscher Abstammung sind, bedurfte es wohl eines größeren Mutes, einer größeren Hingabe als für die Abkömmlinge aller anderen Nationen«[870].

In ihrem Bemühen um eine gerechte Würdigung der Leistungen der Deutsch-Ameri-kaner wandten sie sich gegen Darstellungen in Schulbüchern, in denen die Kultur-arbeit der eingewanderten Deutschen verschwiegen oder deren Verdienste absichtlich geschmälert wurden. Kritisiert wurde auch die einseitige Geschichtsschreibung über Ursachen und Verlauf des ersten Weltkrieges und über die Friedensverträge von Versailles, Trianon und St. Germain. Mit Hilfe der Cecil Rhodes- und Carnegie-Fonds würde eine systematische Geschichtsfälschung betrieben[871]. Die Turner forderten eine Revision der Geschichtsschreibung, die von einem neutralen Gremium zu leisten sei. Nur so könnten die Vorurteile gegen die deutsche Nation abgebaut und die durch manche falsche Darstellung diskriminierten Deutsch-Amerikaner wieder an Ansehen gewinnen[872].

Als 1923 französische Truppen in das Ruhrgebiet einmarschierten, protestierten die Turner energisch beim Präsidenten der USA und beim Außenministerium gegen diesen »brutalen Einfall«[873] und gegen die Bestimmungen des Versailler Friedens[874]. Der Vorstand des Turnerbundes appellierte an die Turner, durch reichliche Sendung von Lebensmitteln, Kleidern und Geld mitzuhelfen, das Elend des deutschen Volkes zu lindern[875].

In den zwanziger Jahren versuchten viele Deutsche, in die USA zu immigrieren. Da die Einwanderung durch Quotenbestimmungen erschwert wurde, forderten die Turner 1927, daß das Land der Freiheit wieder als Asyl für die Unterdrückten aller ehrlichen und arbeitswilligen Menschen eine Zuflucht bieten sollte. Im Jahre 1929 stimmte der Bundestag einer Resolution des Turnbezirks St. Louis zu. Darin wurde beanstandet, daß 6400 deutsche chemische Patente während des Krieges in den USA beschlag-nahmt worden seien. Dies sei heute noch eine Belastung der deutsch-amerikanischen Beziehungen und stelle eine Mißachtung von Vertragsabschlüssen dar[876].

Die Turner hatten sich in ihren »Principles« 1924 für eine weltweite Friedensordnung und eine internationale Abrüstung ausgesprochen. Als zur Zeit des 31. Bundestages

1927 erneut eine Konferenz über maritime Abrüstung in Genf zusammentrat, die dann ohne Ergebnis blieb, nahmen die Turner nochmals entschieden gegen jede Aufrüstung zu Lande und zu Wasser Stellung. Ebenso warnten sie vor einem drohenden Krieg mit Mexiko, vor einer amerikanischen Einmischung in China und einer Unterdrückung mittelamerikanischer Staaten. Die Verteidigungsausgaben sollten um 50 % gesenkt und die freiwerdenden Gelder zur Abwendung der Hochwassergefahr im Mississippital eingesetzt werden, da die Überschwemmung im Frühjahr 1927 dort die unzureichenden Maßnahmen zur Verhütung derartiger Katastrophen gezeigt hätten[877].

Für den Turnerbund machte sich dann die wirtschaftliche Rezession schmerzlich bemerkbar: Mitgliederschwund, Vernachlässigung der Vereinsarbeit, Beitragsrückstände, zunehmende Vereinsmüdigkeit. Die Ursachen der Weltwirtschaftskrise, für die das Volk nun zu zahlen habe, sahen die Turner in den Kriegsauswirkungen, der Rassendiskriminierung und einer allgemeinen Profitgier. In einer »Denkschrift« an den amerikanischen Kongreß wurden die Politiker aufgefordert, von ihrer Politik der Intoleranz und der Schaffung von Privilegien abzurücken und wieder den staatsphilosophischen Maximen Jeffersons zu folgen, denen auch die Grundsätze der Turner entsprächen[878]. Turner-Präsident Seibel war der Auffassung, daß die verzweifelte wirtschaftliche Lage eine Lektion sei, die die USA brauche. Hätte man sich, so sagte er recht schulmeisterlich und selbstgefällig, von den Grundsätzen der Turner leiten lassen, wäre es nicht soweit gekommen.

»If every Congressman and every Mayor in the United States were a member of our organization, it would be for their benefit and for the benefit of our country«[879]

Auf dem 34. Bundestag 1933 in Elkhart Lake/Wisconsin nahmen die Turner zu der neuen politischen Lage in Deutschland Stellung und erklärten ihre Verbundenheit mit dem aufgelösten deutschen Arbeiter-Turn- und Sportbund, dessen Vermögen konfisziert und dessen Führer verhaftet woden waren. Der Deutschen Turnerschaft wurde vorgeworfen, diesem Verbot zugestimmt und damit das NS-Regime unterstützt zu haben. Eine Resolution wurde angenommen, in der sich die Prinzipien der Turner, die sich für den »amerikanischsten aller Vereine« hielten, widerspiegeln und die gegen das Aufkommen faschistischer Diktaturen in Europa gerichtet ist. Dort heißt es:

»Wir, die Mitglieder des Amerikanischen Turnerbundes, versammelt zur 34. Bundestagssatzung, protestieren gegen jede Handlung irgendeiner Regierung, die ihre Macht zur Unterdrückung von friedfertigen Erklärungen irgendeiner politischen Minderheit einsetzt, die Rechte des Individuums zur Verfolgung seines Glücks zerstört oder nicht das Recht aller Bürger auf Gerechtigkeit ohne Unterschied der Rasse oder des Glaubensbekenntnisses achtet«[880].

Die Namensänderung des Nordamerikanischen Turnerbundes 1938 in »American Turners«, die Präsident Weidemann in seinem Jahresbericht bekanntgab, war mehr als eine äußere Angleichung an amerikanische Gewohnheiten; sie war eine bewußte Distanzierung vom nationalsozialistischen Deutschland und ein erneutes uneingeschränktes Bekenntnis zur amerikanischen Demokratie[881].

Als die USA 1941 in den Krieg eintraten, sahen es die Turner als ihre Pflicht an, alle Kräfte für die Erhaltung der Freiheit in der Demokratie einzusetzen. »It is our duty to aid our country in its complete war efforts«[882], erklärte der Präsident und rief dazu auf, War Savings Bonds und War Stamps zu kaufen und dem Roten Kreuz beizutreten.

Viele Turner dienten zu dieser Zeit bereits in den Streitkräften oder waren in der Rüstungsindustrie tätig. Der Prozentsatz der Turner, die untauglich waren, sei, so führte der Präsident weiter aus, sehr gering. Er habe nur 5 % betragen, während die Durchschnittsquote der Wehruntüchtigkeit bei 42 % gelegen hätte. Von den im Wehrdienst stehenden Turnern seien 75 % Unteroffiziere oder Offiziere. Daraus folgerte Weidemann: »This proved that we do teach leadership and that Turner boys and girls have benefitted directly form Turner teaching«[883]. Da die USA eine Spitzenposition in der Welt einnähmen, müßte die Nation auch körperlich gut ausgebildet werden. Im vergangenen Jahr schon hätten Turner versucht, die Amerikaner »gesundheitsbewußter« zu machen, aber es hätte sich gezeigt, daß Appelle wenig nützten; so müßten körperbildende Übungen entweder verordnet oder anerzogen werden.[884]

Im Jahre 1944 würdigte der Turner-Präsident die Leistungen der Turner in den Streitkräften, die – wie ihre Vorgänger im Bürgerkrieg – ihr Leben für die USA einsetzten. Auch die Armee habe nun die Bedeutung des von den Turnern propagierten Fitneß-Trainings erkannt. Weidemann glaubte, daß manches, was der Turnerbund an Arbeit geleistet habe, seine Wirkung im gegenwärtigen Krieg zeigen werde. Er dankte auf dem 40. Bundestag 1944 in Johnstown/Pennsylvania der US-Regierung, daß die Turner in ihrer Arbeit nicht wie im ersten Weltkrieg behindert wurden, wo die Turnbewegung wegen der gegen Millionen Deutsch-Amerikaner gerichteten Propaganda viele ihrer Mitglieder verloren habe[885]. Die Namensänderung in »American Turners« habe sich gerade jetzt als sinnvoll erwiesen, denn ein guter Turner und ein guter Amerikaner stimmten in ihrem Wesen überein[886].

Auf ihrer ersten Convention nach dem Krieg 1946 in Indianapolis waren die Turner von nationaler Begeisterung erfüllt und hofften, daß das Turnwesen in den USA einen erneuten Aufschwung nehmen würde. Weidemann gab die neue Richtung bekannt: die kulturellen und erzieherischen Aktivitäten müßten gesteigert, »social programs« für die Familien eingeführt und Frauen stärker für die Vereinsarbeit gewonnen werden. Als er in seinem Jahresbericht von 1947 hervorhebt, die Turnvereine in den USA umfaßten alle sozialen Gruppen, Rassen und Konfessionen, war dies indirekt eine Absage an eine zu enge Bindung an deutsche Kulturwerte. Die im Vorjahr bereits angegebene neue Richtung wurde nun noch schärfer umrissen mit der Forderung nach Vollmitgliedschaft der Frauen, Schaffung eines Körpererziehungsprogramms für die Familie und eines weiteren »social programs for enjoyment«, um den Turnverein zu einem Zentrum gesellig-familiären Lebens auszubauen. Parallel dazu erfolgte ein Nachlassen des politischen Engagements. Zwar verurteilte das Komitee für nationale Angelegenheiten 1946 in Indianapolis das Wirken von »pressure groups« und »lobbies« in Washington[887] und rief 1948 anläßlich des hundertjährigen Bestehens der Turnbewegung in den USA dazu auf, sich auf die Traditionen der »Achtundvierziger« zu besinnen, die Jugend zur Demokratie zu erziehen und sie vor Faschismus und Kommunismus zu schützen, aber diese Erklärungen und Appelle waren recht allgemein formuliert und enthielten keine konkreten politischen Forderungen mehr[888].

Da in dieser Zeit auch die Revision der »Principles« eingeleitet wurde[889], die in der Fassung von 1950 keine sozialpolitischen Programmvorschläge oder Aussagen zu drängenden politischen Problemen mehr machten, wird auch hier die Neuorientierung der Turner auf den Bereich einer weitgehend konfliktfreien Geselligkeitspflege und auf Aufgaben der Gesundheitserziehung erkennbar. Bestärkt fühlten sich die

Turner darin durch ein Telegramm, das ihnen 1952 Präsident Eisenhower zu ihrer »National Convention« in Davenport schickte, in dem er die patriotische Gesinnung der Turner, die sie über mehr als ein Jahrhundert gezeigt hätten, würdigte, besonders aber ihren großen Beitrag zur Leibeserziehung und Gesundheitserziehung in den USA hervorhob[890].

Im Jahre 1956 allerdings zeigten sich die Turner von Eisenhower enttäuscht, da der die »National Conference on Physical Education« einberufen hatte, die ein nationales Fitness-Programm ausarbeiten sollte, ohne daß die Turner, die doch auf dem Gebiet richtungweisend waren, dazu eingeladen worden wären[891]. Zwei Jahre später warfen sie Eisenhower wiederum vor, die Turner bei der Diskussion um ein nationales Fitness-Programm nicht zu Rate gezogen zu haben, obwohl sie gleichzeitig eingestehen mußten, auf dem Gebiete des Turnens in den USA nicht mehr führend zu sein[892]. Auf dem 48. Bundestag in Rochester 1960 erklärte Präsidet Groth erstmals, daß die Turner an nationalem Prestige verloren hätten. Er plädierte, gestützt auf das neuerarbeitete »Vier-Punkte-Programm« (Physical Education, Cultural Education, Recreation and Civic Projects), für eine weitere Umwandlung der Turnvereine in Familienvereine und eine stärkere Beteiligung der Frauen an Führungsaufgaben[893]. Sein Nachfolger Anderson monierte 1962, daß die Turner immer noch zu sehr in der Vergangenheit lebten. Nur neue Ideen könnten die »American Turners« weiterführen[894]. Zwei Jahre später, 1964, wiederholte er diese Mahnung und forderte nachdrücklich ein vielseitiges und attraktives Programm für die Turnvereine[895].

Für die »American Turners« waren diese Jahre eine Zeit des Umbruchs. Die Mitgliederzahl erreichte ihren niedrigsten Stand (siehe Statistik), viele jugendliche Turner verließen, wenn sie auf die Universität gingen oder in den Streitkräften dienten, endgültig die Vereine; viele ältere Turner wandten sich enttäuscht ab, da sie die Richtungsänderung nicht nachvollziehen konnten. Bald aber zeigte sich, daß die Neuorientierung auf die Familie und die »Entpolitisierung« der »principles« sinnvoll war, denn dadurch gewannen jene Vereine neue Gruppen, die ihre Jugendarbeit intensivierten, Frauen einen größeren Aktionsraum erschlossen, fachlich besonders qualifizierte Lehrkräfte anstellten und vielseitige Programme anboten. Eine zu diesem Zweck durchgeführte Befragung anläßlich des Nationalen Turnfestes der »American Turners« 1975 sollte über gegenwärtige Einstellungen, Ziele und Aktivitäten der »American Turners« Auskunft geben.

Ein besonders signifikantes Ergebnis der empirischen Untersuchung[896] ist das verlorengegangene Bewußtsein der eigenen Geschichte und das nicht mehr vorhandene Verständnis für die aus deutschem Kulturgut tradierten Werte. Dies erklärt sich aus dem Prozeß der Amerikanisierung, der durch die Kriegsereignisse verstärkt wurde. Eine Differenzierung der Sozialstruktur bei wachsender Mobilität der amerikanischen Gesellschaft hat diesen Prozeß beschleunigt. In ihrem Bemühen, sich ganz in diese Gesellschaft zu integrieren und »gute Bürger« der Vereinigten Staaten zu werden, verzichteten die Turner nicht nur bewußt auf konfrontierende politische Stellungnahmen, sondern lehnten auch politische Diskussionen in den Vereinen ab. Die Art der kulturellen Betätigung in den Vereinen variiert sehr, aber der Wille, geistig aktiv zu sein, ist immer noch allgemein vorhanden. Dank der intensiveren Mitarbeit der Frauen am Vereinsleben hat sich zum einen die Vereinsstruktur geändert, zum andern der Schwerpunkt auf das Feld der Sozialkontakte verlagert. Kinder der Turner, die zumeist aus kinderreichen Familien stammen, sind verstärkt in die Vereine aufgenommen worden, die so immer mehr einen familiären Charakter erhalten haben. Notwendigerweise mußten dadurch auch die Programme um Angebote für die verschiedenen Altersgruppen bereichert werden. Auffallend ist ferner, daß der Wille zur körperlichen Betätigung bei den Frauen intensiver ist als bei den Männern. Turnen erfreut sich weiterhin neben den großen Spielen allgemeiner Beliebtheit; dazu sind Golf und Bowling getreten. Vermutlich hat die Aufnahme dieser Disziplinen in das Sport- und Wettkampfprogramm der »American Turners« mit zu einem leichten Aufwärtstrend der letzten fünf Jahre beigetragen.

Die Geschichte des Turnwesens in den USA stellt sich uns dar als Teil der politischen und sozialen Geschichte dieses großen Landes. Für die Turner der achtundvierziger Emigration war es selbstverständlich, daß mit dem Turnen eine sozialpolitische Zielsetzung verbunden sein mußte. Da ihrer Auffassung nach das Scheitern der Revolution von 1848/49 in Deutschland durch die unpolitische Haltung vieler Turner mitverursacht worden war, gaben sie in Nordamerika dem von ihnen gegründeten Turnerbund eine entschieden politische Richtung. Konsequent verfochten sie ihre radikaldemokratischen Überzeugungen und kämpften im Bürgerkrieg auf Seiten Lincolns für die Einheit der Nation und die Befreiung der Negersklaven; nach dem Krieg setzten sie sich für umfassende soziale Reformen und den Ausbau des Bildungswesens ein.

Mit dem Aufbau einer Bundesturnanstalt und der Einführung des Turnens in den Schulunterricht erreichten die Turner zwei wichtige Ziele, die sie sich gesetzt hatten. Allerdings kann dies nicht darüber hinwegtäuschen, daß trotz der Erfolge in kommunalen Bereichen deutsches Turnen nie zu einem Gemeingut amerikanischer Leibeserziehung wurde und die Turnvereine, selbst als sie sich zur amerikanischen Gesellschaft hin öffneten, nie über einen begrenzten, aus den unteren Mittelschichten der deutschen Einwanderer sich rekrutierenden Kreis hinauskamen. Die Mehrheit auch der deutschen Einwanderer blieb in den Jahrzehnten vom Bürgerkrieg bis zum ersten Weltkrieg den Turnvereinen und ihren Bräuchen gegenüber distanziert; besonders in den urbanen Regionen assimilierten sie sich schnell dem amerikanischen Lebensstil, während die Turner lange um die Bewahrung und Pflege deutscher Kulturwerte kämpften.

Selbst wenn also, insgesamt gesehen, der tatsächliche kulturelle und politische Einfluß der Turner nicht überschätzt werden darf, so hoben sie sich doch durch ihr sozialpolitisches Engagement von der Mehrheit der deutschstämmigen Mitglieder der amerikanischen Gesellschaft ab. Zwar waren auch sie darauf bedacht, strebsame, fleißige und gesetzestreue Bürger der USA zu sein, die ihre Hauptaufgabe darin sahen, ihre Pflicht zu tun, ihre materielle Existenz zu sichern und ein moralisch untadeliges Leben zu führen, aber sie setzten sich doch sehr kritisch mit den amerikanischen Lebensverhältnissen auseinander und agitierten anfangs als radikal politische Gruppierung, später als eine gemäßigte sozialreformerische Ideen proklamierende Organisation für die Durchsetzung ihrer Ziele. In den deutschstämmigen Bevölkerungsgruppen des Mittelwestens hatten sie, geführt von Intellektuellen der Revolution von 1848, im Jahrzehnt unmittelbar vor und nach dem Bürgerkrieg sogar einen stärkeren politischen Einfluß. Wahrscheinlich ist dieser Erfolg darauf zurückzuführen, daß die Angehörigen der Turnvereine damals weniger bereit waren, die neuen staatlichen Institutionen einfach zu respektieren, als die Mehrheit der Amerika-Deutschen, die sich mit den

Realitäten eher abfanden. Ein Beleg dafür wären die in den Grundsatzerklärungen so oft wiederkehrenden Forderungen nach verfassungsmäßigen Änderungen, wie Abschaffung der Präsidialdemokratie und Direktwahl der Abgeordneten, um die demokratische Republik zu verwirklichen.

Es soll nicht verkannt werden, daß die Turner nach 1848 in den USA insgesamt eine sehr gemischte Resonanz fanden, weil sie als Neuankömmlinge mit ihren Weltverbesserungsvorschlägen nicht ganz ernst genommen wurden, selbt nicht von den älteren Deutsch-Amerikanern. Der Gegensatz zwischen den »Grauen« und den »Grünen« liegt im wesentlichen hierin begründet.

Schließlich erlagen aber auch die Turner dem Prozeß der Amerikanisierung, zumal als mit dem Kriegseintritt der USA 1917 eine antideutsche Kampagne entfesselt wurde, die sie tief in ihrem nationalen Selbstbewußtsein traf. Wenn sie auch nach dem Krieg versuchten, an ursprüngliche Ideale wieder anzuknüpfen und die Vereinsarbeit zu aktivieren, so konnten sie doch die mit den Kriegsereignissen ausgelöste Identitätskrise nie mehr ganz überwinden. In einem auf Geselligkeitspflege ausgerichteten familiären Turn- und Sportbetrieb haben die etwa 70 noch bestehenden Vereine eine neue, amerikanischen Lebensgewohnheiten angepaßte Form gefunden.

# 3.
# Verzeichnis der
# Abkürzungen

| | |
|---|---|
| AAAPE | Association for the Advancement of Physical Education |
| ATB/ATSB | Arbeiter-Turnerbund; seit 1919 Arbeiter Turn- und Sportbund |
| ATZ | Arbeiter-Turnzeitung |
| AMTZ | Amerikanische Turnzeitung |
| DT | Deutsche Turnerschaft |
| DTZ | Deutsche Turnzeitung |
| JB | Jahrbücher der deutsch-amerikanischen Turnerei, Herausgeber Henry Metzner |
| NAT | Nordamerikanischer Turnerbund |
| TV | Turnverein |
| TK | Turnerkalender |
| Phys. Ed. | Physical Education |
| YMCA | Young Men's Christian Association |
| IISG | Internationales Institut für Sozialgeschichte, Amsterdam |

# 4.
# Anhang

## 4.1 Anmerkungen

[1] The People Shall Judge. Readings in the Formation of American Policy. Selected and Edited by Staff, Social Sciences I, The College of the University of Chicago, 2 vols. Chicago 1949, I. S. 592 f

[2] So genannt, weil sie auf alle Fragen über ihre Partei antworten: »I know nothing about it«.

[3] Ansprache auf dem Friedhof von Gettysburg, berühmte Gettysburg Address, November 1863: »that governement of the people, by the people, for the people shall not perish from the earth«. S. 186 in ‚Starr: Living American Documents'

[4] Tocqueville, Alexis de: Das Zeitalter der Gleichheit. Eine Auswahl aus dem Gesamtwerk, hrsg. von Siegfried Landshut, Kröners Taschenbuchausgabe Bd. 221, Stuttgart 1954, S. 269 ff.

[5] Neumann, S. 53

[6] Leonard, S. 235

[7] Wildt, S. 54

[8] Leonard, S. 233

[9] Metzner, Jb. I, S. 8

[10] Neumann, S. 57

[11] Leonard, S. 238. Die beiden Gelehrten faßten ihre Erziehungsziele in dem Satz zusammen »to preserve the health and improve the morals and the mental powers...« J. G. Cogswell u. G. Bancroft: Prospectus of a School to be established at Round Hill, Northampton, Mass., Cambridge 1823, S. 9, zit. nach Erich Geldbach: Die Verpflanzung des Deutschen Turnens nach Amerika. Beck, Follen, Lieber. In: Stadion I, 2 1977, S. 333

[12] Guy Lewis, S. 11

[13] zit. bei Leonard, S. 238

[14] Lewis, S. 11/12

[15] Metzner, Jb. I, S. 9

[16] Wildt, S. 64

[17] Metzner, Jb. I, S. 9

[18] Leonard, S. 240. In einem zweiten Erfahrungsbericht werden 1826 nach den Erfolgen Becks die Erziehungsziele noch schärfer umrissen und die Werte der körperlichen Erziehung besonders hervorgehoben. Dabei knüpfen die Autoren, wohl unter dem Einfluß von Beck, an Jahnsche Gedanken einer Volkserziehung an. Geldbach, a.a.O.S. 336

[19] Leonard, S. 240

[20] vgl. Geldbach, a.a.O.S. 344ff; 1827 wurde ein weiterer Versuch unternommen, Jahn nach Harvard zu holen. Er lehnte höflich ab und empfahl Franz Lieber in der Annahme, daß dieser schon in Amerika wäre. Geldbach, S. 356f

[21] Finanzielle Probleme und mangelndes öffentliches Interesse führten 1834 zur Auflösung dieser Schule, die mit ihrem Curriculum überzeugend bewiesen hat, daß körperliche und geistige Bildung im Erziehungsfeld sich wirkungsvoll verbinden lassen.

[22] Neumann, S. 59, Leonard, S. 240f

[23] Haupt, Hermann: »Follen-Briefe«. Herausgegeben von der Deutsch-Amerikanischen Gesellschaft von Illinois, Chicago, Illinois, Jg. 1914, S. 37, zit. nach Neumann, S. 59

[24] Wildt, S. 506; Lieber hatte sich von Pfuel ein Zeugnis über seine Schwimmfähigkeit ausstellen lassen, Leonard, S. 244

[25] Leonard, S. 245

[26] zit. bei Metzner, Jb. I, S. 13; vgl. Geldbach S. 375

[27] ebenda S. 376

[28] New York Turn-Verein, One Hundredth Anniversary-New York 1950; keine Seitenangabe, nach eigener Zählung S. 12

[29] Spindler, Georg W.: The life of Karl Follen. A Study in German-American Cultural Relations. Chicago, Illinois 1917, S. 244

[30] Zur wissenschaftlichen Tätigkeit Liebers siehe Neumann, S. 61 f

[31] Jb. I, S. 18

[32] vgl. Geldbach, a.a.O., S. 332

[33] C. Kallenberg, Th. Georgii: »Ruf zur Sammlung«. In: DTZ 1860, S. 22

[34] Goetz, F.: »Theodor Georgii«. In: DTZ 1892, S. 822 f

[35] Goetz, F.: Im Dienst des Vaterlandes und der deutschen Volkskraft. Leipzig 1906

[36] vgl. Eulers Schrift, Die Aufnahme durch den Staat, Karlsruhe 1847

[37] vgl. Zettler, M.: Das erste deutsche Turnfest in Heilbronn am 2. u. 3. August 1846. In: DTZ 1890, S. 211

38 vgl. Neumann, S. 15–22

39 Eichel, S. 119

40 Bilder und Dokumente, aus der deutschen Turn-
und Sportgeschichte, Berlin 1956, W. Beier (Hrsg)
S. 56

41 Deutsches Zentralarchiv II, Merseburg, Rep. 77, Tit.
925, Nr. 1, Bd. II, fol. 144–146, zit. nach »Bilder
und Dokumente«, S. 62

42 Neumann, S. 17, 23, 33

43 Ein ausführlicher Bericht über den Prozeß bei
Metzner, Jb. I. S. 49–58
Der Führer des Turnerbataillons, August Schärtt-
ner, emigrierte von der Schweiz über Frankreich
nach England, wo er in London später eine eigene
Wirtschaft betreiben konnte, in der die deutschen
Flüchtlinge Gottfried Kinkel, Karl Schurz, August
Willich und Alexander von Schimmelpfennig ver-
kehrten. Geisel a.a. O. S. 275

44 Zur vita Struves siehe Wildt, S. 109 f; Zucker,
S. 346 f; Dictionary of American Biography (abgekürzt DAB) Vol. IX, New York 1936, S. 158 f

45 Turn-Zeitung Nr. 16, 15. August 1847, S. 137

46 ebenda, S. 135

47 Turn-Zeitung Nr. 15, 1. August 1847, S. 120

48 Turn-Zeitung Nr. 16, 15. August 1847, S. 135

49 Turn-Zeitung Nr. 10, 10. Oktober 1846, S. 155

50 Deutsches Zentralarchiv Merseburg, A.A.I, Rep. 4,
Nr. 2265, Bl. 2/3
(Die deutschen Turnvereine und die Maßregeln
gegen die Konstituierung einer allgemeinen deutschen Turnerschaft), zit. nach: Karl Obermann, Die
politische Rolle in der demokratischen Bewegung
am Vorabend der Revolution von 1848. In: Theorie
und Praxis der Körperkultur, XII. Jg. 1963, S. 796

51 ebenda, S. 797

52 Turn-Zeitung Nr. 15, 1. August 1847, S. 118/19

53 Obermann, a.a.O. S. 797

54 ebenda

55 ebenda S. 798

56 ebenda

57 ebenda

58 Neumann, a.a.O. S. 17

59 DZA Merseburg, Rep. 77, Tit. 925, Nr. 1, Bd. 2,
Fol. 144–146 abgedruckt bei Neumann, a.a.O.
S. 148–150

60 § 2 des »Vorschlags zur Konstituierung einer allgemeinen deutschen Turnerschaft«

61 DZA Merseburg, A.A.I, Rep. 4, Nr. 2265, Bl. 56,
zit. nach Obermann, S. 801

62 ebenda, Bl. 145, Obermann, S. 804

63 DAB IV 1932, S. 493 f; Wildt, S. 108 f; Zucker,
S. 301 f

64 Dobert, E.W.: »Deutsche Demokraten in Amerika«. Göttingen 1958, S. 100

65 abgedruckt bei Blum, H.: Die deutsche Revolution
1848–49. Florenz–Leipzig, 1898, S. 102 a

66 Zwei Tage vorher, am 5. März 1848, hatten sich in
Köln 5.000 Menschen vor dem Rathaus versammelt. Ihre Anführer waren der Arzt Dr. Gottschalk
und die ehemaligen preußischen Offiziere Anneke
und Willich, Mitglieder der Kommunistenge-
meinde. Sie legten die Forderungen des Volkes
vor, doch Militär trieb die Menge auseinander.

67 »Heckers Abschied vom deutschen Volke«, abgedruckt bei Blum, H.; a.a.O. S. 240 b

68 Struve, G., G. Rasch: Zwölf Streiter der Revolution,
Berlin 1867, S. 21

69 dazu Nachlaß Becker und Willich, Internationales
Institut für Sozialgeschichte (abgekürzt IISG)
Amsterdam; ferner Obermann, K., Neue Doku-
mente zur Tätigkeit der demokratischen deutschen
Emigranten in der Schweiz und in Frankreich 1848.
In: Zeitschrift für Geschichtswissenschaft, XXIV.
Jhrg. 1976, Heft 10; dann Wittke, C.: »Against the
Current«, S. 65 ff

70 Dobert, a.a.O., S. 100

71 Eingie Intellektuelle, deutsche Emigranten der 30er
Jahre mit mehr Sinn für Romantik als für die Praxis,
wurden von ihren Nachbarn »Latin farmers« genannt, denn diese hatten bemerkt, daß die Neulinge
weit mehr von Musik und Literatur, von Virgil und
Cicero verstanden als vom Ackerbau. Viele der deutschen Einwanderer scheiterten nach Jahren, andere
hatten dennoch Erfolg. Belleville, Ill. ist eines der
bekanntesten Anwesen der »Latin farmers« mit
Leuten wie Körner, Engelmann, Hecker, Bunsen,
Hilgards. Vgl. Wittke, Refugees, a.a.O. S. 13/14
und 112

72 Brief Struves an Becker vom 15. Juli 1848 aus Birs-
felden bei Basel. Nachlaß J. Ph. Becker, I.I.S.G.
Amsterdam

73 ebenda (Nachlaß Becker)

74 weiter heißt es in dem Schreiben: »Du kannst leicht
denken, wie niederdrückend unsere jetzige Lage
nach der getäuschten Hoffnung, nach der Begeisterung, die so ohne Erfolg versplittert wurde, auf uns
alle wirkt. Die jetzt noch beisammen sind, haben
den Entschluß gefaßt, bis auf das Letzte auszu-
harren, um schlagfertig in der ersten Gelegenheit
dazustehen, um einen Stamm für die Zerstreuer
abzugeben.« Er spricht dann von Feindseligkeiten
zwischen den »Zusammengebliebenen« und »den
nach Hause zurückgekehrten« und bittet Becker,
zur Überwindung der Spaltung beizutragen, da er

214

das Vertrauen aller besitze. Schließlich teilt er Becker den Entschluß seiner »Kolonne« mit, es solle zur Konzentration aller demokratischen Kräfte ein Komitee gebildet werden, das aus folgenden Personen bestehen soll: Hecker, Struve, Mögling, Heinzen, Martin (Paris) und einem Offizier der Willichschen Kolonne. Das Schreiben endet mit den beschwörenden Sätzen: »Vor allen Dingen versuche alles zu tun, daß wir wieder einen bestimmten Weg vor uns sehen. Alle Anstrengungen sind leichter als die des müßigen Ausharrens. Die militärischen Übungen ohne Waffen haben wir beinahe beendet; sie verlieren an Reiz. Die Einführung des Einzelnen in das Ganze, beim Militär Disziplin genannt, ist bei uns auf den freien Willen gegründet und darum, wo der Wille müßig ist, sehr schwierig. Wir rufen alle nach Erlösung.« (Nachlaß A. Willich, Brief an J. Ph. Becker vom 8.6.1848, I.I.S.G. Amsterdam)

75 Nachlaß A. Willich. Kompagnie-Beschluß vom 14.6.1848 aus Baume, gerichtet an Willich. I.I.S.G. Amsterdam

76 Wörtlich heißt es dort:
»1. Der Kampf, der jetzt geführt wird, ist kein nationaler, ein universaler, es handelt sich um die Befreiung der Menschheit. Wo wir kämpfen, wir kämpfen für dieselbe Sache; jeder Sieg oder Verlust auf einem Punkt Europas wirkt unmittelbar auf alle zurück.
2. Du wirst gesehen haben, wie unendlich schwer der Übergang, d.h. der tatsächliche Übergang aus dem Handwerkerstande in den Kriegerstand ist. Wie die gebildete Vernunft, der freie Wille, die edelste Begeisterung zum erstenmal scheitert in dem Übergang zur Tat, zum zweitenmal in der Schwäche der Körper und der Anstrengungen. Diese Schwierigkeiten sind von den jetzigen Mitgliedern der Kolonne überwunden ...
3. Derselbe Feind wird in Italien bekämpft als in Deutschland. Soviel er auf der einen Seite ist, fehlt er auf der anderen.« Nachlaß A. Willich, Brief vom 22.6.1848 an J. Ph. Becker in Biel. I.I.S.G. Amsterdam

77 Brief Willichs an die »hohe Versammlung deutscher Volksvertreter zu Frankfurt a.M.« vom 20.7.1848, Nachlaß Willich. I.I.S.G. Amsterdam. In einigen Sätzen – wie den folgenden – verbindet sich die Klage über das unwürdige Leben in Frankreich (die von französischen Regierungskommisären gemachten Versprechungen seien nicht eingehalten worden) mit dem idealistisch pathetischen Appell um Anerkennung gemeinsamer Grundwerte:

»Volksvertreter Deutschlands: wir Söhne Deutschlands wie Ihr, aufopferungsfähig für alles Große und Schöne, das in unserem Vaterlande nach Entwicklung ringt, wie Ihr es nur sein könnt, beseelt von einem allmächtigen Triebe für die Errichtung der sittlichen Würde des Menschen zu sterben, wenn wir nicht dafür leben dürfen – wir leben von den Almosen Frankreichs.«

78 Brief A. Willichs an J. Ph. Becker nach Biel (12.8. 1848), Nachlaß Willich, I.I.S.G. Amsterdam

79 Aufruf abgedruckt bei Blum, a.a. O. S. 318/18

80 Blos, W.: Die Deutsche Revolution, Stuttgart 1893, S. 411 ff

81 Brief Struves an Willich (20.9.1848), Nachlaß Willich, I.I.S.G. Amsterdam

82 Blum, a.a.O., S. 319 c (Beilage)

83 ebenda, S. 320 b

84 vgl. Obermann, K: Neue Dokumente zur Tätigkeit der demokratischen deutschen Emigranten in der Schweiz und in Frankreich 1848. In: Zeitschrift für Geschichtswissenschaft XXIV, Jg. 1976, Heft 10, S. 1153

85 ebenda

86 DTZ Nr. 10, 8. März 1894, S. 156

87 ebenda

88 Jb. III, S. 3

89 DTZ a.a.O., S. 157

90 DTZ Nr. 38, 17. September 1896, S. 773

91 Turner-Kalender 1898, S. 37

92 Henne diente im amerikanischen Bürgerkrieg im 12. Missouriregiment und wurde schwer verwundet. Nach Amputation eines Beines kehrte er nach Davenport zurück. (Neumann, S. 24)
Am 9. April 1873, nach 25 Jahren, wurde von der Flensburger Turnerschaft den gefallenen Turngenossen bei Deckensmühle, am Weg nach Bau, ein Denkmal gesetzt. (Jb. III, S. 5)

93 Zucker, a.a.O., S. 323

94 Engels, F.: Die deutsche Reichsverfassungskampagne. In: Karl Marx – Friedrich Engels, Werke, Bd. 7, Berlin (O) 1964, S. 156
Beachtung verdient auch Engels Urteil über den Aufstand in der Pfalz: »Die ganze äußere Erscheinung der Pfälzer Bewegung trug einen heiteren, sorglosen und ungenierten Charakter.« (S. 148)

95 Arbeiter-Turnzeitung (ATZ) Nr. 7, 15. Januar 1896, S. 58. Die Bemühungen der Hanauer, auch in anderen Orten (Marburg, Frankenberg und Fulda), Turner zum Auszug zu bewegen, hatten allerdings nicht den gewünschten Erfolg. Vgl. Karl Geisel, Die Hanauer Turnerwehr, S. 25 – 28

96 ebenda

97 Beilage Nr. 8 der ATZ, 5. Februar 1896, S. 73
Am 9. Juni wurden etwa 100 Heilbronner Turner, mit denen die Hanauer seit dem Turnfest 1846 gute Beziehungen unterhielten, in das Turner-Bataillon eingereiht. Vgl. Geisel, S. 39
Die Turnerwehr wurde dann Oberst Johann Philipp Becker unterstellt. S. 42/43 (Geisel)

98 Beilage, Nr. 10 der ATZ, 15. Mai 1896, S. 103

99 ebenda, S. 103 – 105; dazu auch Geisel: »Zu Hunderten desertierten Soldaten und Volkswehrmänner, denen sicher klar geworden war, daß mit Waghäusel die Wende des Krieges eingetreten war.« a.a.O., S. 67.

100 Beilage Nr. 12 der ATZ, 15. Juni 1896, S. 115/16

101 ebenda; dazu auch Willichs Schreiben an Mieroslawski, in dem er dringend um Unterstützung bittet und Mieroslawskis Antwort. Nachlaß Willich, Blatt 24, I.I.S.G. Amsterdam

102 Noch am 3. Juli hatte Sigel von Freiburg aus eine Neueinteilung seiner stark zusammengeschrumpften Streitkräfte vorgenommen, entschlossen, den Kampf im Schwarzwald fortzusetzen. Die Truppe bestand aus drei Divisionen:
1. Division (Linientruppen) unter Oberst Köhler
2. Division (Pfälzer) unter Oberst Blenker
3. Division (Volkswehren) unter Oberst Becker
(Geisel, S. 76)

103 Nachlaß Willich, Blatt 26, I.I.S.G. Amsterdam

104 Nachlaß Willich, Blatt 27, I.I.S.G. Amsterdam

105 Nachlaß Willich, Blatt 28, I.I.S.G. Amsterdam

106 ebenda

107 ebenda

108 Nachlaß Willich, Blatt 34/37, I.I.S.G. Amsterdam

109 Der Tagesbefehl hat folgenden Wortlaut und soll wegen seiner Wichtigkeit für die späteren Ereignisse in den USA (Bürgerkrieg) hier voll zitiert werden:»Hauptquartier Stühlingen, den 8. Juli 1849. Der Oberst Blenker aus der Rheinpfalz, welchem der Oberbefehl über die II. Division, meistens aus Pfälzern bestehend, anvertraut war, hat in jeder Beziehung unverantwortlich gehandelt.
1. Er hat meinen bestimmten Befehl, sofort bei Lörrach eine Stellung zu beziehen, eigenmächtig nicht befolgt.
2. Er hat seine Befugniß, die notwendigen Lebensmittel nur gegen Bezahlung oder gegen Anweisung auf die Regierung zu requirieren, in dem Maße überschritten, daß er die empörendsten Brandschatzung und Plünderung vorgenommen hat.
3. Er hat sogar eine Kolonne Munitionswagen, welche hierher auf dem Marsch war, angehalten und 18 Wagen, mit Waffen, Munition und Lebensmitteln, für sich in Beschlag genommen.

Ich entsetze Blenker aller seiner Kommandos, erkläre ihn für einen feigen Plünderer und für einen Verräter am Vaterland und erteile jedem das Recht, denselben sofort zu verhaften und in das Hauptquatier abzuliefern.
        Der Obergeneral
        gez. Sigel
Nachlaß Willich, Blatt 45/47, I.I.S.G. Amsterdam

110 ebenda
An die Bewohner des Oberlandes!
(Zugleich ein Wort der Aufklärung für unsere Schweizer Nachbarn)
Mitbürger!
Seit einigen Tagen schon haben wir aus denjenigen Euerer Gemeinden, die wir mit den Abteilungen unserer auf dem Rückzug befindlichen Truppen durchzogen, die lautesten Klagen über *brutale Exzesse einzelner Nachzügler* vernommen, Klagen, die, wie wir zu unserem tiefsten Bedauern gestehen müssen, nur allzusehr gerechtfertigt sind. *Zusammengeraffte Trupps meist fremder Abenteurer, welche die heilige Sache unseres Freiheitskampfes zur schmutzigen Erwerbsquelle herabwürdigen, wagen es, in unserem Rücken kroatengleich das Land zu durchschwärmen, Eure Dörfer zu brandschatzen, Eure Häuser zu plündern und friedliche Bewohner zu mißhandeln.* Wir brauchen kaum Euch gegenüber unsere tiefste Entrüstung über ein solches Treiben auszusprechen, das wohl der fanatisierten Horden fürstlicher Söldlinge würdig ist, nicht aber unserer badischen Volkstruppen, die allein für *Eure Rechte* und für *Euren Schutz* streiten. Ihr wißt, daß nicht *wir*, nicht Eure Brüder und Söhne es sind, welche die Reinheit unserer Sache mit solchem Schmutze besudeln, sondern nur gewisse isolierte Streifcorps, die lieber an unseren wehrlosen Mitbürgern, als am bewaffneten Feind ihren Mut erproben und ohne Zweifel das Euch Geraubte als sichere Beute über die nahe Grenze zu schleppen gedenken. Glaubt nicht etwa, daß *wir*, die wir Eure für unsere Freiheitskämpfer seither bewiesene rühmliche Aufopferung in vollem Maße zu würdigen verstehen, der Wiederholung solcher Exzesse untätig zusehen würden! Wir fordern Euch hiermit ausdrücklich auf, jedesmal, wenn Rotten jenes Gesindels an Eure Türen pochen, sofort die *Sturmglocke zu läuten,* alle bewaffnete Mannschaft in Eurer Nähe aufzubieten und uns selbst durch Estafetten zu benachrichtigen. *Ihr dürft versichert sein, daß wir alsdann unverweilt mit unserer gesamten disponiblen Mannschaft zu Eurem Schutze herbeieilen und die Schuldigen ohne Schonung standrechtlich behandeln werden.*

216

Unsere wackeren Nachbarn in der Schweiz aber ersuchen wir bei dieser Gelegenheit, nicht etwa uns selbst mit jenen zweideutigen Individuen, die wir nicht als unsere Kameraden anerkennen, zu verwechseln und die ohnehin durch unsere Gegner vergrößerten Gerüchte über einzelne der oben erwähnten bedauerlichen Vorfälle nicht auf unsere gemeinsame Rechnung zu schreiben. Wir weisen jede Mitverantwortlichkeit für das Tun und Treiben einzelner *auf eigene Faust operierende Freischaren* hiermit aufs entschiedenste von uns, *und wenn wir gezwungen sein sollten, mit dem Rest unserer braven Truppen den Gastschutz der Schweizer Republik in Anspruch zu nehmen, so dürfen unsere Nachbarn versichert sein, daß er in uns keinen Unwürdigen zu Teil wird,* und daß wir wohl bereit sind, denselben, wenn es gilt, bei nächster Gelegenheit in den Reihen der Schweizer selbst gegen unseren gemeinsamen Feind tatsächlich zu vergelten.

Standquartier Säckingen, 7. Jul 1849

Das Kommando: gez. Friedrich Doll, Oberst, August Mersy, Oberst

[111] ebenda, Blatt 41/42

[112] Huhn, Heinrich: Pfalz und Baden im Jahre 1849. In Turner-Kalender, 1899, S. 40

[113] Wittke, S. 4; wahrscheinlich dominierten wirtschaftliche Gründe.

[114] Wie groß die Zahl der »Achtundvierziger« war, das heißt derjenigen, die *allein* aus politischen Gründen emigrierten, ist nicht genau festzustellen. Zuckers Schätzung von 3–4000 ist sicher zu gering, denn sie umfaßt nur die in der Öffentlichkeit Tätigen (Zucker, S. 44, Wittke, S. 3). Politische Motive spielten sicher auch bei den anderen Emigranten eine Rolle, selbst wenn sie sich nicht an der Revolution beteiligt hatten. Von dem Scheitern der Revolution waren alle Emigranten enttäuscht.

[115] vgl. Neumann, S. 63, der sich hierbei auf die Reports der Immigration Commission von 1821-1900 stützt und auch entsprechende Literatur anführt. Für das Jahr 1854 nennt Wittke sogar die Zahl von 221562.

[116] Neumann, S. 65

[117] Namensliste der Pioniere des Nordamerik.(anischen) Turnerbundes 1848–1862, im Auftrag des Bundesvorstandes zusammengestellt von Hugo Gollmer, St. Louis 1885. Die Aufstellung umfaßt 803 Mitglieder des 1851 gegründeten »Sozialistischen Turnerbundes« von Nordamerika und drei Nichtmitglieder und enthält unter anderem auch Angaben über den Zeitpunkt der Einwanderung einzelner Personen. Bei 756 wird das Datum genannt, bei 26 ist es nicht bekannt, 24 wurden in den USA geboren. Die Aufstellung ist nicht vollständig, da nur 67 Turner erfaßt sind, die zur Zeit der Edition (!) keine Bundesmitglieder mehr waren, darf aber in einigen Fragen als repräsentativ für die amerikanische Turnerschaft gelten.

[118] Die Jahreszahlen gelten jeweils *einschließlich* des genannten Jahres, die Prozentzahlen auf einer Basis von 756 = 100 %).

[119] Zwischen 1848 und 1854 liegen mehr als drei Viertel der Einwanderungen, allein in den letzten drei Jahren des genannten Zeitraums sind es 320, das heißt mehr als 40 %. Danach fällt die Einwanderungsquote stark ab, zwischen 1855 und 1860 liegt sie nur noch bei 95 (12,6 %). Metzner vermerkt dazu in seinem »Jahrbuch«: »Alle bis in die Mitte der fünfziger Jahre gegründeten Turnvereine haben ihr Entstehen und ihr verhältnismäßig rasches Aufblühen den verunglückten revolutionären Bewegungen in Deutschland zu verdanken, besonders der republikanischen Volkserhebung in Baden 1849, nach deren Niederlage Tausende von Flüchtlingen hier eine neue Heimat suchten...« Metzner, Jb. I, S. 24; an anderer Stelle vermerkt Metzner, daß die neuen Turnvereine »aus dem radikalsten Theile der deutschen Jugend« bestanden hätten. Ebenda S. 151. Die Aufsätze »Turnerei und Sozialismus«, aus denen das Zitat entnommen ist, stammen wahrscheinlich aus dem 1. Jahrgang des offiziellen Organs des »Sozialistischen Turnerbundes« (vgl. Neumann S. 84) und wurden 1891 in den Jahrbüchern wieder veröffentlicht. Jb. I, S. 145–153

[120] Das waren insgesamt 668 Personen

[121] Metzner, Jb. I, S. 223

[122] Offizielles Protokoll der Tagsatzung in St. Louis 1866 (zit. Tagsatzung 1866) S. 3.

[123] Zur »Namensliste« ist zu bemerken, daß sie zum Teil unvollständig ist und zahlreiche Druckfehler enthält, die bei den Jahreszahlen besonders ins Gewicht fallen.

[124] Aus den Statuten des Sozialistischen Turnerbundes von Nordamerika. Beschlossen in der Tagsatzung von Cincinnati 28. und 29. September 1852, S. 4 des Anhangs zu Nr. 17 der Turn-Zeitung, N. Y. II. Jg. 15. 12. 1852.

[125] Wittke, S. 37

[126] Biographien bei Metzner, Jb. III, S. 45–47, S. 131, S. 178 und Zucker S. 284 f.

[127] Metzner, Jb. I, S. 25. Biographie ihrer Gründer: Sigismund Kaufmann, Germain Metternich und Karl Eifler ebenfalls bei Metzner, Jb. I, S. 32–35 und 95–96, Jb. III, S. 285 f.

[128] Bekannteste Mitglieder hier waren der Turner-Dichter Carl Heinrich Schnauffer und Wilhelm Rapp, Vorsitzender des »Socialistischen Turnerbundes« und Redakteur des Bundesorgans »Turn-Zeitung«; vgl. Metzner, Jb. I, S. 130–132 und Biographie bei Zucker, S. 328 f.

[129] Metzner, Jb. I, S. 25

[130] Metzner, Jb. I, S. 27

[131] Wortlaut der Bestimmung: "Es wird allen Turnern zur Pflicht gemacht, sich in den Waffen zu üben". (Turn-Zeitung Cincinnati Nr. 10, 1851, S. 82.

[132] Metzner, Jb. I, S. 80

[133] Morison, S.E., Commager, H.St.: »Das Werden der amerikanischen Republik«, Bd. I, Stuttgart 1949, S. 674.

[134] Turn-Zeitung, Organ des Socialistischen Turnerbundes, hrsg. vom Vorort, 3. Jg. Philadelphia 1853/54, S. 355.

[135] Metzner, Jb. I, S. 82.

[136] Ebenda, S. 39, Zitat aus einer Rede Wilhelm Pfändlers, 1.1.1850.

[137] So z.B. Hecker, Struve, Heinzen und Willich; Metzner, Jb. I, S. 74, Neumann, S. 68, und S. 129 f.

[138] Franz Sigel war kurze Zeit Kriegsminister, dann Oberbefehlshaber der badischen Revolutionsarmee. Biographie bei Metzner, Jb. III, S. 77–80. Im engen Zusammenhang mit den Turnvereinen standen auch verschiedene militärische Vereinigungen wie die Feuerwehr Kompanien, die um eines politischen und gesilligen Zusammenschlusses willen von Deutschen ins Leben gerufen worden sind. (vergl. A.B. Faust, S. 354)

[139] Turn-Zeitung 1853/54, S. 298

[140] Protokoll des Tagsatzung von Pittsburgh 1854, Anhang zur Turn-Zeitung 1853/54, § 8 der Nebengesetze.

[141] Metzner, Jb. I, S. 83 f

[142] Turn-Zeitung, N.Y. No. 2, I. Jg. 1. Dezember 1851, S. 10.

[143] Metzner, Jb. I, S. 79 und S. 120

[144] Metzner, Jb. III, S. 61

[145] Metzner, Jb. I, S. 69

[146] Metzner, Jb. I, S. 223, Festrede von Rapp auf dem Bundesfest in Philadelphia

[147] DTZ 1875, S. 55

[148] Metzner, Jb. III, S. 59

[149] ebenda S. 64

[150] Turn-Zeitung 1853/54, S. 298

[151] Metzner, Jb. III, S. 207

[152] Turn-Zeitung 1853/54, S. 386

[153] Turn-Zeitung 1853/54, S. 298

[154] ebenda

[155] Wittke, S. 183

[156] Metzner, Jb. III, S. 207

[157] Wittke, S. 186

[158] ebenda Wittke, S. 186

[159] Metzner, Jb. I, S. 188 und Wittke, S. 188 f

[160] ebenda Jb. I, S. 213 f

[161] Metzner, Jb. II, S. 5–16

[162] Metzner, Jb. II, S. 13

[163] Wittke, S. 187

[164] ebenda; vgl. auch Metzner, Jb. II, S. 90–93

[165] Metzner, Jb. II, S. 92

[166] Wittke, S. 122 f

[167] Turn-Zeitung 1853/54, S. 387

[168] Metzner, Jb. I, S. 47

[169] ebenda S. 45

[170] Turn-Zeitung 1853/54, S. 297

[171] vgl. Turnliederbuch von Rothacker aus dem Jahre 1851 (Metzner, Jb. I, S. 20); 1880 wurde auf der Tagsatzung in Indianapolis beschlossen, das Motto »Frisch und Frei, Stark und Treu« zu wählen, das dann auch das Motto des deutschen Arbeiter-Turnerbundes, gegründet 1893, wurde.

[172] In Cleveland z.B. führten sie an einem Sonntag vor einer Kirche ihre Übungen durch und pochten gegenüber der herbeigerufenen Polizei auf ihr Recht, sich vor einem öffentlichen Gebäude versammeln zu dürfen. Wittke, S. 40, ähnlich New York TV 1950, S. 30; 50

[173] Metzner, Jb. I, S. 146

[174] Turn-Zeitung 1853/54, S. 357

[175] Metzner Jb. I, S. 224

[176] Turn-Zeitung 1853/54, S. 352

[177] Metzner, Jb. I, S. 172

[178] Metzner, Jb. I, S. 209, 216

[179] Das Tagsatzungsprotokoll Chicago 1859, S. 4, weist aus, daß sich die Zahl der Vereine mit Bibliotheken in einem Jahr verdoppelt hatte, und zwar von 19 Vereinen mit 4.319 Bänden auf 40 Vereine mit 15.000 Bänden.

[180] Folgende Fächer sollten hier unterrichtet werden: englische Sprache, Mathematik, Naturlehre, praktische Chemie, Zeichnen, Geschichte, Geographie, Buchhaltung. Metzner, Jb. I, S. 275

[181] Metzner, Jb. III, S. 6

[182] Tagsatzungsprotokoll Chicago 1859, S. 10

[183] »Geharnischte Naturen,
Für's Recht bereit zum Streit
Aufdrücken ihre Spuren
Sie mannhaft ihrer Zeit,
Denn wo man Zeit und Ketten bricht,
Ist mitzustreiten Turnerpflicht.«
Carl Heinrich Schnauffer: »Turnerlied«, abgedruckt bei Metzner, Jb. I, S. 219.

184 Turn-Zeitung 1853/54, S. 467

185 ebenda, S. 299

186 Zucker, S. 121

187 So schreibt Zucker: »This party, the outward expression of the greatest protest movement of the century, counts among its founders and early organizers many of the German nonconformists who saw in the struggle against slavery, injustice, and class rule an historical parallel to the own lost cause in the fatherland«. Zucker, S. 120

188 Metzner, Jb. I, S. 82

189 So Charleston, Savannah, Mobile und Augusta, später auch Galveston und Richmond. Metzner, Jb. I, S. 257, II, S. 20 und 138

190 Metzner, Jb. II, S. 94

191 Metzner, Jb. II, S. 25

192 ebenda S. 31

193 Metzner, Jb. II, S. 72

194 Neumann, S. 97

195 Metzner in DTZ 1875, S. 54

196 Metzner, Jb. III, S. 63

197 Metzner, Jb. III. S. 49 ff; Zucker, S. 71 ff; Faust, The German Element I, S. 484 ff

198 Metzner, Jb. III, S. 45 ff; Euler II, S. 204

199 siehe Weitlings Kolonie »Communia«

200 Zucker, S. 323; Metzner, Jb. I, S. 263

201 Metzner, Jb. I, S. 263

202 Kaufmann, S. 584

203 Von 1875 – 1880 war er Staatsschatzmeister der Republikanischen Partei, danach widmete er sich Versicherungs- und Grundstücksgeschäften. Neu Ulm entwickelte sich gut weiter, nachdem die Wunden, die es im Bürgerkrieg durch den Indianereinfall erhalten hatte, vernarbt waren, obwohl viele der Siedler wegen der Indianergefahr nicht zurückkehrten. – Neunzehn Jahre nach dem Indianerüberfall sank Neu Ulm abermals in Trümmer, als am 15. Juni 1881 ein schwerer Orkan die Stadt heimsuchte. Ein großer Teil der Turner befand sich damals auf dem Bundesturnfest in Minneapolis, als sie folgendes Telegramm erhielten: »Neu Ulm is all in ruins – nearly every house in town is blown down.« Ein Hilfskomitee unter Vorsitz von Pfänder wurde gebildet. Siebzig Turnvereine halfen spontan. Die Stadt mußte noch einmal aufgebaut werden (Turnerkalender 1882, S. 63 – 69). – Noch ein Jahr vorher hatte Pfänder über Neu Ulm geschrieben: »Fragen wir, ob der Turnerbund durch Eingehen auf jenes Ansiedlungsprojekt verloren oder gewonnen hat, so wird die Auskunft, daß der Neu Ulmer Turnverein während 24jährigen Bestehens ruhig, aber konsequent vorangear-

beitet hat und besonders in prinzipieller Beziehung stets eine entscheidende radikale Stellung einnimmt; ... Der Turnverein gilt mit Recht als einer der besten im Nordwesten ...« (W. Pfänder: Turner-Pionierleben. In: Turnerkalender 1881, S. 68)

204 Metzner, Jb. I, S. 126 ff

205 Zucker, S. 94 f; Metzner, History, S. 14

206 Turnerkalender 1885, S. 31

207 One Hundredth Anniversary, New York Turnverein ( im folgenden abgekürzt: New York 100), S. 12 und A. F. Kierschner, New York Turnverein 100th Anniversary. In: The American-German Review, Vol. XVI 1949/50, Nr. 6, S. 7 – Das erste Turnerlokal war in Erhard Richters Brauerei in der Forsyth Street, später war es Hartungs Lokal in City Hall Place.

208 Die Gründung fand in Stubenbords Lokal in der Duane Street statt.

209 Gedenkschrift zur Feier des 75jährigen Jubiläums des New Yorker Turnvereins, 6. – 14. Juni 1925, S. 12 (im folgenden abgekürzt: New York 75)

210 Metzner, Jb. I, S. 32 ff; Zucker, S. 308; Euler, II, S. 204 – 1877 – 1879 hatte Kaufmann das Amt des Präsidenten der »Deutschen Gesellschaft« der Stadt New York inne und war Mitglied der Einwanderungskommission. In dieser Funktion schützte er die armen Einwanderer vor Übervorteilung und Betrug und half ihnen nicht selten mit eigenen Geldmitteln weiter. Wegen eines Nierenleidens mußte er dann allmählich seine öffentliche Tätigkeit einstellen; 1888 reiste er nach Deutschland, um in verschiedenen Bädern Heilung zu suchen. Er starb 1889 in Berlin.

211 Metzner, Jb. II, S. 285, Zucker, S. 315

212 Metzner, Jb. I, S. 95 f; Zucker, S. 291; Euler, II, S. 203

213 Metzner, Jb. I, S. 35 ff; Wittke, Refugees, S. 153; Zucker, S. 231

214 Metzner, Jb. III, S. 77 ff; New York 100, S. 50 und Dictionary of American Biography IX, S. 153

215 New York 75, S. 12

216 ebenda S. 14

217 New York 100, S. 6 und 69; Neumann, S. 120

218 New York 75, S. 14 – 1853 wurde eine obligatorische Krankenkasse eingeführt. Sie bestand jedoch nur ein Jahr als Pflichtversicherung und wurde später von einigen Mitgliedern privat weitergeführt.

219 New York 100, S. 40

220 Metzner, Jb. I, S. 213

221 Cunz, Dieter: The Maryland Germans. Princeton, N. J. 1948, S. 250 f

222 ebenda, S. 273

223 Jb. I, S. 130 – 132; E. A. Zucker, Carl Heinrich Schnauffer. In: 24th Report of the Society of the History of the Germans in Maryland, 1938, S. 21

224 Jb. I, S. 132

225 Zucker, S. 22

226 Zucker, S. 328; Cunz, S. 273

227 Cunz, S. 274

228 Indianapolis Turnverein, Seventy Fifth Anniversary, 1851 – 1926, S. 5

229 ebenda, S. 6

230 ebenda, S. 6

231 Jb. I, S. 27 und 80

232 Indianapolis Turnverein, S. 9

233 ebenda, S. 11

234 Faust, The German Element, I, S. 469

235 Schulte, a.a.O., Anmerkung 135

236 Schulte, S. 11, 16, 23

237 Schulte, S. 38

238 Schulte, S. 67 – 81

239 Zucker, S. 116

240 90 Years of Service, The Milwaukee Turner, 1853 – 1943, S. 26

241 Conzen, S. 179

242 Conzen, S. 180

243 ebenda

244 zit. nach H. Schlüter; Die Anfänge der deutschen Arbeiterbewegung in Amerika, S. 206

245 ebenda, S. 29
In der schriftlichen Begründung der Brüsseler Beschlüsse, die sich auf Zitate aus Artikeln des »Volkstribun« bezog, heißt es u. a.: »Dieser Liebessabbelei entspricht es, daß Kriege… den Kommunismus als den liebevollen Gegensatz des Egoismus darstellt, und eine weltgeschichtlich revolutionäre Bewegung auf die paar Worte: Liebe – Haß, Kommunismus – Egoismus, reduziert.« (S. 30)

246 Zentrum seines Wirkens war im Herbst 1848 Berlin. Hier gab er die Wochenschrift »Der Urwähler« heraus, die das Motto trug: Keine Güterverteilung! Keine Zwangsarbeit! Aber lohnende Arbeit und ehrlicher Handel für alle,« zit. nach Schlüter, a.a.O., S. 51

247 ebenda, S. 70

248 ebenda, S. 71

249 Die Einrichtung einer Gewerbetauschbank stelle sich Weitling folgendermaßen vor: »Die Gründung einer Gewerbetauschbank, wie sie sein muß, um dem Zweck zu entsprechen, bedingt die Ausgabe eines neuen Arbeitspapiergeldes und die Einrichtung von Magazinen und Stores. In diese Magazine oder an deren Agenten können die Arbeiter, Arbeitgeber und Farmer ihre Produkte jederzeit gegen das Arbeitergeldpapier verkaufen und für dieses Papiergeld kaufen, was sie brauchen, so daß mit der Gründung dieser Tauschbank jedes Miglied stets Arbeit haben und seine Produkte stets verkaufen und kaufen kann, ohne an die Kapitalisten und Zwischenhändler appellieren und sich von ihnen betrügen lassen zu müssen. Jeder wird in den Tauschregeln dieser Gewerbetauschbank stets den vollen Wert seiner Auslagen und seiner Arbeit erhalten.« (Schlüter, S. 72)

250 ebenda, S. 84/85

251 Daß Weitlings erbitterte Gegnerschaft zu Karl Marx mit dazu beigetragen hat, muß bezweifelt werden, da Marx zu der Zeit kaum Einfluß in deutschamerikanischen Arbeiterkreisen hatte.
Als August Willich im Dezember 1853 von London, wo er zunächst mit Karl Marx zusammengearbeitet, dann sich aber mit ihm überworfen hatte, nach New York kam, schrieb Weitling in der »Republik der Arbeiter«: »Die zweideutige und Intrigante Stellung des Marx und seiner Freunde in der Arbeiterbewegung ist ja bekannt genug. Bekannt ist, daß Marx die Arbeiter nur als eine zur Selbsthilfe und Selbstregierung unfähige Masse betrachtet, die nach dem Gebot und Willen eines außer und über ihr Stehenden zu den humanistischen und sozialistischen Endzielen getrieben werden muß, welche dieser gesetzgebende Einzelne eben für gut befindet.« zit. nach Schlüter, a.a.O., S. 106

252 Gründungsversuche dieser Art auf amerikanischem Boden, bewirkt durch deutsche Arbeiter mit kommunistischen Vorstellungen, waren in den vierziger Jahren keine Seltenheit: so wurde von Philadelphia aus die Kolonie »Teutonia« gegründet, im Staate Missouri entstand die Kolonie »Helvetia«, in Wisconsin die Kolonie »Germania«. Die Gründung der Kolonie »Communia« geht auf einen Heinrich Koch zurück, der im mexikanischen Krieg Kapitän einer »kommunistischen« Freischar war und für seinen Dienst von der US-Regierung Land erhalten hatte. Seine als »kommunistisch« bezeichnete Gefühlsschwärmerei führte das Unternehmen bald in eine Krise, und er verließ die Kolonie.

253 Schlüter, a.a.O., S. 113

254 Karl Obermann: Joseph Weydemeyer, S. 7

255 ebenda S. 79

256 IISG Amsterdam, Mappe Weydemeyer 56

257 zit. nach Obermann, S. 244;

258 IISG Amsterdam, Mappe Weydemeyer 232 – 252

259 ebenda

260 Mappe 250

261 Obermann, S. 303, ZPA-IML (= Zentrales Partei-archiv des Institus für Marxismus-Leninismus beim ZK der KPdSU) Moskau, Fonds 1, Inventar-liste 5 Nr. 433 und 465

262 Obermann, S. 331 ZPA–IML, Moskau, Fonds 182 III Nr. 4051

263 Obermann, S. 374 ZPA–IML, Moskau, Fonds 1, Inventarliste 5, Nr. 960

264 Obermann, S. 387 ZPA–IML, Moskau, Fonds 1, Inventarliste 5, Nr. 1510

265 Heinzen: Teutscher Radikalismus (1854), S. 28

266 ebenda S. 38

267 ebenda

268 ebenda S. 55

269 ebenda

270 ebenda S. 41

271 Jb. I, S. 27

272 Turn-Zeitung, 1. Jg. Nr. 1, 15. Nov. 1851, Vorwort,

273 Turn-Zeitung, 3. Jg. Nr. 39, 15. Nov. 1853, S. 310

274 ebanda

275 Turn-Zeitung, 3. Jg. Nr. 41, 15. Dez. 1853, S. 325

276 ebenda, S. 326/27

277 Turn-Zeitung N.Y., 2. Jg. Nr. 19, 15. Januar 1853, S. 147/48

278 Obermann, S. 270 ZPA-IML Moskau, Fonds 1, Inventarliste 15, Nr. 511

279 Obermann, S. 286

280 Schlüter, a.a.O., S. 202

281 »Sozialismus und Turnerei«, in Jb. I, S. 153

282 Turn-Zeitung (Philadelphia), 3. Jg. Nr. 49, 15. April 1854, S. 386/87

283 Mappe 261 – 287

284 ebenda

285 nach Obermann, S. 377; vgl. United States War Departement: War of the Rebellion II, vol. 4, 1899, S. 465

286 Zucker, a.a.O., S. 171

287 Huhn, Heinrich: Ein Gedenkblatt, in: Turner-kalender 1886, S. 25

288 Wittke, Against the Current, a.a.O., S. 301
In einem Vortrag, den er 1865 hielt, klagte er: »Wird man uns nachrühmen, daß wir diesem Lande noch etwas anderes eingeführt haben als das Lagerbier, den Weinbau, den Bauchschwung, das voting cattle und die Kölner Karnevalspossen«?. In: Teutscher Radikalismus in Amerika, Bd. I, 1867, S. 305

289 Boppe, C.H.: Karl Heinzen, in: Turnerkalender 1882, S. 71

290 ebenda

291 Boppe, C.H.: Zur Geschichte der Sklaverei. In: Turnerkalender 1886, S. 104

292 ebenda
John Brown wurde im Norden ein nationaler Held. Besonders sein Auftreten vor seinem Richter wirkte nachhaltig. Zwei Jahre nach seinem Tod zogen die Unionstruppen mit dem Schlachtgesang ins Feld: »John Browns Körper modert tief im kühlen Grab, doch sein Geist marschiert mit uns!«

293 zitiert nach Boppe, Turnerkalender 1886, S. 110

294 ebenda, S. 111

295 ebenda

296 ebenda, S. 112

297 ebenda, S. 116

298 ebenda

299 ebenda, S. 120

300 Nachlaß Weydemeyer, Mappe 351, IISG Amster-dam

301 Wittke, Against the Current, S. 290

302 Heinzen, Teutscher Radikalismus (1862), S. 23

303 ebenda

304 Karl Schurz, Lebenserinnerungen, Bd. 2, S. 375

305 ebenda, S. 376/77

306 Metzner, Jb. III, S. 214

307 Metzner, DTZ 1875, S. 399

308 Die Schätzungen schwanken zwischen 176 817 und ca. 216 000; Wittke, S. 222

309 vgl. Zucker, S. 108

310 DTZ 1866, S. 165; Metzner schätzt, daß 5 – 6000 organisierte Turner und 2000 ehemalige Mitglieder in die Unionsarmee eintraten. Die Zahl erscheint zu hoch; Jb. III, S. 63

311 Indianapolis Turnverein (1851 – 1926) Seventyfifth Anniversary, S. 4

312 Metzner, DTZ 1875, S. 339

313 vgl. Neumann, S. 106

314 vgl. Neumann, S. 107 ff, dazu die Würdigung Grants: »If St. Louis had been captured by the rebels, it would have made a vast difference in our war. It would have been a terrible task to have recaptured St. Louis, one of the most difficult that could have been given to any military man.« Aus: John Russel Young: Around the World with Genral Grant. Vol. II, New York, 1879, S. 466

315 Zucker S. 185 ff

316 Zucker S. 102 – 104

317 Kaufmann, S. 445

318 Kaufmann, S. 466 – 470

319 Kaufmann, S. 449 – 466

320 Kaufmann, S. 472 – 475 und Balser, S. 223

321 Kaufmann, S. 509

322 Turner-Kalender 1886, S. 26 – 40; ferner Kaufmann a.a.O. Deutsche Unionsoffiziere (Biographischer Teil)

323 Ergänzend hierzu sei vermerkt, daß allein der Staat New York folgende reindeutsche Regimenter stellte:
No. 7., Steuben-Schützen, Oberst v. Schack
No. 8., Obersten Blenker, Stahel, Wutschel, Prinz Salm
Nr. 20., Turner-Regiment, Oberst Max Weber
No. 29., Astor-Schützen, Oberst v. Steinwehr
No. 41., De Kalb-Regiment, Oberst v. Gilsa
No. 45., Oberst v. Amsberg
No. 46., Oberst v. Rosa, später Gerhard
Nr. 52., Sigel-Schützen, Oberst Freudenberg
No. 54., Oberst Gellmann
No. 103., Oberst v. Egloffstein, später Ringold und Heine
(Aus: Kaufmann, s. 185)

324 Hermann Schuricht: History of the German Element of Virginia, Bd. 2, S. 66, zit. nach Kaufmann, S. 141

325 siehe Geschichte des Turnvereins New Orleans 1855 – 1861; Metzner, Jb. III, S. 82 – 85; ferner Kaufmann, S. 568

326 Kaufmann, S. 566

327 Wittke, S. 241

328 Zucker vermerkt dazu: »There is an old truism that to love something one must fight for it«, Zucker, S. 241

329 Zucker, S. 219

330 Wittke, S. 241

331 The People Shall Judge. Readings in the Formation of American Policy, a.a.O., I.S. 770

332 a) »carpetbaggers«, b) »scalawags«: a) Glücksritter, beutehungrige, überstürzte Reformen betreibende Radikale, die bei ihrer Ankunft nur ihre Mantelsäcke trugen, ihr einziges Hab und Gut. b) Lumpen, Gesindel, meist aus dem »White Trash« stammend, südliche Parteigänger der Republikaner bzw. Kollaborateure

333 Tabelle entnommen: Erich Angermann: Der Aufstieg der Vereinigten Staaten von Amerika. Innen- und außenpolitische Entwicklung 1607 – 1914. In: Quellen- und Arbeitshefte für den Geschichtsunterricht. Klett Verlag Stuttgart Nr. 4237. S. 37

334 Hofstadter, Richard: The American Political Tradition and the Men Who Made It. Vintage Book K 9, New York 1954, S. 164 f

335 Metzner DTZ 1875, S. 340

336 Diese Formulierung wurde vom Verfasser gewählt, um eine Parallele zu den Vorgängen in Deutschland 1859 aufzuweisen.

337 Metzner DTZ 1875, S. 341

338 vgl. Tagsatzunsprotokoll St. Louis 1866, S. 3

339 Metzner DTZ 1875, S. 351, 353. Die Zahl der Vereine, die nicht dem Bund angeschlossen waren, betrug 1868 nur 23 mit 850 Mitgliedern; Metzner, Jb. III, S. 163. Der Plan einiger unabhängiger Vereine, einen unpolitischen Bund zu gründen, scheiterte völlig, Metzner DTZ 1875, S. 159.

340 Metzner, Jb. III, S. 155, 167

341 Tagsatzungsprotokoll St. Louis 1866, S. 3

342 Metzner DTZ 1875, S. 341

343 Seit 1868 wurden die Bundesbeiträge nicht mehr pro Stimme, sondern pro Mitglied erhoben. Außerdem hatte jeder Turner eine Sonderzahlung von 5 Cents für die »Turner-Schulbücher« zu entrichten. Metzner DTZ 1875, S. 351. Nach Metzner haben diese Schulbücher, die neben dem Erlernen der deutschen Sprache humane und sittliche Bildung und die Vermittlung moderner naturwissenschaftlicher Erkenntnisse und Errungenschaften zum Ziel hatten, ganz dem Geist der Zeit entsprochen und deshalb auch die Billigung der Tagsatzung (1866) gefunden. Metzner, Jb. III, S. 148. Eine Aufstellung der Schul-Turnbücher findet sich im Protokoll der Tagsatzung von Boston 1868, S. 8.

344 Die absoluten Zahlen sind bei Leonard, a.a.O., S. 300 genannt. Dabei ist noch zu berücksichtigen, daß zu den aktiven Mitgliedern auch diejenigen gezählt wurden, die nur hin und wieder am Turnen teilnahmen. Der Anteil der regelmäßig am Turnbetrieb teilnehmenden Turner lag 1866 sogar nur bei 26,7 %; bgl. DTZ 1866, S. 165.

345 Metzner, Jb. III, S. 148

346 Metzner, Jb. III, S. 148

347 Metzner, Jb. III, S. 168

348 vgl. Metzner, Jb. III, S. 159 – 162

349 Metzner, Jb. III, S. 226

350 Metzner, Jb. I, S. 147

351 Metzner, Jb. I, S. 117

352 Turnzeitung, Jg. 1853/54, S. 297

353 Balser, F.: Sozial-Demokratie, S. 222

354 Berliner Wochenbericht vom 26. Dez. 1852, Nr. 3, zit. nach Balser, S. 223

355 Badisches Generallandarchiv Karlsruhe, 236/8757, zit. nach Balser, S. 222

356 zit. nach Schlüter, a.a.O. 170

357 ebenda

358 Faust, a.a.O., S. 174

359 Schlüter, S. 171

360 ebenda

361 zit. nach Sorge, a.a.O., S. 240

362 ebenda

363 Aus dem Inventar des Marx-Engels-Nachlasses I und II, D 4135; in den Briefen Sorges an Marx fallen die sehr abfälligen Bemerkungen gegenüber denen auf, die nicht auf Sorges Linie einschwenken. Die amerikanischen Sozialisten werden »Schwätzer und eitle Reformer« genannt (D 4112, Brief vom 22.9.1871), oder »Intriganten und Schwätzer, die Irrtümer, Lügen und Beleidigungen in die Welt geschleudert hatten, daß ein Miteinanderwirken unmöglich war« (D 4116, ähnlich D 4117); dann spricht er von »ränksüchtigen Amerikanern« und »aufgeblasenen Franzosen« (D 4119). Interessant sind in diesem Zusammenhang auch Auszüge aus einer amerikanischen Zeitschrift, die Sorge seinem Brief an Marx vom 10. April 1872 beilegt. Unter der Überschrift »Split among the Internationals. Communistic and socialistic system will not work together« – wird der von Deutschen provozierte Bruch einmal auf die deutsch-französischen Gegensätze, das heißt konträre kommunistische und sozialistische Prinzipien, zurückgeführt, dann auf die Amerikaner, die erklärt hätten, sie kümmerten sich nicht um »ismen«, ihnen ginge es nur darum, bestehendes Unrecht gegenüber den Arbeitern zu beseitigen. An Engels schreibt Sorge am 20. Januar 1887 über deutsche sozialdemokratische Emigranten: »Die sogenannten Parteigenossen, welche uns Deutschland herüberschickt, sind zu neun Zehntel hier unbrauchbar, weil sie sich in Nichts finden und schicken können, auch aus Eitelkeit oft nicht wollen« (L 584). Beachtung verdient ferner ein Brief Engels an Sorge vom 8. August 1887 (Brief 356, Bd. 36, S. 688), der sich auf die wachsenden sozialen Kämpfe und Spannungen in den USA bezieht: »Die Geschichte ist bei Euch endlich einmal in Gang, und ich müßte meine Amerikaner schlecht kennen, wenn sie uns nicht alle in Erstaunen setzen durch die Großartigkeit der Bewegung, aber auch durch die Riesenhaftigkeit ihrer Böcke, die sie schießen und vermittels derer sie sich endlich zur Klarheit durcharbeiten werden. Praktisch allen voraus und theoretisch noch in den Windeln – so ist es einmal und kann nicht anders sein. Aber dabei ein Land ohne Tradition (außer der religiösen), und das von der demokratischen Republik ausgegangen ist, und ein Volk wie kein anderes. Der Gang der Bewegung wird keineswegs die klassische grade Linie verfolgen, sondern arg im Zickzack gehen und stellenweise rückläufig scheinen, aber das macht dort viel weniger als bei uns«.

364 Heinzen: Teutscher Radikalismus, Bd. 3 (Über Kommunismus und Sozialismus) S. 204/205, (1875)

365 »The first large society to adopt and propagate socialism in America was composed of the German Gymnastic Unions (Turnvereine)«. Ely, R. T., »The labor movement in America«. New York, 1886, a.a.O., S. 221. Über den späteren Turnerbund sagt er: »The Turnerbund is no longer nominally socialistic, but it recommends the careful study of social questions, and has adopted resolutions in favor of radical reforms … In accordance with its general conservative character it declares that social, religious, and political reforms can only be secured by the spread of education and morality« (ebenda, S. 224)

366 Sorge, a.a.O., S. 237

367 William Z. Forster schreibt in seiner »Geschichte der Kommunistischen Partei der Vereinigten Staaten«, Berlin 1956, S. 26/27: »Weydemeyer und seine Gesinnungsfreunde fanden die sozialistische Bewegung in den Vereinigten Staaten in Verwirrung. Weitlings Plan einer Gewerbeaustauschbank wirkte zersetzend, Kriege propagierte seine Bodenreformideen als Allheilmittel, Willich und Gottfried Kinkel wollten die Bewegung einfach zu einer Campagne zur Förderung der Revolution in Deutschland machen, und daneben gab es die verschiedenen Gruppen von Utopisten und Anarchisten.

Von allen diesen Gruppen hatte nur der im Jahre 1850 gegründete Deutsche Turnverein ein relativ durchdachtes Programm. Gestützt auf fortschrittliche, sozialistische Ideen, lehnte er konspirative Gruppen ab und schlug statt dessen eine umfassende, in den Massen verwurzelte demokratische Bewegung vor. Diese Marxisten unterstützten zwar die Bodenreformbewegung und ähnliche Bestrebungen, wiesen aber gleichzeitig warnend darauf hin, daß sie nicht zum Sozialismus führten. Sie betonten nachdrücklich, daß die Befreiung der Arbeiterklasse nur im Kampf gegen die Kapitalistenklasse unter Führung des Proletariats vollbracht werden könne«.

Bei Max Beer findet sich in »Allgemeine Geschichte des Sozialismus und der sozialen Kämpfe«, Berlin 1931, S. 605, nur ein lapidarer Satz, der so allgemein gehalten ist, daß er – gemessen an der historischen Realität – sich als nicht richtig erweist: »Die ersten Träger des kommunistischen Gedankens waren die Turnvereine«. Morris Hillquist schreibt in »Geschichte des Sozialismus in den Vereinigten Staaten«, Stuttgart 1906, S. 157/58: »Die Turner schlossen sich auf politischem Gebiet zwar der Freilandpartei an, erklärten es aber als ihr Ziel, eine sozialistische Partei in den Vereinigten Staaten zu gründen … Auf jeden Fall scheinen die Turnvereine nach dem Bürgerkrieg keinen direkten Einfluß auf die Arbeiterbewegung ausgeübt zu haben; nach dem Kriege formten die Turner ihr politisches und soziales Glaubensbekenntnis bedenklich nach der konservativen Seite hin und änderten den Namen ihrer nationalen Organisation in »Nordamerikanischer Turnverband«, obwohl einzelne Ortsvereine noch das Wort sozialistisch in ihrem Namen bewahren und mit der sozialistischen Bewegung sympathisieren«.

[368] Ely, Labor Movement in America, S. 359 ff
[369] ebenda
[370] ebenda
[371] Ely, a.a.O., S. 362
[372] vgl. Gründungsdokument, Jb. I, S. 24–31
[373] vgl. hierzu Hillquist a.a.O., S. 208 f
[374] Metzner, Jb. III, S. 280
[375] Jb. III, S. 206
[376] Jb. III, S. 206
[377] Jb. III, S. 211
[378] Kuczyinski, a.a.O., S. 211
[379] ebenda S. 257
[380] Ely, S. 56, 111/112
[381] Arding, a.a.O., S. 308
[382] Die Errichtung dieses ersten Arbeitsbüros ist dem Sozialreformer Ira Steward aus Boston zu verdanken, der auch gute Verbindungen zu deutschen Anhängern der Internationalen Arbeiterassoziation in den USA hatte: Sorge, S. 398–400
[383] Arding, a.a.O., S. 309
[384] Kuczynski, a.a.O., S. 258, zit. nach „Report of the Bureau of Statistics of Labor", Massachusetts 1870
[385] Kuczynski, a.a.O., S. 230 ff
[386] Arding, a.a.O., S. 312
[387] Steele and Nevius (Ed.): The Heritage of America, Boston 1949, S. 956 f
[388] Nachlaß Becker, I.I.S.G., Mappe 38
[389] Kuczynski, a.a.O., S. 262 ff
[390] Protokoll der 7. Tagsatzung S. 4
[391] ebenda
[392] Empfehlungen des Comitees für geistige Bestrebungen, Protokoll der 7. Tagsatzung, S. 11
[393] Protokoll der 8. Tagsatzung, S. 4
[394] Metzner, History, a.a.O., S. 27
[395] Protokoll 8. Tagsatzung, S. 17
[396] Jb. III, S. 271
[397] ebenda
[398] Protokoll 8. Tagsatzung, S. 17
[399] Metzner konstatiert daher mit Recht: As the years passed by the Turners devoted their energies less to the political and more to the educational side of the program", a.a.O., S. 28

[400] Protokoll 11. Tagsatzung, S. 19/20
[401] ebenda, S. 19
[402] Protokoll der 12. Tagsatzung, S. 4/5
[403] ebenda, S. 23
[404] ebenda
[405] ebenda
[406] Jb. III, S. 265/266
[407] Jb. 1886/87, S. 7
[408] Jb. III, S. 269
[409] Der «Turnerkalender» des NAT erschien erstmals 1880, dann jährlich bis 1902. In ihm sollten die Ziele der Turner in propagandistischer Weise niedergelegt werden.
Da alle wichtigen Mitglieder des Turnerbundes zwischen 1880 und 1900 im »Turnerkalender« Beiträge veröffentlichten, – z.T. von hohem Niveau – wurde er zu einem wichtigen Organ des NAT.
[410] a.a.O., S. 102
[411] ebenda
[412] a.a.O., S. 104
[413] ebenda, S. 104
[414] ebenda, S. 106
[415] ebenda, S. 109
[416] ebenda
[417] ebenda, S. 112
[418] ebenda, S. 113
[419] ebenda, S. 116
[420] ebenda, S. 117
[421] ebenda, S. 117
[422] a.a.O., S.47
[423] ebenda, S. 52
[424] a.a.O., S. 75
[425] ebenda, S. 77
[426] ebenda
[427] a.a.O., S. 106
[428] ebenda, S. 108
[429] a.a.O., S. 76
[430] a.a.O., S. 95
[431] ebenda, S. 96
[432] ebenda, S. 96
[433] ebenda, S. 96/97
[434] ebenda, S. 102
[435] ebenda, S. 105
[436] Die wichtigsten Forderungen sind: Koalitionsfreiheit, Arbeitszeitverkürzung, Haftpflicht des Arbeitgebers, Verbot der Kinderarbeit unter 14 Jahren, sanitärer Schutz in Fabriken und Wohnungen, Verbot von Landschenkungen, Ansiedlung Unbemittelter durch öffentliche Mittel, Festlegung eines Maximal-Grundbesitzes für den Einzelnen, Festlegung eines Normal-Zinsfußes, Gründung von

staatlichen Kranken-, Alters-, Lebensversiche-
rungskassen, Überführung aller der Öffentlichkeit
dienenden Verkehrsmittel (Eisenbahn etc.) an den
Staat, Abschaffung der Monopole, progressive Ver-
mögens-, Einkommens- und Erbschaftssteuer,
Übergang vom System des Schutzzolles zum Frei-
handelssystem, unentgeltlicher Unterricht für
jeden, unentgeltliche Rechtspflege.

[437] ebenda, S. 107

[438] Boppe hatte 1877 die Redaktion des Milwaukeer
»Freidenker« übernommen. 1878 wurde der »Freidenker« zum offiziellen Organ des Turnerbundes
gewählt. Die turnerische Beilage des »Freidenker«
wurde 1885 in das Bundesorgan, die »Amerikanische Turnzeitung« aufgenommen.

[439] AMTZ Nr. 13, 28. März 1891

[440] vgl. Samhaber, a.a.O., S. 285

[441] AMTZ Nr. 7, 17.2.1901

[442] Protokoll der 18. Tagsatzung des NAT, 1898, S. 20

[443] ebenda

[444] ebenda

[445] AMTZ Nr. 7, 12. Februar 1899

[446] AMTZ Nr. 41, 11. Oktober 1896

[447] Schurz, Lebenserinnerungen, Bd. 3, S. 472

[448] ebenda, S. 473

[449] ebenda, S. 477

[450] ebenda, S. 480

[451] Protokoll der 19. Tagsatzung 1900, S. 25

[452] Bezeichnend für einen sich anbahnenden Wandel
sozialpolitischer Zielvorstellungen war die Tatsache, daß Anträge, in die Grundsatzerklärung die
Überführung aller Produktionsmittel aus dem
Privateigentum in Gemeineigentum in einer sozialistischen Gesellschaftsordnung aufzunehmen, auf
der 19. Tagsatzung mehrheitlich zurückgewiesen
wurden; ebenda.

[453] Philipp Rappaport, der an den »Grundsätzen« mit-
gearbeitet hatte, bemerkte dazu in der AMTZ Nr. 46
vom 17. November 1901: »... die Annahme einer
radikalen Plattform ist zur Zeit und wie der Turnerbund beschaffen ist, eine Unmöglichkeit. ... Bes-
seres aber ist nicht zu erreichen, und es hat keinen
Zweck, mit dem Kopf gegen die Wand zu laufen«.

[454] ebenda

[455] Dazu ebenfalls Rappaport: »Ich muß zugestehen,
daß dieser neue Entwurf sich nicht für den Sozialismus ausspricht; so lange aber die Mehrheit der
Turner nicht aus Sozialisten besteht, kann man
doch nicht erwarten, daß eine geradezu sozialistische Plattform Annahme findet« (AMTZ Nr. 52,
27. Dez. 1908)

[456] Jahresbericht des Vororts über die Verwaltungs-
periode 1.4.1890 bis 1.4.1891, S. 102

[457] Jahresbericht des Vororts 1.4.1892 – 1.4.1893, S. 70

[458] vgl. Samhaber: »Geschichte der Vereinigten
Staaten von Nordamerika, S. 277

[459] Jahresbericht des Vororts, 1.4.1898 – 1.4.1897, S. 3

[460] Samhaber, S. 280

[461] Jahresbericht des Vororts, 1.4.1899 – 1.4.1900

[462] vgl. Jahresbericht des Vororts, 1.4.1894 – 1.4.1895,
S. 8

[463] Jahresbericht des Vororts, 1.4.1891 – 1.4.1892, S. 6

[464] So schrieb er in der Turnzeitung: »Wenn da und
dort – und das ist lediglich im Turnbezirk Chicago
der Fall – lokale Wirren von sich reden machen,
so kann man dem keine allgemeine Bedeutung bei-
legen« (AMTZ Nr. 9, 1. März 1891)

[465] AMTZ Nr. 37, 13. September 1891

[466] AMTZ Nr. 9, 1. März 1891

[467] AMTZ Nr. 38, 20. September 1891

[468] AMTZ Nr. 47, 22. November 1891

[469] AMTZ Nr. 19, 8. Mai 1892

[470] Im Jahresbericht 1894/95 heißt es: »Alle Streitigkeiten, die in den Vorjahren in einzelnen Bezirken
obwalteten, sind geschlichtet, und die Vereine, die
zeitweise aus jenen Bezirken geschieden waren,
wieder in den Bund aufgenommen« (Jahresbericht
des Vororts, 1.4.1894 – 1.4.1895, S. 8).

[471] AMTZ Nr. 21, 27. Mai 1906

[472] AMTZ Nr. 20, 20. Ma 1906

[473] AMTZ Nr. 21, 27. Mai 1906

[474] ebenda

[475] Aus den Statistiken dieser Jahrzehnte ist leider
nichts über die soziale Zusammensetzung der
Vereine zu erfahren, doch geht aus den in den Jahrbüchern abgedruckten Biographien der bedeutendsten Vertreter des NAT, aus Nachrufen in
der Amerikanischen Turnzeitung und dem Auto-
renverzeichnis von Turnzeitung und Turnkalender hervor, daß sie zur bürgerlichen Mittelschicht
gehörten.

[476] AMTZ Nr. 12, 13. März 1898

[477] AMTZ Nr. 52, 29. Dezember 1895

[478] ebenda

[479] AMTZ Nr. 41, 9. Oktober 1892

[480] In der Turnzeitung heißt es: »Sie treten bei, um
Schnaps, Zigarren ... zu verkaufen, für unsere Bestrebungen haben sie nichts übrig«. AMTZ Nr. 41,
9. Oktober 1892

[481] Protokoll der 17. Tagsatzung des NAT 1896, S. 36

[482] Jahresbericht des Vororts, 1. April 1910 – 1. April
1911, S. 17

[483] AMTZ Nr. 44, 5. November 1910

[484] ebenda

[485] Jahresbericht des Vororts, 1.4.1910 – 1.4.1911,
S. 21

486 Wittke; Against the Current, S. 276; Sigel dagegen verharrte in seiner ablehnenden Haltung und weigerte sich, an Geburtstagsfeiern für den Kaiser teilzunehmen, der einst als Prinz von Preußen in Rastatt seine Kameraden hatte niederschießen lassen. Wittke: The German Forty-Eighters in America: A Centennial Appraisal. In: The American Historical Review Vol. LIII, No. 4, July 1948, S. 724

487 Memoirs of Gustav Körner, 1809/1896, ed. T.J. Mc Cormack (Cedar Rapids, Iowa, 1909) II, S. 509 – 12; 530

488 Turnerkalender 1894, S. 63

489 Nachlaß Motteler, IISG Amsterdam, 2471: »An die Deutschen New Yorks!«

490 Nachlaß Motteler, 2472, Resolution submitted to the Anti War Meeting held at Cooper Institute, November 19th 1870

491 Nachlaß Motteler, 2474: Aufruf zur Massenversammlung in New York

492 Nachlaß F. A. Sorge, D 4108, Brief vom 25.5.1871

493 Nachlaß F. A. Sorge, D 4110

494 Masaryk, Th. G.: Die philosophischen und soziologischen Grundlagen des Marxismus. Wien 1899, S. 445 f

495 ebenda

496 Wittke, a.a.O. S. 268; Heinzen, Mehr als 20 Bogen, S. 231

497 Wittke, S. 269

498 Wittke, S. 274

499 Wittke: The German Forty-Eighters in America, S. 725. Wittke vertritt die Auffassung, daß sich der Charakter der deutschen Immigration nach nach 1870/71 wesentlich verändert habe und auch die Führung des deutschen Elements in den USA von den Achtundvierzigern in andere Hände übergegangen sei. Der einstige demokratische Liberalismus hätte sich seitdem in Nationalismus und nationalen Stolz gewandelt. Damit sei die blühende deutsche Kulturperiode in den USA, die aus dem geistigen Erbe Kants, Fichtes, Schillers und Feuerbachs gespeist worden wäre, zu Ende gegangen.

500 Turnerkalender 1885, S. 82

501 Metzner, Jb. I, S. 146

502 Turn-Zeitung 1853/54, S. 357

503 Metzner, Jb. I, S. 224

504 Turn-Zeitung 1853/54, S. 332

505 Metzner, Jb. I, S. 146

506 vgl. Metzner, Jb. I, S. 172, 209, 216, 275, Jb. III, S. 32

507 Metzner, Jb. I, S. 276

508 Metzner, Jb. III, S. 211

509 Tagsatzungsprotokoll Washington 1865, S. 3, Tagsatzungsprotokoll Boston 1868, S. 9

510 Metzner, DTZ 1875, S. 352

511 Tagsatzungsprotokoll Boston 1868, S. 9

512 Tagsatzungsprotokoll Washington 1865, S. 3

513 Tagsatzungsprotokoll Pittsburgh 1870, S. 8

514 Tagsatzungsprotokoll St. Louis 1866, S. 6

515 Protokoll der 7. Tagsatzung, New Ulm, 1876, S. 4

516 ebenda, S. 10/11

517 Protokoll der 8. Tagsatzung, Cleveland 1878, S. 18

518 Protokoll der 9. Tagsatzung, Indianapolis 1880, S. 4/5

519 Protokoll der 10. Tagsatzung, S. 3

520 ebenda, S. 4. Auch auf der nächsten Tagsatzung 1884 hebt Starkloff die medizinische Bedeutung des Turnens für die wachsende Industriegesellschaft hervor und unterstreicht den Wert der »Nervengymnastik«. Stete Muskelübung rege die Tätigkeit des Zentralnervensystems, des Gehirns und Rückenmarks an. Wörtlich heißt es dann: »Ebenso möchte ich heute auf die große Notwendigkeit der Entwicklung der willkürlichen Muskeln der Atmungswerkzeuge aufmerksam machen. Denn unsere allgemeine Gesundheit hängt direkt von deren Kräftigung ab, daß nur die höchste Entwicklung derselben uns befriedigen sollte. Dasselbe gilt auch von den Bauchmuskeln, welche nicht allein die Respirationsmuskeln, sondern die ganze Unterleibs-Viscera wesentlich unterstützen. Wenn wir die höchste Körperkraft zu besitzen wünschen, brauchen wir große Lungenkapazität und hauptsächlich ein kräftiges Herz und elastische Arterien«. (Protokoll der 11. Tagsatzung, S. 7).

521 Jahresbericht des Vororts 1883/1884, S. 15/16

522 So heißt es zur Begründung: »Wir möchten deshalb den Vereinen dringlich anraten, wo immer es möglich ist, Zöglingsvereine zu gründen, in welchen nicht allein das praktische Turnen gepflegt, sondern in welchen auch dem jugendlichen Turner gelehrt wird, eine eigene Meinung zu gewinnen und diese öfrei auszusprechen und sich mit parlamentarischer Ordnung und Regeln vertraut zu machen« (Jahresbericht 1883/84, S. 5)

523 Jahresbericht 1883/84, S. 25

524 Jahresbericht 1884/1885, S. 7, 1885-86, S. 14/15

525 Protokoll der 12. Tagsatzung, Boston 1886, S. 4

526 ebenda, S. 14

527 Jahresbericht 1887/88, S. 32

528 Jb. III, S. 267

529 Jahresbericht des Vororts, 1. April 1897–1. April 1898, S. 45

530 Die Tabelle gibt die einzelnen Systeme und die Zahl der Schulen wieder, in denen nach ihnen unterrichtet wurde:

| | | | |
|---|---|---|---|
| Schwedisch | 114 | Springfield | 1 |
| Deutsch | 84 | Pratt | 1 |
| Delsarte | 27 | Wright | 1 |
| Sargent | 18 | Cath. Beecher | 1 |
| Eclectic | 24 | Miss Ellen | 1 |
| Emerson | 18 | Beales | 1 |
| Milit. Übungen | 12 | Mc. Laren | 1 |
| Anderson | 22 | Hogue | 1 |
| Roberts | 5 | Miss Morris | 1 |
| Johnston | 1 | Smart | 1 |
| Y.M.C.A. | 1 | Savage | 1 |
| Dio Lewis | 4 | | |

ebenda, S. 46

531 ebenda, S. 47

532 AMTZ Nr. 7, 16. Febr. 1908

533 AMTZ Nr. 19, 10. Mai 1891

534 AMTZ Nr. 1, 7. Januar 1894

535 AMTZ Nr. 43, 22. Okt. 1899

536 AMTZ Nr. 46, 13. November 1904

537 AMTZ Nr. 46, 13. November 1904

538 Im Jahre 1904 existierten neben dem Bundesseminar 15 anerkannte Turnlehrer-Bildungsanstalten, die einen obligatorischen Kursus von mindestens zwei Jahren anboten. Die älteste dieser Schulen, die von Dr. Sargent, war erst im Jahre 1881 gegründet worden. Bis 1904 gingen aus diesen Schulen 1210 diplomierte Turnlehrer hervor. Im einzelnen hatten die Schulen an Turnlehrern ausgebildet:

| | |
|---|---|
| Dr. Sargents Normalschule | 215 |
| New Haven Normalschule | 214 |
| Internationale Y.M.C.A. | 83 |
| Oberlin College | 46 |
| Boston Normalschule | 262 |
| Posse Gymnasium | 211 |
| Chicago Y.M.C.A. | 27 |
| New Orleans College | 24 |
| Milwaukee Burnham College | 12 |
| Philadelphia Normalschule | 53 |
| New York Normalschule | 27 |
| California Universität | 36 |

AMTZ Nr. 19,
8. Mai 1904

Die Übersicht zeigt, daß der Schwerpunkt der turnerzieherischen Bemühungen in Neu England lag. Das Bundesseminar verließen in den 35 Jahren seines Bestehens (bis zum Jahre 1904) 220 Turnlehrer (ebenda).

539 Wegen der rückläufigen Tendenz mußte die Anstalt zeitweilig geschlossen werden.

540 Dies, obwohl der Bund für schwedische Gymnastik erst 1892 gegründet worden war und 1904 aus nur 35 Vereinen mit 2200 Mitgliedern bestand –

während der NAT 1904 36373 Mitglieder zählte; vgl. AMTZ, Nr. 37, 11. September 1904.

541 AMTZ, Nr. 52, 29. Dez. 1895

542 Werbeaktionen wie die des Turnvereins Buffalo, der 1891 ein großes Schau- und Schulturnen vor städtischen Behördenvertretern, Schulbeamten und Lehrern durchführte, waren eine Ausnahme. AMTZ Nr. 18, 3. Mai 1891.

543 AMTZ Nr. 16, 17. April 1892

544 Der Bericht über das 26. Turnfest 1893, das bei den Deutsch-Amerikanern große Anteilnahme erweckte, konstatiert, daß von der anglo-amerikanischen Bevölkerung »dem ganzen Fest nur Gleichgültigkeit entgegengebracht worden sei«. Jahresbericht des Vororts, 1. April 1893 – 1. April 1894, S. 61.

545 Jahresbericht des Vororts, 1. April 1893 bis 1. April 1894, S. 46.

546 ebenda

547 AMTZ Nr. 24, 17. Juni 1894

548 AMTZ Nr. 48, 1. Dezember 1895

549 AMTZ Nr. 38, 24. September 1893

550 Metzner, Jb. I, S. 167

551 Jahresbericht des Vororts, 1. April 1891 – 1. April 1892, S. 4,5 und 21

552 AMTZ Nr. 22, 1. Juni 1890

553 AMTZ Nr. 14, 5. April 1891

554 Reglement für das Turnlehrerseminar in Milwaukee. In: Protokoll der 15. Tagsatzung des NAT, 1892, S. 99

555 ebenda, S. 99/100

556 ebenda, S. 107

557 Jahresbericht des Vororts, 1. April 1893 – 1. April 1894, S. 34

558 Protokoll der 16. Tagsatzung des NAT, abgehalten in Denver (24. – 26. Juli 1894), S. 26

559 ebenda, S. 24/25

560 siehe Tabelle Jahresbericht des Vororts 1890/99:
1890 – 1891 : 10 monatiger Kurs = 15 Teilnehmer
1891 – 1892 : 12 monatiger Kurs = 12 Teilnehmer
1892 – 1893 : 12 monatiger Kurs = 13 Teilnehmer
1893 – 1894 : 12 monatiger Kurs = 10 Teilnehmer
1894 – 1895 : 12 monatiger Kurs = 11 Teilnehmer
1895 – 1897 : 24 monatiger Kurs = 5 Teilnehmer
1896 – 1898 : 24 monatiger Kurs = 4 Teilnehmer
1897 – 1899 : 24 monatiger Kurs = 5 Teilnehmer
1898 – 1900 : 24 monatiger Kurs = – Teilnehmer
1899 – 1901 : 24 monatiger Kurs = – Teilnehmer

561 In dem von der Washingtoner Bundestagsatzung 1892 angenommenen Reglement war die Möglichkeit einer Nichteinhaltung eines Kursus nicht bedacht worden. Das Lehrerseminar verlangte, der Turnerbund solle weiterhin für die gesamte turneri-

sche Ausbildung, das heißt auch die der Zöglinge des Lehrerseminars, aufkommen. Der Vorort des NAT wollte und konnte wegen der äußerst schlechten Lage des Bundes diese Forderung nicht akzeptieren. Nach langen Verhandlungen erklärte man sich schließlich bereit, dem Lehrerseminar für das laufende Jahr einen Turnlehrer zu stellen. Außerdem garantierte der Bund dem Lehrerseminar die freie Benutzung der Turnhalle und bewilligte zusätzliche Verwaltungskosten.

He published a number of books which were widely used in the preparation of teachers. He also wrote many stimulating articles for Mind and Body and the Journal of Health and Physical Education. As a professional leader he was founder and fist president of the Indiana Physical Education Association (1917).

The Midwest Physical Education Association elected him president for a two year term (1930 – 1932). He resigned from the College in 1934 to accept the position of Director of Health and Physical Education in the Indianapolis Public Schools where he exerted a powerful influence by introducing many athletic skills and testing procedures to measure the physical improvement of pupils.

Emil Rath believed that leadership training for camps should be given in a camping situation and not in the classroom. With the acquisition of a beautiful camp site at Elkhart Lake, Wisconsin, the Normal College began conducting summer courses for teachers there in 1921. All students since 1922 have had the benefit of two full months at camp, a 2 week's course having been given in 1919. The Wisconsin site was appropriately named Camp Brosius.«

[562] Jahresbericht des Vororts, 1. April 1900 – 1. April 1901, S. 8
[563] Jahresbericht des Vororts, 1. April 1901 – 1. April 1902, S. 4 – 17
[564] Viele Turner waren mit der Auflösung des Vertrages nicht einverstanden. So heißt es in der Turnerzeitung: »Nur das wollen wir nicht unerwähnt lassen, daß wir die Trennung der beiden Seminare tief beklagen, obgleich uns mitgeteilt wurde, daß zum weiteren Ausbau der Lehranstalten eine Trennung derselben unabwendbar geworden sei«. AMTZ Nr. 2, 13. Januar 1907
[565] Jahresbericht des Vororts, 1. April 1906 – 1. April 1907, S. 21
[566] Jahresbericht des Vororts, 1. April 1906 – 1. April 1907, S. 35
[567] Jahresbericht des Vororts, 1. April 1907 – 1. April 1908, S. 43/44
[568] ebenda, S. 44/45
[569] Jahresbericht des Vororts, 1. April 1907 – 1. April 1908, S. 17
[570] vgl. Jahresberichte des Vororts, 1908 – 1918
[571] W.K. Streit, Normal College of the American Gymnastic Union, M. S. o. Jahr (1966), S. 7. Weiter heißt es: »Emil Rath was particularly interested in rhythmics. He spent much time studying, experimenting and writing about rhythmic activities. He is well known for his splendid work in rhythmics for boys and men. His interest in music and art together with his scientific understandig of the body qualified him to make a lasting contribution in this area.
Emil Rath will be remembered best as a teacher of teachers. He was a keen analyst of calisthenics, rhythmic and gymnastic activities. He was also a perfectionist and expected his pupils to be the same. He taught his pupils how to analyze a movement, the physical and organic values of its accurate execution and the best methods of teaching a class so that its members would secure the greatest benefits from the activity. He never deviated in his firm belief that our primary aim is to develop organic power and neuromusular skills.
[572] Festschrift Brosius (1864 – 1914) Goldenes Jubiläum, Milwaukee, 1914, S. 8
[573] ebenda, S. 10
[574] ebenda, S. 86; auch »amerikanischer Jahn« genannt; ebenda, S. 72
[575] ebenda, S. 6 das Gedicht »Dem deutsch-amerikanischen Turnervater Georg Brosius zum goldenen Turnerlehrer-Jubiläum«.
[576] ebenda, S. 18
[577] ebenda, S. 20
[578] ebenda
[579] ebenda, S. 99
[580] ebenda, S. 97
[581] ebenda, S. 83
[582] ebenda, S. 85
[583] ebenda, S. 83
[584] ebenda, S. 16
[585] ebenda, S. 97
[586] ebenda
[587] ebenda
[588] ebenda, S. 98
[589] ebenda
[590] Jahresbericht des Vororts, 1. April 1893 – 1. April 1894, S. 6
[591] ebenda, S. 7

[592] Trotz der mangelhaften Organisation war die Mehrzahl der 2700 Turner mit dem Verlauf des Festes zufrieden, zumal das Problem der Unterbringung gut gelöst worden war. Enttäuscht war man über das Desinteresse der Bevölkerung, »was um so befremdender war, als man von Milwaukees großer deutscher Einwohnerschaft alles andere als dieses erwartet« hatte (Bericht des Vororts, a.a.O., S. 53). Die Festtagsstimmung wurde dadurch erheblich gedämpft.

[593] a.a.O., S. 55

[594] ebenda, S. 56

[595] ebenda, S. 61

[596] Jahresbericht des Vororts, 1. April 1897 – 1. April 1898, S. 25

[597] AMTZ, Nr. 31, 5. August 1900

[598] ebenda

[599] Jahresbericht des Vororts, 1. April 1900 – 1. April 1901, S. 5

[600] ebenda, S. 26

[601] In einem der zahlreichen Leserbriefe in der AMTZ hieß es dazu: »Vom praktischen wie vom moralischen Standpunkte aus wird die Teilnahme auswärtiger Damenklassen auf Bundesturnfesten vorläufig immer noch eine schwierige und gewagte sein« (AMTZ, Nr. 32, 11. August 1901).

[602] ebenda

[603] ebenda

[604] Jahresbericht des Vororts, 1. April 1905 – 1. April 1906, S. 31

[605] Bericht des Vororts, a.a.O., S. 32

[606] ebenda, S. 36

[607] ebenda, S. 52

[608] ebenda, S. 52

[609] Jahresbericht des Vororts, 1. April 1913 – 1. April 1914, S. 20

[610] vgl. Vorortbericht 1905 – 1906, S. 57

[611] Jahresbericht des Vororts 1913 – 1914, S. 20

[612] ebenda, S. 21

[613] Eine eigenartige Stilvermischung und Symbolüberladenheit finden wir auf Erinnerungsbildern anläßlich der Hundertjahrfeier der »American Turners« 1948.

[614] Theodor Stempfel, Fünfzig Jahre unermüdlichen deutschen Strebens in Indianapolis, Indianapolis 1898, Festschrift ohne Seitenzahl.

[615] ebenda

[616] ebenda

[617] ebenda

[618] Turnerkalender 1880, S. 40/41 – 1882, S. 24 – 1883, S. 24 – 1884, S. 48

[619] Turnerkalender 1880, S. 45

[620] ebenda

[621] ebenda, S. 47

[622] ebenda, S. 48

[623] Turnerkalender 1883, S. 24

[624] ebenda, S. 26

[625] ebenda

[626] ebenda, S. 25

[627] ebenda

[628] ebenda, S. 26/27

[629] Turner-Kalender 1896, S. 39

[630] AMTZ, Nr. 23, 7. Juni 1896

[631] AMTZ, Nr. 15, 9. April 1905

[632] AMTZ, Nr. 14, 5. April 1891

[633] AMTZ, Nr. 45, 8. November 1908

[634] ebenda

[635] AMTZ, Nr. 51, 13. Dezember 1914

[636] AMTZ, Nr. 33, 14. August 1904

[637] Jahresbericht des Vororts, 1. April 1905 – 1. April 1906, S. 26

[638] Jahresbericht des Vororts, 1. April 1911 – 1. April 1912, S. 49/50

[639] ebenda; die nächsten Vereine erhielten 97, 83 und 70 Punkte

[640] AMTZ, Nr. 14, 6. April 1890

[641] Jahresbericht des Vororts, 1. April 1897 – 1. April 1898, S. 61. Im Jahre 1906 besaßen von 237 Vereinen 178 derartige Einrichtungen, vgl. Jahresbericht 1905 – 1906, S. 27

[642] siehe Dokument 2

[643] siehe Dokument 3

[644] Jb. I, S. 41 ff

[645] ebenda, S. 43

[646] Jb. I, S. 45–47

[647] Metzner, H.: Die Hebung der deutschamerikanischen Literatur. Turnkalender 1886, S. 73/74

[648] ebenda

[649] Lukas, J.: »Das Deutschtum und die Turnerei in den Vereinigten Staaten«, Turnkalender 1882, S. 46

[650] Turnkalender 1901, S. 109

[651] Jahresbericht des Vororts, 1. April 1890 – 1. April 1891, S. 11–13.

[652] ebenda

[653] Jahresbericht des Vororts, 1. April 1899 – 1. April 1900, S. 24–30

[654] Jahresbericht des Vororts, 1. April 1899 – 1. April 1900, S. 4

[655] Jahresbericht des Vororts, 1. April 1914 – 1. April 1915, S. 52, vgl. Tabelle

[656] ebenda, S. 53

[657] Jahresbericht des Vororts, vom 1.4.1915–1.4.1916, S. 47

[658] Gedichte von Max Hampel, St. Louis, Mo. 1909, S. IV

659 ebenda, S. 138
660 ebenda, S. 128
661 ebenda, S. 149
662 ebenda, S. 122
663 ebenda, S. 5
664 ebenda, S. 12
665 ebenda, S. 24/25
666 ebenda, S. 3
667 ebenda, S. 24
668 ebenda, S. 22
669 ebenda, S. 25
670 ebenda, S. 10
671 ebenda, S. 33
672 ebenda
673 ebenda, S. 14
674 ebenda, S. 15
675 ebenda
676 Turnerkalender 1894, S. 50
677 zit. nach Metzner: Deutsch-amerikanische Dichtung, 1909, S. 14
678 Liederbuch des Nordamerikanischen Turnerbundes, Lied 135
679 a.a.O. Lied 48
680 Lied Nr. 29
681 Hempel »Turnlied«, Turnerkalender 1890
682 Lied Nr. 159 (Turnerliederbuch)
683 Turnerkalender 1880, S. 19
684 Turnerkalender 1881, S. 23 (siehe Anhang: Unser Motto)
685 Lied Nr. 160 (Turnerliederbuch)
686 Turnerkalender 1882, S. 102
687 Turnerkalender 1900, S. 40
688 Turnerkalender 1896, S. 23
689 Turnerkalender 1883, S. 23
690 Turnerkalender 1890, S. 77
691 Turnerliederbuch, S. 118
692 Turnerkalender 1892, S. 23
693 Turnerkalender 1890, S. 36/37
694 Turnerkalender 1888, S. 42
695 Turnerkalender 1886, S. 43
696 Turnerkalender 1881, S. 35
697 Turnerkalender 1881, S. 69
698 Turnerliederbuch Nr. 169
699 Turnerkalender 1882, S. 80
700 Turnerkalender 1896, S. 33
701 Turnerkalender 1898, S. 48
702 Turnerkalender 1883, S. 89
703 Turnerkalender 1883, S. 90
704 Turnerkalender 1900, S. 70
705 Turnerkalender 1894, S. 64
706 Turnliederbuch, Lied Nr. 174
707 Turnliederbuch, Lied Nr. 8
708 Turnerkalender 1894, S. 62
709 Turnerkalender 1900 (siehe Anhang)
710 Turnerkalender 1900, S. 52/53
711 Turnerkalender 1882, S. 103–112
712 Turnerkalender 1886, S. 5
713 Turnerkalender 1886, S. 76
714 Turnerkalender 1882, S. 23
715 ebenda
716 Turnerkalender 1889, S. 32
717 Metzner, Deutsch-amerikanische Dichtung, S. 22
718 Turnerkalender 1899, S. 65
719 zit. nach Eberhardt, a.a.O. S. 3
720 DTZ Nr. 38, 1880, S. 375–378
721 DTZ Nr. 7, 1881, S. 60
722 DTZ Nr. 34, 1881, S. 357
723 DTZ Nr. 48, 1884, S. 613
724 DTZ, Beilage Nr. 9, 1885
725 DTZ, Beilage Nr. 30, 1886
726 AMTZ, No. 37, 10.9.1893
727 DTZ, Beilage Nr. 37, 1893
728 Jahresbericht des Vororts, 1893/1894, S. 7
729 DTZ Nr. 11, 1898, S. 203
730 ATZ Beilage Nr. 4, 1899, S. 45/46
731 DTZ Nr. 12, 1899, S. 254
732 AMTZ Nr. 24, 13.6.1897
733 Jahresbericht des Vororts 1902–1903, S. 32
734 Jahresbericht des Vororts 1903–1904, S. 53
735 Jahresbericht des Vororts 1903–1904, S. 53/54
736 Jahresbericht des Vororts 1904–1905, S. 30
737 Metzner, History, a.a.O. S. 30
738 DTZ Nr. 62, 1927, S. 550
Den Anfang machten 1923 250 Turner des Bezirks Illinois, die am Deutschen Turnfest in München teilnahmen. 1926 erwiderte die DT, nachdem 21 Jahre keine deutsche Turnerdelegation in den USA gewesen war, unter Führung von Dr. Berger, dem 1. Vorsitzenden, den amerikanischen Besuch von 1923. Die deutsche Turnriege wurde begeistert aufgenommen, Massen drängten sich zu den Vorführungen. Höhepunkt des Besuchs war ein Empfang bei US-Präsident Coolidge.
739 Heinzen, Tcutscher Radikalismus (1861), S. 331
740 ebenda, S. 332
741 ebenda, S. 324
742 Heinzen, Teutscher Radikalismus (1865), S. 321
743 ebenda, S. 322/23
744 Turnerkalender, 1883, S. 111
745 ebenda, S. 114
746 ebenda, S. 117
747 ebenda, S. 120
748 Turnerkalender, 1895, S. 40
749 ATZ, Nr. 5, 1899, S. 67
750 ebenda
751 ebenda

752 zit. nach Gerber, Innovaters and Institutions in Phys. Ed., a.a.O., S. 323

753 ebenda S. 323/24

754 ebenda

755 Dio Lewis (1823 – 1888), Leiter des Normal Institute for Phys. Ed. in Boston, dessen »New Gymnastics« in den public schools von Massachusetts betrieben wurden. Sie umfaßten Freiübungen ohne und mit Gerät (Ringe, Stäbe, Keulen, Hanteln), waren gegen Haltungsschwäche und Haltungsverfall gerichtet und sollten in erster Linie die Oberkörpermuskulatur stärken und die Kreislauffunktion anregen.

756 Entsprechend den unterschiedlichen Konditionen und Bedürfnissen der Studenten hatte er einen differenzierten Lehrplan erarbeitet. »Each class has its own »exercise« or series of bodily movements with the bells and they are so managed as to give free, lively, graceful, vigorous work to the whole muscular system during the time of exercise.« zit. nach Gerber, a.a.O., S. 278

757 zit. nach Gerber, a.a.O., S. 291

758 1892 hielt W. Stecher auf der AAAPE-Konferenz in Philadelphia ein viel beachtetes Referat über das deutsche Turnen, 1893 wurden Hitchcock, Sargent und Hartwell zum Bundesturnfest nach Milwaukee eingeladen, 1894 erschien die Fachzeitschrift »Mind and Body« und 1895 gab Stecher sein bekanntes »Text-book of German-American Gymnastics« heraus.

759 zit. nach Leonard, History of Phys. Ed., a.a.O., S. 305

760 Metzner, S. 37

761 The Present Condition of Gymnastics and Athletics in the North American Gymnastic Union; American Phys. Ed. Review, VIII, Dez. 1903, S. 278

762 Metzner, S. 36/37

763 ebenda S. 37

764 Mind and Body, 16, 1909, S. 76/77

765 Mind and Body, 22, 1915, S. 861

766 Mind and Body, 24, 1917, S. 339

767 Mind and Body, 25, 1918, S. 92/93

768 Mind and Body, 19, 1912, S. 364

769 Mind and Body, 21, 1914, S. 68 ff, 124 ff, 489 – 492

770 vgl. Abb. der Pyramide der Kansas City Turners auf dem 31. Bundesturnfest des NAT in Denver 1913, Leonard, a.a.O., S. 307

771 vgl. Freiübungen auf dem Turnfest in Cincinnati 1909, Mind and Body, 16, 1909, S. 91 – 101

772 Mind and Body, 22, 1915, S. 780 ff; 24, 1917, 166 – 176

773 Mind and Body, 1921, S. 562 – 585

774 Off. Minutes 32. Convention, Philadelphia, 1929, S. 9

775 Gulick, A Philosophy of Play, a.a.O., S. 123

776 Hetherington, Clark: »Fundamental Education«, Journal of Proceedings and Addresses, zit. nach van Dalen-Bennett, World History of Phys. Ed., S. 436/437

777 ebenda S. 437

778 Turnerkalender, 1898, S. 78

779 ebenda S. 79

780 ebenda S. 79

781 ebenda

782 ebenda S. 78

783 ebenda S. 70

784 ebenda S. 67

785 ebenda S. 61

786 ebenda S. 60

787 ebenda

788 ebenda S. 54

789 ebenda S. 59

790 ebenda

791 ebenda S. 56/57

792 ebenda S. 57

793 ebenda

794 ebenda S. 69

795 Four Centuries of Sport in America, S. 195

796 Four Centuries of Sport in America, S. 178

797 Four Centuries of Sport in America, S. 227

798 Mind and Body, 16, 1909, S. 322

799 ebenda

800 ebenda

801 ebenda

802 ebenda S. 198

803 Mind and Body, 18, 1911, S. 225

804 ebenda S. 223

805 Mind and Body, 25, 1918, S. 235

806 ebenda

807 Mind and Body, 16, 1909, S. 153 – 155

808 ebenda S. 155

809 Mind and Body, 25, 1918, S. 356

810 Mind and Body, 24, 1917, S. 256

811 ebenda S. 255

812 ebenda S. 251

813 Mind and Body, 26, 1919, S. 394 – 397

814 ebenda S. 394

815 Mind and Body, 25, 1918, S. 240

816 Mind and Body, 21, 1914, S. 119

817 Off. Proceedings of the Ladies' Auxiliaries, 1931, S. 13

818 Jahresbericht des Vororts, 1. April 1916 – 1. April 1917, S. 56

819 vgl. Schlesinger, Der Aufstieg der USA, a.a.O. S. 323/324

820 vgl. Dulles, Der amerikanische Weg zur Weltmacht, a.a.O. S. 101/102

821 ebenda

822 ebenda, S. 100

823 Grey, Sir E.: Fünfundzwanzig Jahre Politik, 1892–1916, 2 Bde. München 1920, Bd. II, S. 116, zit. nach Schoenthal, Amerikanische Außenpolitik. Köln-Berlin 1964, S. 99

824 Dulles, a.a.O. S. 111

825 Schoenthal, a.a.O. S. 102

826 O'Connor, Die Deutsch-Amerikaner, a.a.O. S. 352

827 a.a.O. S. 416

828 AMTZ Nr. 34, 16. August 1914

829 ebenda

830 Jahresbericht des Vororts, 1. April 1914–1. April 1915, S. 56

831 AMTZ Nr. 34, 16. August 1914

832 Jahresbericht des Vororts, 1914–1915, S. 57

833 ebenda

834 ebenda

835 ebenda

836 ebenda S. 58

837 ebenda S. 60

838 ebenda S. 72

839 ebenda S. 73

840 ebenda S. 65/66

841 Jahresbericht des Vororts, 1. April 1915–1. April 1916, S. 66

842 ebenda S. 55

843 ebenda S. 51–53

844 ebenda S. 59

845 ebenda S. 59/60

846 siehe Dokument, Die Neutralität unserer Bundesregierung.

847 Jahresbericht des Vororts 1915–1916, S. 60–65

848 Jahresbericht des Vororts, 1. April 1916–1. April 1917, S. 62

849 ebenda

850 ebenda

851 ebenda S. 60

852 siehe Dokument 6

853 Jahresbericht 1916–1917, S. 45

854 siehe Dokument 8

855 Jahresbericht 1916–1917, S. 45

856 ebenda S. 46

857 Jahresbericht des Vororts, 1. April 1918–1.April 1919, S. 45/46

858 ebenda S. 45 und S. 47

859 ebenda S. 49

860 Annual Report 1924–1925 (Rochester), S. 8

861 ebenda

862 ebenda S. 5 (Message of the President).

863 Metzner, Jahrbücher Bd. III, S. 204–211

864 Metzner, History, S. 32

865 Off. Protokoll der 30. Tagsatzung, in Elkhart Lake, Wis., 1925, S. 3. Die unterschiedlichen Bezeichnungen: Tagsatzung/Convention und Protokoll/Minutes hängen davon ab, ob die Texte in Deutsch oder Englisch geschrieben wurden.)

866 Off. Protokoll der 31. Tagsatzung, in Cleveland, Ohio, 1927, S. 11

867 Off. Protokoll der 31. Tagsatzung, in Cleveland, Ohio, 1927, S. 11

868 Off. Protokoll der 30. Tagsatzung, in Elkhart Lake, Wis., 1925, S. 3–4

869 Off. Protokoll der 29. Tagsatzung, in St. Louis, Mo. 1923, S. 4

870 ebenda S. 8

871 ebenda S. 29

872 ebenda S. 29/30

873 ebenda S. 9

874 ebenda

875 ebenda

876 Off. Minutes, 32nd Convention, Philadelphia, Pa., 1929, S. 16

877 Off. Protokoll der 31. Tagsatzung, in Cleveland, Ohio, 1927, S. 11

878 Annual Report 1930–1931, (Rochester) S. 5

879 Annual Report 1931–1932, (Rochester) S. 6

880 Off. Minutes 34th Convention, Elkhardt Lake, Wis., 1933, S. 20

881 Annual Report 1938–1939, (Rochester) S. 6

882 Annual Report 1941–1942, (Rochester) S. 4

883 Annual Report 1944–1946, (Rochester) S. 9

884 Annual Report 1941–1942, (Rochester) S. 3/4

885 Off. Minutes 40th Convention, Johnstown, Pa., 1944, S. 8. »We are thankful and appreciate the fact that our Government of the United States did nothing to hinder or to hurt the Turner Movement in America«.

886 ebenda
»To be a Turner one need only to be an American of good character«.

887 Off. Minutes 41st Convention, Indianapolis 1946, S. 33

888 Off. Minutes 42nd Convention, Lawrence, Mass., 1948, S. 32

889 a.a.O. S. 37

890 Off. Minutes 44th Convention, Davenport, Iowa 1952, S. 27

891 Off. Minutes 46th Convention, Louisville, Ky., 1956, S. 18

892 Off. Minutes 47th Convention, Kansas City, 1958, S. 2/3 + S. 5
So heißt es (S. 5):
»For many years we are recognized as leaders in the field of gymnastics, but we have now been replaced by the AAU«.

893 Off. Minutes 48th Convention, Rochester, N.Y., 1960, S. 5

894 Off. Minutes 49th Convention, Toledo, Ohio, 1962, S. 3

895 Off. Minutes 50th Convention, New York, N.Y., 1964, S. 4

896 Der erste Bogen mit 37 Fragen wurde anläßlich des Nationalen Turnfestes der »American Turners« (26. – 29. Juni 1975 in St. Louis) an alle Vereine ausgegeben. Gefragt wurde nach Auswirkungen des politischen Drucks während des 1. und 2. Weltkrieges, nach Gründungsjahr und evtl. Namensänderungen der Vereine, Altersstruktur der Mitglieder, kulturelle Aktivitäten, Teilnahme an Turnfesten und sportliche Vereinserfolge, Geselligkeitspflege, Vermögenswerte, politisches Engagement, historisches Bewußtsein und soziales Verständnis. Der zweite Bogen (40 Fragen) wurde an Einzelpersonen verteilt und sollte Aufschluß geben über bestimmte Verhaltensweisen und Einstellungen der «American Turners«. Bei der Ausarbeitung der Fragen bin ich aufgrund meiner bisherigen Kenntnisse von der Geschichte und Struktur der deutschamerikanischen Turnbewegung von folgenden Thesen ausgegangen:

1. Die Kriegsereignisse haben Folgen für das Vereinsleben gehabt.
2. Die starke soziale Mobilität der amerikanischen Gesellschaft spiegelt sich auch im Berufsleben der Turner wider.
3. Das ursprüngliche politische Engagement ist in der Gegenwart nicht mehr vorhanden.
4. Das Bewußtsein der eigenen Geschichte hat stark nachgelassen.
5. Der Wille zur kulturellen Betätigung ist entsprechend den ursprünglichen Grundsätzen von der harmonischen Entwicklung von »mind and body« geblieben.
6. Das Nachlassen des Interesses der Männer an der Vereinsarbeit wird durch Frauen kompensiert; damit wird der Schwerpunkt der Arbeit auf den Bereich der Geselligkeit (family group) verlagert.
7. Mit der Einbeziehung der Kinder ins Vereinsleben hat sich die Altersstruktur verschoben.
8. Die Spiel- und Sportbewegung hat die Programme der Turnvereine verändert.

Die noch nicht veröffentlichte empirische Analyse hat die Richtigkeit der Thesen größtenteils bestätigt, obwohl die Aktion nicht unbedingt als Repräsentativbefragung gewertet werden kann. Dazu waren Adressatengruppe und Rückmeldung der Vereine nicht groß genug.

## 4.2 Archivalien, Periodika, Literatur

Internationales Institut für Sozialgeschichte, Amsterdam
Nachlaß  Johann Philipp Becker
         Julius Motteler
         Hermann Schlüter
         Friedrich Adolph Sorge
         August Willich
         Josef Weydemeyer
Marx-Engels-Nachlaß I und II

*Periodika*

Amerikanischer Turnerkalender (1880 – 1902), Milwaukee, Wisc.
Amerikanische Turnzeitung, Off. Organ des Nordamerikanischen Turnerbundes (1890 – 1918)

Deutsche Turnzeitung, Off. Organ der Deutschen Turnerschaft (1866 – 1933)
Arbeiter-Turnzeitung, Off. Organ des Arbeiter-Turnerbundes (1893 – 1933)
Turnzeitung, Organ des Sozialistischen Turnerbundes, 1851, 1853 – 1854
Off. Protokolle der Tagsatzungen des Nordamerikanischen Turnerbundes: 1858, 1859, 1865, 1866, 1868, 1870, 1874 – 1900
Jahresberichte des Vororts des Nordamerikanischen Turnerbundes (1881 – 1919)
Annual Reports of the National Executive Committee 1923 – 1937, 1941 – 1942, 1938 – 1939, 1944 – 1946
Off. Minutes (Protokolle) der Tagsatzungen/Conventions der American Turners 1921 – 1974

(Die Materialen stammen aus dem Archiv des Normal Colleges Indianapolis, der Geschäftsstelle der American Turners in Rochester, N. Y. der Public Library in New York, der Library of Congress, Washington D. C. und der Library der University of Massachusetts, Amherst)

Mind and Body (1909 – 1923)

*Vereinsberichte*

BROOKLYN, N. Y., Turnverein Vorwärts, 1883–1933
BUFFALO, Turn Verein, Diamond Jubilee Anniversary, 1853 – 1928
CHICAGO, Turngemeinde, Historical Pageant, Commemorating the 75th Anniversary of the Chicago Turngemeinde, Oct. 2, 1927
CHICAGO, Socialer Turnverein, 50th Anniversary, 1887 – 1937, Chicago, Ill.
CHICAGO, Turnverein Eiche, Golden Anniversary, Chicago 1940
CLINTON, Turn Verein, Seventy-Fifth Anniversary, 1867 – 1942, Clinton, Mass.
COVINGTON, Turners, Diamond Jubilee. Covington, Kentucky, 1930
DETROIT, Socialer Turnverein, Seventy-fifth Anniversary, 1853 – 1928, Detroit, Michigan
INDIANAPOLIS, Turnverein, Seventy-fifth Anniversary, 1851 – 1926
KANSAS CITY, Socialer Turnverein, Souvenir Program, 1858 – 1938, Kansas City, Miss.
LOUISVILLE, Turngemeinde, Diamond Jubilee. Louisville 1925
MADISON, Turnverein, Diamond Jubilee, 1855 – 1930, Madison, Wisconsin
MADISON, Turners, 100th Anniversary 1855 – 1955
MILWAUKEE, 90 Years of Service, The Milwaukee Turner, 1853 – 1943
NEW YORK, Turn Verein, Zur Jubelfeier seines 75-jährigen Stiftungsfestes, 1850 – 1925
NEW YORK, Zur Feier des neunzigjährigen Jubiläums des New York Turn Verein, 1850 – 1940
NEW YORK, Turn Verein, 100th Anniversary, 1850 – 1950
ROCHESTER, Centennial Celebration of the Rochester Turners, Inc., Rochester, N. Y., 1952
ST. LOUIS, Concordia Turnverein, Golden Jubilee, St. Louis, Miss., 1925

*Literatur*

Adam, R.: Die USA, Bd. 1, Geschichte und Verfassungsordnung, München 1964

Angermann, E.: Die Vereinigten Staaten von Amerika vom Frieden von Gent (1814) bis zum Frieden von Versailles (1919), in: 'Historia mundi', Bd. X (das 19. und 20. Jhr.), Bern-München 1961
Arding, E.: Die Lage der Arbeiterklasse in Amerika, in: 'Neue Zeit', (Hrsg. F. Mehring) 1891/92
Austin, V.: Der Amerikanische Bürgerkrieg in Augenzeugenberichten, (DTV-Reihe), München 1976
Balser, F.: Sozial-Demokratie 1848/49 – 1863, Stuttgart 1962
Barney, R. K.: German Turners in the 19th. Century North America: Their role in exercise and physical education, In: Proceedings of the 4th. Int. HISPA Seminar, Leuven 1975
Becker, J. Ph./
Esselen, Chr.: Geschichte der süddeutschen Mai-Revolution des Jahres 1848, Genf 1848
Beer, M.: Allgemeine Geschichte des Sozialismus und der sozialen Kämpfe, Berlin 1931
Beier, W.:
(Hrsg.) Bilder und Dokumente aus der deutschen Turn- und Sportgeschichte, Berlin 1956
Bernicke, L. O.: Turnerism. An Outline of its Study, Buffalo, N. Y. 1929
Betts, J. R.: Americas Sporting Heritage (1850 – 1950), Addison-Wesley 1974
Blos, W.: Badische Revolutionsgeschichte aus den Jahren 1848 und 1849, Mannheim 1910
Bott, H.: Hanaus Kampf für die Reichsverfassung von 1849, in: Neues Magazin für Hanauische Geschichte, 1949, S. 2 – 5
Corvin, O.: Erinnerungen aus meinem Leben, 4 Bde. Leipzig 1880
Conzen, K. N.: Immigrant Milwaukee 1836 – 1860, Cambridge, Mass. and London, Engl. 1976
Cunz, D.: The Maryland Germans, Princeton, N. J. 1948
Dobert, E. W.: Deutsche Demokraten in Amerika, Göttingen 1958
Dulles, F. R.: Amerikas Weg zur Weltmacht, Stuttgart 1957
Eberhardt, W.: A brief History of the American Turners, o. J.
Eichel, W.:
(Hrsg.) Geschichte der Körperkultur in Deutschland, Bd. II. Die Körperkultur in Deutschland von 1789 bis 1917, Berlin 1965
Ely, R. T.: The labor movement in America, New York 1886
Erbach, G.: Der Anteil der Turner am Kampf um ein einheitliches und demokratisches Deutschland in der Periode der Revolution und Konterrevolution

in Deutschland (1848 – 1852), Ungedruckte Dissertation der Hochschule für Körperkultur in Leipzig, 1956

Faust, A. B.: The German Element in the United States, Vol. 1 – 2, New York 1927

Forster, W.: Geschichte der Kommunistischen Partei der Vereinigten Staaten, Berlin 1956

Geisel, K.: Die Hanauer Turnerwehr, in: Veröffentlichungen der Historischen Kommission für Hessen; 32, 1; Quellen und Darstellungen zur hessischen Geschichte des 19. Jahrhunderts, Marburg 1974

Geldbach, E.: Die Verpflanzung des deutschen Turnens nach Amerika: Beck, Follen, Lieber, in: Stadion, I, 2 Zeitschrift für Geschichte des Sports und der Körperkultur. Hrsg. W. Decker und M. Lämmer, Köln 1977

Gerber, E. W.: Innovators and Institutions in Physical Education, Philadelphia 1971

Gulick, L. H.: A Philosophy of Play, New York 1920

Heinzen, K. P.: Teutscher Radikalismus in Amerika, Ausgewählte Vorträge und Flugschriften von Karl Heinzen. Herausgegeben vom »Verein zur Verbreitung Radikaler Prinzipien«, Bd. I – III (1854 – 1875)

Hillquit, M.: Geschichte des Sozialismus in den Vereinigten Staaten, Stuttgart 1906

Hofstadter, R.: The American Tradition and the Men who Made It, Vintage Book K. 9, New York 1954

Jones, A.: American Immigration, Maldwyn, Chicago and London 1969

John, H. G.: Politik und Turnen. Die deutsche Turnerschaft als nationale Bewegung im deutschen Kaiserreich von 1871 – 1914, Ahrensburg 1976

Kaufmann, W.: Die Deutschen im amerikanischen Bürgerkriege, München/Berlin 1911

Kirsch, A.: Franz Lieber. Turner, Freiheitskämpfer und Emigrant 1789 – 1830, Köln, Phil. Diss. 1953

Kuczynski, J.: Darstellungen der Lage der Arbeiter in den Vereinigten Staaten von Amerika von 1775 – 1897, Berlin 1966

Leonard, F. E.: A Guide to the History of Physical Education, Philadelphia, 1927

Lewis, G.: Sport and Physical Education in the United States, in: H. Ueberhorst (Hrsg.) Geschichte der Leibesübungen, Bd. IV. Berlin 1972

Manchester, H.: Four Centuries of Sport in America (1490 – 1890) New York[2] 1968

Marx, K/
Engels, Fr.: Briefwechsel, 1. Bd. (1844 – 1853), Berlin 1929

Metzner, H.:

(Hrsg.) Jahrbücher der Deutsch-Amerikanischen Turnerei, Bd. I – III, New York 1891 – 1894

Metzner, H.: History of the American Turners, Rochester, N. Y. 1974

Morison, S. E./
Commager, H. St.: Das Werden der amerikanischen Republik, Bd. I, Stuttgart 1949

Neuendorff, E.: Geschichte der neueren deutschen Leibesübung vom Beginn des 18. Jahrhunderts bis zur Gegenwart, Bd. III, Dresden 1932

Neumann, H.: Die deutsche Turnbewegung in der Revolution 1848/49 und in der amerikanischen Emigration, in: Beiträge zur Lehre und Forschung der Leibeserziehung, Bd. 32, Schorndorf 1968

Obermann, K.: Die politische Rolle der Turnvereine in der demokratischen Bewegung am Vorabend der Revolution von 1848, in: Theorie und Praxis der Körperkultur, 12. Jg., Sept. 1963

Obermann, K.: Joseph Weydemeyer. Ein Lebensbild (1818 – 1866), Berlin (Ost) 1968

O' Connor, R.: Die Deutsch-Amerikaner, Hamburg 1970

Prahl, A. J.: History of the German Gymnastic Movement in Baltimore, in: 26th Report of the Society for the History of the Germans in Maryland, Baltimore, Maryland 1945

Recla, J.: Freiheit und Einheit. Eine Turngeschichte in gesamtdeutscher Betrachtung, Graz 1931

Samhaber, E.: Geschichte der Vereinigten Staaten von Nordamerika, München 1954

Schlesinger, A. M.: Der Aufstieg der USA, Salzburg 1954

Schlesinger, A. M. jr.: History of American Presential Elections 1789 – 1968

Schlüter, H.: Anfänge der deutschen Arbeiterbewegung in Amerika, Stuttgart 1907

Schoenthal, K.: Amerikanische Außenpolitik, Köln-Berlin 1964

Schulte, W.: Fritz Anneke – ein Leben für die Freiheit in Deutschland und den USA, in: Beiträge zur Geschichte Dortmunds und der Grafschaft Mark, LVII, Dortmund 1960

Schurz, C.: Lebenserinnerungen, 3 Bde., Berlin 1906/1907/1912

Sigel, F.: Denkwürdigkeiten aus den Jahren 1848 und 1849, Herausgegeben von W. Blos, Mannheim 1902

Sorge, F. A.: Die Arbeiterbewegung in den Vereinigten Staaten in: 'Neue Zeit' Nr. 13, 31, 1890/91; 1891/92

Spindler, G. W.: The life of Karl Follen. A Study in German-American Cultural Relations, Chicago 1917

Starr, J./
Todd, L. P./

Curi, M.: Living American Documents, New York 1961

Tocqueville, A. de: Das Zeitalter der Gleichheit. Eine Auswahl aus dem Gesamtwerk. Hrsg. Siegfried Landshut, Kröner Taschenbuchausgabe Bd. 221, Stuttgart 1954

Townsend, A. J.: The Germans of Chicago, Ill. 1927

Ueberhorst, H.: Frisch, Frei Stark und Treu. Die Arbeitersportbewegung in Deutschland (1893 – 1933), Düsseldorf 1973

Ueberhorst, H.: Zurück zu Jahn, Bochum 1969

van Dalen, D. B. u.

Benett, B. L.: A World History of Physical Education, New Jersy[2] 1971

Wildt, Kl. C.: Auswanderer und Emigranten in der Geschichte der Leibesübungen, in: Beiträge zur Lehre und Forschung der Leibeserziehung, Bd. 19, Schorndorf 1964

Wild, R.: Chapters in the History of the Turners, in: Wisconsin Magazine of History, Vol. IX, Nr. 2, December 1925

Wittke, C.: Refugees of Revolution. The German Forty-Eighters in America, Philadelphia 1952

Wittke, C.: German Americans and the World War, Columbus, Ohio 1936

Wittke, C.: Against the Current. The Life of Karl Heinzen (1809 – 1880), Chicago, Ill. 1945

Wittke, C.: The Utopian Communist. A Biography of Wilhelm Weitling, Nineteenth-Century Reformer, Baton-Rouge 1950

Zucker, H. E.:

(Hrsg.) The Forty-Eighters. Political Refugees of the German Revolution of 1848, New York 1950

## 4.3 Dokumente

*Dokument 1*

An das deutsche Volk!

Die Revolution braust hin über die Völker Europas. Ein langjähriger, unerträglicher Druck hat sie aufgeregt zum Kampf auf Leben und Tod mit ihren Tyrannen. Auch Deutschland nimmt einen seiner Bedeuthsamkeit entsprechenden Anteil an den mächtigen Bewegungen unserer Tage.

Die alten Formen stürzen zusammen, keine Macht der Erde wird sie aufrecht erhalten. Das Volk ist zum Bewußtsein seiner eigenen und unveräußerlichen Rechte gelangt und hat in mehreren Gegenden, namentlich in Baden und Rheinbayern bereits durch die Tat bewiesen, daß es im Stande sei, seine Angelegenheit selbst zu führen.

Zu Offenburg hat das Volk von Baden ausgesprochen, was es von seiner Regierung verlangt.

Die Regierung, welche seine gerechten Forderungen mit Hohn zurückwies, fiel, und *alle* Stände scharten sich um den Landesausschuß. Die durch das Verhalten der Minister und ihrer Diener gefährdete Ordnung wurde durch das kräftige Zusammenwirken des Volkes und der Männer seines Vertrauens mit verhältnismäßig sehr geringen Opfern rasch wiederhergestellt. Die Bürger Badens, insbesondere diejenigen vom Soldatenstand, haben ein Recht zu verlangen, daß ihnen die Früchte ihrer Mühen vollständig und unverkümmert zuteil werden.

Bereits hat der Landesausschuß eine Reihe von Beschlüssen gefaßt, durch welche sämtliche in der Landesversammlung zu Offenburg aufgestellten Forderungen ihrer Erfüllung so nahe als möglich geführt wurden.

Die Bürger Brentano und Peter haben ein neues Ministerium gebildet; die Ständekammer wurde aufgelöst und die alten Minister abgesetzt, eine verfassungsgebende Landesversammlung wird zusammentreten und die Volksbewaffnung auf Staatskosten stattfinden.

Ein großer Teil des Volkes steht unter den Waffen zur Verteidigung seiner Rechte. Die Kerker der politischen Gefangenen sind geöffnet, die politischen Flüchtlinge zurückberufen und die politischen Verfolgungen eingestellt worden.

Die Wahl der Offiziere durch das Heer ist zum größten Teil schon vorgenommen worden, wo dieselbe noch nicht getroffen werden konnte, ist sie vorbereitet, – die von den sogenannten Kammern in Karlsruhe seit dem 1. Januar letzten Jahres gefaßten Beschlüsse, so weit als möglich, für null und nichtig erklärt, die Auflösung der Militärgerichtsbarkeit, die Verschmelzung des stehenden Heeres mit der Volkswehr (sobald es die außerordentlichen Verhältnisse des Landes gestatten), die unentgeltliche Aufhebung der Grundlasten, die unbedingte Unabhängigkeit der Gemeinden, die augenblickliche Einführung der Geschworenengerichte, die Abschaffung der alten Verwaltungsbürokratie und Einführung einer freien Verwaltung, die Abschaffung des alten Steuerwesens und die Errichtung eines großen Landespensionsfonds zu Gunst *aller* arbeitsunfähig gewordenen Bürger ist vorbereitet worden. Die veralteten Bestimmungen über die Preise wurden ersetzt durch ein bündiges Preßgesetz; eine Annäherung von Rheinbayern, welche für Baden von hoher Wichtigkeit werden dürfte, ist angebahnt worden.

Freiheit, Wohlstand, Bildung für alle, ist unser Wahlspruch. Der Bund der Völker gegen ihre Tyrannen wird bald schon zur Wahrheit werden. Die Morgenröte der Freiheit ist über Deutschland aufgegangen.

Was vor bald zwei Jahrtausenden eine heilige Stimme in der Wüste lehrte, ist in die Herzen der Völker eingedrungen und wird ins Leben eingeführt werden.

Keine Rache, kein Haß gegen unsere Mitmenschen erfüllt uns, die wir durch das Vertrauen des Volkes für den gegenwärtigen Augenblick an die Spitze der Bewegung des Landes berufen wurden. Doch werden wir auch vor den strengsten Maßregeln nicht zurückweichen, wenn das Wohl des Volkes sie erheischen sollte. Von Woche zu Woche werden wir dem Volke Rechenschaft ablegen über unsere Geschäftsführung. Wir werden zum Volke stehen bis zum letzten Hauch unseres Lebens, und das Volk wird zu uns stehen mit der unüberwindlichen Kraft seines Willens.

Karlsruhe, den 17. Mai 1849
Der Landesausschuß von Baden!

Nachlaß Willich, Mappe 348
I.I.S.G. Amsterdam

*Dokument 2*

*Karl Heinzen über die Sklaverei*

Auszug aus: Karl Heinzen »Teutscher Radikalismus in Amerika« 1854 - 1879, 2. Band (1862), S. 23 - 24

Die amerikanische Republik kann sich vor dem Fall und Verfall nur retten durch Ausrottung der Krankheit, durch welche sie zu Fall gebracht zu werden in Gefahr ist. An Herstellung der Union ist selbst nach Besiegung der Rebellen ohne Vernichtung der Sklaverei so wenig zu denken wie an Sicherung vor dem Auslande. Die Sklaverei raubt ihr die moralische Kraft, die Sklaverei unterhält ihren innern Zwiespalt, die Sklaverei lähmt ihre ganze Macht, die Sklaverei verschlingt ihre Mittel, die Sklaverei hintertreibt ihre Entwicklung, die Sklaverei entzieht ihr die Sympathie der Völker, die Sklaverei liefert den Vorwand und die Gelegenheit für die Einmischung der Despoten, die Sklaverei bedroht die Republik mit Zerrüttung und Gefahren von allen Seiten. Sieht sie das Alles noch immer nicht ein, so ist sie verloren durch ihre Blindheit; sieht sie es aber ein, ohne es abwenden zu wollen, so verdient sie den Untergang durch ihre Schlechtigkeit. Möge sie dann unter einem fremden Joch fühlen lernen, was sie selbst Andern aufgezwungen. Freie Menschen, und sollten sie selbst kein Plätzchen zur Rettung mehr zu finden wissen, können nicht bedauern, daß untergeht, was allen Begriffen von Recht und Humanität Hohn spricht: eine Republik mit Sklaverei. Die ganze moralische Ordnung der Welt müßte sich verkehrt haben, wenn ein Volk, das sein Blut und sein Geld der Erhaltung der Sklaverei opfert, durch deren rebellische Vertreter es auf Tod und Leben bekämpft wird, nicht von jedem mit Vernunft begabten Wesen für reif und würdig gehalten werden sollte, unter dem Fluch und Hohn der ganzen Menschheit zu Grunde zu gehen.

*Dokument 3*

An die pennsylvanischen Kohlenminer!

Genossen!

Seit Monaten habt Ihr den Kampf aufgenommen gegen eine übermächtige, mit allen Mitteln ausgerüstete Partei, die Partei des Geldsacks und des Monopols. Man hat, um Eure Organisation und Euren Widerstand zu brechen, gestützt auf die schuftigen, faulen Gesetze, Euch und Eure Familien aus den Wohnungen verjagt, und dennoch wagt es angesichts

dieser Tatsache die Presse des Capitals, Euch als Räuber, als Mörder und als Brandstifter hinzustellen, um die Sympathie des Arbeiterstandes Euch abwendig zu machen. Es ist ihnen jedoch nicht gelungen. Die Arbeiter dieses Landes haben erkannt und wissen, auf welcher Seite die Rohheit, wo die Räuberei zu suchen sind. Oder ist es keine Rohheit, wenn die Arbeitsherren, die sich von Eurer Arbeit, Eurem Schweiß und Blute gemästet, ihre Arbeiter, ohne die sie nicht reicher werden, mit Frauen und Kindern von Haus und Hof verjagt! Und diese den Unbilden von Wind und Wetter aussetzen? Welch Geschrei würde entstehen, wenn man mit Thieren so verfahren würde? Ist es keine Räuberei, wenn Eure Arbeitgeber von dem Ertrage Eurer Arbeit den besten Teil für sich behalten? Und Euch nicht einmal solchen Lohn gewähren wollen, daß Ihr von dem Hunger, dem Froste und der Obdachlosigkeit geschützt seid, während sie selbst von Eurer Arbeit schwelgen? Nicht sie sind es, die Euch ernähren, nein Ihr, die Ihr für sie die Kohlen aus tiefem Schacht herholen müßt, Ihr seid es, denen jene ihre schwelgerische Existenz zu verdanken haben, während Ihr am Hungertuche nagen müßt. Als ihr, von dem Grundsatze ausgehend, daß es besser sei, ohne Arbeit zu hungern als bei der Arbeit langsam zu verhungern, den Kampf gegen die Unterdrücker aufnahmt, da war kein Arbeiter in diesem Lande, der Euch nicht Glück gewünscht, der nicht gesagt hätte, sie haben Recht. Jeder der gezwungen ist, durch harte Arbeit seinen Unterhalt zu erwerben, der weiß, wie hart der Druck ist, der auf dem gesamten Arbeiterstand lastet. Jeder, ob er wie Ihr die schwarzen Diamanten ans Licht des Tages bringt, oder ob er im Sonnenbrande hackt und gräbt, leidet unter demselben Übel. Jeder seufzt unter demselben Drucke. Woher kommt das? Wir antworten durch das heutige Arbeitssystem, durch welches wir, die wir nach Tausenden zählen, von der Gnade Einzelner abhängen. Wir, die wir durch unsere Arbeit jene bereichern, müssen am Hungertuche nagen, wenn jene es wollen. Wir fragen, ist das Gerechtigkeit? Es kommt daher, daß die Arbeitsmittel, bei Euch die Bergwerke, bei den Bauern der Grund und Boden, bei den Industriearbeitern die Fabriken, Maschinen etc. nicht der Gesamtheit gehören, sondern Einzelnen, die durch diesen Besitz imstande sind, uns in ihr Joch einzuspannen, darum werden wir, solange wir nur um den Lohn oder Verkürzung der Arbeitszeit kämpfen, stets in derselben Lage bleiben. Darum gelte unser Kampf nicht mehr dem Lohne, sondern der Erringung der Arbeitsmittel. Unser ist die Arbeit (die Plage). Unser sei auch der Ertrag und dadurch der Genuß der Arbeit, um dies zu erreichen

238

müssen auch die Arbeiter im Besitze der Arbeitsmittel sein. Unser seien die Minen! Unser seien der Grund und Boden! Unser seien die Fabriken mit all ihren Maschinen! Sind wir im Besitze dieser Mittel, so ist auch das, was mit diesen Mitteln erarbeitet wird, unser. Alsdann brauchen wir nicht mehr zu streiten, um den Teil, der uns vom Ertrag unserer Arbeit in Form von Lohn von unserem Arbeitsherrn in die Hand gedrückt wird, zu vergrößern, sondern jeder soll den vollen Ertrag seiner Arbeit erhalten. Darum sei die Lösung, die wir auf unsere Fahnen schreiben: Nieder mit der Lohnarbeit. Auf zum Kampfe für die Erringung der Arbeitsmittel!

Johann Philipp Becker
Mappe A 6 (1282/a)
Internationales Institut
für Sozialgeschichte
Amsterdam

*Dokument 4*

Auszüge aus einer Turnfestrede Friedrich Heckers
16. Bezirksturnfest in St. Louis 1879

Der Grundgedanke, auf dem die Turnerei ihrem innersten Wesen und ihrer Grundanlage nach beruht, ist die Erkenntniß und zugleich die praktische, harmonische Entfaltung und Entwicklung jenes großen Weltengesetzes der Correlation zwischen Geist und Leib, Kraft und Stoff.
Die ächte Turnerei ist daher ein wahrer Baum eines zweckvollen Lebens und Strebens, der sich verzweigt in die zwei Aeste des Geistigen und Leiblichen, – der wahre Freiheitsbaum der Menschheit, ihrer Entwicklung und ihres culturellen Fortschreitens.
Die Turnerei trägt an sich damit den Stempel der Befreiung und Freiheit. .....
Es stählt die Turnerei den Willen und den Entschluß, den Muth und die Ausdauer, und erweckt jenes männliche Vertrauen auf sich selbst, was jeder Knechtschaft widerstrebt und sich nicht vor Wahngebilden niederwirft und in träger Resignation von ihnen Heil und Rettung erwartet, statt sich zu wehren und vorzudringen im Kampf um's Dasein.
Die ganze Entwicklung der Menschheit, Civilisation und Cultur, alle wahren dauernden und nachhaltigen Fortschritte, sie sind bedingt durch die thätig-harmonische Entwicklung und Wechselwirkung von Körper und Geist.
Und wo wir in der Geschichte, in den Entwickelungsphasen der Menschheit Stillstand, Störung oder Lücken wahrnehmen, liegt der Grund davon in der Stellung dieser harmonischen Entwickelung und des harmonischen Zusammenwirkens von Geist und Körper, Kraft und Stoff. Ein Mann aus einem Guß dieser ungeträumten Elemente allein ist das wahre Meisterbild. ......
Während in der alten Welt, in gewissen Staaten, die Gesellschaft vielfach von zwei dicken Schichten überlagert und gedrückt wird, unter welchen die bürgerliche Freiheit nur aus kümmerlichen Rissen und Spalten aufsprossen kann und nur das Philistermoos am Boden gedeiht (was man eine Existenz der Ordnung und Gemüthlichkeit getauft hat, welch' letzteres Wort man zumeist und füglich durch »vergnügte Mast der Energielosigkeit« ersetzen könnte), während also in der alten Welt die zwei Schichten überlagern, nämlich das auf hohes, höheres und höchstes Commando in Waffen marschierende, sich übende, sogar nach Befehl turnende, nach der Schablone denkende und zur Unterdrückung nach Außen und nach Innen geschulte Casernenthum, und eine Stuben- und im Erbrecht aller Staatsweisheit sitzende Bureaukratie; während also die regelmäßig gelagerten zwei Schichten in der alten Welt zu Tage gehen, – haben sich in unserer Handelsrepublik für diejenige Zeit, welche das »Geschäft«, das »Business«, »der allmächtige Dollar«, »die Geldjagd«, »Mammon«, »Mesumme«, »Masematte«, »Beschores« und politische Geld- oder Beutelschneiderei noch übrig gelassen haben, – wahre Sanddünen-Gewirre von mehr oder minder heimlichen, geheimnissvoll thuenden, abgeschlossenen und abgesonderten Vereinen aller Farben, vom dunkelsten Schwarz bis zur hellsten Verblassung und Verdünnung, ausgebreitet, wovon die meisten zu Allem eher angelegt sind, als zur Entfaltung und Evolution eines geistig und leiblich kraftvollen, hochstrebenden und hochragenden Menschenthums. Es wäre eine vergeilte Ueppigkeit der Phantasie, die meisten dieser zahllosen weltlichen und geistlichen Vereine vom Standpunkte der Evolution aus mit einem Eichenhaine zu vergleichen; sie sind allzumeist Topfpflanzen (wie Geranium oder Cactus) eines Treibhausraumes. ...
Laßt Euch als Männer von Kraft und Stoff nicht beirren, meine Freunde und Turnbrüder, ob der Kleinheit unserer Zahl in der Masse der Millionen »Mäuler« (wie die Chinesen statt Seelen und Bevölkerung sich ausdrücken).
Allen Fortschritt, alle Cultur, alle siegreichen Ideen, alle Freiheit verdankt die Welt nur starkgewillten, überzeugungstreuen Minoritäten.
Und nicht mit Unrecht konnten die Brecher der feudalen und hierarchischen Zwingherrschaft, der Monarchie, dem Privilegium der Monopole, den Höflingen,

Trabanten, Söldnern und Schmarotzern zurufen: »La vertu est toujours en minorité!«
Die Tugend der Mannhaftigkeit ist ein Gut der Minderzahl, und sie wird eine Zeit neuer Ideen und freiheitlichen Fortschreitens begründen.
Die Zahl macht's nicht aus, sondern der Geist. . . . . .
Die Lehren eines Galilei und Copernikus, Arnold von Brescia und Giordano Bruno und ihrer kleinen Schülerzahl wurden trotz Fluch und Bann, trotz Kerker, Inquisition und Scheiterhaufen zur Weltleuchte, und die Flamme, die den Leib von Huß verzehrte, fraß, wie Wildfeuer, in den Fetischdienst des Obscurantismus und die Nacht der Verdummung des Weltalls. . . . . .
Schnellkraft und Muth, Festigkeit und Ausdauer, Vertrauen auf sich selbst, überlegtes Handeln in Gefahr und Hinderniß, Besiegung von entgegendrängender Gewalt, wahre Tapferkeit in Krieg und Frieden, moralischer Muth und Unverzagtheit in den Stürmen des Lebens, – sie kann nur Der besitzen, welcher Körper und Geist in ihrer Correlation erfaßt hat. Dem Riesensprunge geht der Entschluß, ein Compact zwischen Leib und Geist voran, der muthigen That das Bewußtsein des zu überwindenden Hindernisses und der feindlichen Macht; es ist kein wahres, absolutes Pflichtgefühl möglich, wenn nicht Geist und Leib harmonisch walten. Der moralische und physische Muth im Vereine bleiben Sieger auf den Schlachtfeldern des Lebens. Der blos physische Muth bricht sich, wenn der Anprall nicht gelingt. . . . . .
Der Turner muß mehr sein, als nur allein entwickelter Muskel, Riesenspringer, Bauchweller, Pyramidenbauer, Trapezschwinger, Waffenhantierer; der Turner muß mehr sein, nämlich: ein Entfalter, ein Träger, ein Apostel der freien Geisteskraft, der naturellen Entwickelung. . . . . .
Und in den vordersten Reihen und unter den ersten Kämpfern und Vertheidigern für die Freiheit und Einheit dieses unseres Landes und seiner Verfassung, für die ächte demokratische Republik von Nordamerika, standen und kämpften, bluteten und starben unsere Mitbrüder vom Turnerbunde, würdige, hehre Heldengestalten neben jenen tapferen Turnern der Blüthezeit des klassischen Alterthums, den durch Jahrtausende und weiten Raum getrennten und doch heute vereinten, mit dem Kranze der Unsterblichkeit geschmückten Brüdern und Heldengestalten, uns zum treuen Vorbilde und den kommenden Geschlechtern zur Nacheiferung. – Und ich weiß es, d'rum sprech ich's aus an diesem frohen, fröhlichen Tage:
Wenn abermals ruchlose Hände sich ausstrecken sollten, herabzureißen oder zu entwürdigen jenes glorreiche Banner, in dessen Schatten unsere todten

Turnerbrüder ruhen, so werden, wie vor achtzehn Jahren, Kraft und Geist des Turnerthums in Wehr und Waffen zu den Frontreihen eilen, und zu Schutz und Trutz sich schaaren um die Bundeslade der Menschenfreiheit, den alten, ehrwürdigen Freiheitsbrief unserer Constitution, jenes Bollwerk eines Bürgerthums allgemeiner Freiheit und Gleichheit, gegen Oligarchenthum, Unterdrückung und Verkümmerung der Menschenfreiheit! Sela!

*Amerikanischer Turner-Kalender 1882, 3. Jhrg., Milwaukee, Wis., S. 95 - 100*

*Dokument 5*

Aus der Geschichte des 32. Indiana-Regiments

»Unter Führung Willichs war das Regiment zu einem der best eingeübten Truppenkörper geworden; wir exercierten unter deutschem Kommando und deutschen Signalen, und es entwickelte sich ein Gefühl der Zusammengehörigkeit, ein ächt soldatischer Geist, der uns durch manchen bitteren Kampf zum Siege verhalf. Während des Spätjahrs war unser Regiment zu General R. W. Johnsons 6ter Brigade der Division McCooks gestoßen. Beim Vormarsch stellte sich die Notwendigkeit der Bildung einer Pionierabteilung heraus, die auch alsbald von Oberst Willich mit Umsicht organisiert und der fähigen Führung des Lieutenants Jos. Peitzuch unterstellt wurde. – Diese weise Vorsorge sollte sich nach ganz kurzer Zeit auf's Beste bewähren.
Am 12. Dezember avancierte die Brigade unter Johnson bis zum Städtchen Munfordsville am Green River. Die daselbst über den Fluß führende Eisenbahnbrücke war theilweise zerstört und um den Aufbau derselben zu decken, warf Willich zwei Kompagnien als Picket auf die Südseite des Flusses und unsere Pioniere arbeiteten nun Tag und Nacht daran, die Verbindung herzustellen. Am 17. war die Brücke fertig. Es war die höchste Zeit, denn kurz nach Mittag zeigte sich feindliche Kavallerie und Infanterie. Unsere Pickets gaben Alarm, rasch formierten sich die Kompagnien und gingen mit Eilschritten über die Brücke. Oberst Willich war zur Zeit abberufen worden und so führte von Trebra das Kommando. Mit einer Präcision, als wären wir auf dem Exercierplatze, rückten unsere Kompagnien in die Schlachtlinie ein. Die Rebellen-Infanterie konnte unserem gut dirigierten Feuer nicht Stand halten und wurde in wilder Verwirrung zurückgeworfen. – Nun aber entwickelte der Feind seine Kavallerie, die gefürchteten »Texas Rangers«. Mit wildem Geschrei brachen sie hinter

einem Hügel hervor, auf unsere weit ausgedehnten Schützenlinien und einzeln fechtenden Kompagnien. Doch standhaft empfingen wir den Anprall, die Kompagnien formierten Karrees und ließen die »Texas Rangers« bis auf kurze Entfernung herankommen. Dann krachte eine Salve nach der anderen, die wilden Reiter wurden zurückgeworfen und manch' einer blieb auf dem Schlachtfelde. Doch immer und immer wieder kehrten sie zurück. Auf dem linken Flügel war Lieutenant Max Sachs mit einem Theile der 3. Komp. auf dem freien Felde um zwei Heuhaufen gruppiert, von den Rangers umzingelt worden. Er verweigerte, sich zu ergeben und focht tapfer, bis ihm eine Kugel sein Ende brachte. Hilfe kam rasch, aber leider zu spät für Sachs. Die Texas Rangers formierten sich nun zu einem letzten Anprall, doch unsere Leute hielten Stand. In der Zwischenzeit hatte ich mit der 1. Komp. einen Hügel auf der linken Flanke besetzt, um der Kavallerie den Weg zu verlegen. Dort angekommen, sahen wir dicht vor uns feindliche Infanterie und Artillerie. Ich wartete nun bis die Infanterie auf unseren rechten Flügel zum Angriff vorging und drang dann mit meiner Kompagnie langsam vor. Der Feind vermutete die ganze Division hinter uns und zog sich, einen Flankenangriff befürchtend, in eiliger Flucht zurück. – Die Schlacht war vorüber, auf unserer Seite hatten wir 10 Tote und 22 Verwundete. Der Sieg gehörte dem deutschen Indiana Regiment.«

HEADQUARTERS DEPARTEMENT OF OHIO.
Louisville, Ky., December 27, 1861.
General Order No. 234.
The General commanding takes pleasure in bringing to notice the gallant conduct of a portion of Col. Willichs Regt., the 32nd Indiana, at Rowletts Station, in front of Munfordsville, Ky., on the 17th instant.
Four companies of the regiment, under Lt. Col.-v. Trebra on outpost duty, were attacked by a column of the enemy, consisting of one regiment of cavalry, a battery of artillery and two regiments of infantry. They defended themselves until reinforced by other companies of the regiment, and the fight was continued with such effect that the enemy at length retreated precipitately. The attack of the enemy was mainly with cavalry and artillery. Our troops fought as skirmishers, rallying into squares when charged by the cavalry, sometimes even defending themselves singly and killing their assailants with the bayonet.
The General tenders his thanks to the officers and soldiers of the regiment for their gallant and efficient conduct on this occasion. He commends it as a study

and example to all other troops under his command and enjoins them to emulate the discipline and instruction which insure such results. The name of »Rowlett Station« will be inscribed in the regimental colors of the Thirty second Regiment Indiana Vol's.
By command of Brigadier General Buell,
James B. Fry, A. A. G., Chieff of Staff.

OFFICE OF THE MILITARY BOARD.
Frankfort, Ky., March 28, 1862.
Col. A. Willich:
My dear Sir: – It affords me great pleasure to inform you that the Legislature of Kentucky has passed an act appropriating $ 250 and authorized me to purchase the ground where the remains of the brave and gallant soldiers of your Regiment, who fell in the battle of the 17th of December, 1861, are buried. I trust that this additional evidence on the part of Kentucky of her love for her sister State Indiana and for her noble and brave Germans, who left their native country to seek a home and an asylum in the United States, and who at the call of the Government of their adoption, left their homes and firesides to drive the rebel from the soil of Kentucky and to defend and uphold the Union and the Constitution against the assault of the most unjust and unholy rebellion, will more firmly and closely unite Kentucky and Indiana in bonds of love which will never be broken. And when peace and quiet is again restored, the two states will feel that they are united in their social and commercial interests. I enclose you copy of the act of the Legislature of Kentucky, not doubting that yourself and brave brother officers and men of your regiment will be gratified to know what the Legislature did.
With kindest regards,
I am very truly and respectfully yours
G. T. Wood.

(Entnommen der Festschrift zur Feier der Vollendung des Deutschen Hauses in Indianapolis, 15. - 18.6.1898, ohne Seitenangabe)

*Dokument 6*

aus: Jahrbücher der Deutsch-Amerikanischen Turnerei, Band II, New York, Mai 1895, Heft V, Preisfrage für das Bundesturnfest in Milwaukee 1857. Ist die Erhaltung des deutschen Elements innerhalb der Ver. Staaten für die Fortentwicklung desselben erforderlich oder nicht? Beantwortet von Far West (Friedrich Münch).
...

»Zunächst wäre anzugeben, was das deutsche Element ist, um dessen Erhaltung wir uns bemühen sollen.

Die Gegner werfen mit mehr oder weniger Recht uns vor, daß tausende unserer Landsleute ein Maß von Unwissenheit, Rohheit der Sitte und Unbeholfenheit hierher bringen, welche selbst die Amerikaner von hiesiger Durchschnitts-Bildung mit Widerwillen erfüllt; daß die Deutschen mit zu wenig selbständigem Urteile in den politischen Fragen von Einzelnen sich führen und mitunter bethören lassen; daß sie zu viel Lagerbier trinken und zu begierig Sauerkraut essen; daß die Gebildeteren unter ihnen 'gottesleugnerische Rothrepublikaner' und folglich Feinde aller bestehenden göttlichen und weltlichen Ordnung seien, die Ungebildeteren aber, vorzugsweise der katholische Theil, blind ergeben ihren Priestern und von ihnen nach Willkür geleitet; daß wir eine unglückliche Neigung haben, uns in Klassen und Parteien abzusondern und mit einander in Hader zu liegen. – Ein solches Element wäre sicher der Erhaltung unwerth.

Dagegen müssen selbst die uns weniger Holden anerkennen und zugestehen, daß die Deutschen durch nachhaltigen Fleiß, durch friedliche und nutzbringende Thätigkeit, durch Sinn für Ordnung und Verschönerung sich auszeichnen; daß sie im Ganzen weniger als viele der Eingeborenen roher Unmäßigkeit, auch weniger der ungezügelten Gier nach Rache, weniger der unmäßigen Geldbegierde und dem aller Ehre hohnsprechenden Schwindel ergeben sind; daß sie ein wärmeres Gemüth und einen tieferen Sinn für edlere geselligere Freude besitzen; daß die gebildeteren Deutschen in gründlicher und wissenschaftlicher Erkenntnis und in vorurtheilsfreier Lebensansicht, auch in manchen Kunstleistungn vor allen Nationen den Vorrang haben; daß keine Klasse der hiesigen Bevölkerung mehr zum Aufschwunge dieses Landes in solider Weise beiträgt als sie.

Könnte man erwarten und ließe es sich erreichen, daß unsere mitgebrachten Unarten hier sich abschleifen, unsere Vorzüge aber, auf unsere Nachkommen forterbend, nicht allein erhalten, sondern allmählig zum Gemeingute des ganzen Volkes gemacht werden, so würde die massenhafte Einwanderung der Deutschen in dieses Land, wie sie seit einem Menschenalter stattfindet, mit als das wichtigste Ereignis in der Geschichte des hiesigen Volkes anzusehen sein; denn an der »Ersprießlichkeit« einer solchen Thatsache dürfte kein Vernünftiger zweifeln.«

…

»Was wäre hiernach für das deutsche Element in Amerika zu erwarten? Die hiesige Natur wird gewiß auf uns dieselbe Einwirkung haben, wie auf den sog. anglosächsischen Stamm, und ebenso das hiesige öffentliche Leben; physisch wird das deutsche Element den bereits vorhandenen sich beimischen, doch wohl so, daß mitunter weite Bezirke eine wenig gemischte deutsche Bevölkerung behalten; in Sitte und äußerem Verhalten wird der Amerikanismus, obwohl einiges Germanische adoptirend, tonangebend bleiben, außer etwa in den zuletzt genannten Bezirken; deutsche Ideen werden um so mehr sich Eingang verschaffen, je inniger im Verlaufe der Zeit die Berührung zwischen den Eingeborenen und den Deutschen wird. Die vielleicht wichtigste Frage bleibt die nach der Zukunft der deutschen Sprache in diesem Lande; denn nur mit ihr erhält sich manches National-Eigenthümliche – und verschwindet mit ihr.«

…

»Angenommen, daß bei fortdauernder Einwanderung die Bevölkerung dieses Landes in 50 Jahren zur Hälfte und darüber deutschen Ursprungs sei, wird dennoch das Amerikanerthum überwiegend bleiben, – für die Gesetze des Landes, für die öffentlichen politischen und gerichtlichen Verhandlungen wird nur die englische Sprache in Gebrauch sein, – für die neuen Begriffe, welche in den veränderten hiesigen Verhältnissen sich bilden müssen, wird man die letztere Sprache bequemer als die deutsche finden, weil jene die nöthigen Worte bereits lieferte. Unter solchen Umständen führt die deutsche Sprache gegen die englische einen ungleichen Kampf, in welchem sie demungeachtet niemals ganz erliegen wird.

Meine Gründe für diese Erwartung sind folgende:

Die Erhaltung deutscher Sitte, eines innigeren Familienlebens, eines gemüthvolleren gesellgen Verkehres, – ebenso der Fortbestand deutscher Turnerei und namentlich deutschen Gesanges, welche denn doch wohl der Mehrzahl der Eingewanderten am Herzen liegen, während zugleich das Verlangen hiernach durch steten neuen Zuzug immer aufgefrischt wird, ist unverträglich mit dem Aufgeben der Sprache.

Die Sprache ist mehr als ein Complex von gewissen Lauten für allgemein gangbare Begriffe, – sie ist ein mit Gedanke, Gefühl und Sitte eines Volkes lebendig Verwachsenes, so daß man in der That mit einer andern Sprache ein anderer Mensch wird. Wie viel schon liegt in dem deutschen »Du«, dem »Sie« gegenüber! So viel, daß andere Nationen den Unterschied gar nicht fassen. Das »frisch, fröhlich und frei« der Turnerei drückt keine andere Sprache aus, und deutscher Gesang müßte alsbald verstummen, wenn der klangvollen deutschen Weise nicht die klangvolle und gemüthsreiche deutsche Rede diente. Was das Familienleben betrifft, so hört die deutsche Innigkeit auf, sobald die Familiensprache verändert wird; ebenso ist's im Verkehre der Freunde. Selbst der deutsche Becherklang scheint das prosaische »good health« zu verschmähen und den deutschen Trinkspruch zu fordern. (Weinlieder haben nur die Deutschen; – ihnen ist Trinken Poesie, den anderen nur physischer Genuß.)«

...

»Am meisten kann und muß in den Städten geschehen, um in den Schulen die Kenntnis des Deutschen zu erhalten und durch sie auszubreiten. Eine deutsche Universität würde diesem Bestreben die Krone aufsetzen, würde das Deutsche vollberechtigt neben das Englische stellen, sodaß, wie in alten Zeiten für Jahrhunderte lang in verschiedenen Ländern das Griechische neben den Landessprachen bestand, – wie man in vielen Gegenden von Europa mit gleicher Geläufigkeit und ohne die geringste Vermischung Deutsch neben dem Französischen, Polnischen, Ungarischen und Russischen spricht, oder hochdeutsch neben dem platten Idiom, auch hier die deutsche Sprache in allen Fällen, da man sich ihrer bedienen will, als eine geachtete Zugabe zu der herrschenden Landessprache erschiene.

Wie gesagt, an der Erhaltung unserer Sprache hängt die des besseren deutschen Elements ganz wesentlich. Deutscher Geist und deutsche Bildung werden unkennbar in einem andern Sprachgewande. Unsere Lieder sind unübertragbar, ebenso unsere Umgangssprache, und in Wahrheit der ganze Schatz unserer Ideen.«

...

»Dem hiesigen Volke fehlt es an gemüthlicher Tiefe, an Idealität (an beiden haben wir Überfluß), an dem höheren humanen Gefühle (an dessen Stelle entweder kirchliche Disciplin oder mitunter auch ungezügelte Leidenschaft treten), an dem höheren Schönheits- und Kunstsinn. Dagegen ist es verständig, unermüdlich strebsam, der Aufopferung nicht unfähig, gewandt und taktvoll, tapfer und kühn, und die Besseren sind gesittet, gerecht, ja der edelsten That fähig – vorzugsweise aus religiösen Motiven. Zu sehr herrschen Gewinnsucht, Ehrbegierde, Schwindel, Rücksichtslosigkeit und theilweise brutale Leidenschaft und Rachsucht vor.

Wir sind weniger kühn, aber auch weniger rücksichtslos; – wir gehen nicht so schnell vorwärts, aber unser Bemühen ist nachhaltiger; – wir sind nicht immer »praktisch« in der Ausführung, aber unsere Kritik ist gründlicher, und wir opfern niemals das Ideal dem bloß scheinbaren Erfolge; – wir können fröhlich sein ohne Rohheit und gesittet ohne Heiligenschein; – wir sind allzu rechthaberisch und mitunter zänkisch, weil Jeder sich für eine Autorität hält, aber wir durchbohren nicht mit dem Dolche das Herz dessen, der uns widerspricht; – wir mäßigen die übertriebene Hast in dem

hiesigen Volksleben durch eine ruhigere, geordnete und in sich selbst zufriedene Thätigkeit und sind so im Stande, dem Ganzen einen festen inneren Halt (bone and sinew) zu geben, welchen es bis jetzt noch nicht zu haben scheint.

Wer soll dem hiesigen Muckerthum den Todesstoß geben, wenn das gründliche und vorurtheilsfreie deutsche Denken es nicht thut? Wie anders soll die zum Theil schon jetzt vorliegende physische Entartung aufgehalten werden als durch deutsche Turnerei für Jünglinge und Jungfrauen? Was könnte mehr Erfrischung bringen in die Geistesöde des hiesigen Lebens als deutscher Gesang, deutsche Volksfeste und künftige deutsche Hochschulen? Was wäre mehr geeignet, das Unwesen der Sklaverei hier auszutilgen als unsere ruhig vorgetragene humane Lebensansicht und die fleißige deutsche Hand, welche durch Arbeit sich geehrt fühlt? Endlich, wer soll die Ehrlichkeit wieder herstellen in der hiesigen Politik? Solche Deutsche könnten es thun, welche von der allgemeinen Corruption bis jetzt sich nicht anstecken ließen, und ihrer giebt es Viele!«

...

»Je länger der Zeitpunkt sich verschiebt, da unser Volk frei und in seiner ganzen Größe unter den Nationen der Erde auftreten wird, desto gewissenhafter sollen wir inzwischen die von dem Geschick uns zugetheilte zweite Aufgabe erfüllen, nämlich in aller Welt, wohin wir gehen, das Evangelium des Menschenthums zu verkünden und die Apostel zu sein der edleren Sitte, der gleichen Rechte und der Freiheit für Alle. Büßen wir unsern nationalen Charakter ein, so ist es mit der Apostelwürde hier wie allerwärts am Ende.«

*Dokument 7*

Jahrbücher der Deutsch-Amerikanischen Turnerei, Bd. II, S. 243-246, Über die Turnerei und ihre Wirkungen in Amerika (Rede, gehalten am 9. Stiftungsfest der Cincinnati Turngemeinde von Gustav Tafel, 1857).

»Neun Jahre ist es her, seit die edle Sache der Turnerei ihre erste bescheidene Heimstätte in diesem Lande hier in dieser Stadt fand. Unser schönes Deutschland ist die Wiege derselben. Dort trat sie segenbringend und gewaltig zuerst auf. Zur Zeit der tiefsten Erniedrigung Deutschland's war es, als sie von Haus zu Haus ging, in die Werkstätten und in die Schreibstuben trat, und den Jünglingen zuflüsterte: das Vaterland bedarf treuer Herzen und starker Arme, um frei zu werden und seine Kinder glücklich zu machen. Und die Jünglinge gehorchten der mahnenden Stimme, und sie traten zusammen, dem Vaterlande zu werben treue Herzen und starke Arme – und hoch auf loderte die Flamme der Begeisterung. Die Schranken, welche die Zeit und die hinterlistige Politik der Tyrannen errichtet hatte zwischen ihnen – die Schranke der Geburt, die Schranke der Erziehung und die allmächtige Schranke der Gewöhnung – sie wurden niedergerissen und aus den Trümmern, jung und grün, sproßte ein neues Leben hervor. Ein Jeder brachte seine Opfergabe dar nach Vermögen und Jeder wurde willkommen geheißen. Dieser brachte den klugen Kopf und ausgebreitetes Wissen – Jener die starken Arme, die breite Brust – und sie Alle, Alle brachten warme, glühende Herzen. Und sie schwuren sich zu, die alte Vätertugend, die in dem Gewirre der Zeiten verloren gegangen war, wieder zu Ehren zu bringen, und dem Körper die Kraft, der Seele den Adel, dem Geiste den Freiheitsdrang, den unbezwinglichen, wiederzugeben, der ihn ehedem auszeichnete. Und sie wurden Turner! Kein Volk der alten oder neuen Zeit hatte je ein solches Schauspiel erlebt, hatte einen solchen Bruderbund seiner Jugend besessen. Die turnende Jugend war der Stolz des deutschen Volkes – war ihm die fleischgewordene Hoffnung auf eine politische Wiedergeburt des Reiches.

Woran diese Hoffnung scheiterte – wie es kam, daß das deutsche Volk, die Nation von Träumern, wie sie genannt wird, um ihren schönsten Traum betrogen wurde – dies wissen wir Alle. In den meisten deutschen Landen sind jetzt die Turnplätze geschlossen, und von Denen, die sie ehedem bevölkerten, griffen Viele, freiwillig oder gezwungen, zum Wanderstabe, und gründeten sich in Amerika eine neue Heimath. Und wie waren die Verhältnisse beschaffen, welche sie hier vorfanden? Waren dieselben derart, daß sie die Turnerei getrost hätten an den Nagel hängen können? War hier Alles um so viel anders und besser, als drüben, daß man von Leuten, welche einmal die Segnungen der Turnerei erfahren hatten, hätte erwarten können, daß sie hier ohne Weiteres auf dieselben Verzicht leisten sollten? War die Gesellschaft, die sie antrafen, eine so vorzügliche, daß sie nicht allein selbst keiner Verbesserung im turnerischen Sinne bedurft hätte, sondern sogar im Stande gewesen wäre, die Elemente aus der alten Welt, die sie fortwährend zu absorbiren hatte, ohne eine besondere Anstrengung von deren Seite zu sich zu erheben?

Nichts von alle dem. Sie trafen hier nicht mehr die abgehärteten, unter Gefahren und Strapazen jeder Art aufgewachsenen Hinterwäldler, mit Körper von Eisen und wildem, unbeugsamem Sinn – die Männer, welche die Soldaten der britischen Majestät schlugen

– nein – diese Kernnaturen waren mit den Idianern, ihren Todfeinden, nach den Prärien des Westens verdrängt worden. Sie fanden nur deren verweichlichte Nachkommen, die in demselben Spitale krank lagen, wie die Städtebewohner der alten Welt. Ein bleicher, hagerer, ungelenker Menschenschlag, wie die Comptoirs und die überfüllten Werkstätten und die Laster, welche der Civilisation auf dem Fuße folgen, ihn stets geliefert haben und noch liefern. Gerade hier, im freien Lande, das sahen sie, war der Turnerei ein fruchtbares, ein weites Feld geboten.

Und eine weitere Rücksicht mußte sie veranlassen, an der einmal erfaßten Idee festzuhalten und sie auf amerikanischem Boden Wurzel schlagen zu lassen. Das deutsche Element hatte einen Sammelpunkt dringend nothwendig, um nicht ganz zu zerfahren und total unterzugehen. Eine richtige Erwägung der Verhältnisse ließ sie die Aufrechterhaltung der deutschen Nationalität als eine Nothwendigkeit und die Turnerei als einen der wichtigsten Hebel zur Erreichung dieses Zweckes erkennen. Es gab eine Zeit, wo das Aussprechen einer solchen Gesinnung nie verfehlte, einen Sturm des Unwillens über die frechen Neuerer heraufzubeschwören, eines Unwillens welcher von der Masse der deutschen sowohl als der amerikanischen Bevölkerung getheilt wurde. Man sah solche Grundsätze als einen Verrath am amerikanischen Volke an und brandmarkte das Streben als einen Versuch, einen Staat im Staate zu gründen und Zank und Zwietracht unter den verschiedenen Nationalitäten auszusäen.

Mit der Zeit kam man aber zu der Einsicht, daß in dem deutschen Elemente Vorzüge schlummerten, die durch eine vollständige, gewaltsame Englisirung gänzlich verloren gingen, und man lernte ferner begreifen, daß der Verlust die Deutschen selbst nicht allein, sondern auch ihr Adoptiv-Vaterland mit treffen mußte. Während zugestanden wurde, daß die Deutschen von den Amerikanern viel, sehr viel zu lernen haben, fühlten sich die Ersteren dennoch nicht so arm, daß sie nicht im Stande gewesen wären, für das Empfangene ein Gastgeschenk zurückzugeben. Diese Ansicht ging nach und nach in's Volksbewußtsein über, und die Turn- und Gesangvereine waren die Centren der Bewegung, welche sich von dieser Zeit an zu zeigen begann. Rüstig wurde gearbeitet, und als man sich stark genug fühlte, schritt man zur Veranstaltung öffentlicher deutscher Feste. Bei Gelegenheit dieser Turn- und Gesangsfeste war es, daß das deutsche Element als solches mit allen seinen Eigenthümlichkeiten dem Auge des amerikanischen Volkes vorgeführt wurde. Man erstaunte, daß Alles so geschehen konnte, wie es geschah. Da war ein Bevölkerungs-Element, ein fremdes, von dem einheimischen und eingeborenen völlig verschiedenes Element, welches Lebenskraft genug zeigte, um sich, seinen wesentlichen Bestandtheilen nach wenigstens, auf die Dauer behaupten zu können. Und Alles dieses war auf ganz friedliche Weise in's Werk gesetzt worden.«

…

»Turner! Ihr seid die Träger einer edlen und guten Sache. Ihr seid aber auch verantwortlich für die Art und Weise, in welcher Ihr die übernommene Mission ausführt. Glaubet nicht, daß es von Eurem Wollen oder Nichtwollen allein abhängt, ob überhaupt in dieser Richtung etwas geschieht. In Eure Hände ist aber für den Augenblick die Gelegenheit und die Macht gegeben, viel Gutes zu wirken. Die Turnerei ist eine Nothwendigkeit – ist ein Bedürfnis der Zeit, und indem Ihr sie fördert, erweist Ihr der Menschheit sicherlich einen Dienst. Von dem Augenblick an jedoch, wo Ihr aufhört, den Anforderungen der Zeit zu entsprechen, wird Euch die Gelegenheit und die Macht, Reformen zu bewirken, genommen sein, und ein anderes System, eine andere Organisation wird die Stelle der unsrigen einnehmen. Glaubt ja nicht, daß das Publikum darum Euch wohl will, daß darum jeder rechtliche, denkende Mensch Euer Unternehmen segnet und ihm seinen Beifall und seine Unterstützung angedeihen läßt, – weil ihm etwa die weißen Jacken in's Auge stechen oder er gerne lustige Sprünge sieht – Bewahre! Da sind andere, tiefer liegende Gründe vorhanden. Die Civilisation hat sich im Laufe der Zeit zu weit von der Natur entfernt. Die Zustände der Jetztzeit haben zu viel krankhaftes, geschraubtes, widernatürliches an sich. Eine Reaktion zum Besseren mußte eintreten und sie ist eingetreten. Die Turnerei ist nichts Anderes, als ein Protest gegen die Schattenseiten der Civilisation – ein Streben, die Civilisation, die mit der Natur zerfallen war, mit dieser wieder auszusöhnen. Turner! Kann es ein schöneres Ziel geben, als dieses? Laßt uns demselben mit aller, mit ganzer Kraft entgegen streben! Laßt uns heute, am Stiftungsfeste unseres Vereins, auf's neue geloben, kein Mittel unversucht zu lassen, um die Segnungen der Turnerei so vollständig wie möglich zu entwickeln, eine möglichst große Zahl unserer Mitmenschen derselben theilhaftig zu machen. Laßt uns dies geloben – das Gelobte halten, und wir werden den zehnten Stiftungstag mit vermehrter Freude begrüßen können!«

*Dokument 8*

Officielles Protokoll der Sechszehnten Tagsatzung des Nordamerikanischen Turnerbundes, abgehalten in Denver, Colo., am 24., 25. und 26. Juli 1894, Milwaukee, Wis., Druck der Freidenker Publishing Co., 1894, S. 19 - 20.

…

»Politische Beschlüsse.

7. Der Nordamerikanische Turnerbund protestirt auf's Neue gegen alle Gesetzesvorlagen, welche Beschränkung der Einwanderung von wünschenswerthen Elementen und Erschwerung der Naturalisation der Eingewanderten bezwecken.

8. Da in der jüngsten Zeit Versuche gemacht wurden, in die Politik religiöse Streitfragen hineinzutragen, so erklärt die 16. Tagsatzung des Nordamerikanischen Turnerbundes, daß sie im Geiste der Platform und der principiellen Beschlüsse des Turnerbundes für das Prinzip der uneingeschränkten Denk- und Gewissensfreiheit eintritt, und jeder Bewegung, welche Bürger ihres Glaubens oder Unglaubens wegen in politischen Rechten verkürzen will, mit Entschiedenheit opponirt. Wir erklären aber auch, daß wir mit gleicher Entschiedenheit am weltlichen Charakter des Staates und seiner Schulen festhalten, und irgend welchen Versuchen, dieselben mit Religion zu verquicken, energisch entgegentreten.

9. Der Grundsatz der Trennung von Staat und Kirche muß zur Verwirklichung kommen, und alle Gesetze, Einrichtungen und Anordnungen, wie sie zur Landesverfassung in Widerspruch stehen, und als Eingriffe in die persönlichen Rechte und die Gewissensfreiheit der verschieden gläubigen und verschieden denkenden Bürger aufzufassen sind, sollten in Wegfall kommen.

10. Die Vorgänge, welche in der letzten Zeit das ganze Land in seiner Ruhe störten und die Industrie lahm legten, sowie den Verkehr zwischen den verschiedenen Theilen des Landes unmöglich machten, haben bewiesen, daß das gegenwärtige Productionssystem im innersten Kerne faul ist, und daß, wenn nicht in vernünftiger Weise Abhilfe geschaffen wird, eine sociale Revolution unausbleiblich ist.

Jeder Druck erzeugt Gegendruck, und wenn die vereinigten Monopole und die in dessen Dienste stehenden Gesetzgeber und Beamte alles thun, um die Arbeiter zu unterdrücken und zu entrechten, dann ist es nur natürlich, wenn sich die Entrechteten und Unterdrückten auflehnen und in ihrer Aufregung zu Gewaltmitteln greifen.

Die Turner gehen von dem Gundsatz aus, daß Gewalt-Revolutionen in einer Republik, die Jedem das unbeschränkte Stimmrecht gewährt, verwerflich sind, aber wir sind auch der Ansicht, daß was für den Einen recht, für den Andern billig ist, und deshalb protestiren wir gegen die Uebergriffe der vereinigten Monopole und zollen den Arbeitern unsere herzlichste Sympathie in ihren Bestrebungen zur Verbesserung ihrer socialen Lage, die sie nur durch den Stimmzettel verwirklichen können.

Als das sicherste und wirksamste Abhilfsmittel empfehlen wir die Verstaatlichung aller Verkehrsmittel und Bergwerke, sowie die Communalisirung der elektrischen Betriebs-Anlagen, Gas-Anstalten und aller solcher Einrichtungen, welche dem allgemeinen Bedürfnis des ganzen Volkes dienen.

Das Wohl des g a n z e n Volkes steht höher, als das Interesse der wenigen Bevorzugten, welche sich auf Kosten der Armen bereichert haben, und in Luxus schwelgen, während diejenigen, welche die Mittel zu diesem Luxus schufen, mit ihren Familien dem Elende, der Noth und dem Hunger ausgesetzt sind.

11. Wir sind ferner der Ansicht, daß die Einrichtung von staatlichen Bureaux zur Nachweisung von Arbeit für die Beschäftigungslosen ein dringendes Bedürfnis ist, und daß Jedem, auch dem Aermsten, freier Rechtsschutz gesichert werden sollte gegen die Parteilichkeit feiler Justizbeamten und unersättlicher Advokaten, die den Fundamentalsatz unseres Staatswesens – gleiches Recht für Alle, und Schutz für die Hilflosen – zur leeren Phrase herunterdrücken.

…«

*Dokument 9*

Jahrbücher der Deutsch-Amerikanischen Turnerei, hrsg. und redigirt von Heinrich Metzner, Bd. III, Heft I - VI, New York 1894, S. 204 - 211

»Die Deutsch-Amerikanischen Turner an das amerikanische Volk (1871)
Wir leben in einer inhaltschweren Zeit.
Heftiger als je ist entbrannt der Kampf des Neuen gegen das Alte, der Kampf des Fortschritts gegen das starre Festhalten an überkommenen Grundsätzen, Ansichten und Gewohnheiten. Auf sozialem wie auf politischem und religiösem Gebiete strebt ein Theil der Menschheit, der bessere, der edlere, der am Meisten erleuchtete, mit niemals früher in so hohem Grade bewiesener Kühnheit, sich frei zu machen von den Banden der durch Jahrhundere langes Bestehen geheiligten Vorurtheile; und wo immer es sich darum handelt, Verbesserungen anzubahnen, auf Grundlage der Vernunft und zum Zwecke der Vermehrung des

allgemeinen Wohles, da wollen wir deutsch-amerikanischen Turner in erster Linie stehen, fest entschlossen, nicht nachzulassen in unserm Ringen, bis wir den endlichen Sieg erlangt, bis wir durchgeführt haben, was wir nach freier Forschung als wahr und gerecht anerkannt.

Unser Wahlspruch sei:
»Strebend nur bist du Mensch, drum wie das Kind in der Wiege Such' und finde dein Geist in der Bewegung nur Ruh'!«

In der Bewegung nach vorwärts! Wir wollen frei machen die Bahn von allen Hindernissen, welche Eigennutz, Beschränktheit und Aberglauben unermüdlich gegen uns aufthürmen. Wir wollen, als Vorbild nehmend die Sonne, welche zu gleicher Zeit erleuchtet und erwärmt, uns bemühen, nachdem wir selbst uns zur Klarheit verholfen, Licht zu verbreiten gegenüber der Finsternis, die noch so viele Köpfe umnachtet, und die allgemeine Menschenliebe zu befördern. Wir wollen ein Ende machen dem Zustande des Krieges Aller gegen Alle, welcher der der heutigen Gesellschaft ist, und ihn ersetzen durch den eines harmonischen Zusammenwirkens ihrer verschiedenartigen Elemente. Wir wollen das Glück der Gesammtheit aufbauen auf dem Glücke jedes Einzelnen. Wir wollen mit einem Worte uns als heilige Aufgabe stellen, den erhabenen Spruch des neunzehnten Jahrhunderts – Freiheit – Gleichheit – Brüderlichkeit! zunächst in unserm Lande praktisch zu verwirklichen.

…

Nicht die Zeit verlierend, ein phantastisches, verlorenes Paradies zu beweinen, suchen wir mit Jugendkraft und Jugendmuth, den Körper gestählt durch unaufhörliches Ueben aller seiner Glieder, den Geist gestärkt durch rückhaltloses Forschen nach der Wahrheit, das Herz geschwellt durch das Gefühl einer glühenden Liebe zu unsern Mitmenschen, uns ein neues, ein schöneres, ein vollkommneres zu erobern, in dem alle Bewohner dieser Erde Platz finden sollen.
Aber trübe und traurig ist noch die Gegenwart.
Entsetzlich sind, selbst in diesem freieren Lande, die gesellschaftlichen Verhältnisse der größeren Masse unserer Mitbürger. So können und dürfen sie nicht bleiben. Jeder Arbeiter ist seines Lohnes werth, sagt das Sprichwort, und doch, wie selten erhält er ihn voll ausbezahlt! Kein vernünftiger Mensch denkt mehr an die Abschaffung des persönlichen Eigenthums. Eine derartige Verletzung der Rechte des Individuums konnte nur irrigerweise angerathen werden als äußerstes Mittel gegen die täglich wachsende Uebermacht des Kapitals und gegen die gewissenlose Ausbeutung des Arbeiters durch dasselbe. Der heutige Sozialismus, dem auch wir Turner huldigen, will einst-

weilen nur den verderblichen Antagonismus zwischen beiden erwähnten Mächten – Arbeit und Kapital – vernichten, zwischen beiden eine Versöhnung herstellen, einen Frieden schließen, durch welchen die Rechte der ersteren vollkommen gewahrt bleiben gegen die Uebergriffe der letzteren, und geschäftliche Ehrlichkeit einführen. Es unterliegt keinem Zweifel, daß die nächste europäische Revolution einen vorzugsweise sozialen Charakter haben wird, und schwer ist es, den Ausgang dieser Revolution vorauszusehen, obgleich auch in dieser Frage, der ersten und wichtigsten von allen, da der Mensch zunächst sein Recht zu leben unverkümmert erhalten will und muß, der endliche Sieg mit Sicherheit den unterdrückten Klassen zufallen wird. Nur dürfen sie nicht in ihren Forderungen die Grenzen der Gerechtigkeit überschreiten, und nicht etwa danach trachten, auf den Trümmern der alten aristokratischen Gesellschaft mit ihren mannigfachen Privilegien und Monopolen und ungerechtfertigten, nur durch den blinden Zufall der Geburt bedingten Bevorzugungen, eine Art neuer Aristokratie zu gründen, die der Arbeiterklasse als solcher.

Wir wollen, daß alle Menschen Arbeiter seien, und von ihrer Arbeit leben, doch keineswegs, nach Vernichtung der bestehenden, neue Klassenunterschiede schaffen unter den Gliedern einer und derselben Gesellschaft.

…

Ferner müssen wir Vertheidiger der Frauenrechte sein, wenn wir unserm Programm treu bleiben wollen, in dem wir versprachen, für die Gleichberechtigung aller Menschen in die Schranken zu treten. Für uns soll die Frau in jeder Hinsicht eine Gefährtin des Mannes sein, in jeder Hinsicht ihm gleichstehen, bürgerlich wie politisch, und keine weitere Beschränkung ihrer Rechte, die ebenso unantastbar sind wie die des Mannes, erdulden, als die, welche die Natur selbst ihr auferlegt, obgleich auch dieses nur in Bezug auf die Möglichkeit, dieselben zu jeder Zeit auszuüben.

Auf den Kindern beruht das zukünftige Heil der Gesellschaft. Die Gesellschaft hat also sowohl die Pflicht als das Recht, sich der Kinder anzunehmen, ihnen ihren Schutz angedeihen zu lassen, und namentlich ihre Erziehung im Sinne des Fortschritts zu leiten, jedem unter ihnen dieses geistige Kapital mit auf den Weg durch das Leben gebend, jedes aber auch dazu zwingend, sich dasselbe anzueignen.

…

Unsere Aufgabe ist es nun, zur Bildung, zur Constituirung, zur Organisirung dieser Zukunftspartei kräftig beizutragen. Es muß jedoch eine amerikanische Partei sein und keine spezifisch deutsche. Entnehmen wir unserem alten Vaterlande Alles, was dasselbe uns an Gutem und Schönem und Nützlichem in reichem Maße bietet, aber nur, um es im Interesse unserer neuen Heimath zu verwerthen. Suchen wir nicht unsere Kraft in den kürzlich erfochtenen gewaltigen Massensiegen unserer Brüder in Deutschland, suchen und finden wir sie lediglich in uns selbst, in unseren freien Grundsätzen und in unserem innigen Zusammenhalten, zum Zwecke dieselben zu verwirklichen. Jetzt sind wir Bürger Amerikas, und wenn wir an Deutschland denken, so sei es mit der Liebe eines Sohnes für seine Mutter, während wir an Amerika hängen müssen mit der Liebe eines Mannes für seine Frau, ohne daß hierdurch die Hoffnung ausgeschlossen sei, auch unserer früheren Heimath einst die Freiheit zu bringen, die wir hier genießen, aber geläutert von den mannigfachen Schlacken, die hier ihrem reinen Golde anhaften.

…

Nichts ist uns Deutschen, die wir es uns zur Ehre rechnen, nicht nur ein Volk von Denkern sein zu wollen, sondern ein Volk von Freidenkern, antipathischer als das amerikanische Religionsunwesen. Darum werden wir gerade zu dessen Bekämpfung unter unseren Mitbürgern gleicher Abstammung die größte Anzahl von Mitstreitern finden.

…

Es muß der Mensch sich harmonisch entwickeln. Man kann nicht Sklave sein auf einem Gebiete und frei auf einem anderen. Ist er das Letztere nicht, so darf man auch seiner politischen Freisinnigkeit nicht trauen. Dasselbe gilt in Bezug auf die sozialen Grundsätze. Ein wahrer Republikaner kann sich nicht zum Vertheidiger der gesellschaftlichen Klassenunterschiede aufwerfen. Vor Allem wir Turner, die wir diese harmonische Entwickelung auch in der gleichmäßigen Ausbildung des Leibes und des Geistes suchen, wir müssen sie zur vollendetsten Darstellung bringen auf drei Gebieten, auf welchen sich des Menschen Leben bewegt. Und aus diesem Grunde sind wir radikal in gleichem Maße in sozialer, wie in politischer und religiöser Beziehung. Dann betont dieses unser Manifest an das amerikanische Volk mit gleicher Entschiedenheit diese unsere dreifachen Bestrebungen. Wir sind überzeugt, daß nur durch sie unser Vaterland von den Leiden geheilt werden kann, an denen es jetzt krankt; nur auf diese Weise den Rang einnehmen wird unter den übrigen Nationen, der ihm zukommt wegen seiner Größe, seines Reichthums, seiner geographischen Lage, seiner Bevölkerung und seiner Institutionen, die wenigstens vergleichungsweise die freiesten und besten sind der Welt.

…

Darum müssen wir unsere Kinder zu freien, sittlichen, starken Menschen erziehen, harmonisch ausgebildet an Körper und Geist, und ohne jegliche Vorurtheile in religiöser, politischer und sozialer Beziehung.

Mit solchen Menschen muß aber unser Vaterland groß, mächtig und glücklich werden, und durch dasselbe, wenn sie sich es als Vorbild nehmen, alle Völker der Erde.

Das ist das Ziel, nach dem wir streben; das ist das Ziel des Nordamerikanischen Turner-Bundes.

Frei hat er sein Banner entfaltet mit weithin leuchtendem Wahlspruch. Mögen sich um es schaaren Alle die der Freiheit, Gleichheit und Brüderlichkeit eine Stätte bereiten wollen auf dem Boden der Vereinigten Staaten von Amerika!

Der Vorort des Nordamerikanischen Turnerbundes.
...«

*Dokument 10*

*Die Neutralität unserer Bundesregierung*

»Als kurz nach Ausbruch des Weltkrieges der Präsident der Vereinigten Staaten von Amerika ein Manifest erließ, in welchem er in überzeugender Weise die Grundbedingungen für eine wahre und aufrichtige Neutralität klarlegte, atmete jeder Bürger des Landes, den verwandtschaftliche oder freundschaftliche Beziehungen mit einem der kriegführenden Völker Europas verknüpften, erleichtert auf. Gegen den schönen und formvollendeten Wortlaut des Manifestes konnte kein vernünftig denkender Mensch den geringsten Einspruch erheben. Bald ließen jedoch Anzeichen erkennen, daß den schönen Worten nicht die Taten folgten. Das transatlantische Kabel arbeitete ohne jegliche Einschränkung mit Hochdruck daran, im amerikanischen Volke Stimmung gegen die Centralmächte, und ganz besonders gegen Deutschland zu machen, während der drahtlose Nachrichtendienst aus Deutschland unter scharfer Kontrolle unserer Bundesregierung gestellt wurde. Der Waffenschacher nahm immer größere Ausdehnungen an und warf Riesengewinne ab. Sogar Passagierdampfer der Ententemächte wurden in den Dienst gepreßt und liefen, beladen mit Munition für die Feinde Deutschlands und Österreichs, aus amerikanischen Häfen unbehindert aus.

Es unterliegt wohl keinem Zweifel, daß die Hochfinanz des Landes, die durch die Ausfuhr von Mordwerkzeugen aller Art so glänzende Geschäfte machte, in Washington ihren Einfluß zur Geltung brachte, was ihr durch die Lusitania-Katastrophe noch bedeutend erleichtert wurde. Das große Lob, das englische

Zeitungen und Monatsschriften schon vor der Torpedierung des Dampfers den Amerikanern für ihre Hilfeleistung gezollt, die auffallende Langmut unserer Regierung gegenüber den Vergewaltigungen der neutralen Rechte unseres Landes durch die englische Flotte und der gereizte, fast unversöhnliche Ton unseres auswärtigen Amtes in dem diplomatischen Verkehr mit Deutschland und Österreich, mußten jedem Vorurteilslosen die Überzeugung aufdrängen, daß die Neutralität unserer Bundesregierung ganz bedeutend zu gunsten Englands ins Schwanken geriet. Am unverblümtesten zeigte sich das Resultat des Einflusses der Geldmächte in der mit Pauken und Trompetenschall zustandegekommenen englisch-französischen Millionenanleihe, die unsere Regierung ohne jeglichen Einspruch in Scene setzen ließ.« (Jahresbericht des Vororts des NAT (Indianapolis, Ind.) vom 1.4.1915 - 1.4.1916, S. 55/56)

*Dokument 11*

*Der Unterstützungsfonds*

»Die Turner der Vereinigten Staaten haben zwar seit dem Beginn des europäischen Krieges wieder und wieder zu den verschiedenen Sammlungen zugunsten der Notleidenden in Deutschland beigetragen, aber die Not ist infolge der Dauer des Krieges so groß und so allgemein, daß die Sammlungen fortgesetzt werden müssen. Indem der Nordamerikanische Turnerbund eine besondere Sammlung zugunsten der Hinterbliebenen deutscher und österreichischer Turner veranstaltet, glaubt er eine Pflicht den Turngenossen gegenüber zu erfüllen. Alle eingehenden Gelder werden an die deutsche Turnerschaft gesandt und von dieser nach der Anzahl der Mitglieder zwischen der deutschen Turnerschaft, dem Arbeiter-Turnerbund und den österreichischen Turnerverbänden verteilt.« (Jb. des Vororts den NAT (Indianapolis, Ind.), vom 1.4.1916 bis 1.4.1917, S. 58)

*Dokument 12*

*Der Weltkrieg*

»Anfangs dieses Jahres erschienen in einer sozialistischen Zeitung in Stockholm und etwas später im Berliner »Vorwärts« Auszüge aus Aufzeichnungen des Fürsten Karl Max von Lichnowsky unter dem Titel: »Meine Londoner Mission 1912 bis 1914«, die in der ganzen Welt großes Aufsehen erregten. Die deutsche

248

Regierung bemühte sich energisch, jedoch vergeblich, die weitere Veröffentlichung der Schrift zu unterdrücken. Fürst Lichnowsky war vor und zur Zeit des Krieges Botschafter des Deutschen Reiches in England. Die Beschreibung seiner Erlebnisse in der kritischen Zeit vor Ausbruch des Weltkrieges enthält eine sehr ernste Anklage gegen die deutsche Regierung.

Die so oft wiederholte Versicherung, daß der Krieg dem deutschen Volke von eifersüchtigen Nachbarn aufgezwungen worden sei und dadurch alle Bestrebungen der deutschen Diplomatie, den Frieden zu erhalten, zu nichte wurden, scheint mit den Tatsachen – wie sie Lichnowsky schildert, ganz und gar im Widerspruche zu stehen.

Im Gegenteil schien man eher darauf bedacht gewesen zu sein, den längst befürchteten Zusammenstoß europäischer Staatsinteressen zum Austragen zu bringen und das Odium der Verantwortlichkeit auf andere Schultern zu wälzen«.

»Ein anderes geheimes Dokument, das Amerika direkt betrifft und dessen Echtheit anfänglich ebenfalls bezweifelt wurde, war der Brief des Sekretärs des deutschen Auswärtigen Amtes, Dr. Zimmermann an den deutschen Gesandten in Mexiko.

In diesem Schriftstücke, das am 19. Januar 1917 datiert und am 1. März an der mexikanischen Grenze aufgefangen wurde, wird ein Bündnis zwischen Deutschland, Mexiko und Japan in Vorschlag gebracht, und Mexiko die Zurückeroberung des Territoriums der Staaten New Mexico, Texas und Arizona als Lockspeise vorgehalten.

Der Bruch mit den Vereinigten Staaten war also, nach der Zimmermannschen Note, beschlossene Sache, ehe die Verschärfung des Unterseebootkrieges offiziell bekannt gegeben wurde.

Konnte es möglich sein, daß die militärischen und diplomatischen Führer Deutschlands so wenig mit dem Temperament, der Energie und Leistungsfähigkeit des amerikanischen Volkes vertraut waren, daß sie zur Reihe ihrer bitteren Feinde die Nordamerikanische Republik hinüberzogen, die mit unerschöpflichen Hilfsmitteln für den Krieg ausgestattet ist?

Hat man in jenen Kreisen die Willenskraft und den Opfermut des Amerikaners so sehr unterschätzt, daß man sich in dem Glauben wiegte, er werde alle Herausforderungen kleinlaut einstecken?«

»Hat man im Lande Kants das Gebot der Pflicht vergessen? Die Amerikaner deutschen Stammes haben durch den unglückseligen Krieg unermeßlich viel verloren. Die ehrliche ideale Arbeit der deutschen Vereine in Amerika ist zum Stillstand gekommen, vielleicht für immer. Das deutsche Lied ist verpönt. Der deutsche Sprachunterricht aus den Schulen des Landes verbannt und gegen alles, was deutschen Ursprungs ist, tobt ein Vernichtungskampf durch das Land, der keine Grenzen zu kennen scheint. Die Stimme der Vernunft muß ungehört verhallen. Das ist die Psychologie des Krieges.

Durch Amerikas Eintritt in den Weltkrieg hat die prinzipielle Seite desselben, der Gegensatz zweier Staatsauffassungen, deshalb größeren Nachdruck erhalten, weil Präsident Wilson vom ersten Tage an die Kriegsziele Amerikas der ganzen Welt bekannt gab. Monarchie oder Demokratie ist die Losung in dem titanischen Kampfe!

Die Demokratie wird und muß siegen.«

»Der Bundesvorort war sich bewußt, daß, wenn in dieser Zeit der Anfeindung und Verdächtigung eine nationale Vereinigung deutschen Ursprungs Existenzberechtigung hat, der Turnerbund den ersten Anspruch darauf machen durfte. Seine Geschichte ist so eng verknüpft mit der Geschichte unserer Republik während der vergangenen siebzig Jahre, daß selbst der schlimmste »fanfaron patriotique« nichts nachteiliges zu finden vermag.

Es lag dem Vorort vor allem daran, den Turnerbund aus der Zwitterstellung, in die so viele Vereine des Landes durch den Krieg geraten sind, herauszuhalten. Eine Organisation mit der fortschrittlichen Tendenz, wie sie der Turnerbund hat, wird auch nach dem Krieg von Bedeutung für die freiheitliche Weiterentwicklung unserer Republik sein.

Die jüngeren Mitglieder unseres Bundes haben dem Rufe zu den Waffen prompt Folge geleistet. Besondere Anerkennung verdient, daß sich eine große Anzahl derselben freiwillig gemeldet hat.

Es ist die Pflicht jedes Bürgers, seinen Teil zur schnellen und erfolgreichen Beendigung des Krieges beizutragen. Deshalb entsandte der Vorort ein Komitee nach Washington, um den zuständigen Behörden die aktive Mithilfe des Turnerbundes anzutragen. Dieses Komitee fand bereitwilliges Gehör und sein Anerbieten wurde wohlwollend aufgenommen.«

»Wir Turner dürfen unsere Augen nicht der harten Wirklichkeit verschließen. Die Zeiten haben sich geändert und das Vergangene wird nie wiederkehren. Das nie Geahnte ist zur kalten Tatsache geworden. Unser Land ist mit dem Deutschen Reiche in einen Krieg verwickelt, der an Heftigkeit und Bitterkeit täglich zunimmt.

Gleich vielen anderen jungen Männern, sind die Mitglieder unserer aktiven Klassen und Söhne der Turner in die Armee eingetreten. Es ist zur ernsten Pflicht jedes amerikanischen Turners geworden, mit voller Energie unsere Soldaten im Felde zu unterstützen und

mitzuhelfen, die tausende, die folgen werden, für den schweren Dienst, der ihnen bevorsteht, durch eine möglichst allseitige Ausbildung vorzubereiten.«
(Jahresbericht des Vororts des NAT (Indianapolis Ind.) vom 1. April 1917 bis 1. April 1918, S. 42/46)

*Dokument 13*

Address of George Seibel, President of the American Turnerbund at the Lincoln Homestead, Hodgenville, Kentucky, June 14, 1926, opening the 33d National Turnfest

Great friend of man, we have come to the place where you were born, to lay this wreath of laurel and of oak upon the threshold of your humble cabin. The oak is for your sturdy humanity, the laurel for your immortel renown. The great ones of earth were not born in palaces and swathed in silk; brought forth in rude cottae or bare attic they climbed the ladder of labor to the peaks of glory. We, the Turners of 1926, honor you as did the Turners of 1860, who cast their ballots for you and stood guard around you when you were inaugurated as President. We are here today to assure you of our loyalty to those principles vindicated by the sword of Washington, promulgated by the pen of Jefferson, consecrated by your blood. Whenever freedom is assailed, whenever humanity is betrayed, the memory of your devotion will kindle our courage and revive our hope. When the pygmies of accidental power have been forgotten, your valiant name will shine with undimmed luster in the starry scroll of time. This Republic ist your monument. our hearts are your temples, our lives shall be the incense at your shrine. Though our words today be dissipated in the heedless air, our thoughts and deeds through all the years shall render true homage to you, in whom the love of humanity and the dream of liberty moulded the greatest of all Americans, Abraham Lincoln. (Annual Report 1925 - 1926, S. 16)

*Dokument 14*

AMERICAN TURNERS

GEOGRAPHIC DIRECTORY OF SOCIETIES
1974

Region I
New England District – 8 Societies
Adams, Clinton, Fitchburg, Holyoke, Lawrence
Providence, Springdale, Springfield

Region II
Middle Atlantic District – 5 Societies
Baltimore, Philadelphia, Riverside, Roxborough, Wilmington
New Jersey District – 3 Societies
Carlstadt, Passaic, Union Hill
New York District – 6 Societies
Brooklyn, Bridgeport, Long Island, Mt. Vernon New York, Schenectady

Region III
Central States District – 7 Societies
Louisville, Chattanooga, Cincinnati, Covington Indianapolis – Downtown, Indianapolis – South Side, Ft. Wane
South Bend District – 1 Society
South Bend

Region IV
Lake Erie District – 5 Societies
Akron, Detroit, Toledo, Socialer, Cleveland East Side
Western New York District – 3 Societies
Buffalo, Rochester, N. Y., Syracuse

Region V
Illionois District – 5 Societies
Northwest-Chicago, Eiche, Elgin, Frisch Auf-Aurora, Lincoln
Wisconsin District – 3 Societies
Madison, Milwaukee, Sheboygan

Region VI
St. Louis District – 4 Societies
Concordia, Kansas City, North St. Louis, Schiller

Region VII
Minnesota District – 3 Societies
New Ulm, St. Anthony, St. Paul
Upper Mississippi District – 5 Societies
East Davenport, Keystone, Moline, Northwest Davenport, Rockford

Region VIII
Southern California District – 2 Societies
Los Angeles, San Diego

Region IX
Western Pennsylvania District – 9 Societies
Beaver Falls, Charleroi, Homestead-Eintracht, Ambridge-Harmonie, Johnstown, McKeesport, Monaca, Monongahela, Rochester-Central

*Dokument zur Turnerlyrik*

Quelle: Gedichte von Max Hempel, St. Louis, Mo.,
Co-operative Printing House, No. 722 South
Fourth Street, 1909, S. 87 - 88

Im Secirsaal

Ein düst'rer Raum, ein hoher, kahler, großer,
Auf langen Tischen liegen, kalt und fahl,
Die Körper armer Freund- und Heimatloser.
Schwer kriecht ein ekler Broden durch den Saal,
Des Gaslichts Strahlen durch die Dünste schleichen
Entlang den Wänden, und ihr Flackerschein
Wirft wirre Schatten auf die nackten Leichen.
Welch' bunt' Gemisch, welch' gräßlich Stelldichein
Von todesstarren, nackten Menschenleibern!
Welch' eine stille Volksversammlung ist's
Von Jünglingen und Greisen, Männern, Weibern.
Dort auf der eich'nen Platte des Gerüst's
Liegt, welk und dürr, ein Greis, auf seinen Lippen
Das letzte Lächeln hält des Todes Bann.
Dicht neben ihm mit hochgewölbten Rippen
Und starken Gliedern liegt ein junger Mann,
Doch angstverzerrt die Züge. Konnt' er wähnen,
Was seines Körpers Schicksal, wenn er todt?
Und dort ein Weib, noch fließt in langen Strähnen
Vom Haupt das Haar, das weiche, goldigrot.
Und neben ihr der Sohn der trop'schen Lande,
Des Aethiopiers muskulöser Leib,
Noch lebensfrisch, als ob der Schlag ihn bannte,
Und neben diesem liegt ein junges Weib;
Ein Weib, so schön, so wundervoll gegliedert,
So liebeshold ihr edles Angesicht,
Auf dem sich Schmerz und Liebreiz eng verbrüdert,
Der ganze Leib ein herrliches Gedicht.
Ich war erregt, betäubt, mein Herz schlug wilder,
Ein Eishauch kroch durch meine Glieder schwer,
Welch' irre, wirre, wechselvolle Bilder
Mein Hirn da sah, nicht weiß ich's heute mehr.
Ich weiß nur Eins! Verflucht hab' ich die schwache
Unsich're Kunst des Arztes wild und rauh,
Auf meinen Lippen lag der Ruf: »Erwache
Zum warmen Leben wieder, schöne Frau!«
O, traurig Schicksal! Dieser Ort des Grauens
Als letztes Ziel! Der Armen bleibt versagt
Ein ehrlich' Grab! War diese des Vertrauens
Nicht e i n e s Freundes wert, der sie beklagt?
Und tiefer sank ich in mein schmerzlich Brüten.
Ich sah als Kind sie in der Eltern Haus,
Ihr lieb' Gesicht, ihr herzlich Lachen sprühten
Gern Lust und Frohsinn allerorten aus.

Sie wuchs und ward zur Jungfrau,
schönheitspragend
Wie frühlingsfrisch ein Baum in voller Blüt',
Und Liebe gebend, Liebe heiß verlangend,
Hat an des Liebsten Brust ihr Haupt geruht,
Und dann vielleicht – sie fiel – und kein Verzeihen –
Der Professor stand plötzlich neben mir:
»Frisch an die Arbeit, keine Grübeleien!
Dort diesen Schnitt und dort und diesen hier!«
Ich fuhr empor – das Messer aus der Schneide! –
Nicht schäm' ich mich, daß feucht das Auge taut –
Und ihre Spuren gräbt die scharfe Schneide
In diese weiße, weiche, zarte Haut.

Quelle: Gedichte von Max Hempel, St. Louis, Mo.,
Cooperative Printing House, No. 722 South
Fourth Street, 1909

Der Wohltätigkeitsball.

Von tausend Kerzen flammt der Saal,
Der blumenduftdurchwehte;
Es gleißt und glimmert hell und fahl
Das Gold der Wandtapete.
Herrscht draußen auch der Winter kühn
Mit seiner Stürme Tosen,
Hier prangt das reichste Frühlingsgrün
Und purpurn glüh'n die Rosen.
Die Spiegel strahlen, goldumzackt,
Hell blinkt des Bodens Glätte,
Und brausend lockt der Walzertakt
Der Strauß'schen Operette.
Es woget durch die Räume dicht
Des Menschenheers Gedränge.
O, welch' ein Meer von Glanz und Licht
In dieser bunten Menge!
Auf schöner Frauen Haar und Hand
Demanten funkelnd blitzen,
Es rauscht die Seide, es flattert das Band,
Und faltig wallen die Spitzen.
Im wirbelnden Tanze Paar um Paar
Heiß atmend die Glieder wiegen,
Die Busen wogen, es duftet das Haar,
Und glühende Blicke fliegen.
In eisgefüllten Kübeln träumt
Die Schaar der bauchigen Flaschen,
Die Pfropfen knallen, der Schaumwein schäumt,
Und durstige Lippen naschen.
Auf grünem Tische klingt das Geld;
Es eilen auf wirren Pfaden
Von Einem, wie die Karte fällt,
Zum andern die Dukaten.

So schwindet schnell bei Spiel und Tanz
Die Nacht, im Osten schreitet
Empor des jungen Tages Glanz;
Der letzte Ballgast scheidet.
Der schwanket schwer – sein Wagen harrt –
Behutsam aus dem Saale,
Dort lehnt in Lumpen, frosterstarrt,
Ein Bettler am Portale.
Er fleht – umsonst! – des Reichen Gold
Verschwand beim Spiel der Karten.
Der Diener winkt, der Wagen rollt.
»Die Armen müssen warten!
Der Ball bringt Geld, den Armen schenkt
Man morgen Holz und Brode.
Für sie hab' ich das Glas geschwenkt,
Gespielt! – So heischt's die Mode.«
Der Reiche spricht's. Nach Traumland lockt
Der Schlaf ihn auf die Reise. –
Der Arme am Portale hockt;
Da legt der Winter leise
Auf's Herz die Hand ihm, eisig kalt.
Todmüd' auf eine Marmorstufe
Jäh sinkt sein Haupt, – und fern verhallt
Der Tritt der Rosseshufe.

Quelle: Amerikanischer Turner-Kalender für das Jahr
    1881, Hrsg. Freidenker Publishing Co.,
    Milwaukee, Mis.

Unser Motto
von
Johann Straubenmüller

Der kerngesunde Turner ist
Weltschmerzlich nicht blasirt,
Er hat nicht, wie der Pessimist,
Das Menschenglück negirt.
Er geht durch's Leben herzensfrisch,
Verlacht das kleine Leid,
Sitzt lustig an der Freude Tisch
Und nützt die Spanne Zeit.
Frisch und frei, stark und treu
Sei die Turnerei!

Der Turner denkt und handelt frei,
Ist frei in That und Wort,
Kämpft gegen weiße Sklaverei,
Jagt falsche Knechte fort.
Er will ein freies Menschenthum,
Ein kräftiges Geschlecht,
Bekämpft das Privilegium
Und fordert freies Recht.
Frisch und frei, stark und treu
Sei die Turnerei!

Durch Uebung wird der Turner stark,
Gelenkig und gewandt,
Gefestigt wird das Knochenmark
Und sicher Herz und Hand.
Erhöht wird die gesunde Kraft,
Erfrischt das warme Blut,
Und was der freie Geist erschafft,
Gedeiht beim frischen Muth.
Frisch und frei, stark und treu
Sei die Turnerei!

Des ächten Turners Herz ist treu,
Getreu dem Ideal!
Er schreitet vorwärts ohne Scheu
Mit der getreuen Zahl.
Sich selber treu und dem Beruf,
Getreu dem Vaterland,
Folgt er getreulich seinem Ruf
Bis an des Grabes Rand.
Frisch und frei, stark und treu
Sei die Turnerei!

Nächtliche Bootfahrt
von
Robert F. A. Mix

Vom Zauberbann der Nacht umfangen,
Wand sich der Strom durch Waldesgrün,
Vorüber an bekränzten Ufern
Glitt leicht und sanft mein Kahn dahin.

Das Mondlicht kos'te mit den Wellen,
Wob Silberglanz um Thal und Höh'n,
Die Blumen wiegten ihre Häupter
In milder Abendlüfte Weh'n.

Leis' flüsternd klang es in den Zweigen
Von Lieb' und Treu' und stillem Glück;
Als Antwort warf die blaue Tiefe
Des Himmels Sternenbild zurück.

Still lauschte ich und schaute träumend
Den Märchenglanz der nassen Bahn;
Matt sank die Hand vom Ruder nieder –
Und mit der Strömung trieb der Kahn.
Mein Auge schloß sich lichtgeblendet,
Ich träumte lang und träumte süß,
Bis grüne Zweige mich umfingen,
Mein Nachen an das Ufer stieß.

Da war der schöne Traum entflohen,
Gebrochen war des Zaubers Macht.
Ich griff zum Ruder – und mein Schifflein
Flog sicher wieder durch die Nacht.

252

So auch, wenn dir die Freude lächelt,
Zum Glück des Willens Trieb erschlafft,
Gibt Leid und Ungemach dir wieder
Des Daseins volle, thät'ge Kraft.

Quelle: Amerikanischer Turner-Kalender für das Jahr
1890, Hrsg. Freidenker Publishing Co.,
Milwaukee, Mis.

## Zur Wahlzeit
von
E. A. Zündt

Da streiten sich die Leute
Herum oft ohne End',
Wer wohl am meisten würdig,
Zu werden Präsident;
Wem man die Aemterbeute
Am besten überlass',
Der Aemterjäger Meute
Voll Gier verschlung'nen Fraß.

Da spannt man tausend Drähte
Hin über Stadt und Land,
Elektrisirt mit ihnen
Des Volkes Unverstand;
Da wird gar schmutz'ge Wäsche
Gewaschen und gelaugt;
Nichts ist so albern, daß es
Nicht zur Verleumdung taugt.

Es sind zwei Hexenküchen;
In jeder quirlt ein Brei;
Das ekligste Gemengsel
Schleppt man dazu herbei;
Man will es appliciren
Als kräft'ge Arzenei
Dem Gegencandidaten
Der freundlichen Partei.

Stets fert'ge Musikanten,
Die spielen auf zum Tanz;
Man johlt und brüllt, gefällt sich
Im tollsten Mummenschanz;
Das Licht der wahren Ehre,
Es weicht dem Fackelschein;
Und Geist und Herz berauscht man
Mit ungegohr'nem Wein.
Dann kommt das »souveräne«,
Getäuschte Volk und stimmt
Für ihn, der auf dem Zettel
Als größter Haifisch schwimmt,

Und in den Aermel lachet
Sich dann der »Fixer« Schaar
Und denkt: »Euch lohnt der Glaube,
Doch uns bezahlt man baar.«

Quelle: Amerikanischer Turner-Kalender für das Jahr
1900, Hrsg. Freidenker Publishing Co.,
Milwaukee, Mis.

## Nach der Schlacht
von
Otto Soubron

Die Schlacht ist vorüber, und dunkle Nacht
Lagert sich auf die blutgetränkten Fluren,
Auf das große, weite Leichenfeld,
Und tausend markdurchdringende
Weheschreie und schmerzerstickte Seufzer
Ringen empor sich zum stillen Nachthimmel,
Klagend den einsamen Sternen droben
Ihr namenlos Leid. Doch diese blicken trübe
Hernieder, durch des Pulverdampfs Schleier,
Auf den herzbrechenden Jammer des Menschen,
Den roher Vandalismus
In die zertretenen Saaten gebettet. –
Manch' brechendes Herz schreit auf
In wilder Todesangst zum »Allerbarmer«,
Zur weisen Vorsehung, die es zugibt,
Daß die gräßliche Furie des Krieges
Die Menschen zerfleischt. – Vergebens ihr Flehen
Zu dem »Befreier aus Nöthen«! ...
In Verzweiflung rasend, nach ferner Heimath
Sich sehnend, ringend in Qualen
Blutet die Seele im wunden Leib!
Vergebens! Es verhallet die Klage
Unter Aechzen und Röcheln der Sterbenden.
Sie, die in kummervollen, bangen Nächten
Mit heißen Thränen gedachten der Kämpfer –
Die Gattin, die Mutter, die Schwester und Braut –
Nicht hören sie die Schmerzenslaute der Theuren;
Es träufelt kein Wort des Trostes, der Liebe,
Wie Balsam in die klaffenden Wunden.

Allein und verlassen in schrecklicher Todesstunde –
Ungezählte, vergessene »Löwen der Schlacht«! ...
Sieh' wie dort, zwischen gethürmten Leichen,
Ein Schwerverwundeter in Zuckungen liegt! ...
Auf dem fahlen, bärtigen Antlitz perlet
Kalter Todesschweiß und zwischen den
wachsbleichen Fingern,
Die sich auf der blutgetränkten Uniform
In die vom Blei zerfetzte Brust krallen,
Sickert's hervor in dunkelrothen Rinnen ...

Ein wildes Verlangen, wie verzehrendes Feuer,
Brennt in der Seele ihm –
Sehnsucht nach Weib und Kind,
Die er zurückließ, hilflos, verlassen,
In der herzlosen, tückischen, gierigen Welt! …
Horch! wie er aufschreit, angstvollen Herzens!
In grausigen Fieberschauern schreit er's hinaus:
»O du mein Weib! mein armes Weib!
mein verlass'nes!
So komm' doch, o komm'! –
Nur einmal noch laß mich
Schau'n in dein mildes, kummerbleiches Antlitz,
Nur einmal noch … mein Kind küssen,
Unser herziges, unschuldiges Kind! …
O Gott, nicht laß mich sterben hier einsam, allein!«
Und krampfhaft krallt er sich fest an den neben ihm
Liegenden;
Der schnellt empor; mit wilden, lodernden Blicken
Begegnet er dem Allgebieter Tod, der seine
Knochenhand
Nach ihm, der keines Weibes Freude war,
Befehlend ausstreckt … und sinkt zurück
Mit einem Fluch …

Und daneben ringt sich von jugendlicher Lippe
Der letzte Seufzer einer gebrochenen Seele:
»Leb' wohl … leb' wohl … du armes,
liebes Mütterlein!« …
… Und die drei Körper strecken sich auf der
harten Erde,
Vereint, zum ewigen Schlaf …
Ueber den stummen Schlachtopfern,
Die eine vernichtende, barbarische Weltanschauung
In der Vollkraft des Lebens dahingerafft,
Rauscht der finst're Flügelschlag aasgieriger Vögel! –

Schaut hin auf dieses Bild und schaudert! …
In jedem dieser starren, bleichen Gesichter
Liegt eine Anklage gegen die Menschheit,
Die in schrecklicher Verblendung die Aufgabe
humaner Cultur
Sucht im Vernichtungskampf, im Massenmorde!
O! Fluch jenen herzlosen Schurken und Thoren,
Die eitel sich sonnen im blutigen Ruhm;
Und Schmach jenen Weibern, die stachelnd
die Mordgier,
Beifällig lächelnd winden den Lorbeer
Ihr um das tigergestirnte, gräßliche Haupt.

257